MIGUEL NICOLELIS

O VERDADEIRO CRIADOR DE TUDO

COMO O CÉREBRO HUMANO ESCULPIU O UNIVERSO COMO NÓS O CONHECEMOS

CRÍTICA

Para o querido dr. Angelo, com todo o meu amor.

Copyright © Miguel Nicolelis, 2020
Copyright © Editora Planeta do Brasil, 2020
Todos os direitos reservados.

Preparação: Thiago Fraga
Revisão: Thais Rimkus, Karina Barbosa dos Santos e Diego Franco Gonçalves
Ilustrações de miolo: Custódio Rosa
Diagramação: Vivian Oliveira
Capa: Luciana Facchini

DADOS INTERNACIONAIS DE CATALOGAÇÃO NA PUBLICAÇÃO (CIP)
ANGÉLICA ILACQUA CRB-8/7057

Nicolelis, Miguel
    O verdadeiro criador de tudo: Como o cérebro humano esculpiu o universo como nós o conhecemos / Miguel Nicolelis. -- São Paulo: Planeta, 2020.
    400 p.

ISBN 978-65-5535-028-9

1. Neurociência 2. Neurociência cognitiva 3. Cérebro 4. Pensamento criativo I. Título

20-1803   CDD 612.8233

Índices para catálogo sistemático:
1. Cérebro Consciência: Inteligência

Ao escolher este livro, você está apoiando o manejo responsável das florestas do mundo, e outras fontes controladas.

2024
Todos os direitos desta edição reservados à
Editora Planeta do Brasil Ltda.
Rua Bela Cintra 986, 4º andar – Consolação
São Paulo – SP CEP 01415-002
www.planetadelivros.com.br
faleconosco@editoraplaneta.com.br

O fluxo de conhecimento está se direcionando para uma realidade não mecânica; o universo começa a parecer mais um grandioso pensamento em vez de uma grande máquina. A mente não mais parece uma intrusa acidental no mundo da matéria... pelo contrário, nós devemos saudá-la como a criadora e governante maior deste reino material.

Sir James Hopwood Jeans

A história da humanidade, infelizmente, revela muitas aberrações e alucinações. Talvez o curso fatal que todas as civilizações tenham seguido até hoje tenha se originado menos como resultado de desastres naturais tais quais a fome indiscriminada, enchentes épicas e epidemias e mais como consequência das perversões acumuladas das funções simbólicas [da mente humana]. Obsessão por dinheiro contrastando com a negligência em relação à produtividade. Obsessão com os símbolos de poder político e soberania centralizados em vez de processos de ajuda mútua do contato face a face comunitário. Obsessão com os símbolos religiosos que levam à negligência para com os ideais ou a prática diária do amor e da amizade por meio dos quais os símbolos adquiririam uma vida efetiva.

Lewis Mumford

Esta é sua última chance. Depois, não existe volta. Você toma a pílula azul, e a estória acaba aqui, você acorda em sua cama e acredita em qualquer coisa que queira acreditar. No entanto, se você tomar a pílula vermelha, você permanece no Mundo das Maravilhas e eu lhe mostro quão profunda é a toca do coelho.

O último aviso de Morpheus para Neo: Matrix

SUMÁRIO

CAPÍTULO 1. NO PRINCÍPIO... **11**

CAPÍTULO 2. O VERDADEIRO CRIADOR DE TUDO ENTRA EM CENA **25**

CAPÍTULO 3. O CÉREBRO E A INFORMAÇÃO:
UM *BIT* DE SHANNON, UM PUNHADO DE GÖDEL **47**

CAPÍTULO 4. INJETANDO DINÂMICA NO CÉREBRO:
SOLENOIDES BIOLÓGICOS E PRINCÍPIOS FUNCIONAIS **75**

CAPÍTULO 5. A TEORIA RELATIVÍSTICA DO CÉREBRO: COMO
TUDO SE RESUME A UM MÍSERO PICOTESLA DE MAGNETISMO **103**

CAPÍTULO 6. POR QUE O VERDADEIRO CRIADOR NÃO
É UMA MÁQUINA DE TURING? **137**

CAPÍTULO 7. *BRAINETS*: SINCRONIZANDO CÉREBROS
PARA GERAR COMPORTAMENTOS SOCIAIS **167**

CAPÍTULO 8. O CASO EM FAVOR DE UMA COSMOLOGIA
CENTRADA NO CÉREBRO HUMANO **205**

CAPÍTULO 9. CONSTRUINDO UM UNIVERSO COM
ESPAÇO, TEMPO E MATEMÁTICA **237**

CAPÍTULO 10. AS VERDADEIRAS ORIGENS
DA DESCRIÇÃO MATEMÁTICA DO UNIVERSO **273**

CAPÍTULO 11. COMO ABSTRAÇÕES MENTAIS, VÍRUS
INFORMACIONAIS E HIPERCONECTIVIDADE CRIAM
BRAINETS LETAIS, ESCOLAS DE PENSAMENTO E *ZEITGEIST* **299**

CAPÍTULO 12. COMO O VÍCIO DIGITAL ESTÁ MUDANDO
O NOSSO CÉREBRO **327**

CAPÍTULO 13. SUICÍDIO OU IMORTALIDADE:
A ESCOLHA DECISIVA DO VERDADEIRO CRIADOR DE TUDO **351**

CAPÍTULO 14. A LONGA CAMINHADA
DO VERDADEIRO CRIADOR DE TUDO **373**

AGRADECIMENTOS **375**

No princípio,
O Verdadeiro Criador de Tudo proclamou:
Que haja luz.
Depois de um breve silêncio,
Ele, então, decretou:
E que ela seja
$E = mc^2$.

CAPÍTULO 1
NO PRINCÍPIO...

No princípio, havia apenas um cérebro de primata. E de suas profundezas, graças às misteriosas tempestades eletromagnéticas – originárias de um emaranhado de dezenas de bilhões de neurônios moldado por uma tão inédita quanto única caminhada evolucionária –, a mente humana emergiu. Ilimitada, irrestrita, imensa. Envolto em uma interminável combustão e expansão, esse novo tipo de plasma neural, nunca antes visto no universo, logo se fundiu em um contínuo. Dessa amálgama surgiu o andar ereto, a destreza manual, a linguagem oral, a escrita, a capacidade de formar enormes entrelaçamentos sociais, o pensamento abstrato, as mais variadas ferramentas e tecnologias, a introspecção, a consciência e, enfim, o livre-arbítrio. Desse mesmo caldeirão mental eclodiu também a mais concreta definição de espaço-tempo já concebida por qualquer matéria orgânica. E, então, do bojo desse perfeito arcabouço, foi possível gerar um verdadeiro dilúvio de abstrações mentais que, quando projetado em direção ao universo que nos cerca, deu origem às verdadeiras tábuas sagradas da condição humana. Prova disso é que, tão logo foram enunciadas, essas abstrações começaram a ditar a essência e o fulcro de todas as civilizações: do nosso egoístico senso de ser às nossas mais preciosas crenças e mitos; dos mais sofisticados sistemas econômicos às mais convolutas estruturas políticas; das mais exuberantes obras de arte às mais perenes edificações, que incluíram a mais completa reconstrução científica de tudo o que circunda a todos nós. Foi assim, então, que do meio dessas tempestades eletromagnéticas neurais, surgiu o magnífico escultor da realidade, o virtuoso compositor e mestre arquiteto da nossa tão trágica, mas, ainda assim, tão heroica trajetória; o curioso explorador da natureza, o incansável perseguidor de suas próprias origens; o mestre ilusionista, o místico de muitas crenças, o artista de muitos talentos; o poeta lírico que compôs, com suas inigualáveis rimas sinápticas, cada pensamento, cada grunhido, cada registro falado, cantado ou escrito, cada mito, cada pintura rupestre, cada deus, cada teorema matemático, cada viagem ao desconhecido, cada genocídio; todas as conquistas, assim como todos os fracassos; cada gesto de amor, cada sonho, cada alucinação; cada sensação e cada sentimento, concebido ou experimentado, por todo e qualquer hominídeo que um dia vagou pela superfície da esfera azul que o Verdadeiro Criador de Tudo decidiu chamar de Terra.

★★★

O *Verdadeiro Criador de Tudo* é uma estória sobre as criações do cérebro humano e a posição central que ele deveria ocupar na cosmologia do universo. A minha definição desse universo humano inclui a imensa coleção de conhecimento, percepções, crenças, pontos de vista, teorias científicas e filosóficas, culturas, tradições morais e éticas, realizações físicas e intelectuais, tecnologias, obras de arte e todos os outros produtos mentais emanados do cérebro humano.

Em resumo, o universo humano inclui tudo aquilo que define, para o bem e para o mal, o nosso legado como espécie. Este, porém, não é um livro de história nem um compêndio detalhado daquilo que a neurociência moderna sabe, ou pensa que sabe, sobre como o cérebro humano realiza seus múltiplos trabalhos. Pelo contrário, trata-se de um livro científico que tem como objetivo central apresentar o cérebro humano dentro de um novo sistema referencial capaz de gerar uma agenda humanística inédita. Inicialmente, esta obra introduz os detalhes de uma teoria que visa a descrever como o cérebro, trabalhando isoladamente ou enquanto parte de grandes redes formadas por outros cérebros, executa os seus magníficos feitos. Para esse novo arcabouço teórico, atribuí o nome de Teoria do Cérebro Relativístico (TCR).

Quando comecei a planejar este livro, tentei construir o argumento central focando no campo do conhecimento científico no qual militei durante os últimos trinta e sete anos: a neurociência. Porém, logo me dei conta de que seria uma escolha muito restrita para realizar a ambiciosa missão que me dispus a cumprir com o projeto. Longe disso, ficou claro que o que eu de fato precisava fazer era ampliar consideravelmente o escopo da minha aventura intelectual e cair de cabeça, sem medo, na exploração de áreas do conhecimento que a vasta maioria dos neurocientistas contemporâneos jamais se atreveria a visitar. Assim, de repente, eu me encontrei vasculhando livros clássicos de filosofia, história da arte, arqueologia, paleontologia, história dos sistemas computacionais, história da matemática, da física, da mecânica quântica, tratados de linguística e ciências cognitivas, robótica, cosmologia e até volumes de história das grandes civilizações humanas da Antiguidade.

Após meses de leituras, as mais diversas possíveis, e de uma crescente frustração pela dificuldade de encontrar o proverbial "fio da meada" da minha narrativa, eu me deparei, quase por acidente, com o glorioso livro *A história da arte*, do renomado historiador anglo-germânico Ernst H. Gombrich. Tudo havia acontecido muito rapidamente. Preocupada com o meu grave caso de "bloqueio de escritor", minha mãe, uma novelista bem mais renomada e experiente que eu, havia me presenteado, na véspera de Natal de 2015, com a edição de bolso desse clássico. Chegando em casa, na madrugada do dia de Natal, sem saber muito bem o porquê, resolvi folheá-lo em busca de algum sono. Todavia, bastaram alguns segundos, o suficiente para que meus olhos varressem apenas as primeiras sentenças do primeiro parágrafo da introdução de Gombrich, para, de súbito, eu sentir que a minha busca havia finalmente terminado. Ali, bem na minha frente, impresso no mais refinado papel e escrito em tinta negra, o fio da meada me esperava ansioso. Pelas horas seguintes, sem pausa nem para o tradicional almoço de Natal familiar, não consegui deixar aquele livro em paz.

Estas foram as primeiras sentenças de Gombrich que definiram o meu rumo:

De fato, aquilo a que chamamos de Arte não existe. Existem apenas artistas. No passado, eram homens que usavam terra colorida para esboçar silhuetas de bisões em paredes de cavernas; hoje alguns compram suas tintas e criam cartazes para colar em tapumes: eles fizeram e fazem muitas coisas.

Inesperadamente, eu havia achado um aliado, alguém que claramente podia ver que, sem um cérebro humano, moldado e refinado por um processo evolutivo, tão extremamente particular quanto irreproduzível, não existiria algo conhecido por nós todos como arte. Isso se deve ao fato de que todas as nossas manifestações artísticas, e as de todos os nossos antepassados, nada mais são do que produtos da incansável e inquisitiva mente humana, ansiosa por projetar para o mundo exterior as imagens mentais criadas nos confins do nosso cosmos neuronal interior.

A princípio, essa observação pode soar como um detalhe irrelevante, mera desculpa semântica, sem grande relevância ou maior impacto sobre a forma como nós costumeiramente vemos e conduzimos a vida. Todavia, o simples ato de, de repente, colocar o cérebro humano no centro do nosso universo tem implicações profundas não só na forma de se interpretar o passado da humanidade, como de reconhecer o nosso viver presente, bem como decidir que tipo de futuro queremos para nós e para os nossos descendentes. Nesse contexto, com pequenas modificações de termos e palavras, as primeiras sentenças do livro de Gombrich poderiam servir de abertura para um sem-número de tratados descrevendo os mais variados produtos da mente humana – por exemplo, um livro sobre física. As teorias propostas pela física foram tão bem-sucedidas em descrever infindáveis fenômenos do universo que nos cerca, em múltiplas escalas espaciais, que a maioria de nós, incluindo os cientistas profissionais que trabalham diariamente e por décadas a fio nessa área, tende a se esquecer da verdadeira origem de conceitos fundamentais, como massa e carga, e o que eles realmente significam. Como o meu grande amigo Marcelo Gleiser, eminente físico teórico brasileiro, professor há muitos anos da Universidade Dartmouth, escreveu no seu maravilhoso livro *A ilha do conhecimento*: "Massa e carga não existem por si mesmas; elas somente existem como parte da narrativa que nós, seres humanos, construímos para descrever o mundo natural".

Sem que nenhum de nós dois desconfiasse, tanto Marcelo quanto eu concebemos a mesma representação daquilo que o universo humano significa. Dentro dessa visão, se outra forma de vida inteligente, por exemplo, o sr. Spock, de *Jornada nas Estrelas*, chegasse realmente à Terra, advindo do seu planeta Vulcano, e, por algum milagre, fosse capaz de se comunicar com eficiência conosco, nós provavelmente descobriríamos que as suas explicações e as suas teorias científicas, sem mencionar os seus conceitos básicos e representações mentais, usados para descrever a visão cosmológica de sua espécie para o universo, seriam diametralmente distintos dos nossos (Figura 1.1). Por que nós, em algum momento, deveríamos esperar algo diferente disso? Afinal, o cérebro de Spock provavelmente seria diferente do nosso, uma vez que teria sido formado por um processo evolucionário, bem como uma história cultural, ocorrida em Vulcano, não na Terra. Assim, Spock estaria nos descrevendo o universo Vulcano, não o humano.

Figura 1.1 A Cosmologia Cerebrocêntrica: a descrição do universo pelo cérebro humano – neste caso por meio do uso da matemática – provavelmente seria diferente daquela criada por um sistema nervoso alienígena. (Ilustração por Custódio Rosa)

Do ponto de vista que pretendo desenvolver neste livro, nenhuma das duas teorias cosmológicas – a nossa e a do sr. Spock – poderia ser considerada mais correta que a outra; elas simplesmente representariam a melhor aproximação que duas diferentes formas de inteligência orgânica – a única forma de inteligência verdadeira, diga-se de passagem – foram capazes de construir, com base no que o cosmos lhes ofereceu e no tipo de sistema nervoso que cada uma possuía. No limite, o que quero dizer é: independentemente do que exista lá fora, neste universo de 13,8 bilhões de anos (estimativa humana, devo enfatizar), do ponto de vista próprio do nosso cérebro – e muito provavelmente de qualquer outro tipo de cérebro alienígena –, o cosmos é uma gigantesca massa de informação em potencial à espera de um observador inteligente o suficiente para extrair desse universo conhecimento e, em um mesmo sopro de intuição, conferir algum significado a toda essa vastidão cósmica.

Dar significado a tudo – criando conhecimento –, esse é o domínio no qual o Verdadeiro Criador de Tudo manifesta-se em seu esplendor. A produção permanente de conhecimento não só é vital para a nossa espécie se adaptar a um ambiente natural em constante fluxo, como também nos capacita a continuar a sorver ainda mais informação potencial da sopa cósmica que nos envolve. Prótons, *quarks*, galáxias, estrelas, planetas, rochas, árvores, peixes, gatos, pássaros: não importa como nós os chamemos (o sr. Spock certamente argumentaria que os seus nomes para os mesmos objetos eram melhores). Do ponto de vista do cérebro humano, essas são diferentes formas de descrever as variadas manifestações de informação crua oferecida a nós pelo cosmos. Foram os cérebros de primata que batizaram todos os objetos com nomes e, por expediência operacional, um significado peculiar. Todavia, o conteúdo original de todos eles é sempre o mesmo: informação potencial.

Antes que você, leitor, comece a desconfiar de que alguém deve ter adicionado algo estranho no suco de maracujá que neurocientistas e físicos brasileiros tomam quando crescem em São Paulo ou no Rio de Janeiro, permita-me esclarecer o meu ponto de vista. Na maioria das vezes, todos nós nos referimos, digamos, à física como se esse campo da ciência fosse um tipo de entidade universal, com vida própria, como a Arte com "A" maiúsculo a que Gombrich se referiu em seu livro. Contudo, a Física existe tanto quanto a Arte. Ou seja, o que realmente existe é uma coleção de construções e abstrações mentais gerada pelo cérebro humano e que oferece a melhor e mais acurada descrição – pelo menos até o presente – do mundo natural existente ao nosso redor. Assim, a física – como a matemática ou qualquer outra coletânea de conhecimento científico – é definida pelas reverberações e pelos ecos das tempestades eletromagnéticas neuronais que um dia percorreram os vales e picos corticais do cérebro visionário de pessoas como Ptolomeu, Diofanto, Karamzin, Omar Kayan, Ibn Sina, Al-Biruni, Euclides, Galeno, Copérnico, Kepler, Galileu, Newton, Maxwell, Bohr, Curie, Rutherford, Einstein, Heisenberg, Schrödinger, Stueckelberg, entre tantas outras.

Da mesma forma, a definição de Arte oferecida por Gombrich compreende uma coleção deslumbrante de imagens mentais que, ao longo das muitas dezenas de milhares de anos que nos separam dos neandertais, foi transmitida ao mundo por meio de decorações corporais, tatuagens, painéis rupestres, esculturas, gravuras, pinturas, música, prosa e poesia, de forma a criar um registro, senão permanente, bem mais duradouro das memórias mais queridas ou sofridas, dos sentimentos e das emoções mais pungentes e profundos, dos medos e dos desejos, das visões de criação, da cosmologia dominante, das crenças arraigadas, das premonições, da história, dos mitos, do presente e do futuro, nos mais variados meios e mídias. Começando com a própria pele do corpo, passando a ossos, conchas, rochas, à madeira das mais diversas árvores, até invadir as paredes das cavernas subterrâneas, os mais diversos metais, rolos de papiro, pergaminhos, folhas de papel, os tetos e as janelas de capelas, igrejas, catedrais e templos, até se expandir mundo afora, por ondas eletromagnéticas, fotografias, filmes, fitas de vídeo, CDs, DVDs, microchips e memórias de silício, até ascender à "nuvem digital"... Essa imensa coleção de projeções de imagens mentais inclui os murais pintados nas paredes de pedra dos grandes templos do Paleolítico, as cavernas de Altamira e Lascaux e todos os Caravaggios, Vermeers, Botticellis, Donatellos, Michelangelos, Da Vincis, Rembrandts, Turners, Monets, Cézannes, Van Goghs, Gauguins e Picassos, só para nomear alguns dos grandes artistas que foram capazes de traduzir as suas mais intangíveis representações mentais em alegorias coloridas, que se transformaram em depoimentos íntimos e imortais sobre os mistérios da condição humana.

Usando o mesmo raciocínio, a cada momento da história da humanidade, a mais abrangente descrição científica do universo representou, nada mais, nada menos, do que a expressão de uma elaborada abstração mental que usualmente recebeu o nome do seu proponente; ideias revolucionárias que impactaram milhões de mentes por séculos ou milênios, como: o sistema solar de Ptolomeu, a cosmologia heliocêntrica de Copérnico, as leis de movimento planetário de Kepler, a lei da gravidade de Newton, as equações de Maxwell (descrevendo o fenômeno do eletromagnetismo), a teoria especial e geral da relatividade de Einstein, o princípio da incerteza de Heisenberg, as equações de Schrödinger etc.

Antes que qualquer físico pule da cadeira, é importante enfatizar que esse ponto de vista em nada diminui a espantosa intuição que possibilitou descobertas científicas geniais e revolucionárias ao longo dos séculos. Muito pelo contrário, essa visão adiciona ao distinto currículo de cada um desses pioneiros uma nova láurea: a de eles também serem, sem se darem conta, fabulosos neurocientistas; homens e mulheres capazes de mergulhar nos mais profundos mistérios da mente humana e de lá extrair, usando abstrações mentais, como a matemática e o raciocínio lógico, teorias que mudaram a nossa vida e a nossa visão do universo. Ironicamente, a vasta maioria desses cientistas nega com veemência que as propriedades neurofisiológicas de sua mente brilhante, sua consciência ou qualquer outra forma de subjetivismo humano desempenhem papel de relevância nas suas descobertas quase milagrosas. Ignoram, porém, que o simples ato de selecionar uma forma particular de matemática, ou lógica, para explicar um fenômeno natural, constitui prova cabal da interferência da sua subjetividade humana e individual no processo científico. Da mesma forma, quando físicos manifestam sua aprovação para uma solução matemática de um problema, em detrimento de alternativas possíveis, referindo-se à "naturalidade" das equações propostas como o principal critério de escolha, eles novamente produzem uma confissão irrefutável da influência da sua subjetividade no processo científico. Uma das consequências fundamentais desse ponto de vista é que a busca por uma "teoria de tudo", um "Santo Graal" da física das últimas décadas, pode não passar de quimera, utopia matemática, impossível de ser alcançada sem a incorporação de uma teoria abrangente da mente humana. E ainda que a vasta maioria dos físicos contemporâneos refute qualquer noção de que os mecanismos intrínsecos do cérebro humano desempenhem papel relevante na formulação das suas teorias, uma vez que eles assumem que o seu trabalho como físicos seja puramente objetivo, espero mostrar ao longo deste livro que mesmo alguns dos mais enigmáticos e primordiais conceitos, como espaço e tempo, não podem ser totalmente compreendidos a menos que um observador humano – e o seu cérebro de primata – seja colocado em primeiro plano.

A partir deste ponto, enfim me dei conta de que a minha meada começava a se desenrolar rapidamente.

O Verdadeiro Criador de Tudo começa com uma descrição de como o cérebro de primata evoluiu desde que os nossos ancestrais divergiram dos chimpanzés e começaram a explorar as savanas do leste e do sul da África, por volta de seis milhões de anos atrás. A minha breve reconstrução dessa história evolucionária enfatiza as modificações morfológicas e funcionais, induzidas pelo processo de seleção natural, que levaram ao surgimento da moderna configuração do Verdadeiro Criador de Tudo. A seguir, introduzo uma noção fundamental para a minha tese central: uma nova definição operacional para o conceito de informação, que chamei de "informação gödeliana", podendo ser manipulada por tecidos orgânicos e cérebros animais como o nosso. Essa discussão é seguida pela descrição de uma série de dez princípios fisiológicos fundamentais que regem a operação do cérebro humano. Foi com base nesses dez princípios, descobertos ao longo dos meus trinta e sete anos de pesquisas neurofisiológicas, que foi criada a Teoria do Cérebro Relativístico. Desses princípios, portanto, deriva a principal predição feita pela TCR: de que o cérebro humano sempre opera como um todo, de forma contínua; ou seja, em vez de usar uma localização espacial restrita do tecido neural para executar cada uma das suas atividades mentais, o Verdadeiro Criador de Tudo se vale do trabalho altamente sincronizado de múltiplas regiões cerebrais, distribuídas por todo o seu volume, para produzir cada uma das suas funções neurológicas e cada um dos nossos comportamentos.

Depois desta introdução mais neurobiológica, detalho, primeiro, como o cérebro humano dedica a maior parte de sua existência construindo ou adaptando seus modelos neurais internos do mundo que nos cerca, definindo o que chamo de "ponto de vista do cérebro". Assim, tudo o que um cérebro humano adulto faz requer uma consulta prévia a esse "ponto de vista". Essa é a razão pela qual frequentemente digo aos meus alunos que nós enxergamos antes de olhar e ouvimos antes de escutar. Para perceber algo, a cada instante, o cérebro tem que confrontar o que o seu modelo interno do mundo prevê com o fluxo contínuo e multidimensional de múltiplos sinais sensoriais que, uma vez coletados na periferia do corpo por receptores especializados, são transmitidos para o sistema nervoso central, como forma de descrever o estado do mundo externo (e também as condições internas do corpo).

Um ponto central desse argumento reside em um atributo vital do cérebro humano: a sua infindável capacidade de se autoadaptar. Essa propriedade, conhecida como plasticidade, permite que as principais células que formam os cérebros animais, os neurônios, alterem tanto as suas propriedades funcionais quanto a sua morfologia intrínseca e até a distribuição e a intensidade de suas sinapses, as conexões por eles estabelecidas com outros neurônios. Na realidade, mesmo as propriedades anatomofisiológicas das fibras neurais, que formam os nossos nervos e conectam neurônios localizados em diferentes regiões do cérebro, podem ser modificadas de forma significativa, ao longo da nossa vida, como consequência de mudanças nas nossas experiências sensoriais, motoras e cognitivas. No todo, isso significa que um cérebro de primata adulto, inclusive o nosso, é altamente influenciado por modificações ocorridas dentro e fora do nosso corpo. É por isso que nós, neurocientistas, acreditamos que o cérebro pode ser comparado a uma orquestra sinfônica, na qual a configuração física dos instrumentos – e, consequentemente, a sua sonoridade – é continuamente modificada por cada nota musical produzida por essa mesma filarmônica.

Dando sequência ao meu argumento, um capítulo inteiro é dedicado à análise do imenso poder computacional do cérebro humano. Na realidade, o fato de que vastas redes neuronais podem recrutar dinamicamente dezenas de bilhões de unidades de processamento interconectadas e de que esses circuitos são altamente plásticos confere um incomparável e, como eu hei de argumentar ao longo deste volume, insuperável poder computacional ao cérebro humano. Esse atributo justifica o porquê de o Verdadeiro Criador de Tudo poder desfrutar de uma expressão quase ilimitada de criatividade, inteligência, intuição, discernimento e sabedoria que excedem, em muitas ordens de magnitude, a performance de qualquer computador digital ou qualquer outra máquina de Turing (a designação genérica de todos os sistemas digitais). Por essa simples razão, atribuo ao cérebro humano uma posição única enquanto sistema computacional ao designá-lo como um "computador orgânico". Por definição, em contraste aos computadores digitais, nem a operação nem os produtos desse computador orgânico podem ser simulados ou reproduzidos por um algoritmo digital.

Tendo introduzido o meu novo arcabouço neurobiológico e a definição de computadores orgânicos, o próximo passo é apresentar as novas evidências experimentais que revelam a requintada capacidade de animais e seres humanos estabelecerem verdadeiras redes cerebrais, formadas pela sincronização de um número elevado de cérebros individuais, aumentando ainda mais o poderio computacional orgânico de cada uma dessas espécies. Chamei essas redes cerebrais de *Brainets* e, em uma série de capítulos, defendo a teoria de que foram essenciais para o desenvolvimento e expansão do universo humano. Na realidade, a introdução do conceito das *Brainets* me permitiu explorar outra ideia inédita: uma visão cosmológica cerebrocêntrica do universo.

Para entender esse novo paradigma epistêmico, primeiro ofereço uma definição mais operacional de como o cérebro gera abstrações mentais e crenças e de como esses dois subprodutos da mente humana podem ser usados para estabelecer uma nova referência para recontar o grande épico da humanidade, desde os tempos da sua pré-história, passando pela Grécia Antiga, pelos grandes impérios da Ásia e pela Renascença italiana e, finalmente, aportando no nosso mundo contemporâneo. De acordo com essa cosmologia cerebrocêntrica, conceitos primordiais para a descrição do universo humano, como espaço, tempo e o estabelecimento de relações de causa e efeito, derivam dos atributos neurofisiológicos do Verdadeiro Criador de Tudo. Por essa ótica, outro produto derivado do cérebro humano, a matemática, tornou-se uma das ferramentas intelectuais mais bem-sucedidas, ao longo do último meio milênio, na construção da mais completa e precisa descrição científica do universo de que se tem notícia. Em contraposição a essa conquista esplendorosa da mente humana, em outro capítulo, descrevo como o *modus operandi* das *Brainets* pode se transformar em uma arma fatal, capaz de desencadear tragédias humanas descomunais, como guerras e genocídios.

Nesse mesmo capítulo, vou além e discorro sobre o fato de que, mesmo que cérebros humanos não operem como computadores digitais, isso não impede esses computadores orgânicos de serem programados por sinais externos. Muito pelo contrário! Nos dois capítulos finais deste livro, exponho os graves riscos que a humanidade enfrentará nos próximos anos, em decorrência da nossa interação e da nossa dependência cada vez maiores em relação aos sistemas digitais, estabelecendo uma verdadeira simbiose que pode afetar profundamente o cérebro, por meio do fenômeno da plasticidade neural. Basicamente, a convivência quase contínua com computadores pode afetar a forma como o cérebro funciona e, no limite, nos transformar em meros zumbis digitais orgânicos. De acordo com a minha estimativa, essa transformação pode ocorrer muito mais depressa do que imaginamos. Esse cenário se manifestará quão mais rapidamente o nosso cérebro for ludibriado, convencendo-se de que recompensas maiores seriam auferidas se ele cessasse de expressar os atributos mais celebrados e únicos da condição humana. Os atributos incluem a imensa criatividade e a intuição, a inteligência, bem como a compaixão, a empatia pelo próximo e a busca de um fim benéfico comum. Em troca, o cérebro optaria pela produção de comportamentos mais eficientes e produtivos, seguindo as rígidas normas impostas pela modernidade, que nos condenariam a uma existência primordialmente virtual onde – de acordo com a falsa utopia dominante dos nossos tempos – poderíamos nos defender melhor das frustrações e das dores cotidianas advindas do mundo real. Na verdade, esse seria o caminho mais rápido para nos transformarmos em simples autômatos totalmente controlados por um sistema político ditatorial e uma doutrina econômica divorciada da promoção do bem-estar.

Reiterando, toda a história da humanidade pode ser recontada e analisada do ponto de vista das particulares abstrações mentais que dominaram cada uma das diferentes civilizações humanas, em diferentes momentos da existência. Dessa forma, eu não poderia deixar de concluir este livro sem lançar um alerta sobre a crescente e cega capitulação da presente civilização às duas das mais poderosas e perigosas abstrações mentais criadas pelo ser humano. Eu me refiro a elas como a Igreja do Mercado (com o seu deus do dinheiro) e o Culto da Máquina. No último capítulo, discorro sobre o tremendo poder de persuasão e influência, em todas as esferas de decisão da vida humana moderna, que ambas adquiririam ao se fundirem para dar à luz uma ideologia dominante do mundo em que vivemos. Junto com a revolução dos meios de comunicação humana – concretizados pela imensa magnificação do alcance das diferentes mídias de massa, como rádio, TV e, mais recentemente, internet, bem como o processo de globalização cultural gerado por essa expansão –, a convergência dessas duas abstrações mentais talvez esteja contribuindo de forma decisiva para resultados potencialmente devastadores para o futuro da humanidade. Em vez de nos unir em uma única civilização, como alardeiam muitos propagandistas, autointitulados "evangelistas digitais", esse processo pode simplesmente nos condenar a retornar a um modo tribal de vida, caracterizado pela existência fraturada e alienada da realidade do mundo natural que criará muitos riscos e incertezas para o Verdadeiro Criador de Tudo.

Em relação a todos os perigos potenciais a assolar o futuro dos habitantes do universo humano, só posso dizer, com toda honestidade – depois de três anos pesquisando e alinhavando, em narrativa única, inúmeros fragmentos de conhecimento, derivados de múltiplas disciplinas de atuação humana, necessários para escrever este livro –, que a minha visão sobre o Verdadeiro Criador de Tudo continua sendo de otimismo irrestrito e de profunda admiração. A razão para isso é bem simples. No verão de 2019, a idade do universo que existe ao nosso redor era estimada em 13,8 bilhões de anos. De acordo com a mais bem-aceita descrição humana dos eventos, meros quatrocentos mil anos depois da ocorrência do evento singular, conhecido como *big bang*, originário deste universo, a luz, pela primeira vez, foi capaz de escapar da sopa cósmica primitiva e começar uma viagem através do universo em busca de algo ou alguém capaz, não só de reconstruir essa épica jornada, mas também de conferir algum significado a ela. De forma totalmente inesperada, por um golpe do acaso, na superfície de um rochoso planeta azul, criado pela fusão de poeira intergaláctica, cerca de cinco bilhões de anos atrás, enquanto em órbita de um pequeno sol amarelo, perdido em uma esquina indistinguível de uma galáxia mediana, essa luz primordial finalmente encontrou seres que ansiavam por entendê-la e a todos os mistérios que ela carregava consigo. Tirando vantagem de todas as abstrações mentais e todas as tecnologias que eles foram capazes de criar, os membros dessa espécie iniciaram a árdua e longa tarefa, transmitida de geração em geração por milênios, de tentar reconstruir, dentro de sua mente, o caminho percorrido pelo fluxo de informação potencial e seu significado. As três visões cosmológicas ilustradas na Figura 1.2 oferecem uma pequena amostra da enormidade do ato coletivo de criação humana. Seja ao olhar para a mais atualizada descrição do universo de acordo com a NASA, seja ao ver os afrescos renascentistas de Michelangelo ou os murais de pedra pintada das paredes da Capela Sistina da pré-história, a caverna Lascaux, não há como evitar sentir-se temporariamente quase sem ar; com os olhos marejados de puro êxtase; humildemente convencido e arrebatado pela emoção de constatar a magnificência e o esplendor de tudo aquilo que o nosso Verdadeiro Criador de Tudo realizou em tão pouco tempo.

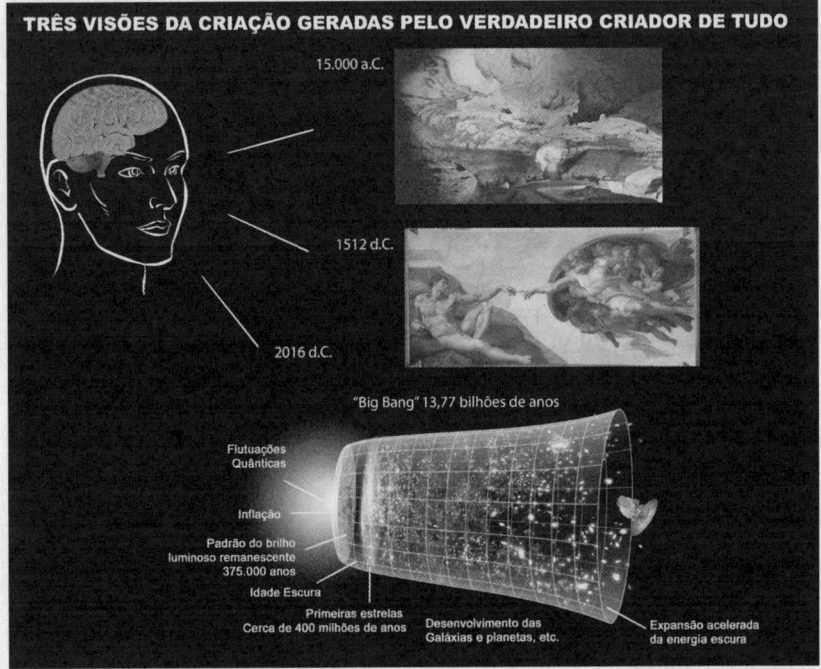

Figura 1.2 Três visões cosmológicas distintas criadas pelo Verdadeiro Criador de Tudo em diferentes momentos da história: O "Salão dos Touros" da caverna Lascaux, pintado pelos nossos ancestrais do Paleolítico Superior; os afrescos da Capela Sistina de Michelangelo; a mais recente descrição das origens do universo de acordo com a NASA. (Ilustração por Custódio Rosa)

CAPÍTULO 2
O VERDADEIRO CRIADOR DE TUDO ENTRA EM CENA

Bastou ao bisão, alertado pelo assobio agudo vindo dos arbustos à frente, alçar subitamente a sua enorme cabeça negra das profundezas da grama colorida de orvalho para que o seu destino fosse definitivamente selado.

Sem conseguir discernir detalhes da macabra cena que se desenrolava rapidamente a poucos metros de distância, devido à forte cerração que abraçava o vale nesse amanhecer, o poderoso touro foi logo dominado por um senso de terror paralisante quando, do nada, chamas crepitaram em sincronia com um bombardeio de grunhidos e gritos sibilantes vindos de todas as direções. Parcialmente refeito do choque e da hesitação iniciais, ele rompeu com a inércia do seu massivo corpo, tentando iniciar um movimento de fuga que lhe afastasse tanto do fogo como de uma horda de criaturas bípedes que surgiam de repente da floresta e corriam em sua direção. Bem no meio dessa caótica transição entre o medo imobilizante e o desejo obstinado de fuga, o touro sentiu o primeiro impacto penetrante em seus quartos. A dor que de imediato aflorou foi aguda e profunda; e mesmo antes de ele se dar conta de que suas patas traseiras não eram mais capazes de responder aos comandos motores emitidos pelo apelo de urgência vindo do seu cérebro em alerta máximo, múltiplos outros impactos semelhantes se seguiram, um após o outro, em um intervalo de poucos segundos, selando de vez o desfecho daquele encontro mortal. Tudo o que ele podia fazer então era se deixar guiar pelo peso da fraqueza que começou a varrer seu corpo e encontrar guarida na terra do solo que já o abraçava.

Os urros selvagens se aproximaram mais e mais, até que, sem explicação, eles começaram a recuar, apesar de o touro sentir-se agora cercado por um grande grupo de caçadores eufóricos, cada um trajando vestes feitas de peles curtidas de animais; cada um empunhando com mãos ágeis e criativas uma lâmina ameaçadora feita de pedra lascada. O recuar das vozes, todavia, não indicava de forma alguma que esses caçadores desapareceriam precocemente. Pelo contrário, eles se fariam cada vez mais presentes por dezenas de milênios. Na realidade, a única coisa que se esvaía rapidamente naquele amanhecer era a capacidade de o bisão se manter alerta. Experimentando os seus últimos momentos na Terra, o touro ainda não podia crer na celeridade com que aquele encontro fatídico atingira o seu clímax.

Embora isso não servisse de consolo, a cena que acabara de acontecer quase certamente seria imortalizada em uma pintura rupestre, em alguma caverna próxima ao lugar onde ele agora repousava – para honrar a sua memória e o seu sacrifício, para ilustrar a outras gerações de caçadores a tática usada naquela manhã ou, talvez, para consolidar a crença em um reino místico onde o touro passaria a habitar, depois de virar presa da ingenuidade de um novo modo de vida que ele jamais compreenderia e que para sempre mudaria o mundo ao seu redor. Nos seus últimos momentos de lucidez, aquele animal magnífico não tinha como saber que a sua capitulação havia sido planejada, cuidadosa e antecipadamente, e posta em prática, sem nenhum deslize, pelo mais poderoso, mais criativo e efetivo e, em alguns casos, o mais fatal computador orgânico distribuído criado pelos passos cegos e aleatórios do processo de seleção natural: uma *Brainet* humana.

★★★

A reconstrução de uma caçada pré-histórica, mesmo que fictícia, permite capturar alguns dos principais atributos neurobiológicos resultantes do complexo processo evolucional iniciado quando os nossos ancestrais divergiram dos antepassados dos chimpanzés modernos, cerca de seis milhões de anos atrás. No todo, esse processo dotou a nossa espécie com capacidades mentais jamais vistas no reino animal. Ainda hoje, porém, permanecem muitas dúvidas sobre a cascata de eventos que precipitou o surgimento dessa incomparável adaptação neurológica. Longe de me perder em detalhes e filigranas, o meu objetivo aqui, portanto, é recuperar, em grandes pinceladas, algumas das transformações essenciais e dos mecanismos neurobiológicos centrais que permitiram que o cérebro do *Homo sapiens* moderno emergisse para tomar conta de todo o planeta e, no processo, criar o seu próprio universo. Mais especificamente, o meu objetivo central é descrever como esse computador orgânico – a forma pela qual eu me refiro ao cérebro humano – alcançou a sua configuração atual e, no processo, adquiriu os meios para gerar uma série de comportamentos humanos que provaram ser essenciais para a ascensão do Verdadeiro Criador de Tudo como o centro do universo humano.

Historicamente, o primeiro fator que capturou a atenção de paleontologistas e antropólogos como a provável causa do gradativo aumento de complexidade do comportamento humano durante o processo evolutivo foi o concomitante crescimento do tamanho do cérebro dos nossos ancestrais. Esse processo, conhecido como encefalização, começou por volta de dois milhões e meio de anos atrás (ver Figura 2.1). Até então, o cérebro dos primeiros hominídeos capazes de caminhar eretos, como a *Australopithecus afarensis* conhecida como Lucy, possuía por volta de 400 centímetros cúbicos de volume, similar ao de chimpanzés e gorilas modernos. Por volta de dois milhões e meio de anos atrás, porém, outro ancestral nosso, *Homo habilis*, um caçador e artesão competente, já exibia um volume cerebral de aproximadamente 650 centímetros cúbicos.

Mais dois milhões de anos seriam necessários para que uma segunda etapa de crescimento acelerado do volume cerebral se manifestasse. Essa fase iniciou-se por volta de quinhentos mil anos atrás e estendeu-se pelos trezentos mil anos seguintes. Durante esse período, o cérebro do *Homo erectus*, o próximo ator de destaque no nosso épico evolucional, atingiu o pico de 1.200 centímetros cúbicos. De duzentos mil a trinta mil anos atrás, o volume cerebral dos nossos ancestrais alcançou o seu valor máximo com os neandertais, atingindo cerca de 1.600 centímetros cúbicos. Todavia, com o aparecimento da nossa própria espécie, *Homo sapiens*, o cérebro masculino reduziu-se a valores próximos dos 1.270 centímetros cúbicos, enquanto a média para as mulheres alcançou 1.130 centímetros cúbicos. O fator primordial que tem que ser levado em conta quando esses números são analisados é que, ao fim desses dois milhões e meio de anos de evolução, os cérebros da nossa linhagem humana cresceram muito mais que o resto do corpo. Isso significa que o crescimento em volume da massa cerebral humana, de aproximadamente três vezes, gerou um sistema nervoso que é por volta de nove vezes maior do que seria esperado para qualquer outro mamífero com o mesmo peso corpóreo que o nosso!

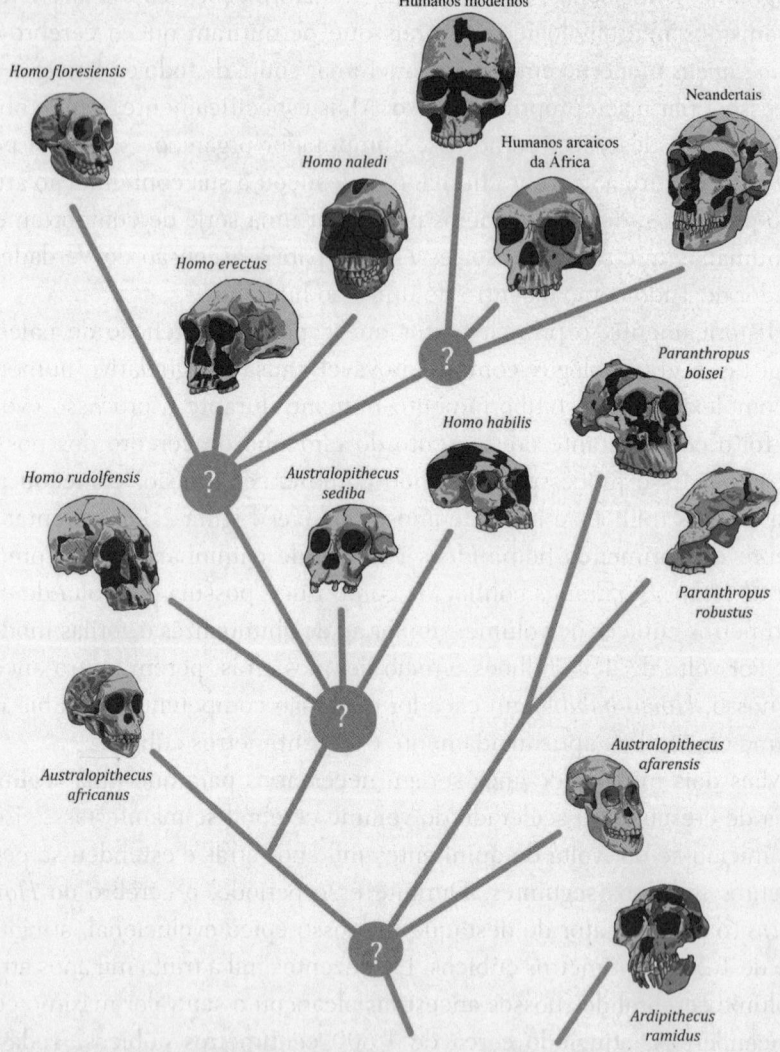

Figura 2.1. Uma potencial árvore familiar para espécies de hominídeos. Pontos de interrogação indicam nodos onde os paleoantropólogos não têm certeza de como as ramificações ocorreram. (Cortesia de John Hawks. Originalmente publicado em Lee Berger e John Hawks, *Almost Human: The Astonishing Tale of Homo Naledi and the Discovery that Changed Our Human Story* [New York: National Geographic, 2017])

Quando tentamos isolar que fatores poderiam explicar a triplicação do volume cerebral, ocorrida entre o surgimento do *Australopithecus afarensis* e o do *Homo sapiens*, nota-se que a maior parte desse crescimento, já normalizado pelo crescimento da massa corpórea, explica-se pelo explosivo aumento do volume do córtex cerebral, a fatia convoluta de tecido neural que forma a camada mais externa do sistema nervoso central. Esse dado é particularmente relevante porque o córtex está intimamente envolvido com a gênese das nossas capacidades cognitivas mais elaboradas, o extrato mental que verdadeiramente define a essência do que é ser humano. Na maioria dos primatas, o córtex corresponde a aproximadamente 50% do volume cerebral total. No ser humano, porém, o volume do córtex chega a quase 80% da massa do sistema nervoso central.

Qualquer teoria que visa a explicar o crescimento cerebral explosivo da nossa linhagem tem que lidar com o paradoxo que tais cérebros consomem grande quantidade de energia. Portanto, à medida que os nossos ancestrais desenvolveram um cérebro cada vez maior, eles tiveram que resolver o problema fundamental de achar mais calorias para manter o funcionamento de um sistema nervoso cada vez mais faminto de energia. De fato, apesar de representar apenas 2% do peso corpóreo, nosso cérebro consome cerca de 20% de toda energia gerada por cada um de nós. Isso significa que os nossos ancestrais se confrontaram com duas possibilidades: ou eles precisaram ingerir muito mais comida por dia, expondo-se por mais tempo à mira dos predadores, como foi o caso do nosso bisão hipotético, ou modificaram a sua dieta básica para obter refeições com teor calórico mais elevado. O superávit energético começou a se materializar quando hominídeos modificaram a sua dieta original, baseada em folhagem e frutas, incorporando uma fonte alimentar capaz de gerar um superávit energético muito maior por volume ingerido. Foi assim que a carne animal (bem como a medula dos ossos), rica em proteína e gordura, passou a fazer parte permanente do menu dos nossos ancestrais. A situação melhorou ainda mais quando os hominídeos descobriram uma forma de produzir e controlar o fogo e, com essa habilidade revolucionária, criar a arte de cozinhar tanto carne animal como vegetais altamente energéticos. Usando essa nova estratégia alimentar, os nossos "chefes da pré-história" melhoraram, de maneira significativa, a facilidade com que eles podiam digerir refeições, extraíam mais energia por massa de alimento ingerido. Essa mudança na dieta ocorreu concomitantemente e possivelmente foi conduzida por outra adaptação evolucional fundamental: a redução considerável no tamanho e na complexidade dos nossos intestinos (especialmente o cólon). Dado que intestinos grandes e complexos consomem muita energia para funcionar de forma apropriada, a redução visceral produziu uma economia energética direcionada para a manutenção da operação de cérebros maiores.

Mesmo levando em conta as novas fontes energéticas para manter cérebros de maior volume, a explicação de como os extraordinários sistemas nervosos surgiram pela primeira vez permanece um grande mistério. Depois de uma série de tentativas frustradas para achar uma resposta convincente, uma hipótese mais plausível para explicar o crescimento do cérebro de primatas e seres humanos começou a se materializar nos anos 1980, quando Richard Byrne e Andrew Witten propuseram que o volume do cérebro dos grandes símios e dos humanos cresceu desproporcionalmente em função do grande aumento em complexidade das sociedades formadas por essas espécies. Conhecida como a Teoria Maquiaveliana da Inteligência (TMI), essa hipótese propunha que, para que os grupos sociais formados por diferentes espécies de símios e pelos seres humanos sobrevivessem e prosperassem, cada indivíduo tinha que lidar com a tremenda complexidade derivada da dinâmica extremamente fluida que rege as relações sociais estabelecidas por membros dessas espécies. Para tanto, cada indivíduo teria que ser capaz de adquirir e interpretar apropriadamente o conhecimento social derivado do funcionamento cotidiano da sociedade em que ele se encontrava, de sorte a identificar tanto amigos e colaboradores como potenciais competidores e inimigos. De acordo com Byrne e Witten, portanto, o enorme desafio mental envolvido no processamento de grandes quantidades de informação social ditou que símios e, principalmente, seres humanos desenvolvessem cérebros desproporcionalmente maiores que seus ancestrais.

Em outras palavras, a TMI propõe que cérebros grandes são necessários para o estabelecimento de um mapa social neural que descreve a complexidade e a dinâmica do grupo social a que cada indivíduo pertence e interage no seu cotidiano. Assim, essa teoria postula que cérebros grandes como o nosso são capazes de desenvolver uma representação neural conhecida como "teoria da mente". Basicamente, essa extraordinária habilidade cognitiva nos dotou da capacidade não somente de reconhecer que outros membros do nosso grupo social possuem os próprios estados mentais individuais, mas também que cada um de nós pode continuamente gerar hipóteses à medida que interagimos com esses indivíduos, sobre o que cada um dos estados mentais de outras pessoas pode ser e significar para nossas interações com elas. Ou seja, ter uma teoria da mente nos permite avaliar o que outras pessoas estão pensando, seja sobre nós, seja sobre outros membros do nosso grupo social. Evidentemente, para desfrutar dessa enorme dádiva evolucional, foi preciso que esses mesmos cérebros volumosos nos garantissem a capacidade de expressar autorreconhecimento, autoconsciência e o estabelecimento do "ponto de vista próprio do cérebro".

Nos anos 1990, Robin Dunbar, antropólogo e psicólogo evolucionista britânico da Universidade de Oxford, obteve ampla evidência experimental em apoio à TMI. Primeiro, em vez de concentrar-se no volume cerebral total, Dunbar dedicou mais atenção ao córtex. Claramente, o raciocínio foi ditado pelo fato de que, mesmo sabendo que outras regiões do cérebro desempenham papéis fisiológicos fundamentais, quando se investigam as origens neurobiológicas de comportamentos humanos elaborados, como confecção de ferramentas, linguagem oral, estabelecimento de um senso de ser e teoria da mente, a nossa busca tem que se concentrar nos profundos vales e convoluções tortuosas que definem o córtex.

Dunbar decidiu testar a TMI usando o único parâmetro de complexidade social em que ele e a equipe dele podiam pôr as mãos, de uma forma quantitativa, com razoável facilidade: o tamanho médio, em termos de número de indivíduos, de cada um dos grupos sociais estabelecidos por uma variedade de espécies de primatas, incluído a nossa.

O surpreendente resultado obtido pelo faro investigativo de Dunbar encontra-se representado no gráfico da Figura 2.2. Como podemos ver facilmente, o logaritmo dos valores descrevendo o tamanho do grupo social de cada uma das espécies de primatas está correlacionado de forma linear ao logaritmo da fração de volume do córtex[*] de cada uma dessas espécies. Em outras palavras, com uma simples linha reta é possível estimar o tamanho ideal estabelecido pelo grupo social de uma espécie de primatas, bastando para esse cálculo obter a fração de volume ocupado pelo córtex no cérebro de cada espécie. Em homenagem a essa fantástica descoberta, a estimativa do tamanho do grupo social de uma espécie passou a ser conhecida como o número de Dunbar para dada espécie. Por exemplo, no caso dos chimpanzés, o número de Dunbar equivale a cinquenta indivíduos, o que significa que o volume do córtex dessa espécie é compatível com a capacidade de lidar com complexidade social gerada por meia centena de indivíduos.

De acordo com a "teoria do cérebro social", como a nova proposição de Dunbar ficou conhecida, o córtex superdimensionado nos dotou de capacidades mentais que nos permitem lidar com um grupo social formado por aproximadamente 150 indivíduos. De fato, a estimativa está em concordância com os dados obtidos em estudos envolvendo sociedades modernas de caçadores-coletores, bem como com a evidência arqueológica disponível referente ao tamanho das populações dos primeiros vilarejos humanos do período Neolítico, estabelecidos no Levante, mais conhecido como Oriente Médio.

---

[*] A fração de volume do córtex é obtida dividindo-se o volume absoluto do córtex pelo volume absoluto total do cérebro de cada espécie.

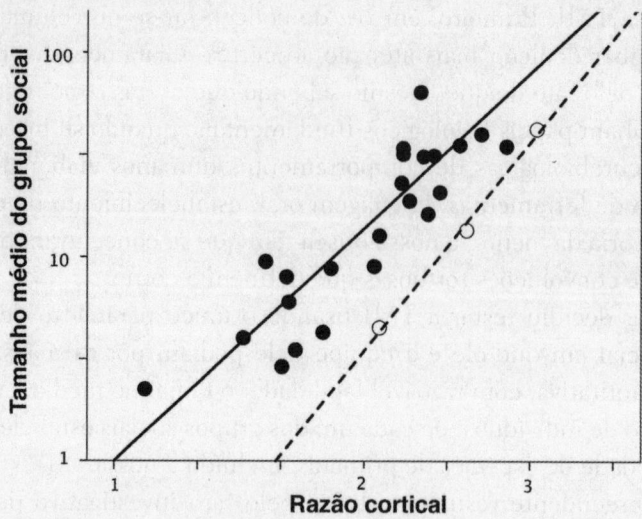

Figura 2.2. Correlação entre a média do tamanho do grupo social e da razão neocortical de diferentes primatas antropoides (macacos representados em pontos pretos e símios em círculos abertos). (Cortesia de R.I. Dunbar e S. Shultz, *Evolution in the Social Brain*, Science 317, 5843 [2007]:1344-47. Reproduzido com permissão da AAAS. Originalmente publicado em L. Barrett, J. Lycett, R. Dunbar, *Human Evolutionary Psychology* [Basingstoke, UK: Palgrave-Macmillan, 2002].)

Posteriormente, outra hipótese proposta por Dunbar – de que existe um limite máximo de complexidade social que cada um de nós é capaz de gerenciar, usando apenas as nossas interações interpessoais, sem o auxílio de nenhum outro método artificial de gerenciamento ou controle social – foi testada em instituições (como empresas) que subitamente ultrapassaram o número de 150 indivíduos. Acima desse patamar, verificou-se a necessidade imperativa de introduzir supervisores, diretores e uma série de ferramentas e processos administrativos para se manter a par da dinâmica do grupo social humano que interage nessas organizações.

Como curiosidade, a Figura 2.3 ilustra as estimativas de tamanho dos grupos sociais, obtidas com a teoria de Dunbar, para cada um dos nossos ancestrais mais importantes na "árvore de hominídeos" da qual somos descendentes. Nesses casos, a estimativa da fração do volume cortical foi obtida pela análise de crânios fossilizados conforme ilustrado na Figura 2.1. Basta inspecionar o gráfico para ter uma noção precisa do impressionante impacto social causado pelo processo de encefalização humana nos últimos quatro milhões de anos.

Mas como os grupos sociais de primatas mantêm a sua integração e a sua coesão tendo um número tão grande de indivíduos? Em primatas não humanos, o ato de explorar, por longos períodos, os pelos corporais do companheiro em busca de insetos ou por pura diversão parece ser o comportamento mais fundamental na manutenção da higidez dos relacionamentos sociais de uma colônia de macacos ou símios. A ideia de que tal tarefa desempenha uma função social tão vital é apoiada pela descoberta de que primatas dedicam cerca de 10% a 20% do seu tempo a essa atividade. O fato de que opiáceos endógenos – conhecidos como "endorfinas" – são liberados em macacos durante essa prática provavelmente explica, pelo menos em parte, como a eficiente exploração coletiva do senso do tato sofisticado dos primatas pode criar uma união social tão longeva nessas sociedades; afinal, a evidência observacional indica que tal exploração tátil faz animais relaxarem e demonstrarem níveis de estresse mais reduzidos no convívio social.

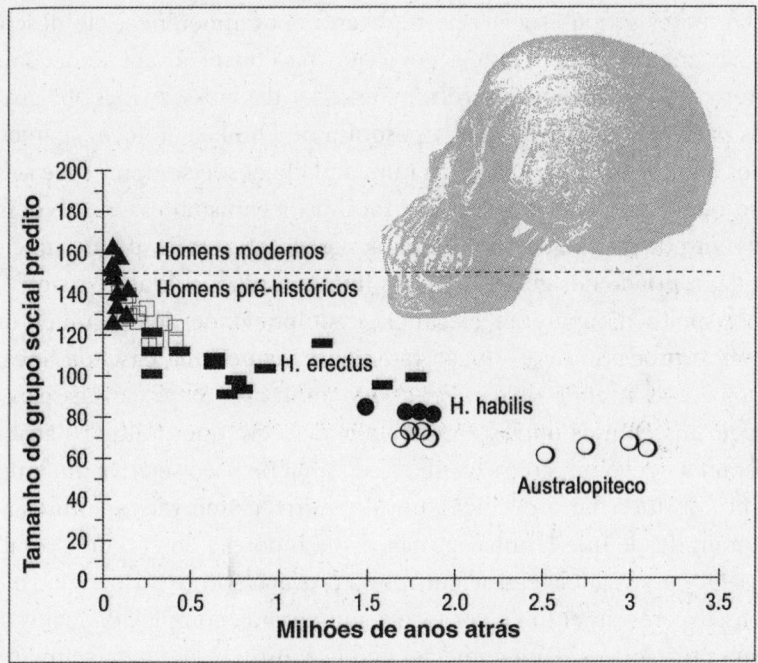

Figura 2.3 Estimativa do tamanho médio dos grupos sociais de cinco dos nossos ancestrais hominídeos – Austrolopitehcus, *Homo habilis*, *Homo erectus*, humanos arcaicos (incluindo os Neandertais), e o *Homo sapiens* – em função da idade estimada dos seus fósseis. (Reproduzido com permissão. Originalmente publicado por Robin Dunbar, *Grooming, Gossip, and the Evolution of Language* [London; Faber & Faber, 1996].)

Diferentemente dos nossos primos primatas, a nossa espécie não dedica muito tempo da rotina diária caçando piolhos nos cabelos e pelos corpóreos dos seus companheiros de escritório, com o objetivo de manter a harmonia social no ambiente corporativo. Em todo caso, se essa fosse a estratégia preferencial usada pela nossa espécie para manter um convívio pacífico, Dunbar estima que seria necessário despender de 30% a 40% da rotina diária nesse embate tátil a fim de manter a harmonia social de um grupo formado por 150 seres humanos. Em vez desse uso proibitivo das nossas polpas digitais, Dunbar argumenta que a nossa espécie se valeu de outra inovação comportamental para alcançar o mesmo objetivo de harmonia social atingido por outras espécies de primatas: a linguagem.

Complementada por gestos, grunhidos e assobios, a linguagem oral articulada ofereceu à nossa espécie um meio muito eficiente para manter unido um grande grupo de seres humanos. De fato, Dunbar propôs um exemplo muito interessante do impacto da linguagem oral como forma de amálgama social humana. Ao estudar o conteúdo de conversas dispersas por diferentes grupos sociais na Inglaterra contemporânea, ele descobriu que, não importa quem esteja envolvido na conversa, aproximadamente dois terços destes diálogos revolvem ao redor das nossas vidas sociais. Em outras palavras, de acordo com a pesquisa de Dunbar, "fofocar" parece ser um dos hábitos mais populares da humanidade desde sempre. Esse achado sugere que a fofoca provavelmente foi um mecanismo essencial, desde o surgimento da linguagem oral entre os nossos ancestrais, para o funcionamento apropriado dos grandes grupos humanos da história evolucional.

A despeito da aparente elegância e simplicidade dos argumentos de Dunbar, o processo de evolução raramente segue uma cascada linear de eventos como a teoria dele sugere. Pelo contrário, *loops* causais parecem interagir uns com os outros em paralelo, de sorte que múltiplos atributos tenderam a coevoluir, como resultado de uma pressão seletiva qualquer, e, portanto, influenciar a evolução um do outro. Como vários autores argumentaram desde que Dunbar propôs a sua hipótese do cérebro social nos anos 1990, essa cadeia causal convoluta provavelmente influenciou a relação entre o crescimento do córtex e o aumento da complexidade dos comportamentos sociais. Para começar, pode-se afirmar que o crescimento do cérebro e o surgimento da linguagem oral não só foram facilitados, como foram necessários, ou potencializados, pelo crescimento em complexidade dos comportamentos sociais humanos.

Nesse contexto, nos últimos vinte anos, outra visão foi proposta, considerando-se a combinação de fatores que pode ter ditado a evolução humana e o processo de encefalização. Por exemplo, Joseph Henrich, professor do departamento de biologia evolutiva humana da Universidade de Harvard, defende veementemente a proposta de que a cultura humana desempenhou papel central na impulsão da evolução humana e, possivelmente, no crescimento cerebral. No seu livro *The Secret of Our Success: How Culture Is Driving Human Evolution, Domesticating Our Species, and Making Us Smarter* [O segredo do nosso sucesso: como a cultura propulsiona a evolução humana, domesticando a nossa espécie e fazendo-nos mais inteligentes], Henrich descreve, em detalhes, a sua teoria de como a transmissão de "práticas, procedimentos, técnicas, heurísticas, ferramentas, motivações, valores e crenças" por um grande número de gerações nos transformou em "animais culturais" por excelência. Ao aprender com os outros membros do seu grupo social, combinar o conhecimento acumulado e transmiti-lo para os nossos grupos sociais e, depois, para gerações futuras, a cultura humana não só proveu melhores meios de sobrevivência, como, eventualmente, criou uma nova pressão seletiva que favoreceu aqueles indivíduos mais capazes de aprender e assimilar esse patrimônio cultural. De acordo com essa visão, a evolução humana foi profundamente influenciada pelo que Henrich chama de coevolução gene-cultura, a interação recorrente e recíproca entre a nossa cultura e o nosso *pool* genético. Primariamente, esse processo se expressa pelo fato de que as interações dinâmicas humanas, que se originam em dado grupo social, geram produtos culturais como uma propriedade emergente do relacionamento paralelo dos múltiplos cérebros individuais pertencentes a esse grupo. Henrich define esse processo de aprendizado coletivo, refinamento e transmissão de conhecimento como um produto do "cérebro coletivo" de um grupo humano. Para mim, essa é a função central das *Brainets* humanas, o principal mecanismo por meio do qual o universo humano foi esculpido.

De acordo com a visão de Henrich, o sucesso evolucionário experimentado pelo *Homo sapiens* depende muito mais da nossa habilidade de tirar vantagem do nosso cérebro coletivo que do poder do cérebro individual de cada um de nós. Essa hipótese explicaria parcialmente, por exemplo, por que hominídeos que exibiam cérebros bem menores, como os habitantes pré-históricos da ilha de Flores, na Indonésia, foram capazes de usar fogo para cozinhar ou produzir ferramentas feitas de pedra, a despeito de carregarem, individualmente, um cérebro cujo volume era equivalente aos nossos primos *Australopithecus*. A formação e a transmissão de cultura por *Brainets* teriam, então, compensado o volume reduzido dos cérebros individuais do *Homo floresiensis*. Essa hipótese sugere que o tamanho do cérebro por si só não é a única variável, nem talvez a mais relevante, que deve ser usada na avaliação da evolução da capacidade cognitiva humana.

Embora eu concorde com a maioria dos argumentos de Henrich, parece-me evidente que a estrutura neuroanatômica única, bem como as propriedades neurofisiológicas específicas de cada cérebro individual, é característica essencial no processo de formação de *Brainets* adequadas, permitindo, assim, que grupos sociais humanos gerem e transmitam suas culturas e seus conhecimentos acumulados de maneira altamente eficaz (para mais detalhes, Capítulo 7 deste volume).

Uma implicação direta dessa teoria de coevolução gene-cultura – assim como os adendos acrescidos a ela pela minha teoria de *Brainets* – pode ser ilustrada por um dos produtos mais distintos da evolução humana: a capacidade sem igual de criar novas ferramentas. Quando os nossos ancestrais começaram a andar eretos, cerca de quatro milhões de anos atrás, eles aumentaram significativamente o alcance espacial das suas expedições diárias em busca de comida e abrigo. No tempo devido, essa fabulosa adaptação biológica permitiu aos hominídeos africanos se espalharem pela costa e pelo interior do continente e, subsequentemente, pelo mundo. Dessa forma, as primeiras ondas de colonização humana do planeta Terra, e as raízes do processo que hoje é conhecido como "globalização", foram impulsionadas pelos pés de imigrantes andarilhos em busca de melhores condições de vida. Usando esse fato histórico como subsídio, um dia desses alguém deveria lembrar aos políticos neoliberais modernos essa épica jornada, sem a qual, o mundo que nos conhecemos não teria se tornado possível.

No entanto, a possibilidade de andar ereto, sobre a planta dos dois pés, fez muito mais do que aumentar o alcance territorial do ser humano para todo o globo. Ela libertou os braços dos nossos ancestrais, permitindo que eles pudessem começar a exibir uma variedade de outros comportamentos motores, alguns dos quais envolvendo movimentos finos e precisos dos polegares e de outros dedos das mãos. Combinado com um aprimoramento seletivo dos circuitos corticais frontoparietais (que conectam neurônios nos lobos frontais e parietais do córtex), o bipedismo nos ofereceu a chance de usar as mãos para produzir uma variedade de ferramentas especializadas.

Todavia, para a habilidade de criar ferramentas se manifestar plenamente, nossos ancestrais tiveram que adquirir o tino mental de identificar relações causais no mundo que os cercava. Por exemplo, um dos nossos antepassados, um dia, pode ter atirado uma pedra em uma parede de rocha maciça durante uma discussão mais acalorada com vizinhos. Depois de se acalmar, esse indivíduo talvez tenha observado casualmente que alguns dos fragmentos resultantes da quebra do seu petardo rochoso poderiam ser usados para cortar toda sorte de materiais, inclusive alguns dos alimentos mais importantes da sua dieta. A partir desse mero acidente, esse hominídeo pode ter experimentado novos meios de quebrar intencionalmente outras pedras, de forma a produzir melhores ferramentas de corte. Assim, logo que esse pioneiro começou a empregar o seu novo arsenal de lâminas de pedra, com grande sucesso, para retirar fatias de carne de carcaças animais, em um tempo muito mais curto que seus vizinhos, estes começaram a prestar mais atenção na forma como o vizinho temperamental produzia os seus instrumentos cortantes. Essa capacidade de planejar formas para transformar objetos do mundo exterior, combinada com a disseminação desse novo conhecimento por todo um grupo social, certamente define um dos atributos neurológicos que diferencia a nossa espécie dos outros primatas.

O fenômeno por meio do qual as mesmas estruturas cerebrais, presentes em diferentes indivíduos, são ativadas simultaneamente pela execução de um ato motor de um membro desse grupo social é comumente conhecido como "ressonância motora". Se os observadores desse ato motor começam a reproduzir os comportamentos motores observados por eles, estamos diante do fenômeno de "contágio motor". Quando esse contágio se manifesta depressa, o fenômeno passa a ser referido como "mímica". Circuitos especializados do cérebro de primatas (Capítulo 7) desempenham papel-chave na produção da ressonância motora que leva ao contágio ou à mímica em macacos, chimpanzés e seres humanos. Todavia, estudos comparativos da anatomia e da fisiologia dos circuitos corticais nesses três tipos de primatas revelaram a existência de diferenças importantes, em termos tanto de conectividade como de ativação funcional do cérebro durante a ocorrência de ressonância motora. Esses achados são essenciais porque esclarecem como o processo evolucionário pode ter influenciado a conectividade específica entre diferentes regiões dos lobos frontal, temporal e parietal do córtex, bem como os padrões de ativação funcional da imensa rede neural, levando ao estabelecimento de *Brainets* distintas em diferentes espécies de primatas.

Via de regra, macacos *rhesus* valem-se menos de suas interações sociais para aprender novas habilidades motoras quando comparados aos chimpanzés. Estes, por sua vez, exibem nível menor de complexidade no que tange ao "aprendizado social" do que os seres humanos. Isso significa que exemplos de habilidades motoras adquiridas por meio de interações sociais, via ressonância motora e contágio, são raros em macacos.

Chimpanzés selvagens, por sua vez, são capazes de expressar contágio de novas habilidades, como no caso de gestos para comunicação e construção de novas ferramentas. Em contraste a macacos e chimpanzés, nós, humanos, estamos sempre nos superando na capacidade de empregar a ressonância motora e o contágio para espalhar ideias, métodos e tecnologias por todo o nosso grupo social. Esse fenômeno materializa-se quer localmente, com gestos manuais e linguagem oral, quer a distância, utilizando uma enorme variedade de meios e tecnologias de comunicação de massa desenvolvidos pelos nossos "cérebros coletivos".

Existem duas possibilidades por meio das quais um observador pode utilizar o contágio de um novo ato motor: emulação ou imitação. Enquanto a emulação se refere ao ato de focar na cópia do resultado do ato motor observado, a imitação expande consideravelmente o foco para incluir a reprodução ou a cópia de todo o processo necessário para atingir um objetivo. Quando dados comportamentais comparativos são analisados, o consenso é de que macacos primariamente emulam em vez de imitar, enquanto, no caso dos chimpanzés, a imitação é mais comum. Chimpanzés são capazes de observar, adquirir, copiar e transmitir para outros membros da sua espécie novos processos para executar um comportamento motor. Essa característica sugere que esses grandes símios possuem a capacidade de desenvolver e sustentar um protótipo de cultura motora entre si.

Ainda assim, a despeito da capacidade de imitar, chimpanzés o fazem com menor frequência que os seres humanos. Essencialmente, isso significa que os chimpanzés ainda focam mais no ato de emular – copiar o produto final de um comportamento motor –, enquanto os seres humanos são muito melhores no ato de imitar – focando primordialmente na reprodução do processo por meio do qual se chega a um objetivo motor (por exemplo, construir uma nova ferramenta de pedra lascada). Além disso, graças ao aprimoramento significativo da banda de comunicação gerada com o advento da linguagem oral, humanos desempenham com muito mais proficiência a tarefa de ensinar novas habilidades para outros membros da espécie. Em outras palavras, nos caso dos seres humanos, uma nova ideia espalha-se muito mais eficientemente por meio de uma boa fofoca!

Uma vez que uma nova ideia sobre como construir uma nova ferramenta, por exemplo, é gerada por um indivíduo ou um pequeno time de colaboradores, por meio de um mecanismo discutido em detalhes no Capítulo 7, a ressonância e o contágio motor garantirão que essa nova visão espalhe-se e contamine (quase como um vírus) um número elevado de outros indivíduos de um grupo social. Esse verdadeiro recrutamento mental é responsável, então, pela criação de uma *Brainet* coesa voltada à confecção de um utensílio que melhora os métodos empregados tanto no processo de manufatura como no acúmulo do conhecimento e da experiência obtidos por todo um grupo social humano, bem como a distribuição desse patrimônio intelectual para futuras gerações.

Seja qual for a forma pela qual a primeira ferramenta de caça tenha sido criada pelos nossos ancestrais, a arte de *"knapping"*, que definiu as bases da primeira Revolução Industrial humana, e a habilidade de criar ferramentas em geral evoluíram por um processo incremental de descoberta, aprimoramento e adição de graus de complexidade. Embora milhões de anos tenham sido necessários para que os primeiros e primitivos machados de mão feitos de pedra pelos nossos ancestrais tenham se transformados em lanças afiadas e precisas, permitindo a bandos de caçadores humanos abaterem grandes presas a distância, a manufatura e o uso indiscriminado de uma variedade de ferramentas se transformaram em atributos fundamentais da condição humana. De fato, apesar de outros animais, inclusive chimpanzés, serem capazes de produzir ferramentas rudimentares, os seus artefatos não exibem o mesmo padrão de complexidade da criação tecnológica praticada por seres humanos. Da mesma forma, essas espécies animais não exibem a capacidade, única do *Homo sapiens*, de adquirir, acumular e transmitir conhecimento específico, de uma geração para outra, por centenas, milhares ou milhões de anos.

Assim, dado que a habilidade mental de gerar conhecimento emergiu em uma espécie que se esbalda tanto em colaborar como em contar vantagem sobre isso, esse atributo permitiu que novas abordagens para lascar pedras fossem disseminadas, levando ao desencadeamento de uma verdadeira revolução na forma de os nossos antepassados viverem. A partir desse momento, para ser bem-sucedido e atingir algum tipo de impacto no seu grupo social, os pioneiros mestres artesãos, envolvidos na confecção de novas ferramentas, tiveram que complementar suas habilidades naturais para a atividade manual com a capacidade de alardear amplamente as suas invenções. Essa fusão de habilidades provou ser fundamental, uma vez que, sem o uso da forma dominante de "marketing pré-histórico" – a fofoca –, o novo conhecimento adquirido por esses indivíduos inevitavelmente desapareceria, sem deixar marca ou vestígio, abandonado como um prisioneiro confinado na cela solitária dos confins mais profundos do cérebro de seus criadores.

A acumulação, o refinamento e a transmissão de conhecimento por *Brainets* humanas pode explicar também o surgimento da mais temida e eficiente arma usada pelos nossos ancestrais pré-históricos durante a caça de grandes presas. Refiro-me à capacidade humana de planejar e coordenar a atividade conjunta de grandes aglomerados humanos. Essa tarefa hercúlea envolve não só a habilidade de comunicar-se efetivamente, e a cada instante no tempo, com todos os indivíduos que formam um grupo de caça, como também de coordenar uma série de outras atividades mentais mais sutis que permitem que cada indivíduo desse grupo, bem como os seus líderes, seja capaz de reconhecer o que outros parceiros pensam sobre toda a empreitada, bem como os papéis alocados a cada um. Some-se a essa lista a capacidade de avaliar continuamente o que cada pessoa é capaz de enfrentar, física e mentalmente, durante a execução de uma tarefa tão estressante, e potencialmente fatal, como uma caçada como essa. Em paralelo, a linguagem oral possibilitou o surgimento de uma nova forma de comunicação explorada ao limite, como o mais importante meio de disseminar relatos elaborados dos épicos encontros para comunidades humanas inteiras que nunca tiveram a oportunidade de presenciar uma dessas caçadas. Começava aqui a grande saga dos mitos e das religiões que invadiram a mente humana como o fogo que se espalha pelos arbustos secos das grandes savanas africanas.

O surgimento da linguagem oral, da capacidade de confeccionar ferramentas, a teoria da mente e a inteligência social sem rival oferecem, individual e coletivamente, pistas sobre o processo que direcionou o crescimento sem precedentes do córtex humano ao longo dos últimos dois milhões e meio de anos da nossa evolução. Simultaneamente, a ocorrência de tantas inovações evolutivas é responsável por um grande mistério: como todas essas habilidades poderiam ter se fundido para garantir o funcionamento tão fluido da mente humana?

Steven Mithen, professor de arqueologia da Universidade de Reading, na Inglaterra, escreveu extensivamente sobre essa questão e propôs uma hipótese interessante sobre como uma mente holística, capaz de exibir fluidez cognitiva como a nossa, pode ter emergido pela fusão de atributos e capacidades mentais específicos. Influenciado pela teoria de múltiplas inteligências, proposta por Howard Gardner, Mithen identificou três fases genéricas por meio das quais a fusão da mente humana pode ter ocorrido. De acordo com a sua tese, inicialmente a mente dos nossos ancestrais hominídeos era dominada por uma "inteligência geral, uma série de rotinas genéricas voltadas para o aprendizado e a tomada de decisões". Com o passar do tempo, os nossos ancestrais adquiriram novas inteligências individuais, como linguagem, capacidade de confecção de ferramentas e teoria da mente, mas o cérebro deles ainda não era capaz de integrar esses novos módulos: pelo contrário, de acordo com a analogia proposta por Mithen, os cérebros pré-históricos operariam como um sofisticado canivete suíço: possui múltiplas ferramentas especializadas, mas é incapaz de integrá-las em um todo funcional. No estágio final do modelo de Mithen, os módulos individuais seriam finalmente integrados ou fundidos em uma entidade única e coerente que teria dado origem à mente humana moderna. Nesse ponto, tanto a informação como o conhecimento adquiridos por cada um desses módulos – ou circuitos neurais especializados – poderiam ser trocados livremente entre eles, em um processo que eventualmente levou ao aparecimento de novos derivativos mentais e novas habilidades cognitivas que dotaram a mente humana com as suas características de fluidez, criatividade, intuição e a possibilidade de gerar novas ideias e inovações que não teriam sido produzidas independentemente por módulos isolados.

Embora outros cientistas critiquem a teoria de Mithen, bem como as suas analogias, eu as considero pelo menos interessantes como ponto de partida para conectar o que é conhecido sobre a evolução anatômica do córtex humano, desde o nosso ponto de divergência com chimpanzés, com os detalhes do funcionamento da mente humana moderna, que surgiu depois do suposto processo de fusão cortical. Em seus escritos, Mithen não propõe nenhum mecanismo neurobiológico para explicar a fusão de inteligências específicas em um todo cortical integrado. Essa omissão é justificável porque a vasta maioria das inferências feitas sobre a evolução do funcionamento da mente humana baseia-se apenas na análise de moldes do interior de crânios fossilizados, que raramente se encontram intactos durante o processo de recuperação. Isso não significa que esses fósseis sejam inúteis: a reconstrução desses crânios (para uma amostra, Figura 2.1) permite que cientistas obtenham estimativas bem precisas do volume total dos cérebros de todos os nossos ancestrais. Além disso, esses moldes nos permitem analisar impressões do tecido cerebral na superfície interior do crânio desses indivíduos. No todo, a análise comparativa desses moldes revelou que, além de mudanças claras de volume, a forma do cérebro sofreu alterações importantes ao longo da nossa evolução, desde o *Australopithecus afarensis*, passando pelo *Homo habilis*, pelo *Homo erectus*, pelo *Homo neanderthalis*, até desembocar no *Homo sapiens*.

Outra forma de avaliar o que aconteceu durante a evolução do cérebro humano passa pela comparação da sua anatomia moderna com aquela de outros primatas, como macacos *rhesus* e chimpanzés. O chimpanzé moderno também é produto de um processo evolutivo que continuou desde que as nossas duas espécies se separaram, aproximadamente seis milhões de anos atrás. Ainda assim, apesar de não podermos assumir que o cérebro do chimpanzé atual é idêntico ao do nosso ancestral comum, podemos usar o sistema nervoso desse grande símio como parâmetro de comparação. Na realidade, essas comparações têm sido realizadas, por muitas décadas, pela comunidade de neuroanatomistas interessados no estudo da evolução do cérebro humano. A introdução de novas técnicas de imagem cerebral ajudou, e muito, na coleta de detalhes ainda mais específicos sobre a tremenda expansão do córtex humano, quando comparada com o nosso primo mais próximo.

Em geral, o neocórtex é formado por dois componentes principais: a substância cinzenta e a branca. A cinzenta contém grandes aglomerados de neurônios, principal célula do sistema nervoso, cercados por outros tipos de células, conhecidas coletivamente como "glia", que desempenham múltiplas outras funções de suporte aos neurônios. A branca, por sua vez, é formada por uma vasta rede de nervos, empacotados em feixes. Esses feixes nervosos provêm a extensa rede de cabos necessária para conectar as áreas corticais que definem os quatro principais lobos do córtex – frontal, parietal, temporal e occipital – em cada hemisfério cerebral. Densos feixes de nervos também formam a volumosa conexão que liga reciprocamente o hemisfério cerebral direito ao esquerdo, formando uma estrutura conhecida como "corpo caloso". Outros feixes nervosos da substância branca definem as verdadeiras autoestradas neurais, através das quais o córtex recebe e emite mensagens para as chamadas "estruturas subcorticais", por exemplo, a medula espinhal. As substâncias cinzenta e branca podem ser claramente separadas do córtex. A primeira é dividida em seis camadas de aglomerados de neurônios, justapostas verticalmente, uma em cima da outra. Esses neurônios, que definem o córtex propriamente dito, encontram-se no topo de um sólido bloco de substância branca cortical.

Nos anos 1990, John Allman, eminente neurocientista do Instituto de Tecnologia da Califórnia que dedicou sua carreira a estudar a evolução cerebral de mamíferos, descobriu uma relação evolucional impressionante entre a substância cinzenta e a branca. A descoberta de Allman materializou-se claramente depois que ele plotou o volume da substância cinzenta cortical em função do volume equivalente de substância branca, levando em conta um número elevado de espécies de mamíferos, inclusive primatas e humanos. O resultado da análise foi a descoberta de uma relação exponencial:

$$\text{Volume da substância branca} = \text{volume da substância cinzenta}^{4/3}$$

O expoente dessa equação – quatro terços – indica que, à medida que o córtex acresce neurônios, o volume da substância branca cresce muito mais rapidamente (Figura 2.4). Quando examinamos os dados relacionados aos primatas e focamos no que exatamente mudou no córtex humano, em relação aos nossos parentes primatas, verificamos que a maior parte do crescimento cortical observado em seres humanos se localizou no lobo frontal, em especial no polo anterior mais extremo, conhecido como "córtex pré-frontal", seguido da expansão das áreas corticais associativas na região posterior do lobo parietal e do lobo temporal.

Quando comparado ao do macaco *rhesus*, o lobo frontal dos seres humanos exibe um crescimento volumétrico de cerca de trinta vezes. Como previsto por John Allman, a maior parte desse crescimento é representada pela expansão da substância branca, resultando em um aprimoramento bastante importante das conexões do expandido córtex pré-frontal, bem como as áreas corticais motoras e pré-motoras do lobo frontal, para outras partes do córtex, incluindo regiões dos lobos parietal e temporal e estruturas subcorticais.

CÓRTEX DE DIFERENTES ESPÉCIES DE MAMÍFEROS

$$\log_{10} W = (1.23 \pm 0.01) \log_{10} G - (1.47 \pm 0.04)$$

$$r = 0.998$$

Eixo Y: Volume da substância branca W (mm^3)
Eixo X: Volume da substância cinzenta G (mm^3)

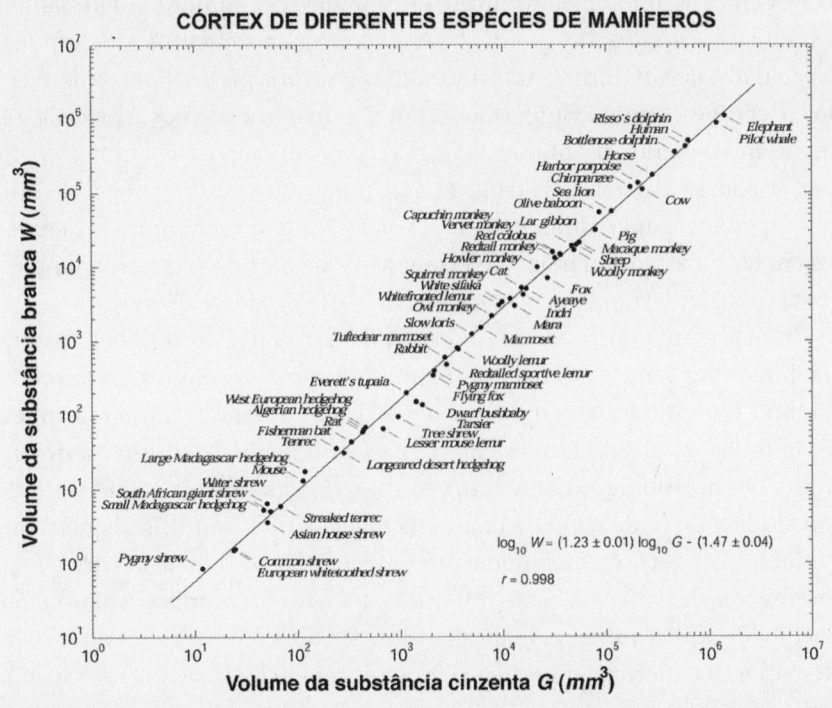

Figura 2.4 Relação entre substância branca e cinzenta cortical em 59 espécies animais. Note que a escala de ambos os eixos é logarítmica. (Reproduzida com permissão do original publicado por K. Zhang e T. J. Sejnowski, "A Universal Scaling Law between Gray Matter and White Matter of Cerebral Cortex", *Proceedings of the National Academy of Sciences* EUA 97, n. 10 [2000]: 5621–26. Copyright [2000] National Academy of Sciences, EUA.)

A explosão volumétrica da substância branca do lobo frontal humano, em concomitância com a expansão das áreas associativas do córtex parietal e temporal, indica que uma proporção muito maior do córtex humano passou a se dedicar à gênese de pensamento abstrato e conceitual de alta complexidade, o tipo de material neural que define as nossas habilidades cognitivas únicas. Não por coincidência, portanto, os neurocientistas que buscavam identificar os circuitos corticais envolvidos na produção e na interpretação da linguagem, da confecção de ferramentas, na definição do senso de ser, na inteligência social e na teoria da mente – atributos que surgiram ao longo dos últimos quatro milhões de anos – descobriram que eles se situavam nas difusas redes formadas pelas verdadeiras autoestradas nervosas que conectam reciprocamente áreas corticais residentes nos lobos frontal, parietal e temporal. É por essa razão que identifiquei nessa mesma rede neural o substrato orgânico computacional que deu origem ao Verdadeiro Criador de Tudo.

Usando a gigantesca gama de informação, a minha conclusão é simples: para possibilitar a evolução de grandes e complexos agrupamentos sociais, capazes de gerar elaborados comportamentos, incluindo a capacidade de adquirir e transmitir uma cultura própria por milênios a fio, o cérebro humano precisou acumular mais neurônios. Todavia, tão importante quanto o volume neuronal, para atingir o seu cume cognitivo, o padrão de conectividade neural único do cérebro provavelmente desempenhou papel ainda mais essencial para o surgimento das faculdades mentais extraordinárias que fazem parte da certidão de nascimento da nossa espécie, lavrada pelas mãos invisíveis do processo evolutivo.

Otimamente conectado por dentro para ser capaz de se hiperconectar por fora: essa parece ser a máxima central do processo de crescimento cerebral humano ao longo da evolução. Todavia, não basta para explicar como todos os atributos mentais humanos individuais se fundiram para criar a mente fluida do *Homo sapiens*. Da mesma forma, esse aforismo não elucida onde devemos procurar os mecanismos neurofisiológicos que habilitaram o córtex expandido a estabelecer grupos sociais maiores, mais coesos, mais criativos e mais fofoqueiros. Nos corredores da neurociência moderna, a primeira indagação dessa lista é conhecida como "problema da encadernação cortical". Nos últimos trinta anos, esse mistério tem sido assunto de discussões extremamente acaloradas, sobretudo entre os neurocientistas que estudam o sistema visual. O intenso debate se dá porque o mais aceito arcabouço teórico dessa área, o modelo do sistema visual proposto pelos neurocientistas David Hubel e Torsten

Wiesel, ganhadores do Prêmio Nobel de Fisiologia e Medicina, há mais de meio século não oferece nenhuma solução para o "problema da encadernação". Na verdade, esse modelo clássico nem reconhece a existência do problema como algo real e importante. A segunda questão, porém, é essencial para entender por que nós, humanos, fomos tão bem-sucedidos em construir o tipo de grupo social criativo o suficiente para esculpir todo um cosmo, o universo humano.

Esses tópicos, que serão discutidos nos próximos capítulos, podem ser resumidos em duas perguntas básicas: como o córtex se fundiu em um único sistema computacional analógico ou contínuo e como ele permite que milhares, milhões ou bilhões de cérebros individuais se sincronizem em *Brainets*?

CAPÍTULO 3

O CÉREBRO E A INFORMAÇÃO: UM *BIT* DE SHANNON, UM PUNHADO DE GÖDEL

A multidão jovem e descontraída que preenchia a alameda que circunda a margem suíça do lago Léman, no entorno da vila de Clarens, durante a tarde quente e úmida do verão alpino de 2015 parecia mover-se ao som do ritmo de uma matinê que transcorria no palco ao ar livre do Festival de Jazz de Montreux. Tendo desfrutado de mais um dos tradicionais almoços libaneses no nosso restaurante favorito, o Palácio Oriental, a apenas algumas centenas de metros de distância, eu e o meu grande amigo Ronald Cicurel, matemático e filósofo suíço-egípcio, decidimos fazer uma caminhada para explorar outros dos componentes principais da teoria em que estávamos trabalhando em conjunto havia algum tempo. Enquanto andávamos lado a lado, trocando ideias, no meio de um debate sobre um dos nossos temas favoritos daquele verão suíço – a sequência de eventos que permitiram aos organismos emergirem na Terra, bilhões de anos atrás, evoluírem e conseguirem resistir, mesmo que temporariamente, ao ímpeto incessante de aumento de entropia de todo o universo –, subitamente nos encontramos imóveis, paralisados na frente de uma árvore muito estranha (Figura 3.1).

Enquanto estávamos lá, petrificados, bem no meio do passeio público, com nossa atenção direcionada para aquela árvore retorcida, tive uma ideia. "Viver é dissipar energia para poder embutir informação na massa orgânica do organismo", eu disse, do nada, repetindo a sentença algumas vezes para me certificar de que não me esqueceria tão cedo daquele pensamento.

Surpreendido com a frase que tão logo fora emitida começou a ressonar no seu cérebro, Ronald virou-se para mim e, em seguida, novamente para a árvore uma vez mais, como se procurasse alguma forma de se assegurar da procedência e da veracidade daquela afirmação quase casual. Depois de alguns segundos de silêncio contemplativo, abrindo um vasto sorriso, ele apontou para um banco próximo, convidando-me a sentar, ainda aparentando alto grau de agitação para o seu padrão em geral comedido.

"Eu acho que é isso!", ele finalmente decretou.

Figura 3.1 Ronald Cicurel posa para uma fotografia com a famosa árvore na margem do Lago Léman em Montreux, Suíça (Foto do autor)

Foi nesse momento que me dei conta de que nós havíamos finalmente achado o fio da meada que nos iludira por boa parte daquele verão, caminhando pela alameda ao redor do lago, todas as tardes, observando gansos e cisnes, atrapalhando o fluxo dos pedestres com a nossa forma pouco usual de conduzir experimentos teóricos em pleno pavimento público e, como quis o destino, eventualmente ser apresentados àquela árvore tão peculiar a que ninguém, além de nós dois, parecia conferir qualquer tipo de importância.

Na manhã daquele mesmo dia, antes do nosso encontro, sentado na varanda do meu quarto de hotel, por acaso comecei a prestar atenção nos diferentes padrões de ramos e folhagem formados pelas árvores ao longo da margem do lago Léman. Lembrando a típica estrutura expansiva do dossel formado pela mata tropical brasileira, que me inspirou desde a minha infância, agora eu podia apreciar como diferenças de latitude influenciam o formato das folhas e a configuração tridimensional das plantas ao redor do planeta. Eu ainda me recordo de pensar naquele momento quão espetacular era o mecanismo adaptativo engendrado pela natureza para otimizar os painéis solares orgânicos das árvores de grande porte, de sorte que elas pudessem coletar a maior quantidade de energia proveniente do Sol, não importando onde elas tivessem fincado suas raízes. Esse pensamento furtivo me fez relembrar das minhas aulas de botânica do ensino médio, quase quarenta anos antes. Em uma delas, a professora Zulmira fez questão de nos apresentar o conceito central por trás da dendrocronologia. De acordo com ela, o grande Leonardo da Vinci tinha sido o primeiro a reconhecer que, todos os anos, as árvores depositam um anel extra de madeira cuja largura reflete as condições climáticas enfrentadas durante aquela temporada; algumas árvores são capazes, sob certas condições climáticas, de produzir mais de um anel por ano. Sabendo disso, o inventor e cientista americano Alexander Twining propôs que, ao sincronizar os padrões dos anéis produzidos por um número elevado de árvores, seria possível estabelecer as condições climáticas de qualquer localização da Terra. Assim, anos caracterizados por um alto grau de umidade ambiente levariam à produção de anéis mais largos, enquanto anos afetados por secas seriam responsáveis pelo depósito de anéis bem mais finos.

Levando essa noção bem mais adiante, Charles Babbage, um dos pioneiros da era moderna da computação, introduziu a hipótese de que seria possível usar os anéis de árvores fossilizadas para estabelecer tanto a idade como as condições climáticas de eras passadas. Embora Babbage tenha proposto essa tese nos anos 1830, a dendrocronologia – área de pesquisa dedicada à realização dessas medições – só foi aceita como campo científico sério graças ao trabalho e à perseverança do astrônomo americano Andrew Ellicott Douglass. Isso porque ele descobriu uma forte correlação entre as dimensões dos anéis arbóreos e os ciclos das manchas solares. Durante três décadas de sua carreira, Douglass construiu um banco de dados contendo uma amostra contínua de anéis arbóreos desde 700 d.C. Usando essa nova técnica biológica para o registro do tempo, arqueologistas foram capazes de identificar, com precisão, o período em que algumas edificações astecas foram construídas no que hoje é a região sudoeste dos Estados Unidos. Atualmente, a dendrocronologia permite aos cientistas reconstruir a ocorrência de erupções vulcânicas, eventos glaciais e precipitações pluviais.

No todo, portanto, os anéis arbóreos ilustram muito bem como a matéria orgânica pode ser usada para a estocagem de informação que representa um registro detalhado de eventos climáticos, geológicos e astrofísicos ocorridos durante a vida dos organismos.

Além de mentalmente agradecer a uma das minhas professoras, naquela manhã em Montreux eu realmente não estabeleci nenhuma conexão com o que, àquela altura, pareciam-me ser dois eventos totalmente não correlacionados: a peculiar forma das folhas das árvores dos jardins à margem do lago Léman e a existência de verdadeiros registros temporais dentro do *core* de madeira dessas árvores. Logo abandonei esses pensamentos e retornei ao meu desenho da orla que eu havia começado nos primeiros dias da minha estadia, matando o tempo até que fosse hora de me encontrar com Ronald no Palácio Oriental.

Algumas horas mais tarde, sentado ao lado dele no banco daquele jardim, o mesmo fluxo de pensamento retornou à minha mente. A diferença foi que, desta vez, eu conjecturei sobre uma potencial relação causal entre a existência e a função dos painéis solares das árvores (suas folhas) e a capacidade de elas criarem verdadeiros registros temporais embutidos em sua própria estrutura orgânica (em seus anéis).

"É isso, Ronald. Energia solar sendo dissipada para que informação seja embutida diretamente na matéria orgânica que define a estrutura do tronco da árvore. Esta é a chave: energia usada para que informação seja armazenada no tecido orgânico, a fim de maximizar a redução de entropia local necessária para a árvore sobreviver mais um dia, e continuar coletando mais energia, embutindo mais informação no seu arcabouço orgânico e resistindo à sua própria aniquilação!"

Durante o verão de 2015, Ronald e eu havíamos mergulhado na estratégia de usar a termodinâmica como elo teórico a conectar, de forma contínua e transparente, a evolução de todo o universo com o processo que culminou na geração e na evolução da vida na Terra. Não foi preciso muito tempo de discussão para que nós dois convergíssemos nas potenciais implicações de descrever tanto o surgimento da vida dos organismos mais elaborados como um verdadeiro experimento evolucional que tivesse como palco a otimização do processo de conversão de energia em informação embutida. De acordo com a nossa conclusão, essa seria a estratégia central por meio da qual os seres vivos poderiam derrotar, mesmo que de maneira breve, a dissipação terminal e hedionda, que inevitavelmente conduz ao estado conhecido como "morte".

Embora nos últimos cem anos muitos autores tenham discutido a mistura de conceitos como energia, informação e entropia no contexto de organismos vivos, Ronald e eu acreditamos ter achado algo novo naquela nossa caminhada vespertina ao redor do lago Léman. Para começar, a nossa descoberta requer a introdução de uma nova definição de informação, que mais se aproxime da operação básica dos seres vivos, ao oferecer um contraste com a definição mais clássica proposta por Claude Shannon, originariamente introduzida em um contexto de engenharia elétrica/eletrônica, visando à análise de mensagens transmitidas por canais de transmissão ruidosos de sistemas eletrônicos, como computadores digitais. Além disso, à medida que continuamos a pensar de forma mais abrangente sobre a nossa descoberta daquela tarde, logo ficou evidente que havíamos desenvolvido um novo conceito – um que iguala organismos, e mesmo os seus componentes celulares e subcelulares, a uma nova classe de sistemas computacionais, computadores orgânicos, uma nomenclatura que eu havia usado em um artigo científico, em circunstâncias diferentes, para me referir à ação conjunta de múltiplos cérebros animais envolvidos em uma tarefa comum.

Computadores orgânicos, que se distinguem de mecânicos, eletrônicos, digitais e quânticos, construídos por engenheiros, emergem como resultado do processo de evolução. A característica mais marcante dessa nova classe de computadores é a utilização da sua estrutura orgânica e as leis da física e da química para adquirir, processar e estocar informação. Essa propriedade fundamental reflete o fato de que computadores orgânicos se valem primordialmente da computação analógica para realizar as suas principais tarefas, embora elementos de computação digital sejam usados em muitos casos. Historicamente, a computação analógica utiliza a variação contínua de dado parâmetro físico (como eletricidade, fluxo de fluidos, deslocamentos mecânicos) para realizar computações. Por exemplo, a régua de cálculo é um dos exemplos mais clássicos de computador analógico. Estes eram bastante populares nos anos 1940, antes da introdução dos circuitos digitais que possibilitaram a criação dos computadores digitais.

Uma vez que a termodinâmica foi o nosso ponto de partida, Ronald e eu fomos profundamente influenciados, desde o início de nossa colaboração, pelo trabalho do químico belgo-russo e ganhador do Prêmio Nobel Ilya Prigogine e pela sua teoria da vida baseada na termodinâmica. Em um de seus livros clássicos, *Order Out of Chaos* [Ordem no caos], escrito em colaboração com Isabelle Stengers, Ilya Prigogine discute a sua teoria que lida com a termodinâmica de reações químicas complexas e as consequências imediatas de seu trabalho, que levaram ao desenvolvimento de uma radical definição da vida. O fulcro da teoria de Prigogine baseia-se nas chamadas reações químicas auto-organizativas, oferecendo uma forma de compreender como os seres vivos surgiram a partir de matéria inorgânica.

O conceito central da maneira de pensar de Prigogine é a noção do equilíbrio termodinâmico. Um sistema está em equilíbrio quando não existem fluxos resultantes, nem de energia nem de matéria, dentro do sistema, tampouco entre o sistema e o ambiente ao redor. Se por qualquer razão um gradiente energético surge, criando domínios com mais ou menos energia, o sistema espontaneamente dissipa o excesso de energia da primeira para a segunda região. Para entender esse processo, imagine uma chaleira cheia de água em temperatura ambiente. Nessas condições, a água está em equilíbrio termodinâmico, ou seja, nenhuma mudança macroscópica do sistema pode ser observada, uma vez que a água permanece, pacificamente, no estado líquido. Agora, se porventura decidirmos aquecer a chaleira para preparar um chá, à medida que a temperatura sobe e se aproxima do ponto de ebulição, a água começa a se distanciar do seu equilíbrio líquido, até cruzar uma transição de fase e se transformar em vapor.

De acordo com Prigogine, organismos, sejam bactérias, árvores, ou seres humanos, devem ser vistos como sistemas abertos que só podem continuar vivos mantendo-se longe do equilíbrio termodinâmico. Isso significa que, para continuarem vivos, os organismos precisam manter um processo contínuo de troca de energia, matéria e informação, dentro de si mesmos, e entre eles e o ambiente que os circunda, de sorte a manter gradientes químicos e térmicos. Esses gradientes são estabelecidos dentro das suas células, dentro do organismo, e entre o organismo e o mundo exterior. Essa verdadeira batalha termodinâmica se mantém durante toda a vida de qualquer organismo, pois, no momento em que ela deixar de existir, removendo as condições que permitiam manter o organismo longe do equilíbrio termodinâmico, este estará irremediavelmente condenado à morte e à decomposição.

Em geral, o fenômeno da dissipação de energia é extremamente presente em nosso dia a dia. Por exemplo, quando damos a partida em um carro e o motor começa a funcionar, parte da energia gerada pela combustão da gasolina é usada para movimentar o automóvel. Todavia, uma fração significativa dela é dissipada na forma de calor que não é usado para gerar outra forma de movimento. Dissipação é isto: a transformação de uma forma de energia, que pode ser usada para produzir alguma forma de trabalho, em outra forma de energia que pode produzir menos trabalho ou nada. Outro exemplo ajuda a entender esse conceito fundamental: grandes estruturas no mundo natural, como furacões e tsunâmis, formam-se como resultado direto de um processo de dissipação de grandes quantidades de energia. No caso de furacões, a gigantesca massa branca rotatória que normalmente observamos em imagens de satélite é gerada por um processo de auto-organização de nuvens e vento, alimentado pela dissipação de gigantescas quantidades de energia geradas pela ascensão a altas atitudes da atmosfera de grandes volumes de ar quente e úmido, oriundos da superfície do oceano em latitudes próximas ao equador. Como resultado dessa ascensão, uma zona de baixa pressão é criada abaixo dessa massa de ar quente e logo preenchida por ar frio, que rapidamente migra de regiões de alta pressão ao seu redor. Novamente, o ar é aquecido, ganha umidade e ascende. Ao atingir altas altitudes, onde a temperatura é muito mais baixa, a água presente no ar se condensa, formando grandes nuvens que passam a desenvolver movimentos rotatórios devido aos ventos violentos que se desenvolvem como resultado da alta circulação de ar quente e frio no sistema. A estrutura e o movimento dos furacões que observamos resultam desse processo auto-organizado de dissipação de energia gerado pelo mecanismo atmosférico que, em alguns casos extremos, pode ser descrito como uma feroz bomba climática.

Prigogine e seus colaboradores descobriram que existem certas reações químicas nas quais estruturas auto-organizadas podem surgir, mesmo em um ambiente de laboratório, por meio de mecanismos semelhantes aos observados em um furacão. Por exemplo, variações nas quantidades de certos reagentes, ou em condições externas à reação, como a temperatura ou a introdução de um agente catalisador, podem induzir oscilações rítmicas, totalmente inesperadas, na geração dos produtos dessas reações químicas. Esses padrões oscilatórios receberam o nome de "relógios químicos". Os mesmos autores descobriram que elaboradas estruturas espaciais, como a segregação precisa de moléculas distintas em diferentes regiões de um recipiente onde a reação ocorre, podem surgir inesperadamente. Em outras palavras, nessas reações as colisões aleatórias das moléculas dos reagentes levam ao estabelecimento de uma ordem espacial, como resultado do processo de dissipação de energia do sistema.

A partir dessas observações, Prigogine derivou dois princípios centrais. O primeiro propõe a existência de um momento súbito no qual a adição de uma nova pequena fração de reagentes ou um pequeno incremento na temperatura do sistema muda dramaticamente a forma pela qual a reação química se organiza por si mesma, tanto no tempo como no espaço. Curiosamente, no fim do século XIX o matemático francês Henri Poincaré já havia observado o mesmo fenômeno durante os seus estudos de equações diferenciais não lineares: além de certo ponto, o comportamento da equação não podia mais ser previsto com precisão; a partir daquele ponto, o sistema comportava-se de forma caótica, e a totalidade dos valores numéricos produzidos pela equação definiam uma macroestrutura matemática conhecida como "atrator estranho".

O segundo conceito fundamental proposto por Prigogine foi chamado de "sincronização". Na sua definição, esse termo se refere a como, em uma condição peculiar e longe do equilíbrio, as moléculas dos reagentes parecem "conversar" umas com as outras, de forma que padrões espaciais e temporais altamente elaborados surgem de forma auto-organizada. Como veremos, esses dois conceitos são fundamentais para o entendimento do conceito de cérebros individuais, ou em rede (*Brainets*), como computadores orgânicos (Capítulo 7).

A partir dessas observações, o salto da simples análise de reações químicas para formular uma teoria dedicada a explicar como os organismos operam foi apenas questão de tempo. Prigogine avançou nessa direção com grande prazer e autoridade. Para saber como, retornamos àquela estranha árvore suíça, nos jardins de Montreux, e tentamos alinhar a teoria dele com as observações que Ronald e eu fizemos.

Com suas raízes profundamente arraigadas na margem do lago Léman por muitas décadas, aquela árvore aproveitava os seus amplos painéis solares biológicos (folhas) para absorver luz solar e dióxido de carbono dos arredores. A capacidade de absorver uma fração da luz solar incidente é garantida pela existência do pigmento clorofila, dentro de organelas conhecidas como cloroplastos, presentes em abundância nas células de suas folhas. Usando a luz absorvida, dióxido de carbono e a água sugada por suas raízes, os cloroplastos realizam o processo de fotossíntese. Graças a esse processo, as plantas são capazes de direcionar uma fração da energia solar para manter e expandir o estado de desequilíbrio que existia desde a semente da qual a planta se desenvolveu originariamente, aumentando as camadas e a complexidade do tecido orgânico formador de sua estrutura.

Plantas capturam luz solar, animais comem plantas, e nós nos alimentamos de plantas e animais. Em suma, viver é se alimentar do que o Sol nos oferece: alguns obtêm essa dádiva em primeira mão, enquanto outros têm que assegurar a sua partilha de segunda mão. O que Ronald e eu acrescentamos a essa ideia foi a noção de que, enquanto uma árvore se auto-organiza durante o processo de dissipar energia, ela tira vantagem desse mesmo processo para embutir informação, fisicamente, na matéria orgânica que ela mesma cria. Assim, à medida que uma árvore cresce, informação sobre o clima ao seu redor, a disponibilidade de água no solo, a dinâmica das manchas solares e outras variáveis são gravadas nos anéis de madeira que as árvores adicionam à sua estrutura tridimensional anual. Com base em nossa teoria, a árvore é capaz de realizar todas as funções atribuídas a um computador orgânico. Apesar de as árvores não serem capazes de acessar diretamente todas as "memórias" esculpidas em sua própria madeira, observadores externos, como nós, acharam um forma de fazer isso.

Colocado de maneira mais formal, o que Ronald e eu propomos é: *em um sistema vivo e aberto, a dissipação de energia permite que informação seja fisicamente embutida na matéria orgânica que o constitui.*

De acordo com a nossa visão, esse processo não é igual em todas as formas de vida. Acabamos de discutir um exemplo no qual a informação embutida no tecido orgânico não pode – até onde sabemos – ser acessada diretamente pelo organismo para fins computacionais, por exemplo, calcular o número de manchas solares de anos passados. Contudo, no caso de animais que possuem cérebro, a informação embutida no tecido neuronal não só pode ser recuperada continuamente, como também pode servir de guia de ações e comportamentos futuros. Nesse caso, o processo de dissipação de energia que permite a estocagem de informação não só constitui a base do fenômeno conhecido como aprendizado, como também é responsável pelo armazenamento de memórias no tecido nervoso. Além disso, como em cérebros esse processo de incorporação de informação envolve uma modificação direta do tecido neuronal – decorrente de mudanças morfológicas das sinapses que conectam os neurônios –, pode-se dizer que a informação exibe uma "eficiência causal" no sistema nervoso central. Isso significa que o processo de incorporar informação muda a configuração física – e, consequentemente, as propriedades funcionais – de um circuito neural. Como veremos, esse fenômeno define a base de uma propriedade neurofisiológica fundamental conhecida como "plasticidade cerebral" (Capítulo 4).

A incorporação de informação no cérebro de animais representa um enorme salto qualitativo quando comparado ao processo de formação de anéis arbóreos. Todavia, ao se considerar o mesmo processo no cérebro humano, um resultado ainda mais impressionante se dá. Digo isso porque, além de esculpir continuamente os nossos registros mnemônicos, cuja longevidade extraordinária pode se estender por toda a vida, e mediar os processos de aprendizado e plasticidade, a dissipação de energia produzida pelo cérebro humano é responsável pelo surgimento de um bem durável muito mais precioso e raro: o conhecimento. Dissipar energia para produzir conhecimento. Para mim, esse pode ser considerado o ápice, o subproduto mais explosivo e revolucionário da termodinâmica da vida.

E, a esta altura, preciso introduzir outro conceito termodinâmico fundamental: a entropia. Existem muitas formas de definir esse conceito. Uma delas é a partir da mensuração do grau de desordem ou aleatoriedade molecular existente no interior de um sistema macroscópico qualquer. Outra é entender o número de estados microscópicos que um sistema particular, como um gás, pode assumir exibindo o mesmo comportamento macroscópico. Por exemplo, suponha que você entre em um salão de conferências de um hotel carregando um balão cheio de gás hélio, daqueles de festas de aniversário de criança. Como o volume total do balão é pequeno, as moléculas de gás hélio estão muito próximas umas das outras, o que define um grau relativamente baixo de desordem molecular, uma vez que elas não podem se expandir devido ao pequeno volume ocupado. Da mesma forma, o número de microestados dentro do balão também é reduzido: embora cada átomo de hélio possa trocar de posição com qualquer outro, o macroestado do interior do balão permanecerá o mesmo, uma vez que todos os átomos estão confinados dentro do balão e, assim, impedidos de se espalhar por todas as localidades do auditório. Seja qual for a definição, nessas condições, o hélio está em um estado de baixa entropia.

Agora, imagine que no momento em que chegou ao centro do auditório você decidiu estourar o balão e permitir o escapamento do gás. O hélio que estava inicialmente confinado a um pequeno espaço – o volume do balão – agora se espalha por todo o espaço do salão, aumentando de maneira significativa o seu nível de desordem molecular, bem como a incerteza em determinar a posição de cada molécula dentro do auditório. Essa incerteza caracteriza um estado de alta entropia.

O ilustre físico austríaco Ludwig Boltzmann, um dos fundadores da termodinâmica, foi o primeiro a propor uma forma mais quantitativa de descrever esse conceito. Ele criou uma formulação estatística da entropia das substâncias naturais, como os gases. De acordo com esta fórmula:

$$E = k \times \log n$$

E representa a entropia, *k* é a chamada constante de Boltzmann, e *n* é o número total de microestados no sistema.

De acordo com a segunda Lei da Termodinâmica, estabelecida por William Thomson em 1852, a entropia total de um sistema fechado e isolado tende a crescer com o tempo. Apesar de essa lei aplicar-se ao universo como um todo, ela não impede a formação de "ilhas de resistência" por parte dos organismos vivos, como forma de retardar a sua desintegração terminal rumo à aleatoriedade cósmica. Essa verdadeira guerrilha dos vivos foi descrita com perfeição por outro físico austríaco ilustre e ganhador do Prêmio Nobel, Erwin Schrödinger, um dos gigantes da mecânica quântica. Em seu livro O *que é a vida?*, Schrödinger propôs que viver envolve uma luta contínua para gerar e manter verdadeiras ilhas de entropia reduzida, as quais nós denominamos "organismos".

Nas palavras dele: "A principal tarefa do metabolismo é permitir que o [nosso] organismo consiga se livrar de toda a entropia que ele não pode deixar de produzir enquanto estamos vivos".

Em *Questão vital*, Nick Lane, bioquímico britânico da Universidade College de Londres, elucida ainda mais a relação entre a entropia e a vida ao dizer que,

como ponto de partida, para impulsionar o crescimento e a reprodução [do organismo] – o viver, em suma –, alguma reação deve continuamente liberar calor nos arredores externos [ao organismo] para fazê-los mais desorganizados.

E continua:

No nosso caso, nós pagamos pela nossa contínua existência liberando calor resultante da reação incessante da respiração. Nós estamos continuamente queimando alimento em oxigênio e liberando calor para o mundo exterior. Esse calor não é rejeito – ele é estritamente essencial para que a vida possa existir. Quanto maior for a perda de calor, maior o grau de complexidade possível.

Nos termos de Prigogine, podemos dizer que quanto maior for o processo de dissipação executado por um organismo, maior será o grau de complexidade estrutural e funcional que ele pode atingir.

Desde o fim dos anos 1940, os conceitos de entropia e informação passaram a ser relacionados intimamente, graças ao trabalho do matemático e engenheiro elétrico americano Claude Shannon. Aos 32 anos, como cientista do mais tradicional laboratório privado americano, o Bell Labs, em 1948, Shannon publicou um trabalho seminal de 79 páginas no jornal técnico da sua companhia. Em *The Mathematical Theory of Communication* [A teoria matemática da informação], Shannon descreveu, pela primeira vez, a informação de forma quantitativa. O mesmo trabalho foi imortalizado como o berço teórico de um dos mais influentes conceitos matemáticos criados no século XX: o "bit", que desde então passou a ser usado como a unidade de mensuração da informação.

Anos antes de publicar esse trabalho revolucionário, por volta de 1937, Shannon, então aluno de mestrado no Instituto de Tecnologia de Massachusetts (MIT), tinha demonstrando que apenas usando os números 0 e 1, e a lógica derivada exclusivamente deles – conhecida como "lógica booleana", em honra do seu criador, George Boole – se poderia reproduzir, em um circuito elétrico, qualquer relação lógica ou numérica. Com essa descoberta, Shannon inaugurou a era dos circuitos digitais que, junto com a invenção do transistor, no mesmo Bell Labs, e o arcabouço teórico de uma máquina computacional provido por Alan Turing, fez com que computadores digitais se tornassem realidade, mudando profundamente a forma de vida da humanidade nas oito décadas seguintes.

Com o seu trabalho de 1948, Shannon introduziu uma descrição estatística para informação, conceitualmente semelhante àquela que seus predecessores haviam usado para quantificar energia, entropia e outros conceitos termodinâmicos no século XX. O maior interesse de Shannon era solucionar "o problema fundamental da comunicação", ou seja, "reproduzir em um ponto, quer exata, quer aproximadamente, uma mensagem selecionada em um outro ponto". Na abordagem, Shannon não considerou outros aspectos normalmente vinculados à informação, como contexto, semântica ou significado. De acordo com Shannon, todos esses conceitos introduziam complicações desnecessárias para tentar solucionar o problema que ele se propunha resolver.

Em *A informação*, James Gleick sumariza as principais conclusões de Shannon acerca da sua visão probabilística da informação que mudaria o mundo moderno e a nossa maneira de viver. Três dessas conclusões estão diretamente relacionadas à nossa discussão neste capítulo:

1. Na realidade, a informação é uma medida de incerteza que pode ser mensurada simplesmente ao contarmos o número de mensagens possíveis [transmitidas por um canal]. Se apenas uma mensagem pode ser transmitida em dado canal de comunicação, não existe incerteza alguma; portanto, não existe informação.
2. A informação traduz a surpresa. Quanto mais um símbolo é transmitido em um canal, menos informação é comunicada por esse canal.
3. Conceitualmente, a informação é equivalente à entropia, o conceito central da termodinâmica, usado por Schrödinger e Prigogine para descrever como a dissipação de energia permite que matéria inorgânica dê origem à vida.

Retornaremos à repercussão profunda causada por essa última conclusão, mas, antes, é importante mostrar como a visão estatística da informação proposta por Shannon foi descrita em termos matemáticos. Em sua fórmula, *H* representa a entropia de Shannon, ou o mínimo número de *bits* necessários para codificar acuradamente uma sequência de símbolos, cada um dos quais com uma probabilidade particular de ocorrência. Usando uma notação simplificada, a fórmula é:

$$H(XP) = \sum_{i=1}^{n} p_i \log_2$$

p1 representa a probabilidade de ocorrência de cada um dos símbolos transmitidos por um canal. Novamente, a unidade de *H* é dada em *bits* de informação.

Por exemplo, se um canal transmite somente um 0 ou um 1, com probabilidade igual de 50% para cada um desses dois símbolos, ele precisa de apenas 1 *bit* para codificar e transmitir precisamente a mensagem. Por outro lado, se um canal somente transmite uma sequência de 1 – o que significa que a probabilidade de ocorrência desse símbolo é de 100% –, o valor de *H* é 0: não existe informação transmitida porque não há surpresa alguma no conteúdo dessa transmissão. Agora, se uma transmissão envolve uma longa sequência de 1 milhão de *bits* independentes (cada um dos quais tendo a mesma probabilidade de ser 0 ou 1), um canal transmitirá 1 milhão de *bits* de informação.

Basicamente, a definição de Shannon significa que quanto mais aleatória for uma sequência de símbolos – ou mais surpreendente –, mais informação ela contém. Da mesma forma que estourando um balão permitiu-se que o gás hélio mudasse de um estado de baixa para um de alta entropia termodinâmica, a quantidade de informação desse sistema aumentou por causa do aumento da incerteza em descrever a localização de cada átomo de hélio no auditório. Assim, depois de Shannon, a entropia de um sistema passou a ser definida como a quantidade de informação adicional necessária para definir precisamente o estado físico do sistema, dada a sua especificação termodinâmica. A partir de então, a entropia passou a ser considerada uma medida da falta de informação sobre um dado sistema.

A prova cabal do sucesso experimentado pelo extraordinário avanço de Shannon pode ser atestada pelo fato de que a sua nova definição de informação logo cruzou as fronteiras da área de aplicação para a qual ela havia sido cuidadosamente concebida para invadir uma série de outras disciplinas, redefinindo muitas delas, em alguns casos de forma radical. Por exemplo, a descoberta do fato de que longas sequências formadas por quatro nucleotídeos permitem a moléculas de DNA codificar toda informação necessária para a replicação de organismos, em apenas uma geração, permitiu que o conceito de Shannon para informação tomasse de assalto a genética e a biologia molecular. Com a descoberta do código genético, logo começou a se formar um consenso de que tudo o que conhecemos no universo pode ser codificado em *bits*, de acordo com a visão inovadora digital de informação criada por Shannon. Por exemplo, John Archibald Wheeler, um dos grandes físicos americanos do século XX, cunhou a expressão *it from bit* para defender a proposta de que "a informação deu origem a tudo, toda partícula, todo campo de força e até mesmo o contínuo espaço-tempo".

Tendo realizado um enorme desvio, que nos levou às distantes margens da termodinâmica e à nascente digital da Idade da Informação, podemos agora retornar à nossa familiar árvore às margens do lago Léman e esclarecer a dimensão do que Ronald e eu de fato concluímos naquela tarde de verão alpino. Basicamente, a nossa teoria propõe que seres vivos dissipam energia para sustentar um processo de auto-organização que permite a informação ser incorporada à sua matéria orgânica, de sorte a formar ilhas de entropia reduzida que valentemente tentam frear, mesmo que em escala infinitesimal, a tendência dominante de todo o universo em migrar para um estado de aleatoriedade terminal.

Embora parte dessa informação possa ser descrita pela formulação clássica de Shannon, concluímos que, na sua vasta maioria, o processo de auto-organização leva à incorporação de um tipo diferente de informação no tecido orgânico. Ronald e eu decidimos batizá-la de "informação gödeliana", em homenagem a um dos maiores matemáticos e lógicos do século XX, Kurt Gödel, que demonstrou as limitações inerentes a qualquer sistema formal, expresso, ironicamente, em linguagem shannoniana. Por ora, será suficiente contrastar as principais diferenças entre as duas distintas definições de informação, a shannoniana e a gödeliana, para alavancar a narrativa final deste capítulo.

Para começar, em vez de se valer de um código binário e digital, a informação gödeliana é contínua e analógica, dado que o processo de incorporação na matéria orgânica é abastecido pelo processo de dissipação de energia dos seres vivos. A informação gödeliana não pode ser digitalizada nem discretizada e ser tratada como *bits* de informação shannoniana.

Quanto mais complexo um organismo, mais informação gödeliana é depositada na matéria orgânica que o constitui.

Uma série de exemplos nos ajudará a clarificar as principais diferenças entre as duas formas de informação. Por exemplo, a partir do processo de translação que ocorre nos ribossomos, aminoácidos individuais são conectados em série para gerar a cadeia linear de uma proteína. No processo de dissipação de energia ocorrido durante a translação, informação gödeliana é estocada nessa cadeia linear proteica. Para apreciarmos o que essa informação representa, todavia, a cadeia linear de aminoácidos original precisa se "torcer" a fim de assumir a sua configuração tridimensional final, também conhecida como "estrutura terciária". Além disso, múltiplas cadeias proteicas já na sua configuração terciária precisam interagir umas com as outras para constituir a estrutura quaternária dos complexos proteicos; por exemplo, no caso da hemoglobina, a proteína transportadora de oxigênio encontrada no interior das células vermelhas do sangue. Somente quando essa estrutura quaternária é formada a hemoglobina pode se ligar ao oxigênio e realizar a sua função precípua.

Embora as cadeias lineares proteicas assumam a sua configuração terciária rapidamente quando colocadas no seu meio apropriado, tentar prever a estrutura tridimensional final a partir de uma cadeia proteica linear inicial usando um algoritmo computacional digital é extremamente difícil. Na nossa terminologia, a informação gödeliana embutida na cadeia linear proteica manifesta-se diretamente (isto é, ela computa) durante o processo físico natural de torção que gera a estrutura tridimensional da proteína. O mesmo processo, quando abordado em termos de lógica digital, pode se tornar não tratável ou não computável (o Capítulo 6 apresenta uma discussão detalhada desses termos), o que basicamente significa que nenhuma predição confiável da estrutura tridimensional da proteína em questão pode ser feita a partir da cadeia linear de aminoácidos que a define. Essa é a razão pela qual nos referimos à informação gödeliana como sendo de natureza analógica, em vez de digital. Em outras palavras, a G-info (apelido que criamos para ela) não pode ser reduzida a uma representação ou a uma descrição digital porque a sua manifestação integral depende de um processo contínuo – ou analógico – de transformação da estrutura orgânica de um sistema biológico dependente das leis da física e da química e não pode ser reconstruída nem copiada por um algoritmo rodando em um computador digital.

Considere agora um segundo e mais complexo exemplo. Suponha que um casal recém-casado esteja desfrutando um café da manhã na sua lua de mel em uma varanda de hotel, de frente para o mar Egeu, na ilha de Santorini, na Grécia. Enquanto um típico amanhecer grego, com todo o esplendor homérico, descortina-se à frente, o casal se dá as mãos como precursor da troca de um beijo apaixonado. Agora, avancemos cinquenta anos. Na mesma data em que completariam meio século de núpcias, o único membro sobrevivente daquela manhã, a viúva, retorna à mesma varanda de hotel em Santorini para desfrutar o mesmo café da manhã grego ao amanhecer. No momento em que ela degusta o primeiro sabor de seu desjejum solitário, embora cinquenta anos tenham se passado, ela subitamente experimenta a mesma sensação, a mesma mistura de afeto e paixão, produzida por um acariciar de mãos, seguido de um beijo furtivo, compartilhados com o seu amado, meio século antes. Embora o céu esteja nublado em seu retorno àquela varanda, naquele momento ela se sente quase transportada de volta a um raiar de manhã, ocorrido décadas antes, uma vez mais sentindo o doce frescor de uma brisa matinal que acaricia os seus cabelos enquanto ela desfruta da companhia do amor de sua vida. Para todos os efeitos e todos os propósitos, a viúva experimentou as mesmas sensações e os mesmos sentimentos que afloraram há cinquenta anos. De acordo com a minha interpretação, na realidade o que ela experimentou na segunda visita a Santorini é uma clara reativação de um padrão de informação gödeliana que havia sido embutido em suas memórias neuronais e lá permanecido, por dezenas de anos, até ser abruptamente reativado no instante em que o seu sistema gustativo se reencontrou com a mesma culinária grega. E, ainda assim, a despeito de várias tentativas, ela não conseguiu descrever em palavras todas as recordações e os sentimentos de suavidade, amor e perda. A falta de palavras se deu, basicamente, porque, embora a informação gödeliana possa ser parcialmente projetada em informação shannoniana (ou S-info) e transmitida pela linguagem oral ou escrita, ela não pode ser completamente expressa nem descrita por meio dessa projeção digital.

O último exemplo nos ilustra duas propriedades interessantes. Primeiro, durante o café da manhã do jovem casal, uma série de sinais sensoriais (gustativos, visuais, auditivos e táteis) foram inicialmente traduzidos em S-info e transmitidos ao cérebro dos dois indivíduos que interagiam. Uma vez que essas mensagens multimodais alcançaram os cérebros, suas relações mútuas e as potenciais associações causais foram comparadas com o ponto de vista de cada um dos dois cérebros, construído e atualizado continuamente durante a vida de cada um deles. O resultado dessa comparação foi então imediatamente incorporado no córtex dos dois cérebros na forma de informação gödeliana contínua. Essa operação indica que o cérebro humano está continuamente transformando S-info, amostrada do mundo exterior por uma matriz diversificada de órgãos sensores periféricos (olhos, ouvidos, pele, língua), em G-info e estocando esta última na forma de registros mnemônicos. Por outro lado, quando há estímulo sensorial similar ao de uma experiência prévia, como o degustar de uma mesma iguaria, em um mesmo ambiente visitado, esses registros mnemônicos de G-info, estocados décadas antes, podem ser subitamente reconvertidos, pelo menos de forma parcial, em fluxos de S-info usados para comunicação interpessoal (Figura 3.2). De acordo com a nossa visão, a fração de G-info que não pode ser reconvertida em S-info não poderá ser verbalizada. Em vez disso, a sua manifestação se dará na forma de emoções e sentimentos experimentados de modo único pelo indivíduo. Por isso, quando Ronald e eu nos referimos a essa forma tão humana de experimentar o efeito da reativação das nossas memórias, postulamos que não existe fluxo de S-info, algoritmo matemático, computador digital ou qualquer forma de inteligência artificial que se aproxime de reproduzir ou emular aquilo que cada um de nós experimenta cotidianamente na nossa mente. Basicamente, a S-info por si só é insuficiente para descrever de forma abrangente tudo o que o cérebro humano é capaz de armazenar, experimentar e expressar. Como Ronald gosta de dizer, se a entropia é definida historicamente como a quantidade de informação adicional necessária para especificar o exato estado físico de um sistema, a informação gödeliana representa a entropia do cérebro; isto é, o bocado de informação, não representado por S-info, que é necessário para descrever na íntegra o tipo de informação embutido nos cérebros que nos fazem seres humanos. Portanto, a existência da G-info define uma das razões centrais pelas quais computadores digitais nunca serão capazes de reproduzir os trabalhos intrínsecos e as maravilhas criadas pelo cérebro humano. Computadores digitais dissipam energia na forma de calor e campos eletromagnéticos inócuos, enquanto o cérebro animal, e principalmente o humano, utiliza o seu processo de dissipação de energia para acumular G-info no seu tecido neural (Capítulo 6).

Um dos fenômenos produzidos pelo cérebro humano que mais me fascina, a sensação do membro fantasma, pode ser usado para explicar um pouco mais as diferenças entre S-info e G-info, uma vez que ilustra como o nosso sistema nervoso, diferente de computadores digitais, lida com mensagens potencialmente conflitantes e ambíguas.

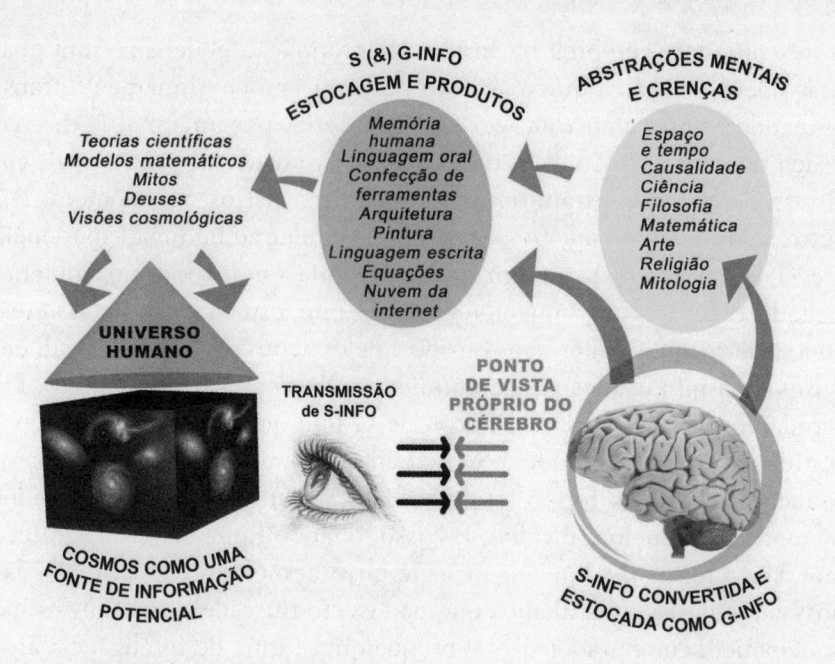

Figura 3.2 Diagrama esquemático representando o processo de conversão de informação shannoniana em informação gödeliana, a geração de abstrações mentais, e a construção do universo humano como a nossa melhor tentativa de representar e dar significado para o cosmos. (Ilustração por Custódio Rosa)

Suponha, por exemplo, que um paciente, que passou pelo infortúnio de ter sua perna direita amputada cirurgicamente, esteja em repouso em seu leito hospitalar. Deitado e coberto com um lençol e um cobertor, ele não tem como visualizar a parte inferior do corpo. Nesse instante, o cirurgião ortopédico que realizou a amputação aproxima-se do leito e informa que, desafortunadamente, a sua perna direita teve de ser amputada há algumas horas devido a uma infecção intratável. Apesar de receber essa informação e estar perfeitamente a par do ocorrido, o paciente enfrenta uma sensação de contradição profunda, porque ele ainda sente a sua perna direita por debaixo do lençol e do cobertor, devido a uma evidente manifestação da sensação do membro fantasma, fenômeno muito conhecido, que afeta quase 90% dos amputados. Em todos esses casos, os pacientes relatam sentir a presença do membro amputado, bem como inúmeras sensações táteis, incluindo dor e movimentos da parte que não existe mais, muito tempo após (meses ou anos) a realização da amputação cirúrgica.

Pelo fato de o nosso paciente hipotético ainda sentir a presença da sua perna amputada sob o lençol, ele insiste com o cirurgião que a perna não foi amputada e que tudo se trata de um grande mal-entendido, de erro médico. Chocado com a resposta do paciente cuja vida ele acabara de salvar, o cirurgião, em um ato impensado, e sem nenhum tato, mostra a perna amputada ao paciente para tentar convencê-lo de que a cirurgia de amputação realmente ocorreu, como ele havia confirmado. Ainda assim, a despeito de ver e identificar a própria perna amputada, o paciente continua experimentando e descrevendo ao médico a sensação de que aquela perna continua ligada ao seu corpo. Ele, inclusive, relata que o seu pé direito está se mexendo no momento em que ele conversa com o cirurgião, apesar de a perna amputada permanecer imóvel nas mãos do doutor.

Essa cena hipotética serve apenas para ilustrar como a mente humana é capaz de lidar com casos nos quais a realidade (não ter mais uma perna) e a sensação experimentada (sentir um membro fantasma) divergem, mas coexistem no cérebro. Um computador digital, todavia, não daria conta dessa ambiguidade. Ele cessaria de operar o seu programa porque a sua lógica digital não conseguiria lidar com a dubiedade da situação. Para um computador digital que funciona à base de S-info, a perna ou permanecia ligada ao corpo do paciente (0), ou tinha sido amputada de vez (1). Não existiria estado intermediário. Do contrário, para o cérebro humano, funcionando na base da G-info, ambos os estados podem coexistir a ponto de o paciente se queixar de uma coceira na perna inexistente.

Os modelos clássicos de operação do sistema nervoso, como o proposto por David Hubel e Torsten Wiesel nos anos 1960, não explicam de maneira alguma o fenômeno da sensação do membro fantasma, basicamente porque eles se valem apenas de S-info para descrever as funções cerebrais. Ronald e eu acreditamos que o fenômeno da sensação do membro fantasma pode ser reinterpretado de acordo com uma analogia com o primeiro teorema da incompletude de Kurt Gödel. Essa foi a principal razão que nos levou a usar o nome de Gödel para batizar a definição para o tipo de informação a ser embutida fisicamente no tecido nervoso; porque é o tipo de informação capaz de explicar coisas como a intuição matemática, um atributo humano único que, de acordo com Gödel, é fundamental – acima do formalismo sintático – para decidir enigmas matemáticos.

Os exemplos da lua de mel em Santorini e do paciente com membro fantasma revelam outra diferença essencial entre S-info e G-info; enquanto a S-info trata principalmente da sintaxe de uma mensagem, a G-info está envolvida com a nossa capacidade de conferir significado a eventos externos e objetos e expressar a semântica ou a ambiguidade nas mensagens que recebemos e transmitimos.

Diferentemente da S-info, que pode ser expressa independentemente do meio em que é transmitida – cabos elétricos, nervos, ondas de rádio –, a G-info depende de maneira integral da sua incorporação física na matéria orgânica para exercer o efeito de eficiência causal em um organismo. Pense nos anéis da nossa árvore suíça e no processo contínuo de adição de anéis anuais, representando secas, mudanças de manchas solares e períodos de alta precipitação. Não há como dissociar esse tipo de G-info do arcabouço orgânico que define a história da árvore. Em outras palavras, na nossa definição de G-info, e, ao contrário da S-info, o meio em que essa informação é embutida importa – e muito.

A eficiência causal da G-info pode ser ilustrada por outro fenômeno bem conhecido: o efeito placebo. Profissionais da área de saúde lidam diariamente com ele – refere-se ao fato de que uma porcentagem significativa de pacientes pode exibir melhora clínica mensurável ao receber uma substância totalmente inerte, como uma pílula de farinha, taxada por um médico como "um tratamento novo ou uma cura revolucionária". Ou seja, uma vez informado por um profissional que lhe inspira respeito e autoridade profissional de que a medicação ajudará de forma decisiva no tratamento, uma fração substancial de pacientes passa a acreditar nessa possibilidade. E, de fato, em muitos pacientes a melhora clínica é documentada. Curiosamente, quanto mais a configuração do placebo se aproxima da visão que os pacientes têm de uma terapia eficaz, melhor o efeito clínico. Por exemplo, alguns estudos sugerem que, se o placebo é apresentado na forma de pílulas grandes, de "cores quentes", o resultado é maximizado. Essas observações sugerem a interpretação de que a crença cultural sobre a medicina pode desempenhar papel importante ou um fator de motivação na ocorrência do efeito placebo.

Aqui, o efeito placebo pode ser explicado pela ação direta no tecido neural da mensagem, específica sobre o "tratamento revolucionário", transmitida ao paciente pelo médico. Embora a mensagem seja de início transmitida na forma de S-info, encapsulada na fala do médico, uma vez que é recebida pelo cérebro do paciente, ela é confrontada com as expectativas e as crenças internas desse indivíduo e estocada na forma de G-info. Ao reforçar a crença original do paciente e que um tratamento ou uma cura milagrosa para a sua doença deve existir, a mensagem conduzida pelo medicamento placebo age, então, diretamente nos neurônios de seu cérebro, levando à secreção de neurotransmissores e hormônios, os quais podem gerar a produção de atividade elétrica neuronal que, por exemplo, amplifica o sistema imune do paciente e oferece melhor combate à doença de base. De acordo com a nossa teoria, a ligação neuroimunológica seria consequência da eficiência causal que o acúmulo de G-info pode ter no tecido neuronal.

O efeito placebo também reforça a nossa proposta de que a S-info é expressa com a sintaxe rígida dos números inteiros, *bits* e *bytes*, enquanto a G-info, por ser estocada por um sistema físico integrado (o cérebro), representa um rico espectro analógico de associações de causa-efeito e semântica que amplifica o significado e o alcance da linguagem de uma pessoa, a principal forma pela qual ela comunica pensamentos, emoções, sentimentos, expectativas e crenças profundamente arraigadas em sua mente.

Outra característica importante da G-info é que a sua quantidade e a sua complexidade variam de organismo para organismo. Isso implica que, em contraste com a S-info, que aumenta com a entropia do sistema, a G-info cresce em complexidade com a redução de entropia resultante da manutenção ou da ampliação das ilhas (organismos), que se mantém fora do equilíbrio termodinâmico. Isso significa que, enquanto a S-info está correlacionada com o grau de incerteza e surpresa em um canal que transmite mensagens, a G-info aumenta conforme os níveis de complexidade anátomo-funcional, adaptabilidade, estabilidade e capacidade de sobrevivência de um organismo – em suma, a habilidade de erigir defesas contra a desintegração. Quanto mais complexo um ser vivo é, mais G-info ele acumulou. Ao dissipar energia para permitir que G-info seja incorporada, os organismos tentam maximizar a sua existência, aprimorando suas formas de buscar energia derivada do Sol, e eventualmente se replicar de forma a passar o seu DNA para futuras gerações.

Nos seres humanos, esse processo alcança o ápice quando se usa G-info para gerar conhecimento, cultura, tecnologias e recrutar grandes grupos sociais para colaborações coletivas que melhoram em demasia as nossas chances de adaptação para as mudanças do meio ambiente.

A G-info pode, por exemplo, explicar por que a maior parte do processamento neural é executada inconscientemente. Por exemplo, a descrição de um experimento que se transformou em um clássico da literatura neurocientífica, idealizado e conduzido pelo neurofisiologista americano Benjamin Libet, pode solidificar ainda mais o conceito de G-info descrito nos parágrafos anteriores. Nesse experimento (Figura 3.3), um indivíduo se senta na frente de um monitor no qual uma esfera se move ao longo de uma imagem de um relógio de parede. O indivíduo usa uma touca que permite a um experimentador registrar continuamente, de forma não invasiva, a atividade elétrica de seu cérebro, usando a técnica clássica do eletroencefalograma (EEG). Para executar esse experimento, o voluntário é instruído a realizar uma tarefa motora muito simples: quando achar conveniente, deverá pressionar um botão, colocado em uma mesa, logo à frente, usando o indicador. "Nada mais fácil." Para tornar o experimento mais interessante, Libet pediu aos voluntários que usassem a esfera se movendo no monitor para identificar o momento em que eles sentiram o desejo consciente de flexionar o dedo e apertar o tal botão. Usando esse aparato muito simples, Libet passou a registrar três momentos distintos, os quais estão representados na Figura 3.3.

1. O momento em que o voluntário apertou o botão, medido automaticamente.
2. Quando decidiu conscientemente apertar o botão, medido pelo tempo indicado pelo voluntário usando a esfera no monitor.
3. O instante em que o estado do cérebro do voluntário começou a mudar, identificado pela mudança do traçado do EEG.

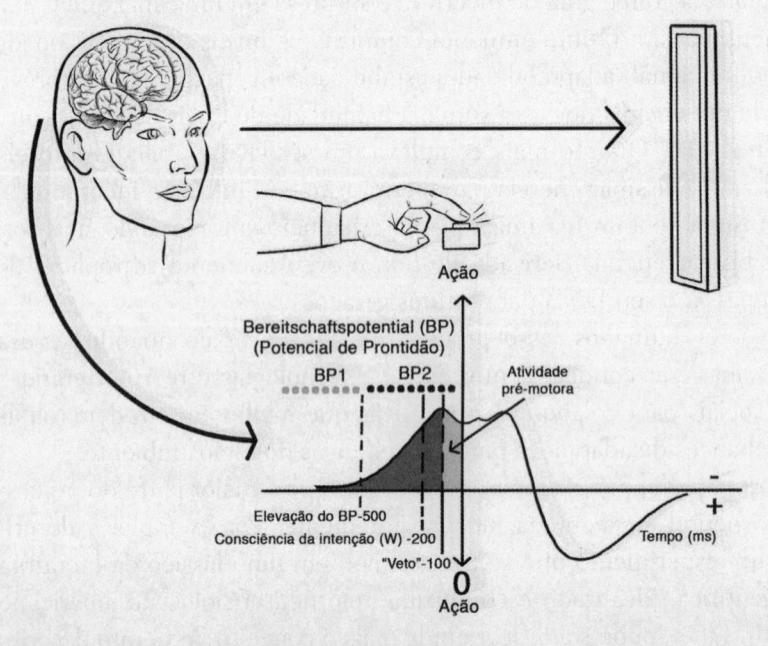

Figura 3.3. O arranjo do experimento clássico de Benjamin Libet. (Ilustração por Custódio Rosa)

A Figura 3.3 mostra que, quando esses três momentos são plotados em um mesmo gráfico, observa-se que, enquanto a decisão consciente tomada pelo voluntário para apertar o botão – e indicada por ele mesmo – tende a ocorrer por volta de duzentos milissegundos antes de o seu dedo apertar o botão; o aumento da atividade elétrica do seu cérebro, segundo EEG, tende a ocorrer por volta de quinhentos milissegundos antes de o voluntário mover o dedo, ou seja, por volta de trezentos milissegundos antes de o indivíduo ter plena consciência do ato motor que ele pretende realizar.

Embora existam interpretações conflitantes do experimento, a maioria dos cientistas tende a interpretar esses achados como demonstração categórica de que grande parte do que o cérebro humano faz ocorre de forma inconsciente. Com base nessa visão, uma vez que a modulação do EEG ocorre trezentos milissegundos antes de o indivíduo ter consciência de sua decisão de apertar o botão, ele (e todos nós) não seria capaz de expressar livre-arbítrio no processo de decisão de seu movimento. O ponto aqui não é entrar nessa controvérsia (pelo menos não agora). Ainda assim, Ronald e eu temos uma interpretação alternativa para esses resultado. Enquanto a maioria tende a focar no fato de que, quinhentos milissegundos antes de apertar o botão, o cérebro do voluntário já está ocupado, mesmo que de forma inconsciente, Ronald e eu fazemos a seguinte indagação: quais outros processos precederam e causaram essa modulação da atividade elétrica capturada pelo EEG, em primeiro lugar? De onde vem esse sinal de EEG? Como resposta as essas perguntas, propomos que, antes dos quinhentos milissegundos que separam o começo da mudança do traçado do EEG e o apertar do botão, o cérebro dos voluntários estava ocupado acessando G-info dos seus depósitos corticais – e provavelmente também de estruturas subcorticais cuja atividade não é registrada pelo EEG. Uma vez que essa G-info foi acessada – inconscientemente –, ela passou a ser projetada na forma de S-info, formando o padrão de atividade elétrica capturado pelo EEG meio segundo antes que algum voluntário apertasse o famoso botão. Em outras palavras: uma vez que a G-info de alta dimensão foi projetada para S-info de baixa dimensão, um programa motor executável foi criado e transmitido, por feixes de nervos – equivalente neurobiológico dos canais de comunicação de Shannon –, dos neurônios do córtex motor para os da medula espinhal, e de lá para os músculos, para que o movimento desejado fosse finalmente executado. De acordo com a nossa interpretação, portanto, a G-info foi a verdadeira fonte da mensagem que, uma vez projetada na forma de S-info, detectou-se pelo EEG, quinhentos milissegundos antes da execução do movimento. A propósito, segundo essa visão, a detecção de atividade no EEG quinhentos milissegundos antes do movimento do dedo não necessariamente nega a existência do livre-arbítrio, uma vez que este pode ter se manifestado antes da produção de qualquer sinal de EEG, durante o processo de acesso e leitura de G-info cortical, como parte da preparação de um movimento futuro.

No passado, Ronald e eu usamos outro exemplo para ilustrar a disparidade entre o que medidas da atividade elétrica cerebral, como o EEG, nos dizem sobre o processamento que ocorre em nosso cérebro. Suponha que um neurocientista criou um experimento para isolar o que exatamente acontece quando voluntários observam em um monitor uma série de fotografias contendo imagens consideradas muito desagradáveis. Para documentar o efeito dessas imagens em cada voluntário, o neurocientista decide tanto medir a atividade elétrica, via EEG, quanto obter ressonâncias magnéticas de alta resolução do cérebro desses indivíduos enquanto observam as fotografias. Uma vez que ambos os métodos selecionados pelo experimentador medem a atividade cerebral, eles geram registros ricos em S-info tão somente. Enquanto ele coleta os registros de EEG e as imagens das ressonâncias magnéticas, o neurocientista decide fazer perguntas bem simples aos voluntários, de sorte que eles possam expressar, na forma de linguagem, seus sentimentos e suas emoções acerca das imagens. Uma vez que os dois tipos de dados são coletados, o neurocientista, então, busca estabelecer correlações entre as medidas quantitativas de atividade cerebral – EEG e imagem por ressonância magnética (do inglês *magnetic resonance imaging*, MRI) – com o que os voluntários expressaram oralmente. O que o neurocientista descobre é que as suas medidas objetivas dos padrões de atividade cerebral não necessariamente se mostram altamente correlacionados com os sentimentos e as emoções descritas pelos voluntários. Se nós considerarmos que a linguagem usada pelos voluntários para descrever suas impressões individuais representam apenas projeções em baixa dimensão da G-info multidimensional, estocada no cérebro, começaremos a identificar quão problemático é o trabalho de tentar quantificar a totalidade de G-info que cérebros como os nossos armazenam rotineiramente.

E isso não é tudo. O cérebro humano é um sistema integrado dinâmico e complexo, por isso produz diferentes tipos de propriedades emergentes como resultado de mudanças extremamente pequenas nas suas condições inicias. Portanto, o nosso valente e dedicado neurocientista hipotético não tem nenhuma esperança de obter todas as medidas necessárias em tempo real quando confrontado com um cérebro como o nosso. Ainda que pudéssemos realizar todas essas medidas, não saberíamos traduzi-las de forma a descrever de maneira acurada os sentimentos experimentados por esses voluntários.

Como o cérebro humano é capaz de expressar tanto S-info como G-info, e, dada a impossibilidade de encontrar uma correlação perfeita entre ambas, a abordagem científica tradicional enfrenta um desafio único quando confrontada com o dilema de medir a atividade cerebral. Digo isso porque o objeto físico cérebro humano ocupa uma posição extremamente particular entre todos os objetos estudados pelas ciências naturais. No caso do cérebro, a informação externa (digital e formal) nunca será capaz de produzir um relato completo da realidade representada pela informação interna (analógica e integrada) do sistema. É essa informação interna cerebral que define a verdadeira singularidade, a joia rara, que emerge do processo de fusão entre informação e matéria neural, indiscutivelmente o mais poderoso e incomparável legado computacional concedido a todos nós pelo processo de evolução natural.

De modo geral, as diferenças entre S-info e G-info podem ser resumidas da seguinte maneira: a S-info é simbólica, o que significa que o recipiente de uma mensagem contendo S-info tem que decodificá-la para extrair significado dela. Para isso, ele necessita saber o código antes de receber a mensagem. Se o código não for incluído na mensagem, ela não será acessível para o seu interlocutor. Sem um código externo prévio, por exemplo, as linhas que você está lendo neste momento não fariam sentido para você. O significado é fundamental para que o cérebro faça algo com uma mensagem. Por outro lado, a G-info não precisa de código para ser processada: o seu significado é reconhecido instantaneamente pelo cérebro humano. Isso se dá porque o significado dessa mensagem é provido pelo cérebro que gera ou recebe essa mensagem. Como o linguista norte-americano Noam Chomsky disse: "A coisa mais importante na linguagem é aquilo que não foi dito".

Nesse ponto você deve estar se perguntando: o conceito de G-info é realmente necessário? Depois de toda essa discussão, a minha resposta só pode ser um categórico "sim"! Como vimos, a introdução da G-info nos permitiu derivar uma série muito interessante de outros corolários e hipóteses. Primeiro, ela nos ofereceu uma base teórica para definir organismos como uma nova classe de computador. Tradicionalmente, existem muitas formas de computadores construídos pelo homem: computadores mecânicos, como o ábaco e a máquina diferencial construída por Charles Babbage; computadores analógicos, como a régua de cálculo; computadores digitais, como o laptop em que estou digitando neste momento; e até computadores quânticos, que prometem revolucionar a computação. Ronald e eu propomos que os organismos possam ser considerados uma classe diferente de sistemas computacionais e nos referimos a eles como computadores orgânicos – sistemas nos quais a computação é executada pela estrutura orgânica tridimensional que os define como seres vivos.

O nosso conceito de computador orgânico pode ser aplicado também aos múltiplos níveis de organização desses organismos: das nanomáquinas intracelulares que operam pelo trabalho sincronizado de diversas proteínas interligadas (como complexos proteicos ou estruturas formadas pela mistura de proteínas e lípides – por exemplo, a membrana celular) a grupos de genes que precisam trabalhar em conjunto para codificar um atributo físico qualquer. Em uma escala espacial um pouco maior, exemplos de computadores orgânicos incluem as microfábricas de energia celular (mitocôndrias e cloroplastos) altamente complexas que permitem a animais e plantas permanecerem vivos, ou grupos de células que definem um tipo de tecido orgânico, incluindo as vastas redes de neurônios formadoras do cérebro animal. Por fim, *Brainets* formadas por um número elevado de cérebros individuais, que interagem de forma síncrona para produzir computações resultantes da interação de grupos de animais ou de seres humanos, também definem exemplos de computadores orgânicos.

Embora uma distinção entre hardware e software não possa ser feita no caso dos computadores orgânicos, esses sistemas computacionais biológicos usam uma mistura de S-info e G-info durante a sua operação. Ainda assim, à medida que a complexidade orgânica aumenta, cresce também o papel desempenhado pela G-info, uma vez que ela é analógica por natureza, significando que não pode ser totalmente descrita por sinais digitais. Em outras palavras, a G-info não pode ser carregada, extraída ou simulada adequadamente por um sistema digital. Isso não significa, todavia, que os computadores orgânicos não possam ser programados. Muito pelo contrário, conforme veremos nos Capítulos 7 e 11.

À medida que a vida evoluiu na Terra, os organismos primitivos incapazes de replicar a si mesmos, uma vez que o RNA e o DNA ainda não estavam disponíveis, passaram a ser formados por vesículas simples e pequenas, circundadas por uma membrana. Dentro desses organismos rudimentares, poucas reações químicas ocorriam para manter a vida dos seus hospedeiros por breves períodos de tempo. Nesse estágio, a variação cíclica da luz solar e as condições do ambiente externo serviam como principais influências capazes de programar todos os organismos vivos da Terra. Essa visão sugere que G-info (analógica), depositada pelo processo de dissipação de energia nos primeiros traços de matéria orgânica que surgiram no nosso planeta, precedeu o uso de S-info (digital) por organismos, uma vez que a S-info tornou-se disponível apenas quando surgiram mecanismos de replicação da vida, baseados em DNA e RNA. Assim, antes que ribossomos se comportassem como uma máquina de Turing (o protótipo teórico de todo computador digital) para produzir proteínas, por meio da "leitura" de uma fita de RNA mensageiro, criado por moléculas de DNA, membranas celulares analógicas tiveram que existir para permitir que pequenas vesículas se formassem, sequestrando em seu interior o material necessário para sustentar as primeiras formas de vida terráquea. No caso dos seres vivos, portanto, o melhor título para descrever esse início seria "From BEing to BITing", ilustrando que os primeiros organismos precisaram existir antes – do ponto de vista orgânico – e, somente então, depois de acumular alguma G-info essencial, eles adquiriram a capacidade de transmitir *bits* de informação para se replicarem.

Uma vez que as "moléculas de informação", o DNA e o RNA, passaram a transmitir informação genética para hospedeiros ou descendentes, elas se transformaram nos programadores por excelência da estrutura tridimensional inicial que define os organismos. Quando um vírus infecta uma célula hospedeira, ele usa o próprio material genético para reprogramar a sua vítima, de forma que ela passe a produzir um grande número de partículas virais. Da mesma forma, o DNA carrega instruções digitais precisas para a construção de um organismo como uma réplica tridimensional fiel dos seus progenitores. Usando uma analogia moderna, o DNA e o RNA podem ser vistos como transmissores das instruções de programação – na forma de S-info – que permitem a impressão tridimensional de computadores orgânicos.

Quando organismos mais complexos surgiram, um processo significativo de programação se fez necessário para que essas formas de vida sobrevivessem. Ao promover o acúmulo de G-info e a decorrente elevação da complexidade biológica, o processo evolutivo eventualmente deu origem a cérebros: órgãos que podem estocar informação e aprender com as suas interações contínuas com o meio exterior. Em uma das encruzilhadas desse processo evolucionário, os cérebros de primata surgiram. E, desde então, para cada ser humano, depois que a configuração tridimensional do seu cérebro é "impressa" em matéria orgânica pelas instruções contidas em seu genoma, os movimentos do seu corpo, suas interações sociais, linguagem, contato com a cultura humana e, eventualmente, tecnologias criadas por outros homens assumiram o papel de continuar a programar o mais celebrado e sofisticado de todos os computadores orgânicos, o Verdadeiro Criador de Tudo.

CAPÍTULO 4
INJETANDO DINÂMICA NO CÉREBRO: SOLENOIDES BIOLÓGICOS E PRINCÍPIOS FUNCIONAIS

Por volta de cem mil anos atrás, cada cérebro humano já tinha à disposição por volta de 86 bilhões de neurônios capazes de estabelecer entre 100 trilhões e 1 quatrilhão de contatos diretos, ou sinapses, entre si. De dentro desse ateliê neuronal incomensurável, o Verdadeiro Criador de Tudo começou a sua obra monumental de esculpir o universo humano que conhecemos hoje.

O córtex, cuja evolução acabamos de traçar, representa por volta de 82% de toda a massa cerebral humana. Surpreendentemente, ele contém apenas 19% dos neurônios do cérebro, algo em torno de 16 bilhões deles. Só para comparar, o cerebelo humano, um aglomerado de substância cinzenta que é essencial no controle motor fino, comprime cerca de 69 bilhões de neurônios em somente 10% da massa cerebral, definindo um *cluster* neuronal extremamente denso. No entanto, o cerebelo, até onde sabemos, não concebeu os sonetos de Shakespeare nem as naves espaciais usadas para a nossa exploração do espaço sideral (apesar de ter ajudado, e muito, na construção delas). Por essa razão, daqui para a frente, vou focar a minha narrativa principalmente no córtex para descrever como o Verdadeiro Criador de Tudo realizou os seus feitos incomparáveis.

A rede complexa que define a substância branca desempenha papel essencial na otimização do funcionamento do córtex. Alguns dos feixes densos de nervos (Figura 4.1) que formam essa substância branca estão dispostos em forma de laços que conectam reciprocamente grupos de neurônios. Refiro-me a esses laços usando o termo "solenoides biológicos" para compará-los às bobinas de fios usados para construir eletromagnetos. O maior desses solenoides biológicos é conhecido como "corpo caloso".

Formado por uma placa grossa contendo aproximadamente 200 milhões de nervos, espalhada ao longo do eixo longitudinal do córtex, o corpo caloso permite que os dois hemisférios cerebrais troquem informação e coordenem atividades. A estrutura do corpo caloso varia de maneira considerável, da parte mais rostral (lobo frontal) à mais caudal (lobo occipital) do córtex, em termos da densidade e do diâmetro das fibras nervosas que conduzem impulsos elétricos – os potenciais de ação –, bem como em termos do nível de mielinização desses nervos. Células especializadas são responsáveis pela produção das folhas de mielina, substância gordurosa, que envolvem as fibras nervosas (ou axônios) de

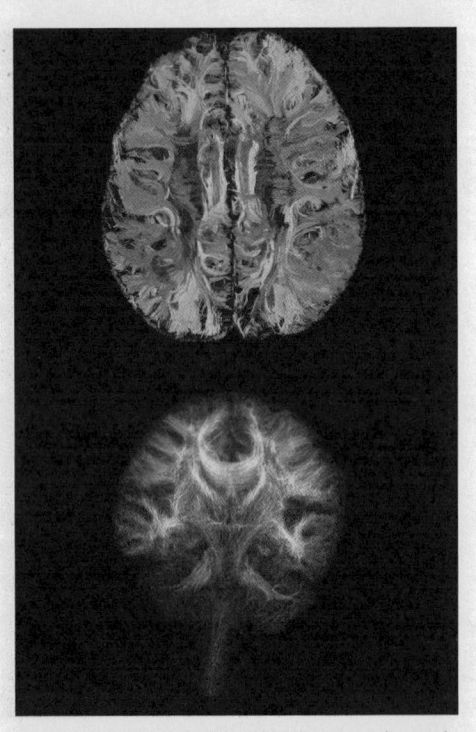

Figura 4.1 Exemplos típicos de feixes ou laços de substância branca como vistos pelo método de "diffusion tension imaging". (Cortesia de Allen Song)

alguns neurônios. Acrescidos dessa camada de mielina, esses nervos passam a ser chamados de "fibras mielinizadas". A grande vantagem da adição de mielina é que ela isola o axônio do neurônio, permitindo um aumento considerável na velocidade de condução elétrica dos potenciais de ação. Como consequência imediata, as fibras mielinizadas precisam de menos energia para conduzir esses sinais elétricos. Por exemplo, enquanto uma fibra C não mielinizada, com diâmetro entre 0,2 e 1,5 micrômero, conduz potenciais de ação em torno de 1 metro por segundo, o mesmo impulso elétrico pode se mover a 120 metros por segundo, ou mais de 400 quilômetros por hora, em uma grande fibra nervosa que foi totalmente mielinizada. Por causa dessa variável, ao longo da sua extensão, o tempo da transmissão de informação entre os hemisférios cerebrais, mediada pelo corpo caloso, pode variar muito, dependendo de que parte do córtex os sinais neurais se originam. Em termos gerais, essa variação em velocidade de condução é descrita estatisticamente por uma curva que segue uma distribuição normal. De acordo com essa distribuição, por exemplo, a troca de informação evolvendo as áreas corticais motoras e sensoriais dos dois hemisférios cerebrais ocorre muito rapidamente, uma vez que a porção do corpo caloso que une essas regiões corticais bilateralmente é formada por grossas fibras nervosas, altamente mielinizadas. Ao mesmo tempo, as interações entre as áreas associativas corticais nos lobos parietal e frontal são bem mais lentas.

Permanece um grande mistério como os 200 milhões de fibras do corpo caloso coordenam a atividade dos dois hemisférios cerebrais. Que ele é responsável por esse tipo de sincronização é evidente, uma vez que, se o corpo caloso, por razões terapêuticas, é cortado ao meio, os dois hemisférios cerebrais passam a trabalhar de forma independente. Essa descoberta foi resultado do estudo de pacientes que tiveram o corpo caloso interrompido cirurgicamente como tentativa de impedir o espalhamento de atividade epilética severa de um hemisfério cerebral para o outro. O neurocientista americano Roger Sperry dividiu o Prêmio Nobel de Fisiologia e Medicina de 1981 (David Hubel e Torsten Wiesel foram os outros ganhadores naquele ano) pelo seu trabalho seminal que mediu, pela primeira vez, os efeitos cognitivos produzidos por uma interrupção completa do corpo caloso em pacientes.

Na maioria das pessoas, algumas funções cerebrais vitais, como a linguagem, são lateralizadas no córtex; isto é, as funções são predominantemente mediadas por um dos hemisférios cerebrais (no caso da linguagem, o esquerdo é dominante em pessoas destras). Por causa dessa lateralizarão, pacientes com o cérebro dividido nem sempre conseguem verbalizar tudo o que observam. Por exemplo, quando apresentados a imagens que são restritas ao seu campo visual esquerdo, os pacientes simplesmente não são capazes de nomear ou descrever os objetos que fazem parte da imagem visualizada. Esse fenômeno não ocorre porque eles desconheçam o nome dos objetos. Na realidade, eles sabem muito bem a designação do que lhes foi apresentado. O problema é que um estímulo no campo visual esquerdo é processado pelo hemisfério cerebral direito. Dado que, nesses pacientes, o corpo caloso foi cortado ao meio, o hemisfério direito não consegue se comunicar com as áreas corticais envolvidas com a produção de linguagem que se encontram no hemisfério cerebral esquerdo. Daí a incapacidade que eles têm de verbalizar detalhes da imagem. Esses pacientes, todavia, podem usar a mão esquerda para escolher, entre diversos objetos, um que corresponde àquele que lhes foi apresentado visualmente, alguns minutos antes, demonstrando que conscientemente sabiam o que eles haviam observado. Eles apenas não tinham como verbalizar.

Uma série de outros laços (ou *"loops"*) e feixes de substância branca conectam as diferentes áreas corticais em cada hemisfério. Por exemplo, o sistema responsável por conectar os lobos frontal, parietal e temporal é formado por três grandes feixes de nervos densamente compactados. O primeiro desses feixes, conhecido como "cápsula extrema", conecta regiões-chave do lobo temporal – como as localizadas no sulco temporal superior (STS) e o córtex temporal inferior – ao córtex pré-frontal inferior. O segundo desses feixes, que conecta o mesmo STS e regiões do córtex parietal, é formado pelos nervos dos fascículos longitudinal medial e inferior. Finalmente, o fascículo longitudinal superior (SLF) intermedia a comunicação entre os lobos parietal e frontal. Esses três grandes feixes de nervos mediam funções corticais fundamentais como linguagem, construção de ferramentas e imitação motora, entre outras.

Outra autoestrada neural essencial define o laço córtico-talâmico-cortical, que, como o nome descreve, estabelece uma ligação recíproca entre o córtex e o tálamo, uma estrutura subcortical que recebe a vasta maioria dos sinais sensoriais, gerados por receptores sensores periféricos e transmitidos pelos nervos para o sistema nervoso central. Esse *loop* multissensorial, portanto, é um componente essencial para a execução do processo contínuo de comparação do ponto de vista próprio do cérebro com amostras de informação obtida do mundo exterior. O laço córtico-talâmico-cortical também contribui decisivamente para a sincronização da atividade elétrica do córtex e do tálamo.

Outra importante propriedade da substância branca humana é como ela atinge a maturidade funcional. Comparado com o dos chimpanzés, o cérebro humano encontra-se em um estado bem imaturo quando do nascimento do espécime, necessitando de pelo menos duas décadas para atingir o seu tamanho adulto. Além disso, embora todos os nossos neurônios já estejam formados quando do nosso nascimento, três ou quatro décadas são necessárias para a substância branca atingir maturidade. Especialmente no caso da região pré-frontal do lobo frontal, as conexões entre os neurônios – tanto as sinapses, que transmitem, quanto os dendritos, que recebem sinais elétricos – somente alcançam a plenitude fisiológica por volta da terceira década de vida. Isso significa que a maior parte do crescimento cerebral pós-natal é devido ao crescimento e ao refinamento da substância branca. O demorado processo de maturação – e a possibilidade de ele ser perturbado por uma série de fatores – explica por que os seres humanos são mais vulneráveis a doenças mentais, como esquizofrenia e autismo, durante os primeiros anos pós-natal e a adolescência. A maturação adiada da substância branca também é capaz de explicar as drásticas mudanças de comportamento e funções mentais que todos enfrentamos nas primeiras décadas da vida. Assim, na próxima vez que você tiver uma discussão "amigável" com o seu filho adolescente revolucionário, respire fundo e lembre-se de culpar o atraso do amadurecimento da substância branca dele!

Uma das mais notáveis descobertas da neurociência dos últimos cinquenta anos foi feita por um grupo de neurocientistas liderados por Jon Kaas, da Universidade Vanderbilt, e Michael Merzenich, da Universidade da Califórnia, em São Francisco. Nos anos 1980, o grupo demonstrou categoricamente que os elaborados circuitos neurais que definem os cérebros de mamíferos e primatas exibem um processo de autoadaptação que se estende ao longo de toda a vida. Nosso cérebro se modifica, tanto anatômica como funcionalmente, em resposta a tudo com que interagimos, quer durante o aprendizado de novas habilidades, quer quando modificações relevantes ocorrem no nosso corpo ou durante os nossos engajamentos sociais. Os neurocientistas chamam essa propriedade de "plasticidade neural", e eu a considero um dos fatores mais importantes para desvendar os mistérios guardados a sete chaves pelo Verdadeiro Criador de Tudo.

No nível sináptico, modificações induzidas pela plasticidade neuronal ocorrem de múltiplas maneiras. Por exemplo, o número e a distribuição de sinapses que um neurônio estabelece com outro pode ser alterado fundamentalmente como resultado do aprendizado de uma nova tarefa ou como parte do processo de recuperação iniciado quando da ocorrência de algum dano ao nosso corpo – ou ao nosso cérebro. Mesmo em animais adultos, neurônios individuais podem dar origem a novas sinapses, que levarão ao aumento da conectividade estabelecida com algumas ou todas as outras células cerebrais com que esses neurônios se comunicam. Na direção oposta, neurônios podem "reabsorver" parte de suas sinapses e, assim, reduzir a sua conectividade com outras células. A magnitude da influência de cada uma dessas sinapses, feitas com outros neurônios, também pode ser modificada, para cima ou para baixo, de acordo com as contingências a que o cérebro é exposto. Essencialmente, um novo estímulo pode levar a modificações na delicada microestrutura e função das centenas de trilhões de conexões sinápticas por meio das quais dezenas de bilhões de neurônios do córtex se comunicam.

Depois de me dedicar ao estudo da plasticidade cerebral por mais de uma década, no verão americano de 2005 eu propus a um dos neurocientistas que trabalhavam no meu laboratório da Universidade Duke, Eric Thomson, algo pouco ortodoxo para investigar quão longe o fenômeno da plasticidade neural poderia ser usado para aumentar as funções básicas do sistema nervoso central. Com esse objetivo, nós dois criamos um experimento para testar a possibilidade de tirar vantagem da plasticidade neural a fim de permitir que ratos adultos adquirissem um novo sentido, além dos tradicionais (tato, visão, audição, gustação, olfação e equilíbrio), com que eles – e todos os mamíferos – nascem. Para tanto, tentamos induzir o cérebro de ratos adultos a aprender a "tocar" um tipo de onda eletromagnética que é normalmente invisível à retina de mamíferos, a luz infravermelha. Para testar a ideia, foi preciso construir um sistema capaz de traduzir feixes de luz infravermelha, gerados no mundo exterior, em pulsos elétricos, a linguagem que o cérebro em geral usa, para transferir mensagens artificiais ao córtex somestésico primário, uma das principais regiões corticais envolvidas na geração do senso do tato em mamíferos. Ao selecionar essa região como alvo principal, o intuito foi investigar se os nossos "ratos ciborgues" aprenderiam a incorporar a luz infravermelha como parte de um repertório tátil expandido. Daí o porquê de a frase "tocar uma luz invisível" descrever apropriadamente a hipótese central do experimento.

Para realizar o teste, Eric construiu uma "neuroprótese" que, na sua configuração mais completa, continha quatro sensores de luz infravermelha que podiam ser facilmente implantados na cabeça dos ratos (Figura 4.2). Cada um dos sensores podia detectar a presença de luz infravermelha em um setor de 90 graus, o que significa que o uso de quatro deles oferecia um visão panorâmica do ambiente ao redor do animal. A área do córtex somestésico escolhida para receber os sinais dos sensores foi a chamada "córtex dos barris", que processa os sinais táteis gerados pela estimulação mecânica das longas vibrissas faciais dos ratos. Como no caso da ponta dos dedos dos primatas, essas vibrissas faciais são os órgãos táteis mais sensíveis dos ratos e, consequentemente, uma grande área do córtex somestésico é alocada para o processamento dos sinais provenientes dos pelos faciais.

A série de experimentos usando esse aparato futurístico iniciou-se com o treinamento dos ratos na tarefa de detectar e seguir um feixe de luz visível para receber uma recompensa na forma de uma gota de água. Uma vez que os animais atingiram alto nível de proficiência na rotina básica, os sensores de luz infravermelha foram implantados no cérebro deles para, então, testar se seriam capazes de seguir um feixe de luz infravermelha invisível a suas retinas, usando apenas o seu senso de tato. A fim de rodar esses experimentos, Eric adicionou quatro fontes de luz infravermelha em quatro diferentes posições (0, 90, 180 e 270 graus) da parede interna de uma arena circular onde os nossos ratos ciborgues eram colocados todos os dias. A disposição espacial das quatro fontes de luz infravermelha nos permitiu variar aleatoriamente qual seria responsável por emitir um feixe de luz infravermelha em cada tentativa, garantindo que os ratos não usassem outras pistas para seguir o feixe de luz invisível e obter a recompensa.

No começo, apenas um dos sensores foi ativado, garantindo uma visão de 90 graus aos ratos. Usando o aparato inicial, foram necessárias aproximadamente quatro semanas para os animais aprenderem a "tocar" e seguir o feixe de luz infravermelho invisível até a sua fonte a fim de receber a sua recompensa líquida. Nesse ponto, os ratos atingiram uma taxa de sucesso de mais de 90% na realização dessa tarefa básica.

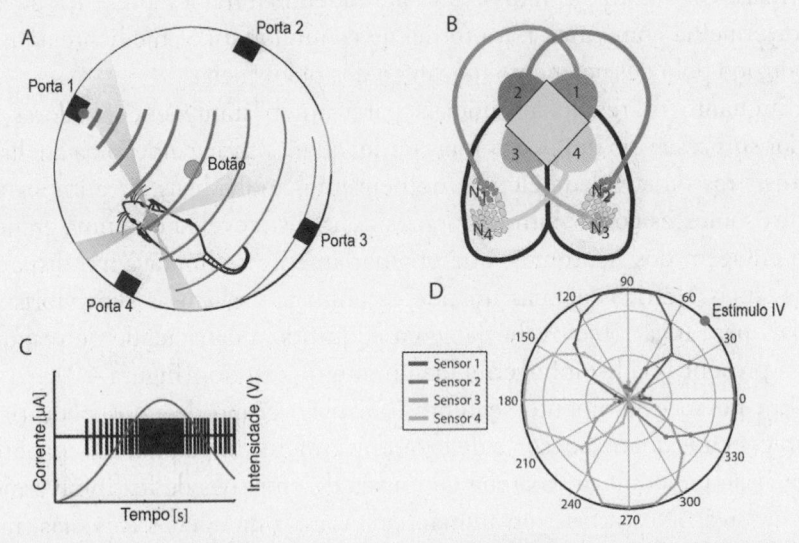

Figura 4.2 Configuração original de uma neuroprótese para visão infravermelha usada nos experimentos conduzidos por Eric Thomson no meu laboratório. A: Esquema representando a câmara comportamental usada para realização de uma tarefa de discriminação da presença e localização de uma fonte de luz infravermelha. Quatro fontes foram distribuídas simetricamente ao redor da superfície interna de um cilindro de 24 polegadas de diâmetro. Cada fonte contém um receptáculo para o rato indicar com o nariz a sua escolha, uma fonte de luz visível e uma de luz infravermelha. B: Organização topográfica de quatro implantes realizados no córtex somestésico primário que foram usados para transmissão de sinais elétricos gerados pelos quatro sensores de luz infravermelha (IV) implantados no crânio de cada um dos ratos. C: A frequência de estimulação elétrica do córtex dos animais depende da intensidade de luz infravermelha detectada por cada um dos sensores implantados. D: Gráfico polar mostra as respostas de cada sensor de IV em função da posição de uma fonte de luz IV (ponto negro no perímetro do círculo entre 30 e 60 graus). (Reproduzido com permissão. Originalmente publicado por K. Hartmann, E. E. Thomson, R. Yun, P. Mullen, J. Canarick, A. Huh, and M. A. Nicolelis, "Embedding a Novel Representation of Infrared Light in the Adult Rat Somatosensory Cortex through a Sensory Neuroprosthesis," *Journal of Neuroscience* 36, n. 8 [February 2016]: 2406-24.)

Durante essa fase inicial, os ratos ciborgues exibiram um comportamento peculiar: quando do início de cada tentativa, eles moviam a cabeça, de um lado para outro, como se realizassem uma varredura do mundo ao seu redor, em busca do sinal apropriado. Uma vez que um feixe de luz infravermelho era emitido por uma das quatro fontes, os mesmos ratos invariavelmente usavam as patas dianteiras para acariciar as suas vibrissas faciais antes de seguir o estímulo até a sua fonte emissora. Enquanto a primeira observação – dos movimentos laterais da cabeça – sugere que os ratos haviam desenvolvido uma estratégia de busca própria para detectar os primeiros sinais da presença de um feixe de luz infravermelha, a segunda – uso das patas para acariciar as vibrissas – indica fortemente que os animais sentiram a presença da luz infravermelha como se ela representasse um estímulo mecânico, advindo do mundo exterior, aplicado às suas vibrissas faciais. No entanto, nada realmente havia acontecido com suas vibrissas. O cérebro dos ratos estava aprendendo a tratar a presença da luz infravermelha como uma nova forma de estímulo tátil, semelhante àquele produzido pelo deslocamento mecânico dos pelos faciais.

Enquanto os resultados iniciais pareciam bastante encorajadores, a maior surpresa veio um pouco mais tarde, quando Eric começou a analisar os registros da atividade elétrica de neurônios individuais, localizados no córtex somestésico dos ratos ciborgues. A análise revelou que uma grande porcentagem dos neurônios, que originariamente se limitavam a disparar seus sinais elétricos apenas quando os animais usavam as suas vibrissas faciais para tocar objetos, havia agora adquirido a capacidade de responder à presença da luz infravermelha no mundo exterior (Figura 4.3).

Em nosso experimento seguinte, um novo grupo de ratos pôde tirar vantagem dos quatro sensores de luz infravermelha implantados para obter uma visão panorâmica da arena em busca de emissões de luz infravermelha invisível. Nessa fase, os animais precisaram de apenas três dias, não quatro semanas, para se tornarem proficientes na mesma tarefa. Outros experimentos revelaram que, até quando as relações espaciais estabelecidas entre o *output* dos sensores de luz infravermelha e diferentes sub--regiões do córtex somestésico foram mudadas, os ratos se mostraram capazes de logo reaprender a detectar e seguir apropriadamente os feixes de luz infravermelha até as suas fontes em mais de 90% das tentativas. Tudo para receber a tão almejada recompensa.

No geral, os dois estudos confirmaram plenamente a nossa hipótese de que era possível criar um novo sentido em ratos adultos. Notavelmente, o ganho perceptual não se deu à custa da diminuição do repertório sensorial

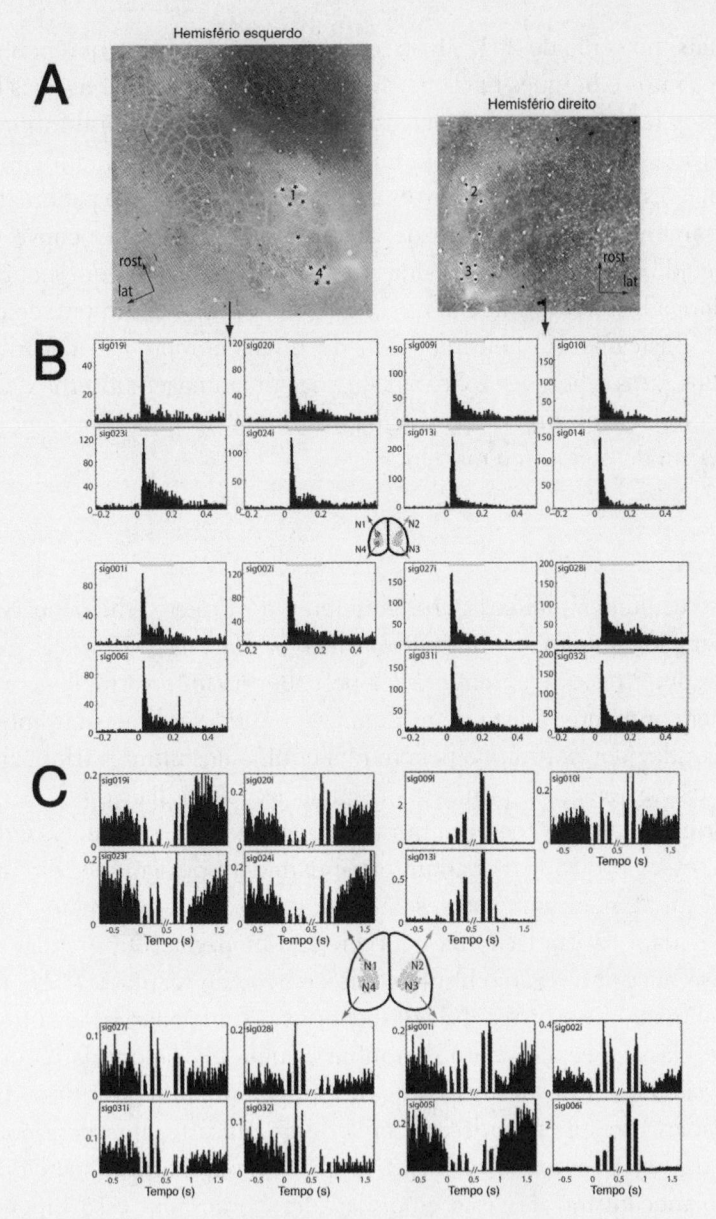

Figura 4.3 Neurônios individuais do córtex somestésico (S1, A) de um rato respondem tanto aos estímulos mecânicos das vibrissas faciais (B) bem como a presença de luz infravermelha (C) em ratos implantados com uma neuroprótese para visão IR que se vale da estimulação elétrica do córtex somestésico primário (S1). A: Amostras do tecido cortical do córtex somestésico mostram a localização dos implantes. B: Picos de atividade elétrica, representados em histogramas, revelam robustas respostas evocadas de 15 neurônios do S1 em um animal implantado com a neuroprótese para visão IV. C: Histogramas mostram que os mesmos 15 neurônios em S1 respondem a presença de luz IV. (Originalmente publicado em K. Hartmann, E. E. Thomson, R. Yun, P. Mullen, J. Canarick, A. Huh, and M. A. Nicolelis. "Embedding a Novel Representation of Infrared Light in the Adult Rat Somatosensory Cortex through a Sensory Neuroprosthesis," *Journal of Neuroscience* 36, n. 8 [February 2016]: 2406-24.)

dos animais: no verão de 2016, Eric foi capaz de demonstrar que nenhum dos nossos ratos ciborgues havia perdido a capacidade de usar as suas longas vibrissas faciais para executar tarefas de discriminação tátil rotineiras pelas quais esses roedores são tão famosos no meio neurocientífico. Em outras palavras, um pedaço de córtex originariamente alocado para realizar o processamento de sinais táteis de forma exclusiva pode ser convertido em um tecido capaz de analisar sinais multimodais, mesmo que nenhum rato, na longa história evolucionária da espécie, tenha experimentado essa sensação. Basicamente, pelo emprego de uma neuroprótese cortical, o cérebro dos ratos ciborgues foi capaz de criar uma imagem interna de um mundo inundado de luz infravermelha, em cima de uma representação tátil existente desse mesmo mundo.

★★★

Como os resultados clínicos surpreendentes do Projeto Andar de Novo (veja descrição completa em meu livro *Made in Macaíba*), os nossos experimentos com ratos que aprenderam a perceber luz infravermelha contribuíram para aumentar a lista de evidências empíricas, obtidas em muitos estudos conduzidos por mim e pela minha equipe nos últimos trinta anos, em favor da existência de princípios fisiológicos primordiais que determinam a forma pela qual o cérebro humano executa as suas funções. Como esperado, esses princípios atuariam principalmente nos grandes circuitos corticais. Até aí, nenhuma surpresa; afinal, a fascinação para com circuitos neurais data da fundação da neurociência moderna. O principal pioneiro dessa busca foi o gênio britânico do começo do século XIX, Thomas Young, polímata que, entre outras descobertas revolucionárias, idealizou e realizou o clássico experimento da ranhura dupla reveladora da natureza ondulatória da luz. Em suas horas vagas, Young também se aventurou pela neurociência, antes mesmo de essa área de pesquisa receber esse nome. Em uma de suas aventuras, em 1802, propôs a hipótese tricromática para explicar o mecanismo da visão colorida. De acordo com essa hipótese, Young postulou que a retina humana era capaz de codificar qualquer cor usando apenas três tipos básicos de receptores retinianos, cada um deles respondendo a um espectro de cumprimento de onda de luz que exibia uma sobreposição parcial com o outro. Segundo Young, o arranjo decorreria do fato de o padrão de resposta à cor de cada um dos receptores seguir uma curva normal (em forma de sino), em que o pico seria produzido por uma cor específica – ou seja, cada receptor responderia a apenas uma cor –, e o resto do espectro de resposta seria parcialmente compartilhado entre eles (Figura 4.4). Essa última propriedade indicava que cada receptor também responderia, com menor magnitude, à presença de múltiplas outras cores. Mais de um século depois da publicação da teoria de Young, quando os receptores da retina que processam luz colorida, os chamados "cones", foram descobertos e estudados, provou-se que Young tinha matado a charada de como a retina codifica cores. Surpreendentemente, ele chegou a essa conclusão sem jamais ter dissecado ou examinado a composição histológica de uma retina humana.

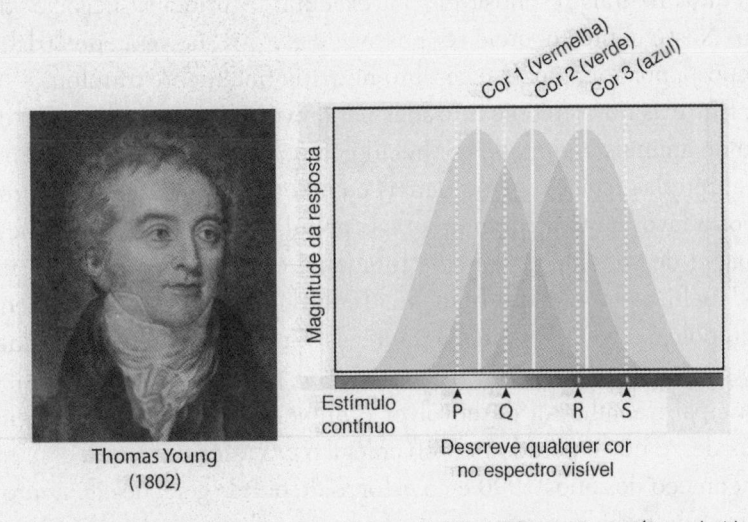

Figura 4.4 Representação esquemática da teoria da visão colorida de Thomas Young. (Reproduzido com permissão. Originalmente publicado em M. A. L. Nicolelis, "Brain-Machine Interfaces to Restore Motor Function and Probe Neural Circuits," *Nature Reviews Neuroscience* 4, n. 5 [May 2003]: 417–22. Young's portrait ©National Portrait Gallery, London.)

A teoria de codificação neural proposta por Thomas Young foi a primeira a se valer de um modelo populacional, ou distribuído, para explicar uma função do sistema nervoso central. Basicamente, em um modelo distribuído, toda e qualquer função cerebral ou comportamental depende do trabalho coletivo de grandes populações de neurônios, distribuídos por múltiplas regiões cerebrais, para ser executado. A visão alternativa, na qual neurônios isolados ou uma região por si só é responsável por uma função neurológica, é conhecida como "modelo localizacionista". Em meu livro *Muito além do nosso eu*, reconstruo, em detalhes, a batalha travada, ao longo dos últimos duzentos anos, entre os proponentes dessas duas visões antagônicas de funcionamento do cérebro. Para os propósitos da presente discussão, basta dizer que somente nas últimas três décadas neurocientistas foram capazes de obter evidências decisivas em favor do modelo distribuído. Isso só foi possível graças ao advento de novas tecnologias que permitiram realizar uma investigação quantitativa das propriedades neurofisiológicas de uma variedade de circuitos neurais, tanto em animais de experimentação como em seres humanos. Assim, graças à introdução de novos métodos neurofisiológicos e, nas últimas duas décadas, de novas técnicas para produzir imagens de alta resolução do cérebro humano, o foco da neurociência moderna se moveu do estudo de neurônios isolados para a análise de populações de neurônios interconectados que definem os circuitos neurais responsáveis por executar o "principal negócio" do cérebro. Nesse contexto, creio ser possível dizer que, no verão de 2018, a visão proposta por Young para o cérebro humano finalmente triunfou.

Entre as novas técnicas usadas para investigar as propriedades do cérebro de animais, o método conhecido como "registro multieletrodo crônico de múltiplas regiões" gerou o mais completo banco de dados neurofisiológicos a favor da visão que imputa às populações distribuídas de neurônios o papel de verdadeira unidade funcional do sistema nervoso de mamíferos, incluindo o cérebro humano. Tenho uma vasta experiência com essa metodologia, uma vez que durante os meus cinco anos de treinamento pós-doutoral, passados no laboratório do professor John Chapin, o meu principal trabalho foi desenvolver e implementar uma das primeiras versões desse novo método neurofisiológico em ratos. Graças a esse trabalho no começo dos anos 1990 e ao esforço de outras gerações de neurofisiologistas que trabalharam no meu laboratório e em outros tantos ao redor do mundo nos últimos trinta anos, hoje o método permite que centenas de filamentos metálicos flexíveis, conhecidos como "microeletrodos", sejam implantados permanentemente no cérebro de ratos e de macacos. Esses microeletrodos permitem registrar, de maneira simultânea, os potenciais de ação produzidos por cerca de 2 mil neurônios individuais, distribuídos por múltiplas áreas corticais pertencentes a um circuito cerebral, como o sistema motor, responsável pela geração de todos os planos motores necessários para movimentarmos o nosso corpo.

Devido à natureza dos materiais usados para a confecção desses microeletrodos, os registros de grandes populações de neurônios podem se estender por meses (em ratos) ou até anos (em macacos). Essa característica técnica permite não somente acompanhar a atividade elétrica do cérebro dos animais de experimentação, à medida que eles aprendem novas tarefas, como possibilita documentar a manifestação contínua da plasticidade cerebral durante o processo de aprendizado.

Essa técnica neurofisiológica provou ser essencial para o meu trabalho em interfaces cérebro-máquina (Figura 4.5), abordagem que John Chapin e eu inventamos vinte anos atrás. Nesse paradigma, a atividade elétrica coletiva de uma população de neurônios, distribuída por uma ou várias áreas corticais interconectadas, é usada como fonte de informação motora necessária para o controle de movimentos de sistemas artificiais, como braços e pernas robóticos, ou mesmo corpos virtuais. Usando uma interface computacional em tempo real, os sinais elétricos neurais registrados alimentam modelos matemáticos, traduzidos na forma de algoritmos computacionais, especialmente criados para permitir a extração de comandos motores dessa atividade cerebral com o objetivo de transformá-los em sinais digitais de controle que sistemas robóticos artificiais conseguem compreender. O desenvolvimento dessa abordagem serviu de semente experimental, que permitiu, dez anos depois, o estabelecimento do Projeto Andar de Novo.

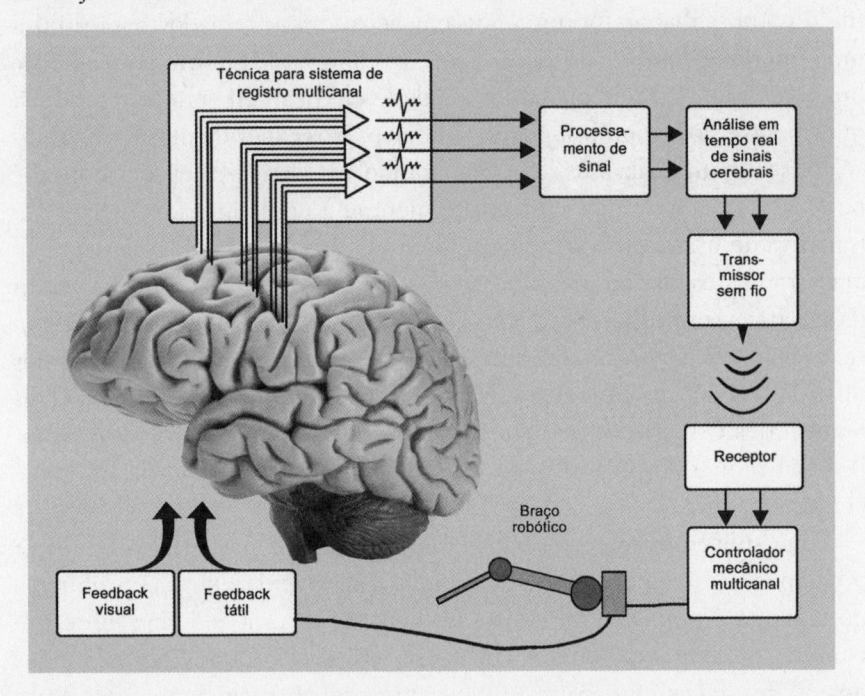

Figura 4.5 Diagrama representando uma interface cérebro-máquina típica como Originalmente proposta por Miguel Nicolelis e John Chapin. (Reproduzido com permissão. Originalmente publicado em M. A. Lebedev and M. A. Nicolelis, "Brain-Machine Interfaces: From Basic Science to Neuroprostheses and Neurorehabilitation," *Physiological Reviews* 97, n. 2 [April 2017]: 767-837.)

Duas décadas de pesquisas básica e aplicada usando as interfaces cérebro-máquina geraram enorme quantidade de dados experimentais relacionados ao modo como os circuitos cerebrais operam em animais despertos, como ratos e macacos, e em seres humanos. De modo geral, esses achados sustentam ainda mais a visão de que o córtex cerebral opera de uma forma muito mais dinâmica do que a maioria dos neurocientistas acreditava apenas duas décadas atrás.

Usando os resultados obtidos no laboratório durante os últimos vinte e cinco anos, propus uma série de regras neurofisiológicas, que, para descrever as raízes dinâmicas do cérebro humano, chamei de "princípios fisiológicos das populações neurais".

No topo dessa lista, encontra-se o princípio do processamento distribuído, aquele que determina que todas as funções e todos os comportamentos gerados pelos cérebros de animais complexos, como o nosso, dependem do trabalho coordenado de vastas populações de neurônios, distribuídas por múltiplas regiões do sistema nervoso central. Usando o nosso paradigma experimental, esse princípio foi amplamente demonstrado no nosso laboratório quando macacos foram treinados para utilizar uma interface cérebro-máquina a fim de controlar os movimentos de um braço robótico, usando apenas a atividade elétrica cerebral, sem produzir movimentos do seu próprio corpo biológico. Nos experimentos, os animais só conseguiram realizar essa proeza quando a atividade elétrica coletiva de populações de neurônios corticais alimentou a nossa interface. Qualquer tentativa de usar a atividade de um neurônio isolado, ou de uma pequena amostra destes (menos de dez), como fonte do sinal de controle motor da interface, impediu a produção de movimentos corretos do braço robótico. Além disso, nesses experimentos também observamos que neurônios distribuídos por múltiplas áreas dos lobos frontal e parietal, em ambos os hemisférios cerebrais, contribuíram significativamente para o sinal populacional requerido na execução da tarefa motora por meio da interface cérebro-máquina.

Uma subsequente quantificação dos resultados me levou a enunciar o chamado "princípio da massa neural", que postula que a contribuição de qualquer população de neurônios corticais para a codificação de um parâmetro comportamental – como os comandos motores gerados pelas nossas interfaces cérebro-máquina para produzir movimentos de membros robóticos – cresce de acordo com uma função logarítmica do número de neurônios adicionado à população. Uma vez que diferentes áreas corticais exibem distintos níveis de especialização, as curvas variam de região para região cerebral (Figura 4.6). Validando o princípio do processamento distribuído, essa descoberta indica que múltiplas áreas corticais contribuem com informação pertinente para a realização do objetivo final de uma interface cérebro-máquina: mover um membro robótico somente pelo pensamento.

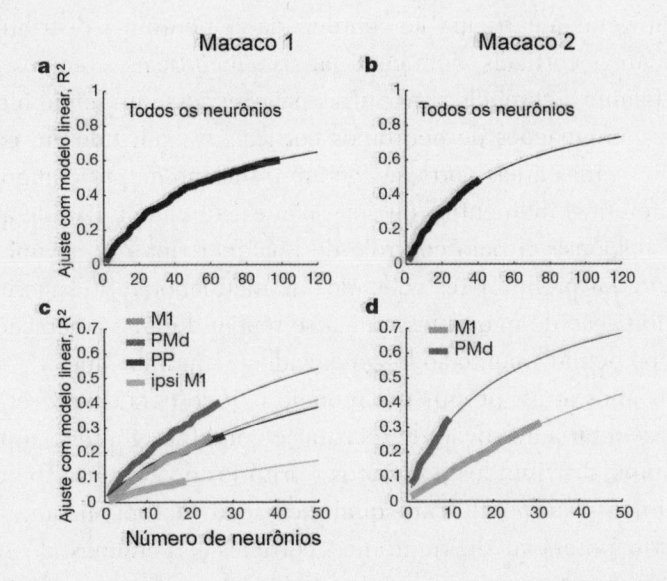

Figure 4.6 Exemplos de curvas que relacionam a acurácia da predição do movimento do braço de um macaco, através do uso de um decodificador linear, como função do tamanho de uma população neuronal. A acurácia de decodificação foi medida pelo coeficiente de determinação (R2). NDCS inicialmente representam o R2 em função do tamanho original de uma população neuronal registrada simultaneamente. A partir daí, um neurônio é removido e o R2 calculado novamente. Este processo é repetido até que apenas um neurônio permaneça na amostra. MI = córtex motor primário, PMd = córtex premotor dorsal, PP = córtex posterior parietal, ipsi MI = córtex motor primário ipsilateral. (Originalmente publicado em J. C. Wessberg, C. R. Stambaugh, J. D. Kralik, P. D. Beck, M. Laubach, J. K. Chapin, J. Kim, et al. "Real-Time Prediction of Hand Trajectory by Ensembles of Cortical Neurons in Primates," *Nature* 408, n. 6810 [November 2000]: 361–65.)

O princípio multitarefa determina que a atividade elétrica gerada por neurônios individuais pode contribuir simultaneamente para a operação de múltiplas redes neuronais: isto é, cada um dos neurônios pode participar em múltiplos circuitos envolvidos na codificação de múltiplos parâmetros comportamentais, necessários para a realização de múltiplas funções cerebrais ao mesmo tempo. Por exemplo, em um típico experimento com uma interface cérebro-máquina, os mesmos neurônios corticais podem contribuir para a geração de dois parâmetros motores distintos ao mesmo tempo: a direção do movimento do braço e a produção da força de apreensão da mão.

O princípio da redundância neural postula que dado produto comportamental, como mover o braço para pegar um objeto, pode ser produzido, em diferentes momentos, por combinações distintas de neurônios corticais. Esse princípio é válido tanto para redes neuronais circunscritas a uma única área cortical como para as que se encontram espalhadas por muitas regiões cerebrais, dado que a produção de um comportamento motor requer, em geral, a participação coordenada de neurônios distribuídos por múltiplas áreas corticais, bem como áreas subcorticais, como os gânglios da base, tálamo e cerebelo. Em outras palavras, esse princípio indica que múltiplas combinações de neurônios corticais trabalhando em conjunto, em uma ou várias áreas corticais, geram o mesmo *output* comportamental em diferentes momentos; ou seja, não existe padrão fixo de atividade neuronal responsável pelo controle de qualquer tipo de movimento. De fato, resultados preliminares coletados no meu laboratório sugeriram que uma combinação de neurônios nunca se repete durante a geração de um mesmo tipo de movimento ao longo da vida de um indivíduo.

Alguns anos atrás, propus um modelo teórico para descrever como o cérebro executaria a função de recrutar e combinar grandes populações de neurônios, distribuídos por vastos territórios do córtex, a fim de gerar um movimento corporal. Para qualquer ação motora, há um enorme reservatório potencial de neurônios corticais – centenas de milhões, mais precisamente – que poderia participar da codificação de um comportamento motor. Desses, somente alguns milhares, em dado instante, farão parte do processo de computação de todos os parâmetros motores necessário para se produzir um movimento. O recrutamento dessa amostra bem menor de neurônios não ocorre no mesmo instante. Em vez disso, esse processo alastra-se ao longo das centenas de milissegundos necessários para planejar, definir e transmitir um programa motor voluntário do córtex para regiões subcorticais que serão responsáveis pela implementação final desse movimento. No modelo que propus, esse processo pode ser descrito como se o cérebro criasse um "computador orgânico temporário" dentro do córtex. De um instante para o outro, todavia, a composição neuronal desse computador orgânico intracortical varia expressivamente, porque, de um momento para o outro, alguns dos neurônios participantes da codificação de uma tarefa motora anterior podem não estar disponíveis novamente para contribuir em uma nova computação; alguns podem ainda estar no seu período refratário, durante o qual eles não produzem potenciais elétricos durante alguns milissegundos, outros podem estar inibidos por outros neurônios, e alguns podem ter simplesmente morrido desde a última participação nesse computador analógico cortical.

A combinação *ad hoc* de neurônios acrescenta outra dimensão à robusteza dinâmica que caracteriza o modo distribuído de operação do córtex. Parece claro para mim que o tremendo ganho em flexibilidade oferecido pelo processo dinâmico de codificação populacional pode explicar por que o processo de evolução não se limitou a tirar vantagem dessa estratégia de processamento de informação somente no cérebro, mas, sim, favoreceu a sua aplicação em múltiplos níveis de organização dos sistemas biológicos; dos genes às proteínas, das células aos tecidos, até alcançar, no limite, o nível das interações sociais entre indivíduos de uma espécie. No caso específico do córtex, a codificação neuronal distribuída nos presenteou com a indulgência de poder gerar movimentos ou perceber estímulos externos mesmo depois de uma quantidade razoável do tecido cortical envolvido nas tarefas ser destruída, quer por um trauma, quer por uma doença neurológica. Em outras palavras, um código populacional distribuído oferece enorme proteção contra falhas catastróficas do sistema nervoso.

Décadas atrás, quando eu ainda era aluno de medicina, tive a oportunidade de examinar vários pacientes que, a despeito de terem sofrido lesões localizadas da substância cinzenta cortical, como decorrência de um pequeno acidente vascular cerebral (AVC, ou derrame), não apresentavam nenhum dos déficits motores clássicos associados a essa condição clínica. Acontece que os pacientes com tais déficits neurológicos, como consequência de um AVC, em geral apresentam um dano não somente de grandes áreas de substância cinzenta do córtex motor, mas também da substância branca que fica logo abaixo dessa região. Isso quer dizer que, quando as fibras nervosas que conectam os grandes reservatórios de neurônios corticais que definem os circuitos responsáveis pelo planejamento e pela execução de comportamentos motores são comprometidas, o quadro clínico costuma ser grave. Por outro lado, se um AVC é circunscrito a uma região localizada da substância cinzenta cortical, contanto que a lesão não destrua a maior parte do córtex motor primário, o paciente pode, ainda, ser capaz de executar movimentos voluntários quase normalmente.

O próximo item da lista é o princípio da contextualização, que postula que, em qualquer momento, o estado global do cérebro determina como ele vai responder a um estímulo sensorial do mundo exterior. De certo modo, esse princípio complementa o da redundância neural, dado que ele determina como e por que motivo, durante diferentes estados internos cerebrais (por exemplo, quando animais estão despertos *versus* quando estão dormindo ou sob efeitos de anestésicos), os mesmos neurônios podem responder a um mesmo estímulo sensorial – como a deflexão das vibrissas faciais de um rato – de forma completamente distinta.

Embora essa descrição possa soar óbvia para alguns, uma série exaustiva de experimentos precisou ser realizada para demonstrar, de forma rigorosa, a veracidade do princípio da contextualização do ponto de vista neurofisiológico. Esse foi um resultado valioso, porque, se formulado de outra forma, esse princípio basicamente determina que o cérebro se vale do "seu próprio ponto de vista" para tomar decisões acerca de eventos ocorridos no mundo exterior. Na minha definição, o "ponto de vista próprio do cérebro" é determinado por uma série de fatores que interagem entre si, incluindo: a história perceptual acumulada do sujeito, tanto a evolutiva como a individual, que sumariza os múltiplos encontros prévios do seu cérebro com estímulos similares ou distintos; o estado dinâmico particular do cérebro no momento do encontro com um novo estímulo; as expectativas internas criadas pelo cérebro antes desse encontro; os valores emocionais e hedônicos associados ao estímulo que acaba de ser detectado; o programa motor exploratório, expresso pela coordenação dos movimentos dos olhos, da cabeça e do corpo, empregado para amostrar um estímulo sensorial.

Ao longo dos anos, o meu laboratório documentou as manifestações desse modelo interno cerebral da realidade em uma série de estudos em animais de experimentação. Por exemplo, em experimentos com ratos, demonstramos a ocorrência de um padrão de atividade elétrica neuronal "antecipatória" distribuída ao longo da maioria das regiões corticais e subcorticais que define o sistema somestésico, quando esses animais estavam engajados em tarefas envolvendo discriminação tátil de objetos. Essa atividade neuronal antecipatória é caracterizada pela ocorrência de grandes aumentos ou reduções na frequência de disparo de neurônios individuais antecedendo o instante em que os animais começam a engajar as suas vibrissas faciais para tocar um objeto (Figura 4.7). Embutida na atividade neuronal antecipatória, disseminada por toda a via somestésica, podem-se identificar sinais relacionados ao planejamento dos movimentos do corpo e das vibrissas faciais que serão realizados, em algumas dezenas de milissegundos no futuro, para a execução de uma tarefa tátil (como discriminar a textura de um objeto), bem como a expectativa gerada pelo cérebro em relação ao que o animal pode encontrar ao usar suas vibrissas a fim de explorar o mundo exterior. Este último componente inclui predições sobre os potenciais atributos táteis dos objetos que serão explorados, mas também uma expectativa acerca da recompensa que o animal espera receber no caso de completar a tarefa de discriminação tátil corretamente. Para mim, essa atividade antecipatória ilustra aspectos do cérebro desses roedores, servindo como o arcabouço neural para a definição de uma hipótese ampla do que o sistema nervoso espera encontrar no futuro imediato do animal.

Em apoio a essa visão, subsequentes experimentos feitos em macacos no nosso laboratório e publicados em 2017 demonstraram que, se a quantidade da recompensa, em geral entregue ao término de uma tentativa de uma tarefa, é alterada, criando clara disparidade com a expectativa inicial do cérebro dos primatas, neurônios corticais tendem a mudar dramaticamente a magnitude dos seus disparos elétricos como resposta ao desvio da projeção idealizada pelo sistema nervoso. Essa "surpresa neuronal" foi bem documentada em várias regiões cerebrais durante experimentos similares aos nossos. De acordo com a interpretação proposta por muitos neurocientistas, as mudanças nos disparos de neurônios representam a disparidade entre o que o cérebro antecipou e o que de fato aconteceu, em termos de recompensa, ao fim da execução de uma tarefa. Uma vez que a disparidade ocorre, o cérebro passa a utilizar os novos parâmetros disponíveis para reconfigurar o seu ponto de vista interno, de sorte a recalibrar a sua expectativa para um evento futuro similar.

O que quero dizer, portanto, é que, ao comparar experiências acumuladas ao longo de toda a sua existência com informação coletada momento a momento, o cérebro continuamente se reformata para atualizar o seu ponto de vista interno, com o objetivo precípuo de refinar o seu modelo neural da estatística do mundo exterior. No caso dos seres humanos, o processo envolve contínua atualização do nosso senso de ser, que, como vimos, inclui a imagem corporal embutida no cérebro.

Um exemplo claro da manifestação do princípio da contextualização é ilustrado na Figura 4.8. O gráfico descreve como um neurônio, localizado no córtex somestésico primário de um rato, responde à aplicação de um estímulo mecânico nas vibrissas faciais do animal, em três condições diferentes: quando o rato estava totalmente anestesiado; quando estava desperto, mas imobilizado; e, por fim, quando o animal podia se mover e usar suas vibrissas livremente para tocar o objeto. Basicamente, a enorme diferença das respostas do neurônio a um mesmo estímulo tátil se explica porque a expressão do ponto de vista interno do cérebro do animal é dramaticamente diferente nas três condições experimentais: indo de um estado em que ele é praticamente inexistente, quando o animal está anestesiado, para outro muito mais alto de manifestação, quando o rato está desperto,

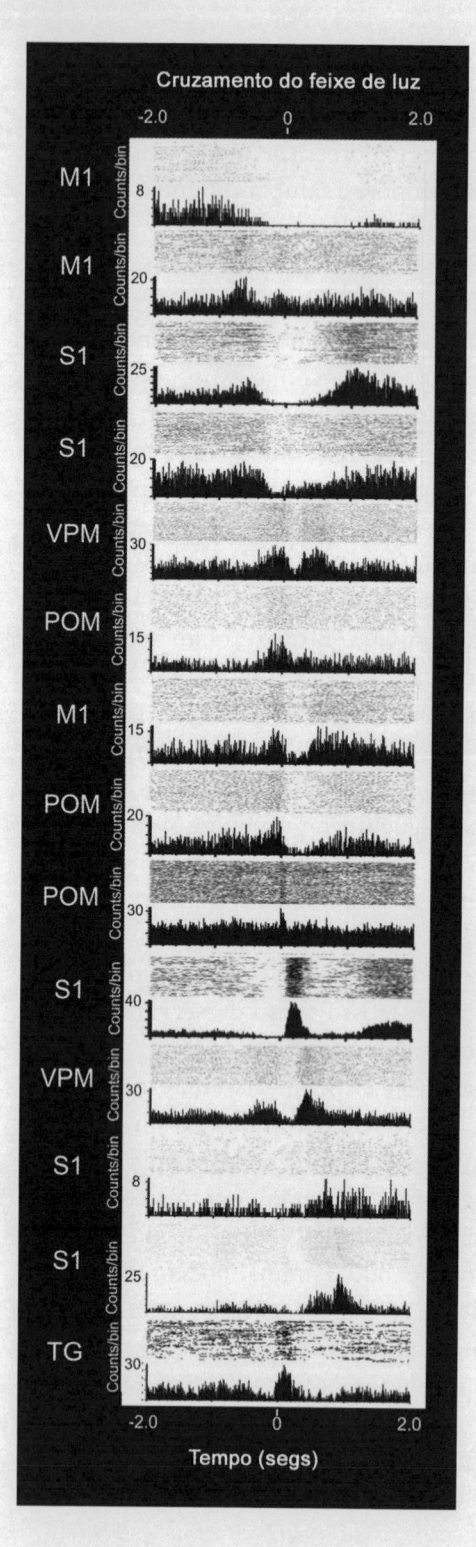

Figura 4.7 Neurônios individuais, localizados em diferentes regiões da via somestésica de ratos, exibem alterações antecipatórias da sua atividade elétrica (aumento ou redução no número de pulsos elétricos produzidos) antes mesmo que as vibrissas faciais de um rato contatem duas barras metálicas posicionadas em ambos os lados do focinho do animal. Histogramas foram usados para quantificar os períodos de aumento e decréscimo da atividade destes neurônios, localizados em áreas corticais e regiões subcorticais, ao longo de toda duração de um evento da tarefa de discriminação tátil realizada pelo animal. O tempo 0 corresponde ao momento em que o rato passa pelo feixe de luz posicionado em frente das barras metálicas que definem o diâmetro da abertura a ser discriminado pelo animal. Os quatro neurônios no topo da figura, localizados no córtex primário motor (M1) e córtex primário somestésico (S1), exibem um período de aumento de atividade antecipatória mesmo antes que o rato comece a executar a tarefa de discriminação tátil. Imediatamente após o inicio da tarefa, três destes neurônios reduziram a sua atividade significativamente. O começo desta redução de atividade elétrica corresponde a um aumento de atividade observada em outros neurônios, por exemplo, no córtex somestésico primário (S1, décimo histograma de cima para baixo). Esse achado sugere um papel inicial da área M1 nos estágios preparatórios da tarefa, seguindo por uma segunda classe de neurônios, tanto no M1 quanto no S1, responsáveis pela atividade anticipatória que ocorre no momento de abertura da porta (aproximadamente no momento 0,5 segundos). À medida que o rato se move em direção das barras, neurônios localizados em diferentes núcleos (VPM e POM) do tálamo, uma estrutura subcortical, e da área M1 (ver o quinto, sexto, sétimo e oitavo histogramas de cima para baixo) exibem um aumento repentino de atividade que termina no momento em que as vibrissas contaram as barras metálicas laterais que definem as extremidades da barras sendo exploradas pelo animal. À medida que estes neurônios antecipatórios reduzem a sua atividade, um grupo de células diferentes no POM, S1 e VPM (nono e décimo primeiro histogramas de cima para baixo) apresentam um aumento significativo de atividade elétrica. Este período coincide com o momento em que o rato usa as suas vibrissas faciais para amostrar o diâmetro⊃

↪da abertura definido pelas duas barras metálicas. Mais tarde, quando o animal usa o focinho para receber a sua recompensa líquida, após a realização da tarefa de discriminação, também pode-se observar aumentos de disparos de outros neurônios na área S1 (décimo segundo e décimo terceiro histograma de cima para baixo). Finalmente, o ultimo histograma (décimo quarto, de cima para baixo) ilustra como um neurônio localizado no gânglio trigeminal, que inerva um folículo que abriga cada uma das vibrissas faciais do animal, responde vigorosamente à estimulação mecânica desta vibrissa. (Reproduzido com permissão. Originalmente publicado em M. Pais-Vieira, M. A. Lebedev, and M. A. Nicolelis, "Simultaneous Top-Down Modulation of the Primary Somatosensory Cortex and Thalamic Nuclei during Active Tactile Discrimination," *Journal of Neuroscience* 33, n. 9 [February 2013]: 4076-93.)

mas imóvel, até atingir o seu máximo, quando o animal pode se movimentar para explorar um objeto à vontade.

No geral, a proposição do princípio da contextualização também permite explicitar quão distinto é o modelo de funcionamento do cérebro proposto neste livro em relação a teorias clássicas da neurociência. Para ilustrar esse ponto, a Figura 4.9 compara o modelo de funcionamento do córtex visual proposto por Hubel e Wiesel, que foi de início derivado de estudos em animais totalmente anestesiados, com a minha teoria relativística do cérebro, proposta inteiramente a partir de dados neurofisiológicos obtidos em animais despertos e livres para se movimentar.

Voltando aos experimentos com ratos ciborgues, posso concluir que, graças a uma atualização radical do ponto de vista próprio do cérebro desses animais, eles puderam aprender a interpretar os sinais elétricos, derivados dos sensores de luz infravermelha, usados para estimular os seus córtices somestésicos. Uma vez que o ponto de vista dos seus cérebros foi atualizado, eles passaram a assumir que "tocar" luz infravermelha pertencia ao seu repertório perceptual natural. Em essência, isso sugere que, uma vez que o ponto de vista próprio do cérebro é atualizado para incluir uma nova série de contingências ou estatísticas do mundo exterior, o que era antes considerado inesperado e pouco usual – como tocar uma luz invisível – passa a ser parte da nova realidade criada pelo cérebro. Neste livro, diversos exemplos ilustram em detalhe esse ponto fundamental da experiência humana.

E, como já mencionado, a surpreendente maleabilidade dos circuitos neuronais é mediada pelo fenômeno da plasticidade neural, propriedade requintada de autoadaptação do tecido neuronal que não somente nos capacita a aprender, mas que gera um abismo entre o cérebro e outros sistemas computacionais criados por nós. É graças a essa plasticidade que o cérebro animal continuamente adapta a sua própria micromorfologia e a sua função em resposta a novas experiências. De acordo com esse princípio, a interpretação interna do mundo exterior criada pelo cérebro, bem como o nosso senso de ser, permanece em contínuo fluxo ao longo da vida.

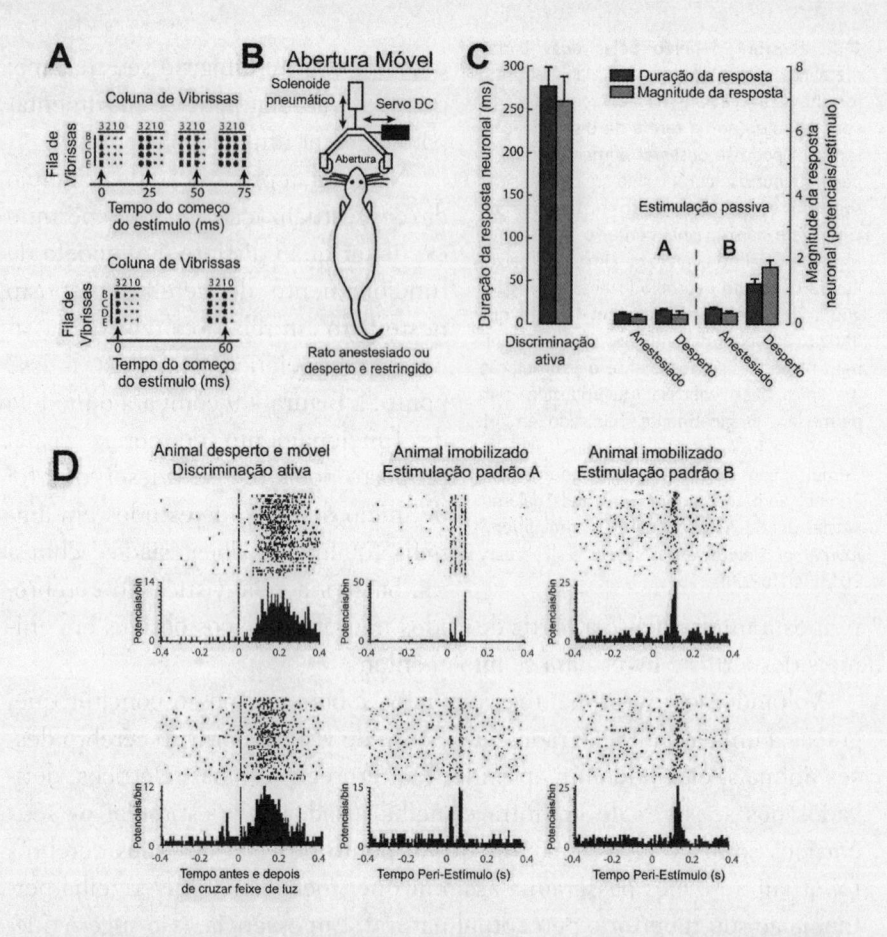

Figura 4.8 A: Esquema no topo da figura ilustra o padrão de estimulação mecânica passiva de múltiplas vibrissas faciais de um rato anestesiado. Os pontos negros em destaque ilustram quais vibrissas foram estimuladas a cada momento no tempo após o inicio do estímulo (zero, no eixo x de cada gráfico). Flechas apontadas para cima indicam o começo de cada estímulo. O esquema na metade inferior da figura ilustra o padrão espacial de estimulação de vibrissas no mesmo rato acordado mas cujos movimentos foram restritos. B: Esquema descrevendo o aparato experimental para produção de um estimulo de vibrissas usando uma abertura móvel. A abertura, posicionada inicialmente na frente do animal, é acelerada em direção ao animal de tal sorte a produzir um contato mecânico com múltiplas vibrissas faciais do animal. C: Duração média (representada no eixo Y à esquerda) e magnitude (representada no eixo Y à direita) da resposta excitatória de neurônios corticais durante a discriminação ativa realizada pelo rato desperto e quando o mesmo estimulo mecânico foi produzido em animais anestesiados ou despertos mas restritos. D: Comparação do padrão de disparo de dois neurônios do córtex S1 (N1 e N2), medidos por histogramas, durante três padrões distintos de estimulação mecânica das vibrissas faciais: quando o animal realiza a tarefa por si mesmo (mais à esquerda), quando 16 vibrissas foram estimuladas mecanicamente enquanto o animal estava anestesiado (painéis do meio), e quando a abertura foi movida em direção às vibrissas do mesmo rato enquanto ele permanecia desperto mas com o corpo imobilizado. Note que os histogramas à esquerda mostram que os 2 neurônios exibem padrões de disparo muito mais longos e robustos quando o rato realiza a tarefa por si só. (Reproduzido com permissão. Originalmente publicado em D. J. Krupa, M. C. Wiest, M. G. Shuler, M. Laubach, and M. A. Nicolelis, "Layer-Specific Somatosensory Cortical Activation during Active Tactile Discrimination," *Science* 304, n. 5679 [June 2004]: 1989-92.)

Espectro de Comportamento
Expressão do Ponto de Vista do Cérebro
Noção de espaço e tempo
⟵⟶

Cérebro Relativístico:
Ser Humano Desperto e Móvel

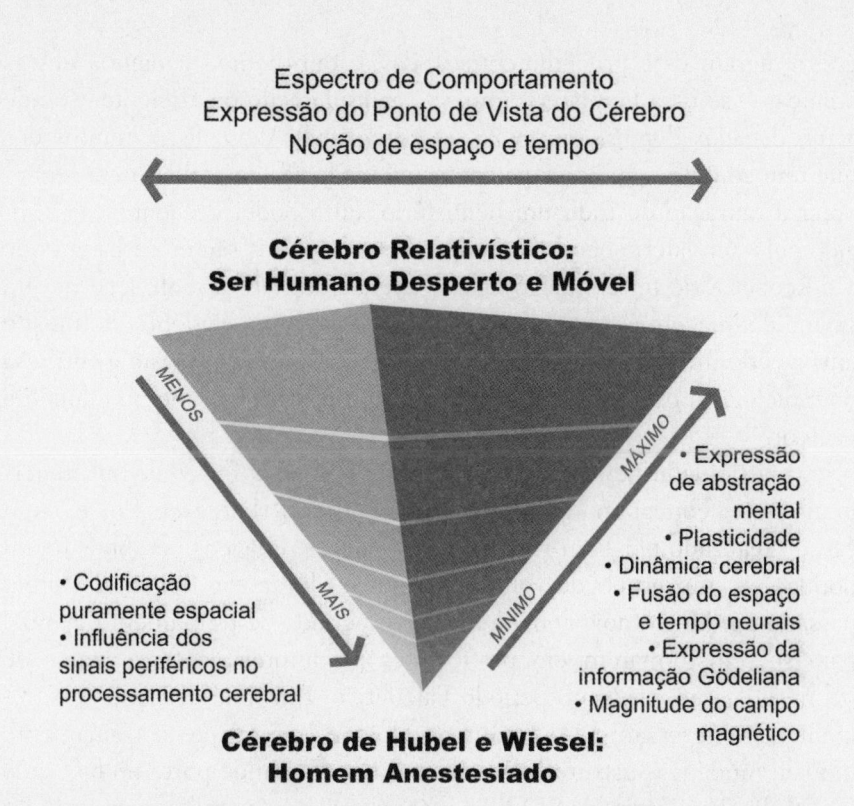

- Codificação puramente espacial
- Influência dos sinais periféricos no processamento cerebral

MENOS / MÁXIMO / MAIS / MÍNIMO

- Expressão de abstração mental
- Plasticidade
- Dinâmica cerebral
- Fusão do espaço e tempo neurais
- Expressão da informação Gödeliana
- Magnitude do campo magnético

Cérebro de Hubel e Wiesel:
Homem Anestesiado

Figura 4.9 Gráfico em pirâmide compara as propriedades do modelo neural clássico de visão, proposto por David Hubel e Torsten Wiesel, Originalmente derivado com dados obtidos em animais anestesiados, e os axiomas da teoria do cérebro relativístico. (Ilustração por Custódio Rosa)

É por causa desse princípio que mantemos a capacidade de aprender. E é por causa dele que alterações dramáticas ocorrem no córtex, por exemplo, quando neurônios do córtex visual de pessoas que ficaram cegas passam a responder a estímulos táteis, gerados pelo contato da ponta dos seus dedos com caracteres em relevo usados pelo método da escrita em braile.

Durante os primeiros anos do desenvolvimento pós-natal, a plasticidade cerebral consegue realizar feitos impressionantes. Por exemplo, bebês acometidos de inflamação autoimune do cérebro, doença conhecida como "síndrome de Rasmussen", podem exibir um dano terminal de todo o hemisfério cerebral. Como resultado, chegam a sofrer crises epiléticas que não respondem a nenhuma terapia medicamentosa. Algumas vezes, o único tratamento possível é a completa remoção do hemisfério cerebral afetado. A *priori*, seria possível esperar que um tratamento cirúrgico tão radical induziria profundos déficits neurológicos na vida dos indivíduos. De fato, essa deve ter sido a previsão feita pelos primeiros neurocirugiões que tentaram esse procedimento. Todavia, felizmente, a maioria dessas crianças – se essa hemisferectomia é realizada cedo o suficiente – tende a ter, décadas depois, uma vida quase normal. Além disso, muitos dos que têm contato com esses pacientes na idade adulta podem nem sequer notar a remoção de todo um hemisfério, tal o poder de adaptação atingido pelo hemisfério cerebral remanescente. Muitos são os casos em que a descoberta de tal condição ocorre apenas durante a realização de um exame de imagem cerebral de urgência, devido a um acidente de trânsito envolvendo um paciente hemisferectomizado, que revela, para a surpresa do radiologista de plantão, a existência de um vazio enorme no crânio do paciente.

A plasticidade neural também se manifesta nos feixes de substância branca que conectam diferentes áreas corticais. Por exemplo, em um estudo realizado por Erin Hecht e seus colegas, imagens cerebrais foram obtidas em um grupo de voluntários antes, durante e depois de terem passado um longo (dois anos) e intensivo período de treinamento manual para se transformarem em proficientes produtores de ferramentas de pedra, no estilo usado no período Paleolítico. Em uma descoberta extremamente interessante, esses autores demonstraram que o treinamento induziu mudanças estruturais e metabólicas de grande porte no fascículo longitudinal superior (ou SLF) e nas áreas corticais ao redor, manifestadas por alterações na densidade e no calibre de nervos e no nível de mielinização dos axônios neuronais.

Um dos resultados mais surpreendentes dos nossos experimentos com registros multieletrodos em ratos e macacos foi a descoberta do princípio da conservação da energia. À medida que animais apreendem a realizar tarefas, há uma variação contínua na frequência de disparos elétricos dos neurônios corticais. Todavia, observamos nos nossos registros neurofisiológicos que, ao longo dos grandes circuitos corticais, a atividade elétrica global permanece constante. Ou seja, o número de potenciais de ação produzidos por um registro simultâneo e pseudoaleatório de centenas de neurônios corticais que pertencem a um circuito – digamos o sistema motor – tende a oscilar ao redor de uma média fixa. Desde o nosso primeiro relato, esse resultado já foi reproduzido por registros em múltiplas áreas corticais em várias espécies, incluindo camundongos, ratos e macacos. Além disso, um par de anos atrás, Allen Song, professor de Neurorradiologia da Universidade Duke – umas das referências mundiais nessa área, além de grande amigo meu –, alertou-me que, quando se examinam ressonâncias magnéticas funcionais do cérebro humano, identificam-se não somente áreas onde o consumo de oxigênio e, consequentemente, atividade neuronal aumentam acima da média, mas também regiões corticais em que o consumo de oxigênio se reduziu proporcionalmente. Esses achados em seres humanos corroboram o princípio de conservação de energia.

Uma das implicações mais importantes desse princípio é que, uma vez que cada cérebro tem um "orçamento" fixo de energia a consumir, os circuitos neurais precisam respeitar um limite de disparo elétrico neural. Assim, se alguns neurônios aumentam momentaneamente a sua frequência de disparo para representar a ocorrência de um estímulo sensorial, ou para participar da geração de um movimento ou qualquer outro comportamento, outros neurônios vizinhos terão de reduzir de maneira proporcional as suas taxas de produção de potenciais de ação, de forma a manter constante o nível de energia cerebral consumida.

Para resumir a discussão sobre os princípios fisiológicos das populações neurais, a Figura 4.10 representa uma possível hierarquia entre os diversos princípios, do mais genérico (círculo externo) para os mais particulares (círculos interiores).

Figura 4.10 Esquema representa a hierarquia dos diferentes princípios da fisiologia de populações neurais. O anel externo (princípio da conservação de energia) representa o princípio mais abrangente. Anéis subsequentes classificam os outros princípios, do mais abrangente ao mais específico. (Ilustração por Custódio Rosa)

Embora eu tenha derivado alguns outros princípios em meus mais de trinta anos de registros com multieletrodos, o material revisto há pouco é suficiente para descrever o dilema enfrentado por todos os neurocientistas que, como eu, procuram uma forma de propor uma teoria que sintetize a maneira pela qual o cérebro de animais complexos opera. Decerto, nenhuma das teorias clássicas da neurociência moderna explica os achados emergentes das últimas três décadas de registros multieletrodos. Para começar, a maioria dessas teorias não incorpora noções de dinâmica cerebral; da escala de milissegundos usada pelos circuitos neurais para suas operações, para a larga escala temporal na qual a plasticidade cerebral se manifesta, até os segundos e os minutos necessários para a produção de comportamentos, a dinâmica cerebral foi egregiamente ignorada pela neurociência por mais de um século. Assim, as várias manifestações do "tempo neuronal" nunca se incorporaram ao dogma central da neurociência, que persiste em ser dominado por conceitos estáticos, como diagramas citoarquitetônicos, mapas corticais e um catálogo infindável de curvas de estímulo-resposta e representações de campos receptivos. Além disso, outras teorias da função cerebral ainda não incorporaram princípios fisiológicos descritos anteriormente.

Durante a última década, empenhei-me em formular uma teoria de funcionamento do cérebro humano que explicasse todos os princípios e os resultados descritos neste livro. Uma característica essencial dessa teoria é que ela oferece uma explicação plausível para a tese de que o córtex funciona como um todo, sem se incomodar com a existência de separações espaciais. A minha resposta para esse requisito foi imaginar o córtex como uma entidade contínua, ao longo da qual funções neurais e comportamentos são gerados pelo recrutamento de populações de neurônios distribuídas amplamente pelo território cortical. A operação contínua desses grupos distribuídos de neurônios seria regida por uma série de restrições impostas pela história evolutiva da espécie: o layout original do cérebro, definido pelo genoma e o desenvolvimento pós-natal, o estado da periferia sensorial, o estado da dinâmica cerebral interna, o contexto da tarefa a ser executada, o orçamento energético disponível e o limite máximo de disparo de cada neurônio.

Outro grande desafio em propor uma nova teoria de função cerebral reside na identificação de um mecanismo fisiológico robusto o suficiente para explicar como o manto cortical pode se autossincronizar, de sorte a definir um contínuo funcional capaz de realizar todas as tarefas a cargo do cérebro. Essa necessidade me levou a considerar os laços de substância branca, aqueles solenoides biológicos que mediam a comunicação recíproca de regiões cerebrais, como um bom lugar para iniciar a busca. Um solenoide se comporta como um eletromagneto quando uma corrente elétrica passa por ele. Para mim, o cérebro humano está cheio de réplicas biológicas deles. Foi aí que comecei a me perguntar: no que os campos eletromagnéticos cerebrais, gerados continuamente pelo movimento de potenciais de ação por feixes de substância branca, contribuem para o funcionamento do nosso cérebro?

Capítulo 5
A TEORIA RELATIVÍSTICA DO CÉREBRO: COMO TUDO SE RESUME A UM PICOTESLA DE MAGNETISMO

Saber que o cérebro humano utiliza interações dinâmicas entre grandes populações de neurônios, distribuídas e organizadas em vastos circuitos neurais, ajuda neurocientistas a desvendar mistérios da neurociência. Por exemplo: quais mecanismos neurofisiológicos foram responsáveis, ao longo do processo evolucionário, pela fusão de capacidades mentais únicas do cérebro humano (linguagem, teoria da mente, confecção de ferramentas, inteligência geral e social e senso de ser), viabilizando uma mente que funciona de forma coesa? Como o cérebro humano sincroniza as ações dos seus diferentes componentes anatômicos, amalgamando todo o córtex a ponto de múltiplos sinais sensoriais, ações motoras, abstrações e pensamentos que experimentamos se fundirem em um único contínuo neural? Como podemos atualizar e manter as nossas memórias durante toda a vida?

Achar as respostas para essas perguntas provavelmente levará bem mais tempo do que eu mesmo tenho sobrando de vida, mas isso não impede que a busca por tais explicações continue a ser a grande motivação do meu trabalho como neurocientista. De fato, não vejo esforço mais digno e estimulante do que perseguir avanços que nos ajudem a alcançar um entendimento mais completo e profundo desses mistérios, assumindo – e esta é uma grande suposição – que o cérebro humano eventualmente compreenda a si mesmo de maneira integral.

Com base nos princípios neurofisiológicos discutidos no Capítulo 4, acredito piamente que a resposta a essas perguntas esteja em uma teoria a ser formulada a partir da síntese a seguir: o cérebro funciona por meio de uma contínua mistura recursiva de sinais analógicos e digitais. Esse processo dinâmico permite a fusão do tecido neural em um contínuo operacional que media um processo bidirecional de conversão de S-info e G-info (Figura 3.2). Ao dissipar energia para embutir fisicamente G-info no tecido neural (fazendo com que essa informação exerça um efeito de eficiência causal na sua estrutura anatômica), o cérebro é capaz de empregar os sinais ascendentes que descrevem o estado do mundo exterior para atualizar o seu modelo interior de realidade. Em última análise, é o processo de checar e adaptar o ponto de vista próprio do cérebro que guia a operação do nosso sistema nervoso central de um momento ao outro.

Aqui, essa minha declaração poder não fazer muito sentido para a maioria dos leitores, mas não é preciso se desesperar. Neste e nos próximos capítulos, explicarei, tão claramente quanto possível, o que tenho em mente, tanto literal como metaforicamente.

A minha solução para o problema central da neurociência é o que chamei de "teoria relativística do cérebro". Os primeiros axiomas da teoria foram publicados em meu livro *Muito além do nosso eu*. Nos últimos oito anos, uni-me ao meu grande amigo Ronald Cicurel para explorar as principais implicações da teoria. Dessa colaboração resultou uma monografia voltada à comunidade acadêmica, publicada em 2015 sob o título *O cérebro relativístico: como ele funciona e por que ele não pode ser reproduzido por uma máquina de Turing*.

Originariamente, escolhi o termo relativístico para nomear a teoria inspirado no seu uso histórico a fim de sugerir a inexistência de um sistema de referência fixo para descrever fenômenos naturais. Embora em diferentes áreas, Aristóteles e Galileu, entre outros, também propuseram uma visão "relativística" de idealizações humanas (por exemplo, ética e moral) e fenômenos naturais (queda de objetos). Além deles, o filósofo alemão Immanuel Kant foi responsável pela introdução do que pode ser considerada uma visão relativística da percepção, ao propor que não podemos entender diretamente o que existe no universo exterior, mas criamos representações mentais dessa realidade ao confiarmos em nossos sentidos e nosso raciocínio. Compartilhando dessa filosofia, o famoso físico austríaco Ernst Mach acreditava que todo tipo de movimento só poderia ser descrito como relativo ao resto do universo. Em seu livro *A análise da sensação*, de 1886, Mach ecoou Kant ao dizer que

> *os objetos que nós percebemos consistem meramente de pacotes de dados sensoriais conectados de forma regular. Não existem objetos independentes das nossas sensações – nenhuma coisa existe por si mesma... Isso implica que nós só conhecemos aparências, nunca uma coisa por si mesma – somente o mundo das novas sensações. Portanto, nós nunca podemos saber se existem coisas por si mesmas. Consequentemente, não faz o menor sentido discutir tais noções.*

Curiosamente, a visão de Mach sobre a percepção humana alinhava-se com uma nova forma de olhar o mundo exterior proposta por um grupo de pintores revolucionários que constituíram o movimento impressionista na França do fim do século XIX. Diferentemente da escola realista, que acreditava piamente na descrição fiel dos objetos e da realidade exterior do mundo ao redor, usando uma precisão quase fotográfica, os impressionistas acreditavam obstinadamente que o seu dever central era representar a visão subjetiva interna e pessoal do mundo. Como descrito pelo maior crítico de arte brasileiro, Mário Pedrosa, os impressionistas propunham "liquefazer os sólidos e corroer os ângulos, transformando tudo, das fachadas das catedrais às estruturas das pontes, no mesmo emplasto colorido e tátil, sem qualquer plano hierárquico, por toda a superfície da tela". Definitivamente, meu tipo de povo!

No frigir dos ovos, a visão de Mach ressoou muito bem com a escolha do termo relativístico para denominar uma nova teoria sobre o funcionamento do cérebro humano (tenho certeza de que ele iria gostar!). E, mesmo que possamos discutir se Albert Einstein mereceria o crédito por finalmente trazer um observador humano para dentro de um ponto de vista relativístico do universo, criado para descrever toda a estrutura fina do cosmos, nem mesmo ele nem nenhum de seus antecessores e seguidores tentou avançar e descrever os mecanismos relativísticos intrínsecos do cérebro desse mesmo observador. Desta forma, sinceramente espero que, com a introdução de uma teoria relativística da função cerebral, possamos escancarar as portas dessa última fronteira e posicionar a mente humana no seu devido lugar como centro do universo humano.

Seguindo o que acredito ser uma versão neurofisiológica do pensamento machiano, o axioma central da teoria relativística do cérebro propõe que o modo de operação geral do cérebro dos mamíferos é baseado em uma contínua comparação de um modelo interno do mundo (e do corpo do sujeito) com o incessante fluxo multidimensional de informação sensorial que alcança o sistema nervoso central a cada momento de nossa vida.

A partir dessa comparação, o cérebro esculpe para cada um de nós um senso de ser e uma descrição do universo centrada no seu ponto de vista interno. Portanto, para realizar qualquer tarefa – seja calcular um movimento do braço, seja mapear uma cadeia complexa de relações causais necessária para construir uma nave espacial –, o cérebro humano constrói continuamente abstrações mentais e analogias, procurando o melhor ajuste entre a sua simulação neural interna – a sua visão do mundo – e o trabalho a executar. Qualquer coisa que tenha se materializado dentro do universo humano em toda a sua história, da primeira palavra falada à criação de uma ferramenta, ou a composição de uma sinfonia, ou o planejamento de um genocídio terrível, teve que ocorrer na forma de uma abstração mental ou uma analogia, dentro da cabeça de alguém. Assim, antes de eu executar um movimento complexo com a minha mão, milhares ou milhões de neurônios corticais têm que se unir transientemente para formar uma entidade computacional orgânica – milhares de neurônios subcorticais também serão recrutados para essa unidade funcional, mas, em nome da simplicidade, por enquanto vou ignorá-los. Essa entidade, uma rede neural funcional integrada, é responsável por calcular o programa motor que leva à execução do movimento em questão. Refiro-me a esse programa motor neural como uma analogia mental interna do movimento a ser executado pelo corpo algumas centenas de milissegundos depois. Assim, seguindo os princípios fisiológicos de populações de neurônios descritos no capítulo anterior, a entidade neurobiológica representa um verdadeiro computador analógico neural simulador de um movimento corporal usando um padrão distribuído particular de atividade elétrica neuronal. De acordo com o princípio da redundância, todavia, cada vez que um movimento tem que ser executado, uma combinação diferente de neurônios será recrutada para realizar o cálculo mental antes da execução do movimento em si.

Um dos grandes desafios enfrentados por meu modelo reside na explicação de como o cérebro seria capaz de formar os computadores analógicos "ad hoc" tão rapidamente e como diferentes versões desses computadores seriam capazes de produzir uma enorme variedade de movimentos de maneira acurada, sejam eles os movimentos de mão de um violinista, sejam os de um cirurgião, sejam os de um arremessador de beisebol.

Outra questão fundamental é como reconciliar os modos local e global de operação do cérebro. Em determinado nível, o cérebro utiliza pulsos elétricos, conhecidos como "potenciais de ação", para trocar mensagens entre neurônios. A natureza digital dessa comunicação é definida pelo caráter binário "tudo ou nada" pelo qual os potenciais de ação são criados e pelo tempo preciso da sua produção por neurônio individual pertencente a um circuito. Sequências desses potenciais de ação são transmitidas pelos axônios dos neurônios; quando eles alcançam uma sinapse – o contato terminal estabelecido pelo axônio com outro neurônio –, as mensagens elétricas liberam um neurotransmissor no espaço sináptico que separa os dois neurônios. A transmissão e o processamento dos sinais digitais podem ser descritos pela teoria de informação de Shannon – isto é, podemos medir o conteúdo de informação em *bits*, como fazemos ao descrever a informação transmitida por linhas telefônicas, ou usando os símbolos representados pelo computador digital da sua mesa.

No entanto, o cérebro também se vale de sinais neurais analógicos, uma vez que somente eles são capazes de mediar o tipo de processamento de informação que o sistema nervoso requer para gerar os nossos comportamentos. Como discutido no Capítulo 3, além da informação shannoniana, o cérebro dos animais e, particularmente, o cérebro humano utilizam informação gödeliana analógica para produzir funções e comportamentos que nos distinguem das máquinas digitais. Ou seja, apenas um sinal analógico pode representar uma perfeita analogia dos parâmetros físicos encontrados na natureza, como voltagens e correntes elétricas, temperatura, pressão ou campos magnéticos. Como esses, os sinais gerados por neurônios também precisam variar continuamente no tempo para permitir que o cérebro realize todas as suas tarefas de maneira apropriada. Qualquer versão digital desses sinais neurais produziria apenas amostras discretas de um sinal contínuo, obtidas em um intervalo predeterminado. Embora o tempo preciso em que um neurônio produz um potencial de ação possa ser representado digitalmente, todos os sinais elétricos gerados por células cerebrais – como o seu potencial de membrana, potenciais sinápticos e até potenciais de ação – são formados por ondas analógicas nas quais a voltagem elétrica varia continuamente no tempo. Além disso, a atividade elétrica global do cérebro, que resulta da mistura de potenciais sinápticos e de ação produzidos por bilhões de neurônios, também é um sinal analógico. De posse dessas informações, proponho que o cérebro humano opera por um sistema computacional híbrido analógico-digital.

Após alguns anos de reflexão, ficou claro para mim que a velocidade de condução máxima dos nervos – aproximadamente 120 metros por segundo – é insuficiente para explicar a velocidade com que o cérebro realiza algumas das suas funções mais essenciais, como a integração de muitas capacidades cognitivas em uma mente coerente. Como resultado, procurei um sinal analógico a propagar-se por todo o cérebro a uma velocidade próxima àquela da coisa mais veloz de todo o universo – não, não um atacante do glorioso Alviverde Imponente do Palestra Itália –, mas algo ainda mais veloz: um feixe de luz!

Uma dos atributos arquitetônicos mais fundamentais do cérebro humano é a presença de feixes densos de nervos que definem verdadeiros laços, formados por dezenas de milhões de axônios, responsáveis por transmitir sequências de potências de ação de uma área cerebral para outra (Capítulos 2 e 4). Michael Faraday descobriu, no começo do século XIX, que cargas elétricas em movimento podem criar campos magnéticos. Reciprocamente, um campo magnético pode, espontaneamente, induzir uma corrente elétrica em um condutor. Com isso em mente, pensei que todos aqueles laços de substância branca do nosso cérebro não estariam lá apenas para conduzir eletricidade, mas que eles também poderiam, potencialmente, produzir campos eletromagnéticos neuronais envolvendo todo o cérebro. Essa é a razão pela qual prefiro me referir à substância branca que conecta estruturas corticais e subcorticais como "solenoides biológicos".

Campos elétricos corticais foram medidos pela primeira vez nos anos 1920, por meio de uma técnica conhecida como "eletroencefalograma". Além desses, campos magnéticos cerebrais passaram a ser medidos algumas décadas atrás por "magnetoencefalografia" (MEG). Essas últimas medidas, todavia, foram obtidas unicamente em nível cortical devido à falta de métodos mais sensíveis para amostrar as profundezas cerebrais.

A teoria do cérebro relativístico propõe que padrões espaçotemporais extremamente complexos de campos eletromagnéticos neuronais emergem à medida que potenciais de ação fluem pelos inúmeros de solenoides biológicos existentes no cérebro. Vale ressaltar que os solenoides biológicos incluem não somente os grandes laços de nervos, como uma extensa variedade de anéis de substância branca de diferentes tamanhos, incluindo estruturas microscópicas formadas por dendritos de pequenas redes neuronais. Baseada nesse arranjo anatômico complexo, a teoria do cérebro relativístico prevê a existência de campos eletromagnéticos subcorticais além dos já bem documentados no córtex.

Na minha visão, as interações recursivas entre as duas classes de sinais cerebrais, os potenciais de ação gerados digitalmente e os campos eletromagnéticos analógicos, definem as capacidades computacionais únicas do cérebro (Figura 5.1).

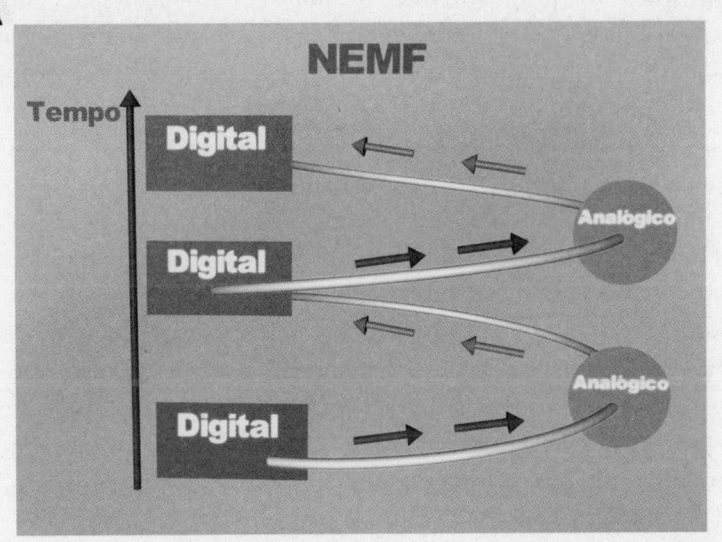

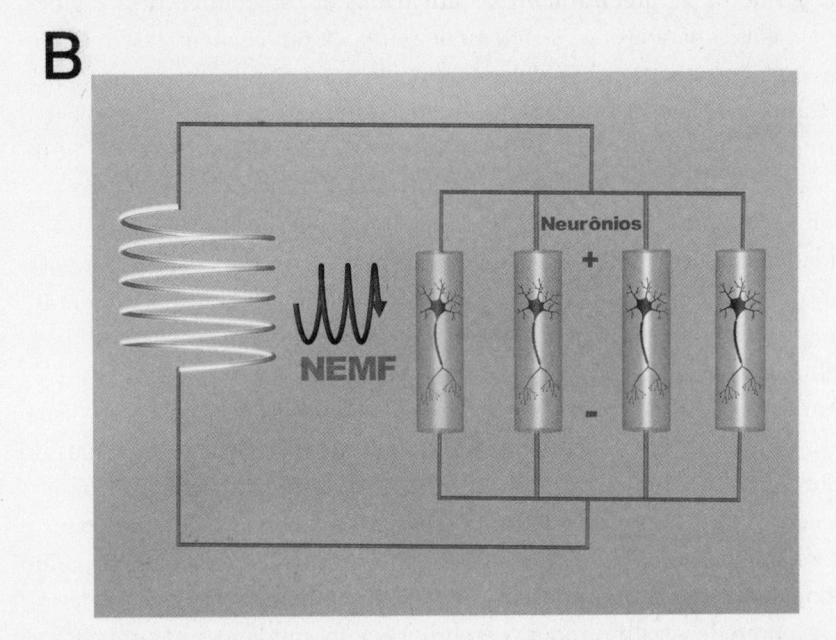

Figura 5.1 Duas ilustrações esquemáticas descrevem as interações analógico-digitais que ocorrem no córtex cerebral, de acordo com a teoria do cérebro relativístico, mediadas por campos eletromagnéticos neuronais (NEMF). A: Neurônios geram sequências de pulsos elétricos (ou potenciais de ação), o principal tipo de sinal digital produzido pelo cérebro que, ao se propagarem pelos nervos, levam a geração de campos eletromagnéticos, um sinal analógico. B: Estes sinais eletromagnéticos podem então influenciar a subsequente geração de novos potenciais elétricos por neurônios vizinhos. (Ilustração por Custódio Rosa)

Nesse contexto, proponho que os campos eletromagnéticos permitem a geração das propriedades emergentes neuronais que os neurocientistas acreditam estar por trás das funções mentais e cognitivas mais complexas da mente humana. Isso se daria porque esses campos eletromagnéticos forneceriam a "cola fisiológica" necessária para fundir todo o córtex em uma única entidade computacional orgânica, capaz de combinar todas as nossas capacidades mentais, bem como de permitir a coordenação quase instantânea entre múltiplas regiões corticais e subcorticais do cérebro. O resultado do processo capacitaria o cérebro a realizar computações como um todo. Isso aconteceria porque a mistura longe do equilíbrio de um número elevado de ondas eletromagnéticas analógicas conspiraria para criar o que gosto de chamar de "contínuo espaçotemporal neuronal". Nesse contexto, o espaço e o tempo neuronal poderiam se fundir da mesma forma que Albert Einstein postulou acontecer, graças à sua teoria geral da relatividade, para todo o universo.

Na minha visão, a fusão eletromagnética permite que o cérebro coordene e sincronize precisamente as atividades em suas diferentes regiões, estejam elas separadas no espaço ou no tempo. Como na teoria de Einstein – em que o espaço-tempo é deformado pela presença de massa, mudando a distância espaçotemporal entre objetos –, sugiro que o contínuo espaçotemporal neuronal pode, do ponto de vista neurofisiológico, se "autodeformar". Como resultado, essa deformação ou contorção seria capaz de fundir áreas cerebrais muito separadas umas das outras em uma única entidade computacional neural. Acredito que o contínuo espaçotemporal neuronal resultante dessa fusão, que gosto de chamar de "espaço mental", define o substrato analógico neuronal do qual emergem todas as funções cerebrais mais complexas.

Vários fatores determinariam a dinâmica desse espaço mental: a distribuição espacial e a composição dos diferentes agrupamentos neuronais do cérebro; os atributos estruturais das vias e os laços de substância branca que conectam esses grupamentos neuronais; a energia disponível para o funcionamento cerebral; os tipos de neurotransmissores disponíveis para o tecido neural; e as nossas memórias, que são componentes-chave na definição do ponto de vista próprio do cérebro. De fato, mudanças em um, alguns ou múltiplos desses componentes individuais – como a configuração espacial e a densidade de axônios, os níveis de mielina dos *loops* de substância branca –, além do volume cerebral e do número de neurônios, poderiam explicar as dramáticas modificações em capacidade cerebral observadas em seis milhões de anos de evolução dos nossos ancestrais hominídeos.

Para investigar algumas das ideias propostas pela teoria do cérebro relativístico, um dos meus alunos de doutorado na Universidade Duke, Vivek Subramanian, construiu um protótipo de sistema computacional híbrido e recorrente analógico-digital no qual populações de neurônios individuais disparam potenciais de ação digitais, levando à produção de campos eletromagnéticos, que, por indução, influenciam o ciclo seguinte de disparo dos mesmos neurônios. Permitindo que o sistema rodasse por alguns ciclos, Vivek observou que, uma vez que um pequeno grupo de neurônios individuais dispara, em um único potencial de ação, toda a rede neural – dispersa no espaço – tende a evoluir rapidamente para um estado de alta sincronização, indicando que a maioria dos seus neurônios tende a disparar em conjunto, criando uma perfeita oscilação rítmica. A precisa oscilação dos disparos de neurônios individuais também reflete nos campos eletromagnéticos gerados pela atividade conjunta da rede neural. Embora esse resultado esteja longe de ser considerado prova definitiva da minha teoria, essa simples simulação pode ser usada como demonstração inicial de que interações neuronais recursivas analógico-digitais podem produzir o tipo de mecanismo necessário para atingir a sincronização neural de larga escala requerida para fundir múltiplas estruturas corticais e subcorticais em um único sistema computacional orgânico. Além disso, a pesquisa oferece a possibilidade de criar aplicações computacionais analógico-digitais inspiradas no cérebro humano, podendo, no futuro, ser mais eficientes que os algoritmos digitais para *machine learning* usados hoje pelos pesquisadores da área de inteligência artificial para tentar reproduzir comportamentos humanos. Acredito muito nessa possibilidade com base na tese de que arquiteturas recorrentes analógico-digitais são capazes de solucionar problemas considerados fora do alcance de computadores digitais, não importa quão sofisticados estes sejam.

Depois dos resultados preliminares encorajadores, Vivek, Gary Lehew (um dos técnicos do meu laboratório) e eu decidimos construir uma versão mais sofisticada do nosso computador híbrido. Nessa nova configuração, os sinais elétricos produzidos pela simulação digital de uma grande rede neuronal foram direcionados a uma impressão tridimensional da imagem obtida por ressonância magnética de um subgrupo de anéis de substância branca humana, conforme ilustrado na Figura 5.2. Cada um dos anéis desse modelo tridimensional gera o próprio campo eletromagnético à medida que cargas elétricas são conduzidas pelas suas "fibras". Em retorno, os campos eletromagnéticos gerados pelos anéis induzem o disparo dos neurônios digitais do sistema. Este, que chamamos de "reator neuromagnético", define, na minha visão, um computador híbrido analógico-digital. Ao experimentar com esse computador, esperamos obter uma nova visão do tipo de dinâmica desenvolvida em nosso cérebro.

A

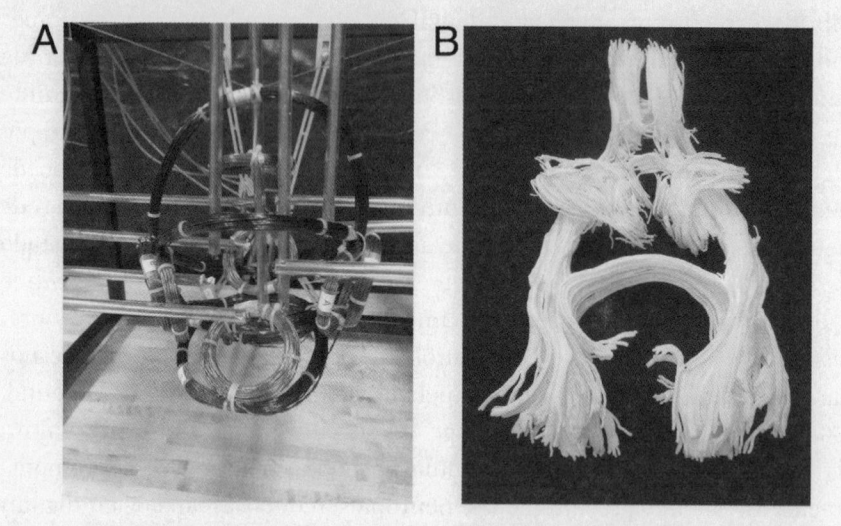

B

Figura 5.2 A: O componente analógico de um computador analógico-digital inspirado na estrutura e funcionamento do cérebro humano. B: uma representação 3D em plástico, criada por uma impressora 3D, de alguns feixes de substância branca cortical envolvidos no controle motor. Baseado em imagens obtidas com o método de "diffusion tension imaging". (Imagens da coleção privada do autor)

Curiosamente, enquanto escrevo esta descrição de um novo computador híbrido analógico-digital inspirado no cérebro humano, um grupo do Instituto Nacional de Padrões e Tecnologia dos Estados Unidos (National Institute of Standards Technology, NIST), da cidade de Boulder, Colorado, publicou um trabalho relatando as suas experiências em usar campos magnéticos para adicionar uma dimensão de codificação de informação e construir um computador "neuromórfico", uma máquina que tenta imitar o funcionamento do cérebro humano. Esse esforço, combinado com o nosso, demonstra que o estudo dos campos eletromagnéticos cerebrais pode, em breve, transformar-se em uma área de pesquisa de ponta no campo de computadores neuromórficos.

Uma questão que sempre é levantada quando apresento o modelo analógico-digital do sistema nervoso é se outros campos magnéticos existentes ao nosso redor, como o campo magnético da Terra, são capazes de influenciar a atividade cerebral. Essa questão é bem pertinente, dado que, ao longo dos anos, pesquisadores descobriram que vários organismos contam com a capacidade de detectar o campo magnético terrestre: bactérias, como as da espécie *Magnetococcus marinus*, insetos, nematódeos, moluscos, enguias, pássaros e mamíferos, incluindo um tipo de camundongo (madeira), o rato-toupeira-da-zâmbia, o grande morcego marrom e a raposa-vermelha. Esta raposa exibe uma forma extremamente peculiar de caçar: rastreia pequenos roedores à medida que eles se movem em túneis subterrâneos, até um ponto em que ela se vale de um salto vertical, seguido de um mergulho vertiginoso de cabeça rumo ao solo, para abocanhar a sua próxima refeição. Curiosamente, esses saltos-mergulhos são efetuados, sobretudo, na direção nordeste, sugerindo que esses animais utilizam um tipo de "compasso magnético".

A presença disseminada de magnetorrecepção no mundo animal sugere que o campo magnético terrestre desempenhou papel relevante ao longo do processo evolucional, embora, até hoje, esse tópico não tenha recebido a atenção merecida.

A confiança depositada por tantas espécies animais na magnetorrecepção também implica que qualquer variação drástica no campo magnético terrestre, como os vários episódios de reversão geomagnética – resultando na troca de posição dos polos magnéticos da Terra – que ocorreram ao longo da história do nosso planeta, pode causar confusão nesses animais, impactando dramaticamente a sua habilidade de se alimentar e navegar. Um corolário interessante dessa hipótese é que os episódios transientes de distúrbio cognitivo experimentado pelos astronautas do Programa Apollo que foram à Lua teriam sido causados por algum efeito neurológico colateral devido à ausência do campo magnético terrestre que os abraçou desde o nascimento. Essa possibilidade, todavia, ainda precisa ser testada.

Usando o mesmo raciocínio, se assumimos que o cérebro humano utiliza os seus diminutos campos eletromagnéticos para operar normalmente, seria de esperar que campos magnéticos criados por nós – como aqueles gerados por uma máquina de ressonância magnética usada em hospitais para obter imagens internas de alta resolução do corpo humano – exercessem um efeito importante sobre as nossas atividades mentais. Afinal, essas máquinas são capazes de gerar campos magnéticos trilhões de vezes mais poderosos que os encontrados em nosso cérebro.

Uma razão pela qual nem o campo magnético terrestre nem aquele produzido por máquinas de ressonância magnética afetam o cérebro é que ambos são campos estáticos, que não podem induzir os neurônios a dispararem pulsos elétricos como resultado da nossa exposição a esses campos. Além disso, os gradientes magnéticos das máquinas de ressonância que oscilam o fazem em frequências muito mais altas que o intervalo de baixa frequência (0 Hz a 100 Hz) dos sinais elétricos produzidos pelo cérebro humano. Em outras palavras, o cérebro humano é basicamente cego à maioria dos campos magnéticos existentes na natureza ou criados artificialmente por tecnologias modernas. Ainda assim, quando expostos aos campos de grande magnitude das máquinas de ressonância, pacientes relatam sintomas neurológicos de pequena monta, como tontura e gosto metálico na boca. Quando seres humanos são expostos a campos magnéticos ainda mais altos que os dessas máquinas, esses efeitos citados são exacerbados e outros são relatados.

Outra evidência indireta sobre o possível papel de campos neuromagnéticos no funcionamento cerebral foi obtida com a introdução de uma nova tecnologia, a estimulação magnética transcraniana (*transcranial magnetic stimulation*, TMS, em inglês). Quando bobinas metálicas configuradas em uma forma peculiar são posicionadas no couro cabeludo de pacientes e correntes elétricas são aplicadas através delas, os campos magnéticos de baixa frequência resultantes podem induzir neurônios corticais tanto a aumentar como a reduzir seus disparos. Assim, ao longo dos últimos anos, uma longa e crescente lista de efeitos neurofisiológicos e comportamentais tem sido descrita como resultado da aplicação da TMS em diferentes regiões do córtex humano.

Além de possivelmente permitir a ocorrência de sincronização de larga escala em circuitos neuronais, outros efeitos potenciais são produzidos por campos magnéticos neuronais basicamente ignorados até hoje. A Figura 5.3 ilustra como o cérebro pode ser considerado uma estrutura que funciona por meio da integração e precisa de múltiplos níveis de processamento de informação. Esses níveis se estendem do nível atômico/quântico ao nível molecular, genético, químico, subcelular, celular, até a dimensão definida pelos circuitos neurais. Para funcionar de forma apropriada, o cérebro deve garantir o fluxo de informação, em perfeita sincronia, por todos os níveis que se comunicam em *loops* de retroalimentação. Cada um desses níveis define um sistema aberto cujas interações recíprocas provavelmente são não lineares ou não computáveis, significando que não podem ser reproduzidas por processos digitais. Em vez disso, o trabalho de integrar todos os níveis de processamento de informação em uma única entidade operacional – o cérebro – só poderia ser realizado por um sinal analógico com acesso simultâneo a todos esses componentes. Campos eletromagnéticos cerebrais preenchem o pré-requisito fundamental como uma luva. De acordo com a minha visão, eles permitiriam que o cérebro operasse como um sistema computacional integrado, ao mediar a troca de informação entre todas as dimensões de processamento do sistema nervoso central: do nível quântico ao nível de circuitos.

DIFERENTES NÍVEIS DE ORGANIZAÇÃO CEREBRAL

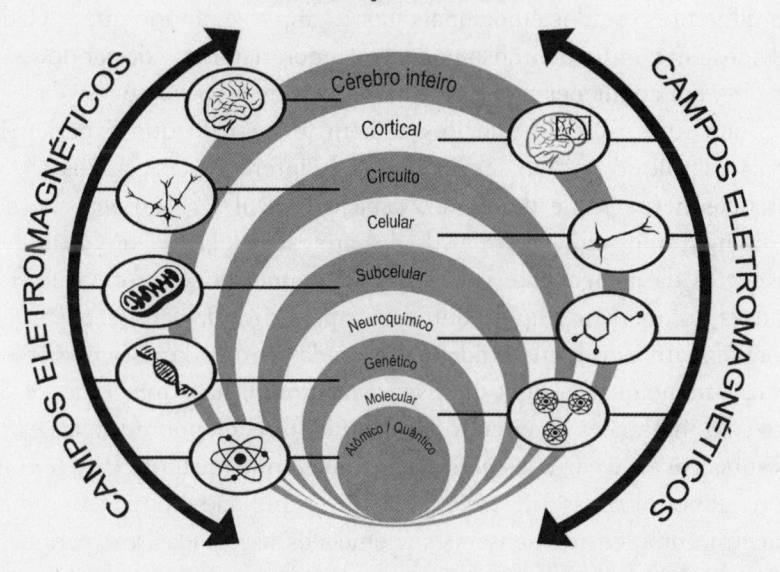

Figura 5.3 Múltiplos níveis de organização do cérebro que podem ser influenciados diretamente e simultaneamente pelos campos eletromagnéticos neuronais. (Ilustração por Custódio Rosa)

Em termos gerais, a teoria do cérebro relativístico tenta explicar uma variedade de achados que se encontram fora do alcance das teorias clássicas da neurociência, como o modelo do sistema visual proposto por David Hubel e Torsten Wiesel. Por exemplo, ao introduzir o conceito do ponto de vista próprio do cérebro, a minha teoria oferece uma explicação fisiológica para os achados que levaram à formulação do princípio do contexto. Para tanto, propõe que, dependendo do estado comportamental do animal (anestesiado, desperto e imóvel, desperto e móvel), o estado dinâmico interno do cérebro dele é diferente. Assim, a manifestação do ponto de vista próprio do cérebro varia dramaticamente de um animal anestesiado (onde ela é basicamente nula) para um indivíduo engajado em amostrar os seus arredores, onde esse ponto de vista próprio do cérebro é expresso em sua plenitude. Uma vez que a resposta do cérebro a um mesmo estímulo sensorial depende da comparação de um sinal ascendente da periferia do corpo, que carrega a informação sensorial, com o modelo interno do mundo construído pelo cérebro, a minha teoria prevê que as respostas sensoriais evocadas em neurônios centrais variam de maneira significativa se o animal está anestesiado ou desperto e livre para deambular. Isso é precisamente o que se tem observado em diversos experimentos envolvendo os sistemas tátil, gustativo, visual, auditivo e, mais recentemente, o olfatório. A mesma regra aplica-se a seres humanos sujeitos, por exemplo, a diferentes estados emocionais. Por exemplo, é notório que soldados envolvidos em combate intenso podem, temporariamente, deixar de sentir dores que, em condições normais, seriam consideradas insuportáveis.

De fato, um exemplo que ilustra bem a visão de que experiências mentais complexas podem ser geradas pela interação de campos eletromagnéticos neurais que definem o espaço mental é a sensação de dor. Embora neurônios cujos padrões de disparo estão relacionados a diferentes aspectos da nocicepção (isto é, o processamento de informação relacionada a componentes que contribuem para a definição da percepção de dor) tenham sido identificados em variadas partes do sistema nervoso central, a maneira pela qual uma sensação complexa e integrada de dor emerge das interações do circuito distribuído formado por múltiplas estruturas subcorticais e corticais permanece um grande mistério. Para ter uma ideia da dimensão desse mistério, basta dizer que não é possível produzir o espectro completo de sensações e emoções associadas a experiências de dor usando a estimulação elétrica de uma única região cortical pertencente ao circuito envolvido na geração dessa sensação.

De acordo com a teoria do cérebro relativístico, a dificuldade em isolar uma única região como fonte da sensação de dor é consequência do fato de que a dor, como outras funções mentais e cognitivas complexas, emerge como resultado de interações amplamente distribuídas do tecido neural e dos campos eletromagnéticos gerados por eles. De acordo com uma terminologia relativística, a sensação de dor resulta de uma combinação de múltiplos fatores (localização, intensidade, memórias envolvendo estímulos nociceptivos anteriores e estado emocional). Assim, ao assumir que a dor emerge a partir do componente analógico do cérebro, resultante de uma mistura de sinais digitais neurais e traços mnemônicos combinados para gerar campos eletromagnéticos neuronais específicos, identificamos um mecanismo por meio do qual fatores emocionais, contextuais e históricos do indivíduo contribuem de forma importante para modular os sinais nociceptivos que ascendem da periferia do corpo. Esse mecanismo explicaria o porquê de um sinal nociceptivo periférico não gerar a mesma experiência subjetiva de dor em um indivíduo em diferentes condições.

Outros achados clínicos corroboram a existência de um componente analógico de processamento cerebral. Uma classe de fenômenos, conhecida como "alterações do esquema corpóreo", é consistente com a teoria do cérebro relativístico e um potencial papel desempenhado pelos campos eletromagnéticos cerebrais. O mais famoso desses fenômenos é a síndrome do membro fantasma, mencionada no Capítulo 3. Pacientes que sofrem dessa síndrome comumente descrevem experimentar sensações táteis em um membro amputado, seja cirurgicamente, seja por grave acidente. Muitos amputados não só sentem o membro amputado, como relatam a presença de dor excruciante em um braço ou uma perna que não existe mais.

Durante o Projeto Andar de Novo, novamente me deparei com a expressão desse fenômeno ao lidar com os nossos pacientes paraplégicos. Na realidade, todos os pacientes participantes do treinamento proporcionado pelo nosso protocolo de reabilitação descreveram sensações emanando dos seus membros inferiores logo que começaram a usar uma interface cérebro-máquina para controlar os movimentos das pernas de um jogador de futebol virtual. Durante a primeira fase de treino, os pacientes foram imersos em um ambiente de realidade virtual que os permitiu utilizar a sua atividade elétrica cerebral, por meio do registro do seu eletroencefalograma, para controlar o passear de um avatar em um gramado virtual. Durante a tarefa, os pacientes recebiam feedback visual por um óculos de realidade virtual, enquanto informação tátil, o momento em que o pé do jogador virtual contatava o solo era sinalizado por estimulação da pele do antebraço dos pacientes, usando vibrações. Enquanto interagiam com a interface cérebro-máquina em um ambiente de realidade virtual, todos os pacientes experimentaram a vívida sensação de ter novamente pernas que se moviam. Além disso, foram capazes de descrever o toque dos seus pés virtuais no gramado, apesar de as suas pernas permanecerem paralisadas por completo e os únicos movimentos realizados terem sido produzidos pelas pernas do avatar. Essa foi uma grande surpresa para todos nós, uma vez que o feedback tátil havia sido disponibilizado apenas no antebraço dos pacientes. De alguma forma, ao observar o avatar do jogador andando no gramado virtual, ao mesmo tempo que um feedback tátil coerente, descrevendo a mesma cena, era disponibilizado nos seus antebraços, o cérebro dos pacientes paraplégicos basicamente sintetizou uma potente sensação fantasma. Em alguns casos, esta levou os pacientes às lágrimas, dada a magnitude da emoção despertada por uma experiência tão realista de andar novamente.

Indo em uma direção oposta, pacientes com um déficit cognitivo de alta complexidade, a negligência espacial parcial, ignoram ou não conseguem agir no espaço localizado no lado oposto de uma lesão do lobo parietal do córtex. Essa síndrome ocorre com mais frequência em quem teve lesões do hemisfério cerebral direito. Em decorrência de um derrame ou de uma lesão traumática do córtex parietal direito, os pacientes não mais reconhecem o lado esquerdo do corpo nem o ambiente que o circunda. Como resultado, vítimas da síndrome podem ser facilmente identificadas por deixarem o lado esquerdo do corpo despido (enquanto o lado direito está vestido normalmente) ou malcuidado. Além disso, quando requisitadas a realizar uma manobra à esquerda para abrir uma porta enquanto andando em um corredor, costumam caminhar um pouco mais à frente para realizar uma curva à direita e, depois de caminhar de volta para a posição do corredor em que se localiza a porta, realizam uma nova curva à direita para completar a tarefa. Se alguém pedir para um desses pacientes desenhar um relógio posicionado em uma parede à frente, invariavelmente ele fará um círculo fechado, aglomerando todos os números representando as horas na metade direita do círculo. Ou seja, o lado esquerdo do círculo permanecerá vazio.

Outro exemplo fascinante, conhecido como "ilusão da mão de borracha", no qual sujeitos normais relatam sentir que a mão de um manequim parece ser uma de suas mãos biológicas, também oferece evidência em favor da teoria do cérebro relativístico. A ilusão é produzida, primeiro, ao ocluir a visão de uma das mãos de um indivíduo – usando uma barreira opaca – e posicionando a mão de um manequim na frente desse mesmo indivíduo. A seguir, tanto a mão ocluída do voluntário quanto a mão de borracha do manequim são repetidamente tocadas, ao mesmo tempo, durante três a cinco minutos, por um experimentador usando dois pincéis idênticos. Passado esse intervalo, sem aviso, o experimentador deixa de tocar a mão ocluída do voluntário e continua a tocar a mão do manequim. Neste momento, a maioria dos indivíduos testados relata a sensação de que a estimulação da mão do manequim passou a ser feita na sua mão biológica, mesmo que ela continue ocluída da sua visão.

A síndrome do membro fantasma, a negligência espacial parcial e a ilusão da mão de borracha sugerem que o cérebro contém uma imagem contínua, interna e *a priori* do corpo, que pode ser remodelada rapidamente em função da experiência do indivíduo. A representação interna do corpo explicaria todas as formas sensoriais e afetivas pelas quais experimentamos a sensação de habitar um corpo. O neurocientista canadense Ronald Melzack designou essa imagem neural do corpo como a "neuromatriz" e propôs que a sua configuração básica seria definida por fatores genéticos. Ainda assim, Melzack não elaborou sobre a natureza dos mecanismos neurofisiológicos que poderiam manter a imagem neural do corpo, do momento do nascimento até a morte.

Uma vez que nenhum estímulo tátil ou proprioceptivo é gerado por um membro amputado ou pela mão de borracha, o modelo clássico proposto por Hubel e Wiesel para a gênese das nossas experiências perceptuais não explica esses fenômenos. Isso ocorre porque o dogma estabelecido por esses autores propõe que, para qualquer sensação tátil, dor ou mesmo o movimento de algum dos nossos membros, correspondentes sinais somestésicos, nociceptivos e proprioceptivos têm que ser gerados nesse membro e, depois, transmitidos por nervos periféricos e vias sensórias ao sistema nervoso central. Uma vez lá, uma variedade de atributos sensoriais fundamentais seria extraída desses *inputs* para que, então, fossem fundidos, por algum "mecanismo de encadernação" não determinado pela teoria de Hubel e Wiesel a fim de formar uma descrição perceptual completa do membro. Uma vez que o pré-requisito fundamental – geração de sinais sensoriais na periferia do corpo – está ausente no membro fantasma, na negligência espacial parcial e na ilusão da mão de borracha, outra teoria precisa ser proposta para explicar a origem das ilusões. Vale ressaltar que o modelo de Hubel e Wiesel tampouco explica como múltiplas sensações e emoções são combinadas para gerar o senso de ser.

Na minha visão, os múltiplos fenômenos e ilusões que apontam para a existência de um esquema corporal dentro do cérebro (bem como um senso de ser) só podem ser entendidos como uma antecipação cerebral – uma abstração mental ou um modelo neural – da configuração tridimensional de cada ser humano, que, apesar de ter as suas raízes no material genético que cada um de nós recebe como herança hereditária, necessita ser continuamente atualizado e mantido ao longo da vida. De acordo com essa visão, o cérebro gera uma expectativa daquilo que o corpo de cada indivíduo deve conter, com base em uma combinação de memórias inicialmente criada por um programa genético – isto é, um corpo tendo dois braços e duas pernas – e experiências perceptuais acumuladas durante a vida. Em cada momento da nossa existência, o cérebro continuamente testa a acurácia dessa imagem corporal interna – que faz parte do ponto de vista próprio do cérebro – ao analisar o fluxo de *inputs* sensoriais da periferia do corpo. Enquanto a imagem neural do corpo é confirmada pelos sinais sensoriais periféricos, tudo fica como está e nós continuamos a experimentar o nosso corpo como um todo. Todavia, quando ocorre uma mudança profunda no fluxo de informação sensorial proveniente da periferia do corpo (por exemplo, quando um braço é amputado), uma incompatibilidade acontece entre o modelo corporal estocado no cérebro até aquele momento e a configuração física atual do corpo. Como resultado desse desacordo, pacientes amputados experimentam sensações táteis emanadas de um membro inexistente ou, no caso da ilusão da mão de borracha, passam a sentir que a mão de um manequim agora faz parte de seu corpo. Lesões significativas de componentes do circuito cortical responsável pela geração da expectativa corpórea, como no caso da síndrome da negligência espacial parcial, alterarão profundamente aquilo que o indivíduo reconhece como os limites físicos do próprio corpo.

No caso da ilusão da mão de borracha, a fase inicial de condicionamento provavelmente induz o indivíduo a experimentar estímulo tátil aplicado na mão do manequim como se fosse na sua própria mão. Isso deve acontecer porque, durante a fase de condicionamento, o indivíduo via o pincel tocando a mão do manequim ao mesmo tempo em que ele sentia o outro pincel tocar a sua mão biológica, que estava fora do seu campo de visão. Essa combinação cria uma associação visual-tátil que pode ser reativada toda vez que a mão do manequim é tocada a partir de então. O meu laboratório encontrou evidências experimentais que sustentam essa explicação ao mostrar que neurônios individuais do córtex somestésico primário de macacos treinados em tarefa semelhante passam a responder a estímulos visuais, originários da estimulação virtual de um avatar de braço sem qualquer estimulação do braço real do animal, depois de condicionamento similar. Antes da fase de condicionamento, os neurônios somestésicos não respondiam a estímulos visuais, somente a estímulos táteis provenientes do braço do macaco.

No todo, a teoria do cérebro relativístico propõe explicar esses fenômenos postulando que o senso de ser e a imagem corporal do cérebro emergem a partir de um campo eletromagnético distribuído, gerado pelas diferentes estruturas corticais e subcorticais envolvidas na definição do esquema corporal.

Evidências preliminares, apoiando a tese de que campos eletromagnéticos neuronais estão envolvidos na definição de funções cognitivas complexas, como a definição do esquema corpóreo e a geração da dor, se acumulam na crescente literatura que descreve a aplicação da TMS de baixa frequência (tipicamente 1 Hz) no córtex de pacientes com sensações do membro fantasma, negligência espacial parcial e até ilusão da mão de borracha. Em resumo, essa literatura indica que a estimulação magnética aplicada a diferentes áreas corticais pode reduzir a sensação de membro fantasma. A TMS aplicada no córtex parietal esquerdo também pode induzir uma melhora nos sintomas da negligência espacial parcial gerada por uma lesão do córtex parietal direito. Além disso, a mesma estimulação magnética quando aplicada em uma região fronteiriça entre os lobos temporal e occipital tende a exacerbar a ilusão da mão de borracha. Por fim, a TMS foi usada para aliviar dor de origem neuropática.

Curiosamente, outros relatos indicam que a TMS pode agir em múltiplos níveis cerebrais, variando do genético e molecular ao de circuitos neurais inteiros. Muito embora a vasta maioria dos pesquisadores da área acredite que os efeitos produzidos pela TMS sejam mediados pela indução de correntes elétricas nos neurônios, a possibilidade de a TMS também exercer efeito magnético direto no tecido neuronal não pode ser eliminada por completo. Esse efeito seria compatível com a ideia de que campos magnéticos agem diretamente em sistemas físicos, químicos e biológicos. Dando suporte a essa tese, um extenso artigo de revisão sobre os potenciais efeitos da TMS no cérebro, de autoria de Alexander Chervyakov e outros, publicado em 2015, sugere a hipótese de que ondas eletromagnéticas de baixa frequência produzidas por essa técnica afetariam o tecido neuronal em nível quântico, genético e molecular simultaneamente.

De acordo com a teoria, uma vez que as grandes moléculas e mesmo organelas celulares podem se deformar ou alterar suas orientações quando submetidas a campos magnéticos, a TMS seria capaz de modular ou alterar múltiplas funções neuronais por meio de ações diretas como essas. Tal efeito seria particularmente crucial no caso de complexos proteicos envolvidos em funções cerebrais essenciais, como plasticidade, aprendizado e formação, estocagem, manutenção e ativação das nossas memórias. Esta última possibilidade é fundamental e plausível, uma vez que os efeitos produzidos pela TMS chegam a durar seis meses depois do tratamento. Isso basicamente significa que a aplicação de TMS pode levar a mudanças plásticas de longo prazo nos circuitos neuronais – fato de grande relevância para a presente discussão.

Embora a existência potencial de efeitos diretos da TMS no cérebro ajude a sustentar a minha hipótese de que a imagem corpórea interna existente no cérebro seja moldada por meio de um processo analógico, a descoberta de que a TMS pode induzir plasticidade cerebral também oferece apoio à visão de que campos eletromagnéticos neuronais produzam eficiência causal no tecido neuronal. Isso significaria que os campos eletromagnéticos estariam envolvidos na tarefa fundamental de embutir fisicamente informação gödeliana no tecido neural. Se isso for confirmado por experimentos futuros, esse mecanismo poderia indicar que os processos neurofisiológicos envolvidos na gênese das nossas memórias incluem algum tipo de "gravação eletromagnética" do tecido neuronal. Acredito que um processo como esse aconteceria por meio da influência disseminada que os campos eletromagnéticos neuronais poderiam ter na modulação da estrutura tridimensional – e, consequentemente, da função – de um número elevado de complexos proteicos neuronais e sinápticos por todo o córtex. Ao agir simultaneamente ao longo de todo o manto cortical, o mecanismo eletromagnético explicaria a regulação positiva e negativa tanto no número de sinapses como na magnitude do efeito de cada uma delas. Além disso, o mecanismo também esclareceria o porquê de as nossas memórias não serem estocadas apenas em uma localidade cortical específica, e sim estarem amplamente distribuídas ao longo de todo o córtex.

Da mesma forma, os campos eletromagnéticos neuronais participariam da leitura das nossas memórias e da sua tradução em uma variedade de padrões espaçotemporais distribuídos de atividade elétrica neuronal. Por meio de um processo de indução, ondas eletromagnéticas carregando informação gödeliana de alta dimensão seriam projetadas em informação shannoniana de baixa dimensão (Figura 3.2), transmitida na forma de rajadas de potenciais elétricos neuronais, podendo ser prontamente traduzidos em movimentos, linguagem e outras formas de comunicação codificadas em sinais digitais.

Eu acredito que o fato de as nossas memórias de longo prazo serem estocadas de forma distribuída, ao longo do volume cortical, pode ser muito mais facilmente explicado por um modelo híbrido analógico-digital que por um puramente digital. Sem postular a existência de um componente analógico cerebral, seria difícil explicar como circuitos corticais – caracterizados por uma microconectividade altamente complexa, que está em contínua autoadaptação – permitiriam a recuperação da informação necessária para memórias se manifestarem, de forma quase instantânea, ao longo da vida.

O papel potencial dos campos eletromagnéticos neuronais no processo de estocagem de informação gödeliana no tecido neuronal também é consistente com o consenso de que uma das mais importantes funções do sono é ajudar na consolidação de memórias adquiridas durante o período anterior, de vigília. No geral, identificamos uma variedade de oscilações neuronais síncronas no eletroencefalograma (EEG) de seres humanos ao longo das diferentes fases do sono. À medida que ficamos sonolentos, oscilações de alta amplitude à baixa frequência (0,5 Hz a 4 Hz), conhecidas como ondas delta, passam a dominar o nosso EEG. As ondas delta são seguidas, ao longo da noite, por breves episódios caracterizados por movimentos rápidos dos olhos (ou sono REM, do inglês *rapid eye movement*), em que a atividade elétrica do córtex é dominada por oscilações neuronais chamadas gama (30 Hz a 60 Hz), que lembram muito a atividade cortical observada quando estamos acordados. Durante os episódios de sono REM, invariavelmente experimentamos atividade onírica, ou "sonhos". Os períodos de sono REM são requeridos em múltiplos estudos com o processo de consolidação de memórias e aprendizado motor. De acordo com a teoria de cérebro relativístico, durante o ciclo de sono, os campos eletromagnéticos cerebrais poderiam prover não somente a "cola" necessária para estabelecer as diferentes oscilações neuronais, mas também gerar a força necessária para estocar memórias, ao contribuir para mecanismo de consolidação ou eliminação de sinapses criadas ao longo do dia. Segundo essa perspectiva, os sonhos emergiriam como subproduto da operação do computador analógico-digital responsável por esculpir em detalhes a microestrutura dos circuitos neurais, a cada noite, como forma de manter e refinar os nossos registros mnemônicos.

Em suma, a teoria do cérebro relativístico propõe um novo mecanismo biológico – computação analógico-digital recursiva – para a geração de habilidades cognitivas altamente complexas e não computacionais, como intuição, discernimento, criatividade e generalização da solução de problemas. As dificuldades, até aqui insuperáveis, encontradas por cientistas trabalhando nos últimos cinquenta anos na área de inteligência artificial para emular qualquer uma dessas capacidades cognitivas humanas essenciais em plataformas digitais oferecem um testemunho do porquê me refiro a essas habilidades como entidades não computáveis. Como discutido no Capítulo 6, proponho que essas e outras tantas habilidades humanas únicas não sejam reduzidas a formulações algorítmicas, muito menos simuladas ou imitadas por máquinas digitais. O uso de uma estratégia computacional analógico-digital recursiva, combinada à capacidade de incorporação física de informação gödeliana, que exerce eficiência causal no tecido neuronal e pode ser projetada na forma de informação shannoniana, é parte importante do mecanismo neurofisiológico por trás da emergência de tais capacidades mentais no nosso cérebro de primata.

A existência de domínios de processamento analógico confere ao cérebro dos animais outro patamar de capacidade adaptativa plástica. Se os campos eletromagnéticos podem fundir o córtex em um contínuo neuronal, em princípio qualquer parte desse córtex pode ser recrutada a participar, mesmo que parcialmente, de uma tarefa especialmente exigente. Por exemplo, quando um ser humano fica cego, temporária ou permanentemente, o córtex visual logo é recrutado – em questão de segundos ou minutos – para processar informação tátil, em especial quando o indivíduo começa a aprender a ler os caracteres em relevo, linguagem em braile, passando os dedos sobre eles. Se, para realizar essa tarefa, o cérebro precisasse esperar pela formação de novas conexões entre neurônios que não compartilhavam sinapses antes, seria impossível explicar a rapidez com que o córtex visual é capaz de adaptar-se para processar estímulos táteis. De fato, a rápida transição não ocorreria se o sistema nervoso central se valesse apenas de um modo digital de operação, limitando-se à transmissão de informação shannoniana, por meio de salvas de potenciais de ação conduzidos por nervos. Ao adicionar o mecanismo analógico, permitindo a ocorrência de ações de campos eletromagnéticos a distância, na velocidade da luz, o cérebro humano talvez tenha adquirido um nível de flexibilidade e de redundância extremamente poderoso.

De acordo com a teoria do cérebro relativístico, as experiências perceptuais ocorridas durante o período de vigília requerem o engajamento, em alta frequência de sincronização, dos principais solenoides biológicos do cérebro, de forma a gerar as combinações apropriadas dos campos eletromagnéticos neuronais que, em última análise, são responsáveis pela riqueza e pela imprevisibilidade das nossas experiências conscientes. A imaturidade desses campos eletromagnéticos durante o início da vida pós-natal explicaria o porquê de o nosso senso de ser requerer alguns meses de vida para se manifestar; seria o tempo necessário para que uma porção da nossa substância branca maturasse a fim de gerar campos eletromagnéticos fortes o suficiente para fundir uma considerável porção do cérebro em um contínuo neuronal, a partir de onde um senso de existir se materializaria e a mais famosa caracterização de Descartes sobre a nossa espécie – *Cogito, ergo sum* – emergiria.

★★★

As frequentes rupturas na operação normal do contínuo espaçotemporal neuronal explicariam por que os seres humanos são afetados por uma grande variedade de doenças neurológicas. Da mesma forma que a manutenção da função normal do cérebro requer níveis apropriados de sincronização cerebral, a maioria das doenças do cérebro, senão todas elas, poderia resultar de níveis patológicos de hiper ou hipossincronização de diferentes componentes espaciais do contínuo neuronal. Isso não quer dizer que não existam fatores genéticos, metabólicos ou celulares responsáveis por desencadear estados neurofisiológicos patológicos. O que quero dizer é que, de acordo com a minha teoria, os principais sinais e sintomas de qualquer doença cerebral resultariam de níveis impróprios de sincronização neuronal entre regiões do contínuo neuronal que definem o sistema nervoso central. Essa conclusão se baseia em estudos realizados durante quase quinze anos no meu laboratório, bem como em outros centros de pesquisa. Por exemplo, experimentos realizados na última década revelaram que a doença de Parkinson está associada a um tipo de atividade epilética crônica e localizada, caracterizado pela ocorrência de altos e patológicos níveis de disparos neuronais sincronizados, na chamada banda beta de frequência (12 Hz a 30 Hz). Essas oscilações neuronais anormais foram observadas ao longo de todo o circuito motor formado pelo córtex frontal – onde o córtex motor primário e as áreas pré-motoras estão localizadas –, os gânglios da base e o tálamo.

Como resultado dessa descoberta, em 2009 o meu laboratório publicou um estudo na revista *Science*, o qual mostrava que uma estimulação elétrica de alta frequência aplicada, por um microchip implantado cronicamente, na superfície dorsal da medula espinhal era capaz de reduzir substancialmente o "congelamento" dos movimentos observados em roedores (ratos e camundongos) acometidos com uma síndrome parkinsoniana. Nesses estudos, manipulações farmacológicas ou genéticas induziram uma redução substancial do neurotransmissor dopamina, presente em neurônios que desempenham papel fundamental no circuito motor, levando à manifestação de um quadro clínico que muito se assemelha ao Parkinson.

Esses experimentos demonstraram que, antes de a estimulação elétrica ter início, os animais não conseguiam começar qualquer tipo de locomoção devido a um estado conhecido como "congelamento corpóreo", instaurado em decorrência da depleção de dopamina. Esse estado comportamental ocorre concomitante ao aparecimento disseminado de oscilações neuronais patológicas na frequência beta por todo o sistema motor do animal. Todavia, tão logo a estimulação elétrica de alta frequência da medula espinhal teve início e esses estímulos atingiram todo o cérebro dos animais, a crise epilética do sistema motor se desorganizou. Como resultado imediato da desorganização, os animais passaram a se movimentar como se fossem absolutamente normais, deixando de exibir sinais de "congelamento corpóreo". Um dos achados mais importantes do estudo foi que a estimulação elétrica da medula espinhal não tinha de ser contínua para produzir efeitos terapêuticos; com uma hora por dia, o tratamento foi suficiente para manter os ratos e os camundongos se movendo por alguns dias.

Cinco anos mais tarde, reproduzimos esse achado em um modelo de doença de Parkinson em primatas. Desde 2009, os efeitos dessa nova terapia em potencial têm sido investigados em dezenas de pacientes que sofrem de uma manifestação de Parkinson em seres humanos, o chamado "congelamento de marcha", para o qual não existe até agora tratamento efetivo. Com a exceção de dois casos nos quais a ausência de efeitos terapêuticos foi provavelmente causada por erros técnicos em adaptar a terapia para uso clínico, todos os outros pacientes parkinsonianos submetidos à estimulação elétrica da medula espinhal apresentaram respostas clínicas extremamente significativas em termos de marcha e habilidade de locomoção, além de melhoras nos principais sintomas da doença. Esse exemplo ilustra muito bem que a reinterpretação da origem patofisiológica da doença de Parkinson pela teoria do cérebro relativístico pode ser o primeiro passo para o desenvolvimento e a introdução de novas terapias para uma série de doenças neurológicas e psiquiátricas que permanecem intratáveis ou mal controladas com as opções terapêuticas atualmente disponíveis.

Uma vez que a medula espinhal nunca foi implicada na gênese da doença de Parkinson, os nossos resultados foram recebidos com grande espanto pela comunidade atuante na área. Isso se deu principalmente porque todos os tratamentos não medicamentosos envolvem a estimulação elétrica de estruturas motoras profundas, como os gânglios da base, mais diretamente envolvidas com a produção dos sintomas desta patologia. Esse procedimento cirúrgico é conhecido como "estimulação profunda do cérebro" (*deep brain stimulation*, DBS, em inglês). Ainda assim, se os nossos resultados forem confirmados em estudos clínicos randomizados e envolvendo um número elevado de pacientes, a estimulação elétrica da medula espinhal pode tornar-se uma alternativa importante para esse tratamento cirúrgico dominante da doença de Parkinson. Digo isso não só porque a estimulação elétrica da medula espinhal requer um procedimento cirúrgico muito mais simples, de curta duração (aproximadamente quarenta e cinco minutos) e com menos riscos para o paciente, mas também porque ela tem muito menos chances de desencadear efeitos colaterais graves. Esses atributos indicam que qualquer neurocirurgião poderia realizar esses implantes medulares, sem necessidade de treinamento ultraespecializado. Além disso, se necessário, um implante medular é removido com facilidade. Finalmente, o implante da medula espinhal custa muito menos que o DBS, fator que não deve ser ignorado.

Seguindo o mesmo tipo de abordagem usado para estudar a doença de Parkinson, o meu ex-estudante de doutorado e pós-doutorado Kafui Dzirasa e eu demonstramos que níveis anormais de sincronização neuronal por vezes se mostram presentes em muitas doenças neurológicas e psiquiátricas. Novamente, essas observações foram obtidas em experimentos com doenças cerebrais em camundongos transgênicos e ratos. Em todos os modelos de patologias cerebrais animais – relacionados a mania, depressão e transtorno obsessivo-compulsivo –, invariavelmente identificamos níveis patológicos de sincronia neuronal em diferentes áreas ou circuitos cerebrais. Os estudos ofereceram apoio considerável para a hipótese, derivada da teoria do cérebro relativístico, que propõe que um número elevado de doenças do cérebro se manifesta pela expressão de distúrbios do tempo neuronal. Essa patologia é, em geral, designada na neurologia como "epilepsia crônica parcial".

Um dos principais resultados dessa nova visão é que ela elimina a fronteira clássica que a medicina tipicamente estabelece entre doenças neurológicas e psiquiátricas. Essencialmente, do ponto de vista da teoria do cérebro relativístico, todas essas são doenças provocadas por alterações patológicas do tempo neuronal. Assim, podem ser agrupadas sob a categoria de patologias cerebrais.

Em termos mais técnicos, a teoria do cérebro relativístico sugere que os sinais e os sintomas que caracterizam cada uma dessas doenças cerebrais resultam de uma "torção patológica" do contínuo neuronal que define o espaço mental. Uma torção (ou dobradura) patológica é definida como o aparecimento de níveis anormais de sincronização neuronal ao longo de um circuito cerebral particular, que define um subcomponente do espaço mental. Por exemplo, a hipersincronização neuronal encontrada na doença de Parkinson resultaria da "torção" exacerbada do circuito motor, subcomponente importante de todo o espaço mental. Outras doenças se manifestariam por meio da hipossincronia – redução de sincronia – de alguma fração do espaço mental.

Além de permitir uma caracterização mais quantitativa das doenças cerebrais, a introdução do conceito de continuidade do espaço mental é muito útil, em termos práticos, porque nos permite importar para a neurociência clínica a mesma linha de matemática – isto é, a geometria riemanniana – usada por Albert Einstein na teoria da relatividade geral. Combinado com os princípios da fisiologia de populações neurais descritos no Capítulo 4, esse esforço pode, no futuro, nos permitir criar uma álgebra particular para descrever a torção do córtex em condições normais e patológicas.

Pensando nesses termos, também facilita a tarefa de explicar por que, em muitos casos, é tão difícil estabelecer um diagnóstico diferencial clássico, particularmente quando lidamos com o número elevado de distúrbios psiquiátricos descritos na literatura. Da mesma forma que o funcionamento normal do cérebro envolve interações entre estruturas corticais e subcorticais, o mesmo ocorre no caso de patologias cerebrais. Assim, os sinais e os sintomas exibidos por dado paciente em geral podem incluir características de múltiplas doenças psiquiátricas distintas. Pensando de forma relativística sobre o cérebro, é útil entender por que não deveríamos esperar o mesmo conjunto de sinais e sintomas em dois pacientes. Quando comparados, os sintomas de cada paciente mostram alto grau de variabilidade, resultando em um amplo espectro de fenótipos comportamentais emergentes. Isso explica por que em geral é tão difícil encontrar casos típicos – aqueles descritos em compêndios – de doenças psiquiátricas.

Suporte para a teoria de que um número elevado de doenças neurológicas e psiquiátricas é medido por níveis patológicos de sincronização neuronal também advém do fato de que vários medicamentos anticonvulsivos ajudam a tratar, de forma efetiva, manifestações clínicas dessas patologias (como no caso de doença bipolar, transtorno obsessivo-compulsivo, depressão etc.), mesmo que até hoje não se saiba por quê. A teoria do cérebro relativístico esclarece o fenômeno ao propor que o efeito terapêutico desses medicamentos pode se dar via redução da atividade epilética localizada, produzida por uma torção patológica do espaço mental, responsável pelos sintomas exibidos.

Até agora, restringi a maioria das minhas descrições às modificações patológicas nos níveis de sincronização elétrica de diferentes circuitos cerebrais e como eles explicam alguns dos sintomas e dos sinais expressos por portadores de doenças cerebrais. No arcabouço teórico da teoria do cérebro relativístico, também devemos levar em consideração que os níveis patológicos de sincronização neural interfeririam com a geração de campos eletromagnéticos neurais apropriados. Assumindo que isso ocorra, a minha teoria explicaria por que a maioria dessas doenças leva a distúrbios de humor, de sono, a alterações no senso de realidade, distúrbios de personalidade, alucinações, delírios, pensamento paranoico e diversas outras manifestações conhecidas dos distúrbios psiquiátricos.

O potencial papel clínico desempenhado pela geração anormal de campos eletromagnéticos neurais também pode ser ilustrado a partir do exemplo de uma doença neurológica muito prevalente: o autismo.

Durante a última década, estudos de imagem cerebral demonstraram considerável grau de desconexão funcional entre múltiplas áreas corticais do cérebro de crianças diagnosticadas autistas. Tal desconexão é resultado de um distúrbio de desenvolvimento cerebral que impede o estabelecimento de conexões corticais de longo alcance de forma apropriada nos primeiros meses de vida. De acordo com a teoria do cérebro relativístico, portanto, os principais sintomas do autismo seriam manifestações diretas da má-formação das bobinas de substância branca, por exemplo, o fascículo longitudinal superior, responsável pela produção dos campos eletromagnéticos envolvidos na fusão do contínuo cortical. A má-formação levaria a um nível inapropriado de sincronia neuronal ao longo do córtex, a chamada "hipossincronia", e, consequentemente, a um grau insuficiente de torção do espaço mental. A proposta é consistente com a teoria de que uma desconexão cortical funcional é responsável pela ocorrência de déficits cognitivos, de comunicação e de socialização observados em crianças autistas. Vale ressaltar, porém, que essas crianças também apresentam índices bem mais altos do que o normal de atividade epilética, que pode ocorrer em regiões localizadas do córtex, ou seja, dentro de áreas corticais individuais, talvez como resultado de uma redução global em conectividade córtico-cortical de longo alcance.

Trabalhando no meu laboratório com Bobae An, aluna de pós-doutorado da Coreia do Sul, consegui nos últimos anos evidência experimental em apoio a essa visão do autismo. Nos seus experimentos, Bobae primeiro observou que, durante o ritual de acasalamento, camundongos machos tendem a produzir vocalizações semelhantes aos cantos de pássaros, só que em ultrassom, em melodias que visam a atrair fêmeas. Ao registrar simultaneamente a atividade elétrica do cérebro do macho e da fêmea envolvidos no ritual, Bobae notou o aparecimento de um complexo padrão de sincronização entre os cérebros do par de namorados. Curiosamente, esse padrão de sincronização intercerebral (ou seja, entre os dois cérebros) manifesta-se como uma onda que se espalha da parte posterior para a anterior do cérebro dos camundongos. A seguir, Bobae repetiu esses experimentos com um camundongo macho geneticamente modificado, que exibe um déficit de socialização semelhante àquele visto no autismo. Bobae demonstrou que os machos geneticamente modificados não cantam em ultrassom como os camundongos normais, achado que pode explicar por que eles não estabelecem contato físico com as fêmeas. Quando Bobae registrou o cérebro desse macho geneticamente modificado e de uma fêmea normal, ela observou que não havia onda de sincronização intercerebral. De acordo com a minha teoria, é provável que esse tipo de hipossincronização intercerebral ocorra quando crianças autistas interagem com pais, parentes e outras pessoas.

No entanto, se a epilepsia é tão prevalente e está associada à maioria das doenças do sistema nervoso central, por que ela não é diagnosticada mais frequentemente quando os pacientes neurológicos/psiquiátricos são examinados?

Acontece que o método clássico empregado para o diagnóstico da epilepsia, o EEG do couro cabeludo, é ideal para detectar níveis patológicos de atividade neuronal síncrona somente em nível cortical, região mais superficial do cérebro. Se por acaso alguém sofrer de crises epiléticas parciais e mais amenas restritas a regiões mais profundas do cérebro, o EEG não será capaz de identificar essa anomalia elétrica, muito menos nos estágios inicias da doença. Isso explica por que qualquer atividade epilética subcortical pode acontecer sem ser detectada pelos métodos eletrofisiológicos não invasivos que em geral são usados em pacientes, como o EEG.

Essa limitação, todavia, não se aplica a animais de experimentação. No meu laboratório, rotineiramente implantamos dezenas e até centenas de microeletrodos metálicos flexíveis em estruturas profundas do cérebro de camundongos, ratos e macacos para medir os padrões de atividade neural que não podem ser estudados com o registro do EEG. Assim, investigamos se ocorre nas estruturas subcorticais dos animais alguma atividade epilética relacionada a comportamentos patológicos observados em pacientes. Foi dessa forma que Kafui e eu descobrimos uma variedade de padrões de atividade epilética ocorrendo em diferentes circuitos neurais, os quais estavam associados a múltiplos modelos experimentais de doenças cerebrais de grande relevância clínica.

A teoria de que a hipersincronização neuronal patológica define uma via comum para a manifestação clínica da maioria das doenças cerebrais recebeu outro apoio importante quando uma série de estudos clínicos recentes demonstrou que a presença de atividade epilética com frequência é observada em pacientes que sofrem de Alzheimer, uma das mais comuns doenças neurodegenerativas atuais. Em 2017, Keith Vossel e colegas publicaram um artigo no qual propunham que a presença de crises epiléticas poderia levar à aceleração do processo de declínio cognitivo em pacientes nos estados iniciais e intermediários da doença. Como argumento para corroborar a tese, eles relatam que o uso de anticonvulsivos em baixa dose, em pacientes com Alzheimer que exibem alterações de

EEG compatíveis com epilepsia, pode ser benéfico. Se confirmados no seu todo, esses achados indicariam a direção para mudanças profundas no tratamento da doença de Alzheimer. Eu digo isso porque acredito que, no futuro, neuroimplantes, como aquele criado pelo nosso laboratório para o tratamento da doença de Parkinson, ou mesmo técnicas não invasivas, como a TMS, em vez de medicamentos, podem se tornar o tratamento de um número elevado de doenças cerebrais, incluindo muitas que hoje são classificadas como psiquiátricas.

De certa forma, esse futuro pode ser antecipado por desenvolvimentos tecnológicos e achados recentes muito encorajadores na área de neuromodulação. Por exemplo, há um consenso cada vez maior sobre o fato de que sessões repetitivas de TMS aplicadas na região dorsolateral do córtex pré-frontal melhoram os sintomas de pacientes com depressão crônica. Embora essa abordagem ainda não seja tão efetiva quanto a terapia eletroconvulsiva – o método que ainda é o mais eficiente para tratar casos extremamente graves de depressão –, TMS tem demonstrado eficácia em vários estudos randomizados. A grande inconveniência dessa nova abordagem, todavia, é que os pacientes ainda têm que realizar múltiplas visitas hospitalares ou em clínicas especializadas para receber o tratamento sob supervisão médica. Por causa dessa limitação, acredito que o nosso método de estimulação elétrica da medula espinhal pode logo se tornar uma alternativa para esses pacientes também. Recentemente, um estudo preliminar demonstrou que o nosso método de estimulação foi capaz de aliviar os sintomas de pacientes depressivos. Uma vez que essa terapia pode ser ministrada sem supervisão médica, por meio de um microchip que gera estimulação elétrica contínua ou intermitente (uma hora por dia, por exemplo) da medula espinhal, os pacientes teriam a chance de receber o tratamento em casa, sem a necessidade de constantes visitas ao hospital. Da mesma forma, se o papel de crises epiléticas na doença de Alzheimer for confirmado, teoricamente seria concebível que a estimulação elétrica da medula espinhal poderia ser usada na tentativa tanto de melhorar o déficit cognitivo desses pacientes como de diminuir a velocidade de progressão da doença.

A essa altura, vale também ressaltar que existe a possibilidade de, no futuro, a TMS ser aplicada na medula espinhal para reproduzir os resultados obtidos hoje com os implantes crônicos nessa região. Inclusive, consigo imaginar um cenário no qual pacientes parkinsonianos, ou com depressão ou epilepsia crônica, nos estágios iniciais de Alzheimer ou vítimas de uma série de outras doenças poderão receber o seu tratamento diário em casa, sentados em uma cadeira terapêutica cujo encosto conteria um sistema portátil de TMS embutido. Com base nessa visão, enquanto o paciente permaneceria confortavelmente lendo um livro ou assistindo à TV por uma hora, o sistema de TMS embutido no encosto da cadeira, de forma não invasiva, proporcionaria a estimulação eletromagnética necessária da medula espinhal para tratar a doença cerebral do paciente. Se esse futuro em que a terapia cerebral é realizada no lar do paciente se materializar, a sociedade obterá ganhos significativos tanto no que tange ao alcance dos tratamentos para doenças cerebrais como em termos de qualidade de vida para milhões de pacientes. Com a redução da necessidade de visitas hospitalares, essa abordagem também reduzirá, de forma considerável, o custo dos tratamentos para doenças cerebrais e de todo o sistema de saúde.

Ironicamente, se terapias para doenças cerebrais baseadas no uso do eletromagnetismo atingirem o grau de disseminação e aceitação que, hoje, imagino ser possível, esse futuro confirmará a crença, criada séculos atrás, de que pedras que possuem magnetismo natural carregam algum poder terapêutico mágico. Essa crença foi resumida por Bartolomeu, o Inglês, que escreveu o seguinte no século XIII:

> *Essa rocha [o magneto] restaura os maridos para as esposas e aumenta a elegância e o charme do discurso. Além disso, quando usada junto com mel, ela cura a hidropisia, o baço, a sarna e queimaduras... Quando colocada na cabeça de uma mulher casta, causa os seus venenos a cercá-la imediatamente; [mas,] se ela é uma adúltera, sairá da cama correndo pelo medo de ver uma aparição.*

Se o velho Bartolomeu pudesse ver quão longe avançamos no uso do eletromagnetismo para fins medicinais, quão atônito ele se sentiria?

★★★

Antes de continuar, gostaria de reconhecer todos os que, no passado, propuseram que o eletromagnetismo neuronal serviria de base para uma teoria de funcionamento cerebral. De fato, foram vários os pesquisadores que nos últimos sessenta anos levantaram a hipótese de que os pequenos campos eletromagnéticos neuronais desempenhariam papel crucial na gênese de funções cerebrais humanas. Uma das primeiras das teorias de campo cerebrais foi introduzida pelos adeptos do movimento

Gestalt, que acreditavam que a investigação do sistema nervoso deveria ser mais holística, e não como se ele fosse formado por um mosaico de regiões individuais, para que entendêssemos os mecanismos neurofisiológicos envolvidos na alta cognição humana. Com base nessa abordagem filosófica, no começo dos anos 1950, dois famosos psicólogos, Aron Gurwitsch e Wolfgang Köhler, introduziram de forma pioneira a ideia de que campos elétricos gerados por grandes populações de neurônios conteriam o segredo para o entendimento da percepção. A tese de Gurwitsch e Köhler foi criticada e combatida pelos neurocientistas americanos mais influentes da época, como Karl Lashley e Robert Sperry (ganhador do Prêmio Nobel), que realizaram experimentos em animais com o objetivo precípuo de enterrar definitivamente a teoria dos campos cerebrais. Todavia, embora a vasta maioria dos livros de psicologia declare que esses experimentos demonstraram a inviabilidade da teoria de Gurwitsch e Köhler, depois de reexaminar os resultados relatados por Sperry e Lashley, passados sessenta anos, não pude concordar com essa conclusão precipitada. Curiosamente, nos anos 1950, Köhler também não achou os resultados de Sperry e Lashley convincentes. A razão para o ceticismo de Köhler e para o meu é que nem os experimentos de Sperry nem os de Lashley teriam provado categoricamente que campos eletromagnéticos neuronais não estão envolvidos na gênese de funções cerebrais. Por exemplo, nos seus estudos, Lashley espalhou múltiplas fitas de ouro pela superfície do córtex de um macaco. Em outro animal, inseriu uma dúzia de pinos de ouro em uma porção restrita do córtex visual, em ambos os hemisférios. Lashley postulou que essas manipulações foram suficientes para criar um "curto-circuito" nos campos elétricos propostos por Köhler e, assim, alterar a habilidade dos macacos em realizar uma tarefa visual. Como prova cabal dessa conclusão, Lashley testou os dois macacos, em uma única sessão, em uma tarefa visual extremamente simples que os animais haviam aprendido antes de receberem os implantes de ouro no córtex. Uma vez que os dois macacos não tiveram dificuldade em realizar a tarefa visual depois dos implantes, Lashley concluiu que havia falsificado a teoria de Köhler. Surpreendentemente, Lashley propôs essa conclusão sem testar os animais em tarefas visuais mais difíceis ou mesmo em um número maior de sessões. Ele tampouco se preocupou em registrar qualquer atividade cortical durante esses experimentos. Embora Sperry tenha sido muito menos veemente, ele relatou que implantes corticais de pinos de tântalo no cérebro de gatos não alteraram a percepção visual dos animais.

Sabendo, hoje, o que sabemos sobre o cérebro, essas manipulações grosseiras do córtex, bem como a falta de análise quantitativa neurofisiológica e comportamental, não nos permitem concluir nada de valor a respeito da significância, ou não, dos campos eletromagnéticos cerebrais. Em outras palavras, o punhado de implantes de ouro e tântalo usados pelos dois neurocientistas não necessariamente teria efeito de monta nos campos eletromagnéticos cerebrais. Portanto, pouco ou nada se pode extrair desses experimentos. Surpreendentemente, ao longo dos últimos sessenta anos, toda nova teoria que propõe que os campos eletromagnéticos cerebrais podem desempenhar papel fisiológico logo é desconsiderada pela maioria da comunidade neurocientífica usando esses mesmos experimentos superficiais, grosseiros e inconclusivos. Ainda assim, mesmo que nos subterrâneos da neurociência moderna, a tese sobreviveu.

Mais de uma década depois, em uma tentativa de explicar o caráter não local das memórias, o neurocientista americano Karl Pribram, ex-aluno de Karl Lashley, propôs que o cérebro poderia funcionar como um holograma. No seu modelo, ondas elétricas locais produzidas por neurônios corticais, geradas principalmente no nível dos dendritos dessas células, interfeririam umas com as outras para permitir a estocagem de informação em hologramas localizados. De acordo com Pribram, o córtex deveria conter, portanto, não apenas um holograma regional, mas uma série deles, definindo um arranjo fragmentando conhecido como *"holonomy"*. Daí o nome de teoria holonômica da função cerebral. Vale ressaltar que, ao conceber esse modelo de organização cortical, Pribram foi profundamente influenciado pelo trabalho do famoso físico americano David Bohm.

Neste ponto, é importante mencionar que, já nos idos de 1942, Angélique Arvanitaki havia mostrado experimentalmente que, quando pares de axônios gigantes de lula são colocados em proximidade e submersos em um meio com condutividade reduzida, um desses axônios pode ser levado a disparar um potencial elétrico como consequência da atividade elétrica gerada pela fibra nervosa vizinha. Esse fenômeno ficou conhecido como interação neuronal efática. Estudos realizados nos últimos anos, em culturas de neurônios ou fatias de tecido cerebral, demonstraram categoricamente que interações similares podem ser induzidas ou moduladas quando campos eletromagnéticos são aplicados no tecido neuronal. Esses achados dão ainda mais credibilidade à tese de que os campos eletromagnéticos neuronais podem, sim, exercer uma função aglutinadora no cérebro.

Nos anos 1990, um dos mais respeitados neurofisiologistas americanos à época, Erwin Roy John, que trabalhava na Universidade de Nova

York, reacendeu o interesse sobre a provável contribuição do eletromagnetismo neuronal ao sugerir que esses campos levariam neurônios que estavam muito próximos de produzir um potencial de ação a realizar o disparo elétrico. E. R. John já havia se convencido de que populações, e não neurônios isolados, definiam as unidades funcionais responsáveis por computações de interesse em um cérebro animal e, no limite, pela emergência da nossa consciência. Assim, para o cérebro produzir o tipo de sincronização perfeita entre enormes populações de neurônios extremamente dispersos no cérebro, a única solução plausível seria tirar vantagem desses campos eletromagnéticos diminutos, mais do que aptos para a tarefa desejada. E. R. John postulou que, usando esses campos, uma sincronização neuronal perfeita poderia rapidamente ser atingida ao longo de todo o córtex.

Muitos anos atrás, E. R. John me mandou um pacote com seus trabalhos clássicos. Um deles continha uma revisão detalhada sobre a relevância dos campos eletromagnéticos cerebrais. Enquanto realizava as minhas pesquisas bibliográficas para escrever este livro, tive o prazer de reencontrar essa revisão e usá-la neste capítulo.

Cerca de quinze anos atrás, o geneticista molecular Johnjoe McFadden, da Universidade de Surrey, introduziu o que ele denominou de "teoria da informação eletromagnética da consciência". Nessa teoria, McFadden propõe que a consciência e outras funções superiores do cérebro são determinadas pela atividade eletromagnética neuronal. Ele publicou diversos artigos detalhando a sua teoria e uma grande lista de achados, obtidos por outros laboratórios, que sustentam a sua tese. Ainda assim, da mesma forma que aconteceu com Gurwitsch e Köhler, e mais tarde com E. R. John, a maioria da comunidade neurocientífica continuou a ignorar qualquer papel potencial para o eletromagnetismo neuronal.

★★★

O eletromagnetismo é uma das quatro forças fundamentais da natureza. Campos eletromagnéticos são encontrados por todas as partes do cosmos, variando em magnitude dos gigantescos gigateslas produzidos por uma estrela magnética – tipo massivo de estrela – ao campo de microteslas que envolve a Terra, funcionando como escudo protetor sem o qual a vida no planeta seria impossível. No limite da helioesfera, a enorme bolha magnética que delimita o alcance do campo solar magnético, que se estende além da órbita de Plutão, a magnitude do campo magnético solar alcança o valor mínimo de 100 picoteslas. Se dividir esse mínimo solar por cem, você obtém um valor próximo daquele que define a magnitude do campo magnético do cérebro humano: 1 picotesla. Não é surpresa, portanto, que, ao longo das últimas décadas, poucos neurocientistas se incomodaram em considerar um sinal tão minúsculo capaz de desempenhar qualquer papel fundamental na geração da maioria, senão de todas as mais importantes funções do cérebro humano. É claro que não acredito que essa conclusão tenha sido devidamente validada do ponto de vista experimental. Muito pelo contrário: a hipótese de que o eletromagnetismo neuronal é essencial para o funcionamento do cérebro continua tão aberta quanto nos anos 1950. Assim, não deixo de imaginar quão absolutamente atônitos todos nós nos sentiremos se, em um futuro próximo, uma prova experimental categórica demonstrar que tudo o que foi preciso para construir a totalidade do universo humano não passou de um miserável picotesla de poder magnético!

CAPÍTULO 6

POR QUE O VERDADEIRO CRIADOR NÃO É UMA MÁQUINA DE TURING?

No verão de 2016, um tuíte contendo apenas uma sentença, postado pela prestigiosa revisa *Scientific American*, despertou-me do torpor matinal. A mensagem dizia: "Sinapses artificiais levaram supercomputadores a imitar o cérebro humano".

A frase, originária de uma entrevista do cientista de materiais coreano dr. Tae-Woo Lee, anunciava que, uma vez que os cientistas passaram a manufaturar transistores diminutos capazes de imitar sinapses neuronais, o sonho de construir máquinas como o cérebro humano estava prestes a se materializar. Transpirando entusiasmo, dr. Lee declarou que esse desenvolvimento

> *poderia levar no futuro a robôs melhores, carros autodirigíveis, melhores algoritmos para "data mining", melhores sistemas para diagnóstico médico ou análise dos mercados de ações e outros sistemas, além de máquinas inteligentes mais semelhantes aos seres humanos.*

No mesmo artigo, o autor descrevia que, graças a um número de conexões estimados em 1 quadrilhão, conectando 100 bilhões de neurônios (o número mais correto é cerca de 86 bilhões), o cérebro humano é capaz de executar cerca de 10 quadrilhões de operações por segundo. Em comparação, o supercomputador mais veloz do mundo à época, o Tianhe-2 de fabricação chinesa, chegava a algo como 55 quadrilhões de operações por segundo no pico de desempenho. Evidentemente, para operar, o Tianhe-2 utiliza 1 milhão de vezes mais energia que o cérebro humano. A razão pela qual o dr. Lee se mostrava tão exultante era o fato de que a sua última implementação de uma sinapse artificial necessitava de apenas 1,23 femtojoule para produzir um único evento de transmissão sináptica – aproximadamente um oitavo do valor requerido por uma sinapse cerebral humana. De posse desse avanço significativo, dr. Lee imaginou que, se ele fosse capaz de empacotar 144 de suas sinapses artificiais em *wafers* de silício de cerca de 4 polegadas e conectá-las com filamentos de diâmetro de 200 a 300 nanômetros, ele e colegas poderiam dar um passo decisivo na tentativa de reproduzir a operação de um cérebro humano real. Para atingir esse objetivo, o cientista previu que só precisaria esperar alguns avanços na tecnologia de impressão tridimensional para empilhar os *wafers* em estruturas tridimensionais e, segundo ele, do nada, um cérebro artificial capaz de superar as capacidades computacionais do sistema nervoso se materializaria.

Triste ilusão! Essa não foi a primeira vez que o mundo se deparou com a iminência de uma derrocada do Verdadeiro Criador de Tudo; pretensões similares são feitas com regularidade desde o começo da Revolução Industrial. Mesmo admitindo que nenhuma das tentativas anteriores chegou perto de uma sinapse artificial consumindo apenas 1,23 femtojoule, por mais de três séculos, fosse qual fosse a tecnologia mais avançada da época – máquinas a vapor, sistemas mecânicos, geringonças eletrônicas e, desde 1936, máquinas digitais sofisticadas, incluindo supercomputadores contendo milhares de microprocessadores interconectados –, futuristas prognosticaram, com total confiança, que as capacidades específicas do cérebro humano seriam reproduzidas por ferramentas criadas por nós em um futuro muito breve. Todas essas previsões – ou aventuras – falharam miseravelmente.

Todavia, desde o amanhecer da era da informação, gerou-se uma crença ascendente e inexorável de que computadores digitais eventualmente suplantarão o cérebro humano em seu próprio jogo. Algumas vezes, julgando pelo fervor com que essas previsões são feitas, temos a impressão de que os proponentes dessa tese acreditam que essa previsão é quase uma profecia divina e, como tal, nada poderá impedir a sua realização em um futuro próximo. Ainda assim, a despeito de um sem-fim de futurologistas e praticantes ou entusiastas da dita inteligência artificial, nenhuma evidência concreta foi apresentada sobre o iminente desenvolvimento do que poderia vir a ser a mais revolucionária tecnologia da história da humanidade.

Em vez de qualquer demonstração categórica, o que em geral é apresentado, sobretudo na última década, é um argumento quase pueril, como o que abriu este capítulo, defendendo a ideia de que, para reproduzir as capacidades mentais altamente complexas do cérebro, basta conectar bilhões de transistores criados à semelhança de neurônios energeticamente eficientes e depois apertar o botão *"on"*.

Eu, certamente, discordo dessa simplificação.

A noção de que o funcionamento intrínseco do cérebro humano pode ser reduzido a um algoritmo computacional para ser reproduzido em lógica digital pode ser considerada mais um dos mitos do mundo pós-moderno; uma espécie de lenda urbana ou mesmo um exemplo típico da era da pós-verdade, tempo em que uma declaração falsa – repetida inúmeras vezes e disseminada amplamente na sociedade pela mídia ou pelas redes sociais – passa a ser aceita como verdade. A hipótese de que o grau de complexidade inerente ao cérebro pode ser recriado simplesmente ao se conectar um número extraordinariamente grande de elementos eletrônicos eficientes não só está muito longe de ser uma realidade científica, como, quando examinada em detalhes, não revela nenhuma chance crível de ser bem-sucedida.

Bem poucos daqueles que acreditam nessa visão pararam para pensar que o cérebro humano é, também, o verdadeiro criador tanto do hardware como do software digital, não o contrário. A crença cega de que tecnologias criadas por nós podem se virar contra o seu criador e superá-lo basicamente defende a ideia de que um sistema, seja ele o que for – digamos, um cérebro humano –, pode criar algo mais complexo do que si mesmo. Todavia, o que os proponentes dessa visão não conseguem enunciar, além de promover sem trégua a sua crença religiosa, é uma explicação crível sobre de onde esse excesso de complexidade se originaria. A minha visão é de que essa proposição é claramente falsa, uma vez que viola uma série de teoremas, amplamente conhecidos e devidamente demonstrados, incluindo aqueles de incompletude de Kurt Gödel, bem como uma formulação mais recente, conhecida como "teorema da complexidade", proposto pelo matemático argentino-americano Gregory Chaitin. De acordo com Chaitin, um sistema formal – como um programa computacional – não pode gerar um subsistema (ou seja, outro programa) mais complexo que ele próprio. Em uma descrição mais formal, descrita por John Casti e Werner DePauli no livro *Gödel:*

A *Life of Logic, the Mind, and Mathematics* [Gödel: uma vida de lógica, da mente e matemática], o teorema da complexidade de Chaitin pode ser formulado assim: "Existem números com uma complexidade tão alta que nenhum programa computacional é capaz de gerá-los".

Juntos, os pensamentos de Gödel e de Chaitin, intimamente relacionados entre si, determinam a existência de uma barreira lógica para a hipótese de que, se o cérebro humano fosse um sistema computacional, expressando um grau de complexidade X, ele não poderia gerar algo – como um sistema artificial superinteligente – que exibisse complexidade maior que X.

Uma vez que o computador digital é, em geral, usado como o padrão de comparação, parece apropriado iniciarmos esta discussão retornando à origem histórica dessa máquina incrível. Todo computador digital existente hoje representa uma das várias implementações concretas de um sistema computacional abstrato, originariamente proposto pelo matemático e lógico Alan Turing, em 1936. Batizado em sua homenagem como a Máquina de Turing Universal (*Universal Turing Machine*, UTM, em inglês), essa abstração mental ainda define a operação de cada máquina digital, seja ela um laptop, seja o supercomputador mais poderoso do planeta. A UTM opera por uma tabela interna de instruções, programada pelo usuário, que lê e manipula sequencialmente uma lista de símbolos contida em uma fita inserida na máquina. À medida que a UTM lê os símbolos contidos na fita, um a um, de forma sequencial, ela se vale de sua tabela interna de instruções – o seu software, ou o seu programa – para executar uma variedade de operações lógicas e depois escrever os resultados.

Soa simples, não? Assim, para melhor ou para pior, a maioria dos avanços tecnológicos dos últimos oitenta anos, incluindo o surgimento da ferramenta mais revolucionária de comunicação de massa da história, a internet, pode ser considerada ramificação de uma abstração mental criada nas profundezas da mente de um matemático genial.

A ideia original de que todos os fenômenos naturais podem ser simulados em um computador digital ganhou credibilidade em grande parte a partir de uma interpretação errônea da chamada "conjectura Church-Turing", proposta por Alan Turing e o matemático americano Alonzo Church. Em essência, essa conjectura diz que, se podemos propor uma série de passos bem definidos para solucionar uma equação ou um problema matemático qualquer, um procedimento conhecido como "algoritmo", um computador digital será capaz de reproduzir essa operação e computar uma solução para a equação. A equação pode ser classificada como função computável.

E aqui começa a confusão.

Originariamente, a hipótese Church-Turing tinha como intuito focar em questões relacionadas à modelagem matemática formal. Todavia, muitos autores desde então têm interpretado essa conjectura como se ela impusesse um limite computacional a todos os fenômenos naturais. Basicamente, os dois autores concluíram que nenhum sistema computacional físico excederia a capacidade de uma máquina de Turing. À primeira vista, essa conclusão talvez soe inócua, mas, ao ignorar que a computabilidade de acordo com Turing relaciona-se apenas às questões que surgem na matemática formal, corremos o risco de produzir problemas e mal-entendidos. De fato, quando focamos no debate sobre se o cérebro humano representa apenas outro exemplo de uma máquina de Turing, logo descobrimos que a teoria computacional de Turing depende de uma série de suposições que eliminam a sua aplicabilidade imediata aos sistemas biológicos complexos, como cérebros animais complexos. Por exemplo, em uma máquina de Turing a representação da informação é formal – isto é, abstrata e sintática, como em 1 + 1 –, não física e semântica, como é o caso nos sistemas biológicos. Como já discutimos (Capítulo 3), em cérebros como o nosso, um tipo peculiar de informação, a informação gödeliana, é embutido fisicamente no tecido neural que forma o sistema nervoso central. A semântica refere-se ao fato de que, mesmo uma frase simples como "você me roubou!" pode adquirir muitos significados distintos, dependendo do contexto: ela pode simplesmente ser uma piada entre amigos ou uma acusação séria. Os seres humanos têm como distinguir entre esses significados diferentes, mas uma máquina de Turing, que leva em conta apenas *bits*, teria dificuldade em lidar com esse tipo de sentença.

Todavia, um grupo muito grande de cientistas computacionais e neurocientistas se vale da conjectura Church-Turing como principal justificação teórica para propor que qualquer cérebro animal, incluindo o nosso, pode ser reduzido a um algoritmo e simulado em um computador digital. Esses cientistas argumentam que a abordagem bem-sucedida de usar simulações para estudar sistemas mecânicos se estende sem entreveros para o estudo de sistemas biológicos em que o grau de complexidade é muito maior que qualquer artefato ou tecnologia produzido por nós. Essa posição filosófica é conhecida como "computacionalismo", termo atribuído ao filósofo Hilary Putnam em *Cérebro e comportamento*, publicado em 1961, e desde então usado e defendido por muitos filósofos, como Jerry Fodor. Críticos do computacionalismo consideram essa tese puramente mística. No entanto, dado que muita gente hoje acredita que cérebros são equivalentes a computadores digitais, o uso da minha definição de computador orgânico para se referir aos cérebros animais torna-se relevante para a discussão.

Levado ao extremo, o computacionalismo prevê não somente que todo o espectro das experiências humanas pode ser reproduzido e iniciado por uma simulação digital, como implica que, em um futuro não tão distante, dado o crescimento exponencial do poder computacional, máquinas digitais suplantariam a totalidade das capacidades mentais humanas. Essa previsão, defendida por Ray Kurzweil e outros, ficou conhecida como "hipótese da singularidade". Em *The Age of Spiritual Machines: When Computers Exceed Human Intelligence* [A era das máquinas espirituais: quando os computadores superam a inteligência humana], Kurzweil defende uma versão radical da conjectura Church-Turing: "Se um problema não é solucionável por uma máquina de Turing, ele também não é solucionável pela mente humana".

As origens desse tipo de pensamento, todavia, remontam aos anos 1940 e 1950, quando vários colegas de Claude Shannon no Instituto de Tecnologia de Massachusetts (MIT), como Norbert Wiener e Warren McCulloch, além de outros muitos cientistas reconhecidos mundialmente – como John von Neumann –, começaram a olhar de forma mais ampla para ideias revolucionárias que surgiam à volta com o objetivo de forjar uma definição totalmente nova de inteligência humana e de como o cérebro humano processa informação. Esse movimento foi chamado de "cibernética", e pela década seguinte ele serviu como fundação intelectual e base lógica para o campo de pesquisa da inteligência artificial.

A minha colega da Universidade Duke, N. Katherine Hayles, discutiu em um livro extraordinário, *How We Became Posthuman* [Como nos tornamos pós-humanos], que esse grupo de cientistas promovia encontros, conhecidos como Conferências Macy sobre Cibernética, para criar um campo de pesquisa totalmente novo. A fim de agrupar conceitualmente as máquinas e os seres humanos em uma mesma classe de dispositivos autodirigidos e autônomos, eles misturaram a teoria da informação de Claude Shannon, o modelo de neurônios como unidades de processamento de informação de Warren McCulloch, a nova arquitetura de computadores digitais de John von Neumann, baseada na lógica binária e nos circuitos digitais, e a forma usada por Norbert Wiener para agrupar máquina e seres humanos como membros de uma mesma categoria de sistemas autônomos autodirecionados. De acordo com Hayles,

> o resultado desse empreendimento de tirar o fôlego foi nada menos do que uma nova forma de olhar para os seres humanos. Doravante, os seres humanos passariam a ser vistos primariamente como unidades processadoras de informação, em essência similares às máquinas inteligentes.

De repente, passou-se a acreditar que os seres humanos também são feitos de *bits*, embora em grandes quantidades, e, como tal, a sua mente, as suas histórias de vida, experiências perceptuais únicas, memórias, escolhas e gostos, amores e ódios e até mesmo a matéria orgânica que os constituem podiam ser – e em tempo hábil seriam – reproduzidos por máquinas digitais. Os proponentes da cibernética acreditavam piamente que futuros sistemas digitais seriam capazes de carregar, assimilar, replicar, reproduzir à vontade, além de simular e imitar tudo que é humano. Essas máquinas inteligentes não estavam disponíveis à época que as Conferências Macy foram realizadas (e, claramente, elas não existem ainda hoje), mas, assim como os profetas contemporâneos da inteligência artificial, alguns membros do movimento cibernético pareciam acreditar que isso era apenas questão de tempo, apenas uma questão de desenvolvimento tecnológico.

Usando arcabouço teórico similar, vários programas de pesquisa – incluindo a inteligência artificial forte, que tem em comum o fato de nunca terem realizado as suas extravagantes promessas – foram criados com o objetivo explícito de criar máquinas inspiradas no cérebro ou, no mínimo, simular o comportamento fisiológico de cérebros animais usando supercomputadores. Os programas incluem o Projeto Cérebro da IBM e o Projeto do Cérebro Humano da Comunidade Europeia. Em 1968, Marvin Minsky, então diretor do laboratório de inteligência artificial do MIT, anunciou: "Em uma geração, teremos computadores inteligentes como HAL do filme *2001: uma odisseia no espaço*". Decerto, essa predição nunca se materializou e, recentemente, Minsky declarou que programas para simular o cérebro têm bem pouca chance de atingirem qualquer tipo de sucesso.

Hayles revela no livro já citado que Claude Shannon não era entusiasta da ideia de extrapolar a sua definição bem focada de informação para outros campos em que há comunicação entre elementos. Como a história prova, Shannon estava absolutamente correto em levantar essa palavra de precaução. Afinal, a sua definição de informação não trazia consigo nenhuma explicação para o significado, o contexto ou a semântica de uma mensagem, tampouco para a dependência do meio de transmissão e estocagem. Além disso, ao se valer exclusivamente da lógica binária e da síntese digital rígida, que facilitava demais a implementação de algoritmos em máquinas digitais, Shannon também distanciou a sua criação da riqueza de semântica e da dependência contextual do pensamento humano e do funcionamento do cérebro.

Em geral, os neurocientistas acreditam que as funções cerebrais elaboradas, tanto em animais como em seres humanos, derivam de propriedades emergentes complexas do cérebro, mesmo que a origem e a natureza dessas propriedades permaneçam matéria de debate. As propriedades emergentes são comumente consideradas atributos globais de um sistema que não resulta da descrição dos seus componentes individuais. Tais propriedades emergentes ocorrem na natureza toda vez que elementos interagem e se juntam para formar uma entidade, como uma revoada, um cardume ou o mercado de ações. Essas entidades são conhecidas como sistemas complexos. A investigação de sistemas complexos tornou-se o foco de um grande espectro de disciplinas, tanto nas ciências naturais como em química e biologia, bem como nas ciências sociais, incluindo áreas de economia e sociologia.

O cérebro de animais é exemplo típico de sistemas complexos. O comportamento cerebral complexo, todavia, estende-se ao longo dos seus múltiplos níveis de organização, isto é, molecular, celular, circuitos neurais, até o nível do sistema nervoso como um todo. Para ser preciso na descrição do cérebro de um animal particular, devemos incluir na definição da sua complexidade as trocas que o sistema nervoso realiza com entidades exteriores, como o ambiente à volta e os outros cérebros com que interage, uma vez que estas interações modificam continuamente o cérebro investigado.

Cérebros também exibem plasticidade; a informação produz eficiência causal em um cérebro humano ao induzir a reconfiguração da sua estrutura e função, criando uma integração recursiva perpétua entre a informação e a massa orgânica que define o nosso sistema nervoso central. Essa é a razão pela qual neurocientistas se referem ao cérebro humano como um sistema autoadaptativo complexo. Vale ressaltar que as principais características inerentes a um sistema autoadaptativo complexo são aquelas que reduzem significativamente a nossa capacidade de prever ou simular de forma acurada o seu comportamento dinâmico. Prova disso foi obtida pelo gênio matemático francês, Henri Poincaré. Ele demonstrou que os comportamentos emergentes de um sistema composto por apenas alguns elementos interconectados – muito menos dezenas de bilhões de neurônios hiperconectados – não podem ser formalmente preditos por meio da análise dos seus elementos individuais. Em um sistema complexo como o cérebro, os elementos individuais interagem de modo dinâmico uns com os outros como forma de originar novos comportamentos do sistema como um todo. Em retorno, os comportamentos emergentes influenciam de forma direta os diversos elementos do sistema. Assim, o cérebro elaborado dos animais, incluindo o nosso, tem que ser visto como um sistema integrado, um contínuo que processa informação como um todo e que não distingue nem software do hardware, nem memória de processamento.

Em uma das mais fascinantes passagens de seu livro, Hayles revela que, durante as Conferências Macy, Donald MacKay, cientista britânico, defendeu com veemência a visão de que a recepção de informação causa modificações na mente do receptor. Como consequência da eficiência causal, de acordo com MacKay, nenhuma teoria da informação verdadeiramente abrangente poderia ser formulada sem incluir uma definição e uma explicação para o modo como a informação adquire dado significado. Para tanto, MacKay postulou que os estados mentais do receptor teriam que ser medidos, e o impacto de uma nova informação, quantificado – tarefa que, como Hayles reconheceu, não sabemos realizar hoje.

A forma como o cérebro de animais gera, representa, memoriza e lida com a informação (Capítulo 3) é totalmente diferente da maneira como cientistas computacionais em geral teorizam como as várias aplicações concretas da UTM, como os computadores digitais, lidam com o processo computacional por meio de programas algorítmicos (software) dissociados do hardware em que são rodados. Nesse contexto, quando examinamos as operações do cérebro usando os pontos de vista matemático e computacional, comportamentos emergentes não podem ser reproduzidos apropriadamente pelos procedimentos clássicos e sintaticamente abstratos, como os usados na criação de software que roda em um hardware imutável. Em outras palavras, a semântica dinâmica e rica que caracteriza as funções cerebrais não são reduzidas a uma sintaxe algorítmica limitada, como a empregada por computadores digitais. Isso ocorre porque as propriedades emergentes que simultaneamente envolvem diferentes níveis de organização física do cérebro, requerendo a coordenação precisa de bilhões de eventos interativos "de cima para baixo" e "de baixo para cima", não são computáveis efetivamente no contexto proposto pela conjectura Church-Turing. Na realidade, esses eventos só são passíveis de ser descritos de uma forma aproximada por uma simulação digital. Esse é um ponto crucial, se aceitamos a tese de que os cérebros se comportam como sistemas complexos autoadaptativos e integrados, porque aproximações digitais tendem a divergir quase que de imediato do comportamento natural de determinado cérebro. O produto final da divergência é que, independentemente de quão poderosa é uma implementação da máquina de Turing – mesmo sendo um supercomputador Tianhe-2 capaz de 55 quadrilhões de operações por segundo –, a sua lógica interna não permitirá que a estratégia típica usada por cientistas computacionais reproduza, de forma apropriada e completa, a complexa riqueza dinâmica que dotou os cérebros animais, incluindo o nosso, com as suas funções e as suas capacidades mais sofisticadas.

Na monografia que Ronald Cicurel e eu escrevemos,[*] vários argumentos contrários à tese de que o cérebro pode ser reduzido às ações de uma máquina de Turing foram descritos e classificados em três principais categorias: evolucionários, matemáticos e computacionais.

O nosso argumento evolucionário enfatiza a diferença primordial entre um organismo e um mecanismo, como um computador digital, que é frequentemente ignorada, a despeito do fato de que ela representa uma questão central no debate. Mecanismos são construídos de forma inteligente, de acordo com um plano preexistente. Essa é a razão principal pela qual um mecanismo pode ser codificado por meio de um algoritmo, simulado em uma máquina, e, consequentemente, ser alvo do processo de engenharia reversa.

Organismos, por outro lado, emergem como resultado de um número imenso de passos evolutivos ocorridos em múltiplos níveis de organização (desde o nível molecular até aquele que envolve todo o indivíduo). Esses passos não seguem nenhum plano preestabelecido por um ser inteligente, mas se materializam por uma série de eventos aleatórios. Os organismos, portanto, estão muito proximamente relacionados ao seu ambiente porque são continuamente modificados por variações estatísticas do mundo exterior. Dado que o ambiente externo vive em uma mudança contínua, essa tarefa só pode ser realizada usando os dados que organismos coletam continuamente, sobre o mundo que os cerca e sobre eles mesmos, para esculpir de forma ótima o substrato de matéria orgânica que os define e de onde a informação produzida por eles emerge. Sem essa perpétua expressão de eficiência causal pela informação, qualquer organismo se

---

[*] Trata-se de O cérebro relativístico: como ele funciona e por que ele não pode ser reproduzido por uma máquina de Turing.

desintegra até morrer. Como vimos no Capítulo 3, a morte ocorre quando um organismo não consegue mais manter os seus mecanismos homeostáticos em funcionamento pleno, condenando a si mesmo a decair em direção ao equilíbrio termodinâmico.

Essa máxima é verdadeira para o cérebro. Em consequência disso, a ideia de informação independente do substrato e desincorporada não pode ser aplicada, considerando o fluxo de informação que ocorre nos organismos. Enquanto em uma máquina de Turing típica o fluxo de informação é direcionado pelo software ou pela fita que provê os *inputs* – ambos independentes do hardware que define a estrutura física da máquina digital, no caso dos organismos e especialmente no dos cérebros –, a informação é verdadeiramente embutida na matéria orgânica e o fluxo de informação é manipulado em diferentes níveis organizacionais. Além disso, a informação produzida por um organismo modifica continuamente o substrato material que a gerou (os neurônios, os dendritos e suas espículas, proteínas etc.). Esse processo conecta a matéria orgânica e a informação em uma única e irredutível entidade. É por isso que a informação gödeliana dos organismos tem que ser considerada dependente do substrato, conclusão que confirma a natureza integrada do cérebro e explicita as dificuldades insuperáveis de aplicar a dicotomia software/hardware para qualquer sistema nervoso animal. Na realidade, essas diferenças indicam, com clareza, por que o cérebro deve ser considerado um tipo totalmente distinto de sistema computacional: um computador orgânico.

John Searles exemplifica isso ao dizer que podemos simular a reação química que transforma o dióxido de carbono em açúcar, mas, como a informação não é integrada, a simulação não resultará no processo natural conhecido como "fotossíntese". Apoiando essa visão, Ilya Prigogine insiste que os sistemas dissipativos, como o cérebro animal, sobrevivem longe do equilíbrio termodinâmico. Como tal, esses sistemas são caracterizados pela instabilidade e pela irreversibilidade temporal em termos de processamento de informação. No todo, as propriedades fazem com que organismos sejam difíceis de ser descritos em termos de explicações causais determinísticas. Em vez disso, eles só podem ser descritos estatisticamente, em termos probabilísticos, como um processo cuja evolução temporal não é reversível em todas as escalas. Essa propriedade é conhecida como o argumento da irreversibilidade, que foi introduzido por Selmer Bringsjord e Michael Zenzen. Por outro lado, C. H. Bennett demonstrou que uma máquina de Turing pode ser logicamente reversível a cada passo ao salvarem-se os seus resultados intermediários.

Examinando um aspecto dessa irreversibilidade temporal, o paleontólogo e biólogo evolucionário americano Stephen J. Gould propôs um experimento teórico que ilustra bem o dilema enfrentado por aqueles que acreditam que a "engenharia reversa" de organismos biológicos complexos é realizável por meio de uma plataforma determinística digital. Gould deu o nome de "experimento da fita da vida" para o seu argumento teórico que propõe que, se uma fita magnética teórica contendo um registro de todos os eventos evolucionários que levaram à emergência da espécie humana fosse rebobinada para o início e a deixassem correr outra vez a partir de agora, as chances de que a fita registrasse a mesma sequência de eventos que culminaram o aparecimento da raça humana seria igual a zero. Em outras palavras, uma vez que, com grande probabilidade, a fita da vida seguiria um novo caminho, criado por muitíssimos eventos aleatórios que nunca aconteceram na história da Terra, não haveria esperança de que a combinação precisa que levou ao surgimento da humanidade, milhões de anos atrás, fosse reproduzida. Esse argumento também serve de suporte para a afirmação, feita no início deste livro, de serem grandes as chances de o cérebro do sr. Spock ser muito diferente do nosso. E, consequentemente, também a sua visão cosmológica do universo seria distinta.

Em essência, a lógica por trás do "experimento da fita da vida" sugere fortemente que é impossível empregar modelos determinísticos e reversíveis para reproduzir um processo que emerge como sequência de eventos aleatórios. Assim, qualquer modelo rodando em uma máquina de Turing (entidade determinística) que tem por objetivo seguir o caminho evolucionário da nossa espécie tenderia a logo divergir do processo real que deu origem à nossa espécie. Isso significa, basicamente, que não há como usar engenharia reversa em algo que nunca foi construído. Como pode soar paradoxal à primeira vista, os proponentes da visão de que a engenharia reversa pode ser aplicada aos organismos, visão hoje defendida apaixonadamente por alguns protagonistas da fronteira da biologia moderna, não devem ter se dado conta de que assumir essa posição significa desafiar o mais poderoso e duradouro arcabouço teórico concebido na área em que militam: a teoria da evolução pelo processo de seleção natural de Charles Darwin. Digo isso porque, ao aceitar a tese da engenharia reversa, os seus defensores passam a favorecer a noção de que alguma forma de design inteligente está envolvida no processo que levou à emergência dos seres humanos e seu cérebro.

Se o argumento evolucionário contra a possibilidade de construir réplicas digitais do cérebro humano foi ignorado por completo até há pouco tempo, de certa forma os argumentos matemáticos e computacionais descritos a seguir se baseiam no trabalho do próprio Turing e de outro gênio, seu contemporâneo, o matemático austríaco Kurt Gödel, nos anos 1930. Gödel sustentava a ideia de que os seus famosos teoremas da incompletude oferecem uma indicação explícita e precisa de que a mente humana excede as limitações de uma máquina de Turing e de que os procedimentos algorítmicos não descreveriam a totalidade das capacidades do cérebro humano. Como ele mesmo relatou,

> os meus teoremas somente demonstram que a mecanização da matemática, isto é, a eliminação da mente e de entidades abstratas, é impossível se queremos estabelecer uma fundação clara. Eu não demonstrei a existência de questões que não podem ser decididas pela mente humana, mas somente que não existem máquinas capazes de decidir todas as questões na teoria dos números.

Na sua famosa aula Gibbs, Gödel também expôs a crença de que os seus teoremas da incompletude implicam que a mente humana excede, e muito, o poder de uma máquina de Turing: de fato, os limites de um sistema formal não afetam o cérebro humano, dado que o sistema nervoso pode gerar e estabelecer verdades impossíveis de serem demonstradas como verdadeiras por um sistema formal coerente, isto é, um algoritmo rodando em uma máquina de Turing. A descrição do renomado físico britânico Roger Penrose do primeiro teorema de Gödel esclarece esse ponto ao dizer que,

> se você acredita que um sistema formal qualquer é não contraditório, você deve acreditar também que existem propostas verdadeiras dentro deste sistema que não podem ser demonstradas como verdadeiras pelo mesmo sistema formal.

Roger Penrose defende a posição de que os argumentos de Gödel oferecem uma indicação clara da existência de alguma limitação dos sistemas digitais que não é necessariamente imposta à mente humana. Em apoio a essa visão, os cientistas cognitivos Selmer Bringsjord e Konstantine Arkoudas oferecem argumentos extremamente convincentes para sustentar a tese gödeliana ao mostrar ser possível a mente humana funcionar como um hipercomputador, dado que o cérebro humano exibe capacidades – como reconhecer ou acreditar que uma afirmação é verdadeira – não simuladas por um algoritmo rodando em uma máquina de Turing.

A conclusão mais direta de todas essas afirmações é clara: o repertório completo das atividades mentais humanas não pode ser reduzido a algoritmos rodando em um sistema digital porque essas habilidades são não computáveis. Com base nessa interpretação, a premissa central da hipótese da singularidade pode ser totalmente falsificada porque nenhuma máquina digital jamais solucionará o que de fato ficou conhecido como o argumento gödeliano.

Na verdade, não precisamos confiar apenas na lógica para provar esse ponto de vista. Na nossa monografia, Ronald e eu organizamos uma lista de objeções matemáticas e computacionais que inviabilizam a tese de que o cérebro é superado pelas máquinas digitais. O que se segue é um sumário desses argumentos.

Ao construir uma simulação digital, precisamos nos basear em uma série de suposições e preconcepções, como o tipo de representação de informação a ser usada. Além disso, há vários obstáculos a ser superados para se realizar uma simulação válida. Por exemplo, dependendo das suposições, todo o modelo pode ser invalidado. Para ilustrar as dificuldades envolvidas, considere um sistema físico S cuja evolução no tempo queremos simular. A primeira aproximação usualmente feita por modeladores é considerar S como sistema isolado. Com essa decisão, o primeiro obstáculo é encontrado, uma vez que, na vida real, nenhum sistema biológico pode ser isolado do seu entorno sem perder múltiplas funcionalidades. Por exemplo, se S é um organismo, a cada momento a sua estrutura é totalmente dependente das suas trocas de matéria e informação com o ambiente. S é um sistema integrado. Considerando S um sistema isolado, portanto, pode-se introduzir um viés importante na simulação, sobretudo quando um sistema como o cérebro é considerado. Esse fator limitante poderia, por exemplo, invalidar qualquer tentativa de construir um modelo realístico do cérebro de um camundongo adulto, com base em dados coletados de preparações experimentais, como amostras de tecido cerebral obtidas de animais recém-nascidos. Isso se dá porque tal procedimento reduziu dramaticamente a complexidade verdadeira do sistema original (cérebro adulto de camundongo), por exemplo, ao destruir as interações desse sistema com o ambiente externo. Traduzir resultados obtidos com um modelo reduzido para explicar o comportamento real de um cérebro vivo não faz sentido, mesmo quando o modelo produz um comportamento emergente trivial, como oscilações neuronais.

Esse é apenas o primeiro de uma série de problemas vitais que surgem ao se tentar aplicar a abordagem clássica do reducionismo para entender um sistema complexo como o cérebro humano. À medida que o sistema original – alvo do estudo – é reduzido a módulos menores e isolados, destrói-se o núcleo íntimo da estrutura operacional que permite a esse sistema gerar o seu nível peculiar de complexidade. E, sem ser capaz de expressar a sua complexidade inerente, o que sobra desse procedimento reducionista é inútil para explicar como o sistema de fato funciona como um todo.

O próximo passo em uma simulação computacional envolve selecionar os dados do sistema S medidos diretamente, sabendo que no processo negligenciamos uma ampla variedade de outros dados e processos computacionais em diferentes níveis organizacionais de S. Por opção ou necessidade, as simulações em geral consideram todos os outros dados como irrelevantes para o seu objetivo. Contudo, em um sistema integrado como o cérebro, nunca sabemos ao certo se outros níveis de observação – digamos, uma descrição quântica do sistema – são de fato irrelevantes. Isso indica que, na maioria das vezes, podemos usar uma amostragem incompleta de S para rodar as nossas simulações.

Uma vez que observações e medidas são feitas sob o comportamento de dado fenômeno natural relacionado a S, o passo seguinte é tentar selecionar uma formulação matemática a ser usada para explicar os dados. Como regra, a formulação matemática é definida por um conjunto de equações diferenciais variando no tempo. Equações diferenciais foram desenvolvidas primariamente para aplicações em física, não necessariamente para descrever sistemas biológicos. Além disso, é importante enfatizar que, na maioria dos casos, a formulação matemática já representa uma aproximação, que não reproduz o sistema natural na totalidade dos seus níveis de organização. Além disso, a maioria dos processos físicos só pode ser descrita de forma aproximada por uma função matemática. Se isso soa como surpresa, não se preocupe: você não está sozinho. A vasta maioria das pessoas, incluindo cientistas profissionais, que acredita que simulações computacionais podem reproduzir qualquer fenômeno natural no universo também não está a par desse fato – o que me espanta.

Em seguida, temos que tentar reduzir a formulação matemática selecionada a um algoritmo que rode em uma máquina digital. No todo, isso significa que uma simulação computacional é uma tentativa de simular a formulação matemática de um conjunto de observações feitas sobre um fenômeno natural, não o fenômeno todo. Dado que a evolução de um sistema biológico não é governada pela lógica binária utilizada por computadores digitais, o *output* gerado por uma simulação computacional pode, em muitas circunstâncias, evoluir de forma bem diferente do fenômeno natural em estudo. Essa limitação é particularmente verdadeira quando consideramos sistemas complexos autoadaptativos em que propriedades emergentes são essenciais para a operação apropriada de todo o sistema. Nesses casos, a aproximação produzida pelo algoritmo selecionado às vezes diverge rapidamente do comportamento real do sistema natural, produzindo apenas resultados sem sentido, desde o início da simulação.

Por exemplo, a maioria dos modelos que alegam ter criado formas artificiais de vida utiliza combinações de várias técnicas algorítmicas, desde a programação orientada por objetos até a programação dirigida por processo, ou gramáticas interativas, na tentativa de imitar comportamentos humanos. De acordo com o cientista computacional evolucionário Peter J. Bentley, a estratégia contém uma falha essencial, porque

> não existe um método coerente para correlacionar os truques inventados por um programador com entidades biológicas. Dessa forma, essa abordagem resulta em modelos opacos e altamente insustentáveis, que se valem de metáfora subjetiva e pensamento esperançoso para prover relevância para a biologia.

Esses problemas não são limitados à biologia. O matemático Michael Berry usou um exemplo para ilustrar as dificuldades relacionadas à simulação de sistemas físicos, mesmo um tão simples, como jogo de bilhar. Calcular o que acontece durante o primeiro impacto de uma bola de bilhar é relativamente simples. Todavia, estimar o segundo impacto é bem mais complicado, porque temos que ser mais precisos na estimativa dos estados iniciais para obter uma previsão aceitável da trajetória da bola. As coisas ficam muito piores a partir daí. Por exemplo, para computar o nono impacto com uma grande precisão, você terá que levar em conta o efeito gravitacional gerado por alguém que está em pé ao lado da mesa. Se você acha que isso é ruim, espere até calcular o quinquagésimo impacto. Para isso, terá que levar em conta cada partícula existente no universo.

Outra forma interessante de ilustrar as limitações em prever o comportamento de sistemas complexos, particularmente os biológicos, é oferecida pela análise de uma abordagem computacional hoje muito popular, conhecida como *big data*. Nos últimos anos, todos temos sido bombardeados com a ideia de que, se pudéssemos construir grandes bancos de dados, contendo enormes quantidades de informações sobre um sistema/domínio particular, poderíamos, usando novos algoritmos, como aquele conhecido como *"machine learning"*, prever o comportamento de um sistema com grande acurácia. Como existe uma enorme literatura sobre essa abordagem, não tenho espaço suficiente nesta breve discussão para cobrir o assunto de maneira completa. Ainda assim, gostaria de apontar duas falhas aparentes da abordagem do *big data*: uma na previsão do resultado de uma eleição presidencial e a outra no modo de lidar com o desempenho de um time de beisebol.

Durante a eleição presidencial de 2016, nos Estados Unidos, dezenas de milhões de dólares foram gastos na criação de sistemas de *big data* que supostamente poderiam prever o vencedor do pleito mesmo antes de os votos terem sido depositados nas urnas (que não são digitais). Na altura em que milhões de pessoas tinham depositado o seu voto e as urnas haviam sido lacradas na costa leste dos Estados Unidos, várias empresas tradicionais da mídia americana, incluindo o jornal *The New York Times*, a CNN e as três maiores cadeias de TV do país, começaram a revelar as suas previsões, com base em seus sistemas de *big data*. De forma unânime, os sistemas apontavam para uma vitória avassaladora da candidata do Partido Democrata, Hillary Clinton. Como todos sabem, Donald Trump foi o vencedor das eleições, em uma das maiores "zebras" de toda a história das disputas presidenciais estadunidenses. A "comida de bola" da mídia americana na eleição de Trump foi ainda mais flagrante e humilhante que a famosa manchete, publicada na primeira página do jornal *Chicago Tribune*, no dia 3 de novembro de 1948 – "Dewey derrota Truman" –, que erroneamente proclamou que Thomas Dewey havia derrotado o presidente à época, Harry Truman, quando, na realidade, aconteceu o oposto.

Como todas as poderosas organizações de mídia e todos os milhões que elas investiram em *big data* produziram predições mais fora do prumo que aquelas feitas em 1948? Embora os detalhes não sejam conhecidos quando escrevo este capítulo, o ocorrido ilustra muito bem o problema central da abordagem baseada em *big data*: todas as previsões feitas por esses sistemas assumem que um evento reproduzirá o padrão estatístico dos eventos passados, aqueles que foram usados para construir os bancos de dados e os padrões de correlações derivados a partir dele. Previsões feitas por esses sistemas só podem ser de fato acuradas desde que eventos futuros não se comportem diferentemente daqueles que os precederam. Todavia, quando se lida com sistemas complexos dinâmicos, tão voláteis, as previsões derivadas de sistemas de *big data* podem se tornar de todo inúteis, uma vez que as variáveis relevantes podem ser ou não diferentes daquelas dos eventos passados ou podem interagir de uma forma totalmente distinta. Como a nossa própria experiência mostra, grupos sociais humanos preenchem com perfeição a definição de um sistema complexo altamente volátil. Por isso, não é razoável esperar que dado eleitorado se comportará como no passado, mesmo que seja um passado recente.

Nos Estados Unidos, a abordagem usada pelo *big data* ficou conhecida pelo grande público depois do sucesso do filme *O homem que mudou o jogo*, com Brad Pitt, em 2011. Baseado no livro de Michael Lewis, *Moneyball: o homem que mudou o jogo*, o filme conta a história da abordagem pouco ortodoxa usada por Billy Beane, o diretor-geral do time de beisebol Oakland Athletics, um time com baixo orçamento na milionária liga americana, para montar um time competitivo. Beane convenceu-se de que, sendo um time pequeno, para competir com os gigantes da *major league* – os Yankees de Nova York, os Red Sox de Boston e o meu time favorito, os Phillies da Filadélfia –, os A's tinham que desafiar os métodos tradicionais usados pelos times para identificar e contratar jogadores talentosos, de forma a conseguir maior impacto esportivo pelo menor preço possível. Para tanto, Billy Beane converteu-se em um seguidor de um método conhecido como *sabermetrics*, abordagem similar à do *big data*, criada pelo estatístico e escritor esportivo George William James. Este escritor se valeu de uma análise das estatísticas do beisebol para tentar prever quem poderiam ser os melhores jogadores desconhecidos para um time com baixo orçamento recrutar. Ignorando totalmente os conselhos e as recomendações dos seus experientes olheiros, Beane usou as principais conclusões do *Moneyball*, que propunha que apenas duas estatísticas usadas para medir o desempenho ofensivo dos jogadores deveriam servir para criar um time capaz de marcar muitos pontos.

A despeito da resistência causada na própria organização, sob a tutela de Beane e a sua fé cega na *sabermetrics*, o Oakland A's alcançou os *playoffs* da *major league* em dois anos consecutivos (2002 e 2003). Dado o aparente sucesso da metodologia, outros times copiaram a estratégia de Beane. Podemos imaginar quanto dinheiro – provavelmente centenas de milhões de dólares – foi investido na metodologia, uma vez que os maiores times se convenceram de que, no século XXI, jogos e mesmo o campeonato poderiam ser vencidos usando apenas a estatística, antes mesmo de os jogos serem jogados.

Curiosamente, o que é sempre omitido na discussão sobre o sucesso dessa forma de gerenciar o recrutamento de atletas profissionais é: como qualquer outro esporte coletivo, o beisebol não se resume ao poder ofensivo do time. Acima de tudo, a qualidade dos arremessadores (ou *pitchers*) é essencial para ganhar títulos, e como um artigo no jornal inglês *The Guardian*, publicado em 2017, demonstrou categoricamente, os Oakland A's de Billy Beane tinham grandes arremessadores à disposição durante aquelas duas temporadas em que o time chegou aos *playoffs*. Uma boa defesa também é fundamental, bem como a tática e a estratégia empregadas, a inteligência dos jogadores e a "química" do time. Além disso, outros inúmeros fatores humanos – que vão além da performance em campo – determinam se um time formado por jogadores talentosos irá "dar liga" e se transformar em campeão. Eu menciono isso porque pouca ênfase foi dada para realmente medir se existe uma relação causal entre os parâmetros estatísticos da *sabermetrics* e a capacidade de ganhar campeonatos de beisebol, o que imagino (talvez inocentemente) ser o objetivo central de todos os times – embora alguns proprietários dos times de beisebol americano provavelmente só se interessem em ganhar dinheiro.

Os Oakland A's se saíram muito bem contra adversários poderosos, mas não ganharam nada substancial. Da mesma forma, outros times que investiram fortunas para implementar a mesma metodologia não ganharam o campeonato. Com uma exceção: os New York Mets, que adotaram a abordagem de Beane uma década depois e conseguiram levar a cobiçada Série Mundial de 2015. Ainda assim, não existe prova científica de que essa ou qualquer outra competição tenha sido ganha como consequência do uso do método do *Moneyball*. Uma vez mais, parece-me que a expectativa do resultado esperado se transformou em uma abstração dominante, em um poderoso *Zeitgeist*, que passou a monopolizar a mente daqueles que adotaram a metodologia, tornando-se mais importante que qualquer resultado esportivo tangível.

Se uma eleição presidencial e um jogo de beisebol são processos complicados para simular e prever o resultado final, as dificuldades são muito maiores quando lidamos com a dinâmica de um cérebro com 86 bilhões de neurônios. Na realidade, é trivial ver que, ao considerarmos a simulação de um cérebro animal completo – que requer uma coerência perfeita, não só de bilhões de neurônios, mas também dos seus múltiplos níveis de organização para realizar suas funções apropriadamente –, a possibilidade de nossa simulação divergir é altíssima.

A matemática também cria problemas para se simular um cérebro. A primeira questão a ser superada é a computabilidade. Esta define se é possível traduzir uma formulação matemática em um algoritmo efetivo a rodar em uma máquina digital. Em outras palavras, a computabilidade está relacionada à possibilidade de gerar uma representação alfanumérica, não a qualquer propriedade física do sistema. Aqui, nós nos deparamos com um obstáculo razoável: a maioria das formulações matemáticas que descrevem fenômenos naturais não pode ser reduzida a um algoritmo. Por definição, essas formulações são definidas como "funções não computáveis". Por exemplo, não existe um procedimento genérico que permita realizar uma depuração (*debugging*) sistemática de um computador digital: não há expressão algorítmica ou função F a detectar, de forma antecipada, possíveis falhas que comprometam o funcionamento do computador. Independentemente do que façamos, um computador sempre poderá exibir falhas inesperadas que não são previstas quando o computador e o seu software foram manufaturados. A função F é, portanto, classificada como não computável. Como tal, ela não passa no teste da conjectura Church-Turing que define quais tipos de funções podem ou não ser simulados por uma máquina de Turing.

Também se sabe que não existe um programa que funcione como antivírus universal para computadores. A razão é a função F, cujo *output* define todos os programas que não contêm um vírus, não ser computável. O mesmo tipo de raciocínio explica por que não existe um sistema de encriptação universal para máquinas digitais nem algoritmos para definir se um sistema é caótico ou não.

Neste livro, proponho que o cérebro dos seres vivos gera, ainda, comportamentos que só podem ser descritos na íntegra por funções não computáveis. Dessa forma, como uma máquina de Turing não pode lidar com esse tipo de função, não existe a possibilidade de simular um cérebro de forma integral em um computador digital.

Os exemplos anteriores representam apenas uma pequena amostragem da grande frequência de funções não computacionais nas representações matemáticas dos fenômenos naturais. Esses exemplos são consequências ou variações do famoso problema da parada (*halting problem* em inglês), uma versão do que é conhecido com o "décimo problema de David Hilbert". O problema da parada pergunta se existe um algoritmo geral que nos permite prever se um programa de computador irá parar em um ponto ou rodar para sempre. Alan Turing demonstrou que não existe um algoritmo assim. De acordo com essa conclusão, o problema da parada de Hilbert transformou-se no modelo primordial das funções não computáveis.

Basicamente, o problema da parada indica que não existe forma de decidir antes quais funções são computáveis e quais não são. Isso explica também por que a conjectura Church-Turing permanece apenas uma hipótese, isto é, ela nunca poderá ser demonstrada ou refutada por uma máquina de Turing. Na realidade, quase nenhuma das funções pode ser computada por uma máquina de Turing, incluindo a maioria das funções que deveriam ser usadas para descrever o mundo natural, e, na minha visão, aquelas geradas por cérebros elaborados.

Tendo conhecimento das limitações inerentes da sua máquina computacional, em sua tese de doutorado, publicada em 1939, Alan Turing tentou superá-las ao conceber o que ele chamou de "máquina do oráculo". O objetivo dela seria introduzir uma ferramenta do mundo real para reagir àquilo que "não poderia ser feito mecanicamente" por uma máquina de Turing. Assim, toda vez que uma máquina de Turing encontrasse um obstáculo insolúvel e parasse de operar, a máquina do oráculo seria chamada a intervir. Quando o oráculo respondesse com uma solução, a máquina de Turing poderia recomeçar a sua operação. Turing demonstrou que algumas máquinas do oráculo são mais poderosas que as de Turing. Assim, concluiu: "Não vamos discutir mais a fundo a natureza deste oráculo, somente vamos dizer que ele não pode ser uma máquina".

A afirmação de Turing é assombrosa, porque revela que, no alvorecer da era da informação digital, um dos seus fundadores já havia se dado conta dos limites dos computadores. Talvez ainda mais chocante seja a confirmação de que, naquele momento, Turing havia convencido a si mesmo de que o poder computacional do cérebro humano superava, e muito, o da sua criação. Como ele mesmo escreveu,

> a classe de problemas capazes de ser solucionados por uma máquina pode ser definida de forma muito específica. Trata-se dos problemas que podem ser solucionados pelo trabalho de operadores humanos, trabalhando com regras fixas, e sem nenhum entendimento.

Ao chegar a essa conclusão, Turing inadvertidamente criou o conceito dos hipercomputadores.

Devo enfatizar, todavia, que ele nunca sugeriu que algo como o oráculo pudesse ser construído, mas repetidamente insistiu que a intuição (propriedade humana não computável) está presente em toda forma de pensamento matemático. Ao dizer isso, Turing basicamente corroborou com as conclusões de Gödel, expressa nos seus teoremas. Para Gödel, quando uma prova matemática é formalizada, a intuição manifesta-se de maneira explícita nos passos em que o matemático vê a verdade como uma afirmação impossível de ser provada formalmente. Turing, todavia, não ofereceu nenhuma sugestão sobre o que, em sua opinião, o cérebro faz no momento em que a intuição matemática se manifesta.

Muitas décadas depois da introdução da máquina do oráculo, Gregory Chaitin, trabalhando com seus colegas brasileiros, Newton Carneiro Affonso da Costa e Francisco Antônio Dória, propôs algo similar ao dizer que "dispositivos analógicos, não sistemas digitais, podem decidir algumas sentenças aritméticas não decididas". Isso aconteceria porque sistemas computacionais analógicos computam fisicamente; em outras palavras, computam obedecendo às leis da física, em vez de aplicar um algoritmo predefinido dentro de um sistema formal. Ou seja, nos computadores analógicos não existe separação entre hardware e software, porque a configuração do hardware do sistema se encarrega de realizar toda a computação e ao mesmo tempo pode modificar a si mesma. Essa descrição corresponde exatamente à definição aqui já proposta para um sistema integrado.

De acordo com Chaitin, Costa e Dória, dispositivos analógicos serviriam como base dos hipercomputadores, ou "máquinas do mundo real que decidem questões que não podem ser solucionadas por uma máquina de Turing". Esses autores sugerem, ainda, que a possibilidade de efetivamente construir um protótipo de um hipercomputador, acoplando uma máquina de Turing a um dispositivo analógico, é só questão de desenvolver a tecnologia apropriada – ou seja, depende apenas de uma solução de engenharia. Agora você entende por que o meu laboratório vem testando ativamente a possibilidade de construir um dispositivo computacional analógico-digital recursivo, o reator neuromagnético, inspirado nos princípios da teoria do cérebro relativístico para testar algumas das minhas ideias.

Nesse contexto teórico, não é surpresa que sistemas integrados, como o cérebro, superem as limitações computacionais de uma máquina de Turing. Nesse sentido, a própria existência de cérebros animais pode ser usada para refutar a versão física da conjectura de Church-Turing. Por esse ponto de vista, o cérebro humano qualifica-se como hipercomputador. Pela mesma moeda, ao ligar cérebros a máquinas, por meio das interfaces cérebro-máquina, criamos outro tipo de hipercomputador. Da mesma forma, quando múltiplos cérebros são interconectados, obtém-se uma versão de um hipercomputador distribuído (Capítulo 7).

Existem outros fatores matemáticos que influenciam a computabilidade de sistemas biológicos. Por exemplo, no começo do século XX, o matemático francês Henri Poincaré demonstrou que sistemas dinâmicos complexos

– entidades em que elementos individuais são eles mesmos elementos complexos interativos – não podem ser descritos como funções passíveis de ser integradas, isto é, funções derivativas que podem ser integradas, permitindo-nos ser descobrir as relações entre as próprias quantidades. Os sistemas dinâmicos são caracterizados em termos da soma da energia cinética das partículas (elementos) e pela energia potencial resultante da interação das partículas (elementos). Na realidade, o segundo termo é responsável pela perda de linearidade e integrabilidade dessas funções. Poincaré não apenas demonstrou a não integrabilidade dessas funções, como ofereceu uma explicação para esta impossibilidade: as ressonâncias (interações) entre os graus de liberdade (número de partículas).

Isso significa que a riqueza dos comportamentos dinâmicos de sistemas complexos não pode ser capturada por um conjunto de equações diferenciais simples e solucionáveis, porque as interações levarão, na maioria dos casos, ao aparecimento de termos infinitos. Esses termos infinitos são responsáveis pelos pesadelos diários de matemáticos profissionais, uma vez que são a causa de uma série de problemas nas suas tentativas de solucionar equações analiticamente.

Conforme observamos, o cérebro animal é formado por neurônios intrinsecamente complexos e autoadaptativos (plásticos), cuja conectividade elaborada e integração funcional com bilhões de outros neurônios adicionam muitos outros níveis de complexidade para todo o sistema nervoso central. Além disso, o comportamento de cada neurônio, considerando-se os vários níveis observacionais de dado circuito neural, não pode ser entendido exceto com referência ao padrão global de atividade cerebral. Assim, mesmo o cérebro animal mais rudimentar preenche os critérios de Poincaré para ser considerado um sistema complexo dinâmico com ressonâncias entre os diferentes níveis de organização ou elementos biológicos que o compõem (neurônios, glia etc.). Nesse contexto, é altamente improvável que se encontre uma descrição matemática integrável para descrever a operação de um cérebro animal no seu todo.

Além disso, se assumirmos que computações vitais do cérebro, sobretudo as responsáveis por propriedades emergentes, ocorrem, mesmo que parcialmente, no domínio analógico, como a teoria do cérebro relativístico propõe, segue-se que um processo de digitalização não será capaz de aproximar o comportamento fisiológico do cérebro em um momento preciso do tempo nem de prever como ele evoluiria em um futuro imediato.

Poincaré mostrou, ainda, que sistemas dinâmicos complexos chegam a ser extremamente sensíveis às condições iniciais e sujeitos a instabilidades e comportamentos imprevisíveis – fenômeno conhecido como "caos". Em outras palavras, para realizar uma predição sobre o comportamento de um sistema analógico de Poincaré que varia no tempo, usando uma máquina digital, precisaríamos conhecer, com precisão, o estado inicial do sistema e obter uma função computacional integrável. Nenhuma dessas precondições é atingida quando nos referimos ao cérebro.

Assim, o problema crítico e insolúvel com que interessados em reproduzir comportamentos produzidos por um cérebro animal, por meio de uma simulação digital, se deparam é que, dada a natureza inerentemente dinâmica dos sistemas nervosos, é impossível prever as condições iniciais de bilhões de neurônios, considerando os diferentes níveis organizacionais do sistema; a cada momento que uma medida é feita, as condições iniciais serão diferentes. Além disso, a maioria das equações selecionadas para descrever o comportamento dinâmico do cérebro não é uma função integrável.

Em vista das limitações, simulações típicas em uma máquina de Turing, mesmo se esta for um supercomputador moderno com milhares de microprocessadores, não serão capazes de revelar atributos fisiológicos relevantes para um cérebro real. Em essência, tais simulações divergirão do comportamento dinâmico de cérebros em pleno funcionamento tão logo elas se iniciem, significando que os seus resultados serão inúteis para o objetivo central de aprender algo sobre a maneira como opera o cérebro animal.

Simular o cérebro em máquinas digitais também envolve lidar com problemas não tratáveis. A tratabilidade de uma computação digital refere-se ao número de ciclos computacionais necessários para concluir um cálculo, bem como a outras limitações físicas – por exemplo, disponibilidade de memória ou recursos energéticos. Assim, mesmo que se encontre uma representação algorítmica de uma função matemática que descreve um fenômeno natural, o tempo computacional requerido para rodar a simulação com esse algoritmo em particular pode não ser viável em termos práticos, isto é, ela pode demandar um tempo mais longo que a vida do universo inteiro para produzir uma solução. Esse tipo de problema é conhecido como não tratável. Uma vez que uma UTM é capaz de solucionar qualquer problema que outra máquina de Turing resolva, o simples aumento de poder ou de velocidade computacional não transforma um problema não tratável em tratável. Essas manobras apenas produzem uma aproximação melhor em um dado momento no tempo.

O exame de um problema não tratável pode facilitar o entendimento das limitações computacionais causadas por ele. Proteínas complexas embutidas na membrana de neurônios, ou "canais iônicos", são fundamentais para a transmissão de informação entre células cerebrais. Para produzir os seus efeitos, as proteínas devem assumir uma configuração tridimensional específica e ótima. Essa estrutura tridimensional final é produzida por meio de um processo conhecido como "dobradura proteica", que inclui expansão, dobra, torção e flexão de uma cadeia de aminoácidos que define a estrutura primária da proteína. Cada neurônio individual tem o potencial de expressar algo em torno de 20 mil genes geradores de proteínas, bem como dezenas de milhares de RNA sem função de codificação. Assim, as proteínas fazem parte do sistema integrado que gera informação no cérebro. Considere uma proteína simples formada por uma sequência linear de cem aminoácidos e suponha que cada um deles pode assumir apenas três diferentes conformações. De acordo com o modelo de energia mínimo, usado em geral para estimar a estrutura tridimensional de proteínas, precisaríamos examinar algo em torno de 3^{100} ou 10^{47} estados possíveis para alcançar um resultado final. Dado que o número de soluções do modelo matemático que tenta calcular a configuração ótima de uma proteína cresce exponencialmente com o número de aminoácidos e com o número de conformações espaciais consideradas, esse sistema configura um problema não tratável. Assim, se a nossa simulação fizesse com que uma proteína tivesse que achar o seu estado ótimo por meio de uma busca aleatória, evitando cada um dos estados possíveis em um picossegundo, o tempo da busca seria mais que a idade atual do universo.

A dobradura proteica é um problema de otimização, isto é, envolve a busca por uma solução ótima em um universo de soluções possíveis. Tais soluções são expressas usualmente como máximos ou mínimos de uma função matemática. A maioria desses problemas de otimização cai na categoria de problemas intratáveis, conhecidos como "problemas NP duros". Problemas NP são problemas para os quais as soluções podem ser checadas somente em tempo polinomial por uma máquina de Turing determinística. Todos os problemas que cérebros complexos como os nossos são muito bons em solucionar caem nessa mesma categoria. Em simulações, os problemas em geral são abordados com algoritmos de aproximação, que podem levar a soluções quase ótimas. No caso de uma simulação do cérebro, todavia, uma solução aproximada teria que ser encontrada simultaneamente em diferentes níveis organizacionais (quântico, atômico, molecular, farmacológico, celular, circuitos), fazendo com que a tarefa ficasse ainda mais complicada, dado que otimizar um sistema adaptativo complexo com frequência implica a subotimização dos seus subsistemas. Por exemplo, ao limitar os níveis de organização de uma simulação de um sistema integrado, como em geral é feito durante uma simulação grosseira de um cérebro, teríamos grande chance de omitir fenômenos cruciais, ocorrendo em níveis inferiores do sistema integrado, que podem desempenhar papel crítico na otimização de todo o sistema.

O exemplo da dobradura proteica ilustra bem o que Turing pretendia com o uso de um "oráculo do mundo real": na vida real, uma proteína soluciona o problema de encontrar sua configuração tridimensional em milissegundos, enquanto uma simulação computacional pode levar mais que a idade do universo para alcançar a mesma solução. A diferença é que o "hardware" da proteína computa a solução ótima e "encontra" a configuração tridimensional adequada simplesmente seguindo as leis da física em um domínio analógico. Ao mesmo tempo, uma máquina de Turing teria que executar em série os passos de um algoritmo criado para solucionar esse mesmo problema em um dispositivo digital. Organismos no mundo real, como sistemas integrados, podem lidar com a sua complexidade de forma analógica, por meio de um processo impossível de ser capturado de forma apropriada por um sistema formal e, portanto, também por algoritmos computacionais.

Usualmente, algoritmos tratáveis são criados como aproximações para permitir a estimação de estados futuros de um sistema natural, dadas algumas condições iniciais. Assim é, por exemplo, como os meteorologistas tentam modelar o tempo e fazer predições cujas probabilidades de realização são conhecidas por decair rapidamente. No caso de uma simulação do cérebro, o problema da tratabilidade é ainda mais crítico, por causa do número elevado de neurônios interconectados interagindo em uma sequência precisa de tempo. Dado que um computador tem um relógio que roda de acordo com uma função passo a passo, o problema de atualizar, em uma ordem precisa e dentro do intervalo correto, bilhões ou mesmo trilhões de parâmetros que definem o estado corrente do cérebro torna-se intratável. Dessa forma, as tentativas de prever o próximo estado do cérebro, a partir de condições iniciais escolhidas de forma arbitrária, produzirão uma aproximação pobre. Consequentemente, nenhuma predição significativa das propriedades emergentes cerebrais pode ser obtida no longo prazo, nem mesmo em escalas temporais da ordem de milissegundos.

De novo, se aceitamos a noção de que existe algum aspecto fundamental da função cerebral mediado por campos analógicos, como os campos eletromagnéticos neurais propostos pela teoria do cérebro relativístico, uma máquina digital não seria capaz de simular essas funções cerebrais, muito menos de atualizar todo o espaço de parâmetros (bilhões ou trilhões de operações) em uma sincronia perfeita, durante o mesmo ciclo do relógio de um computador. Em outras palavras, uma simulação digital não geraria propriedades cerebrais emergentes.

A esta altura, é importante observar que, para simular um cérebro inteiro – isto é, sistema dissipativo, formado por um número elevado de elementos interconectados, que interage tanto com o corpo do animal que o hospeda como com o ambiente exterior –, qualquer velocidade de processamento que não reproduza o tempo real das interações cerebrais deveria ser desqualificada. Uma simulação cerebral rodando a uma velocidade – mesmo que seja a velocidade de um supercomputador – inferior à do ambiente real ao qual esse cérebro está conectado, e com o qual ele está em constante interação, não produzirá nada semelhante àquilo que um cérebro que evoluiu naturalmente produziria ou sentiria. Por exemplo, um cérebro animal real deve detectar, em uma fração de segundo, se existe risco de ataque por um predador. Então, se o nosso "cérebro simulado" reage com velocidade muito menor, essa simulação não será de uso prático para o entendimento de como o cérebro lida com o fenômeno natural que define a interação predador-presa. Essas observações aplicam-se a um amplo espectro de cérebros na escala filogenética, desde os sistemas nervosos rudimentares de animais invertebrados, como o nematódeo *Caenorhabditis elegans*, que contém apenas 302 neurônios, até o cérebro humano, formado por 86 bilhões de neurônios.

★★★

Todas as objeções levantadas neste capítulo são bem conhecidas e basicamente difíceis de ignorar, mesmo entre os praticantes do campo da inteligência artificial. Todavia, alguns membros dessa comunidade continuam a insistir na venda da utopia de que máquinas digitais não só serão capazes de simular a inteligência humana, como, eventualmente, poderão superar a todos nós no nosso próprio jogo, o jogo de pensar, se comportar e viver como seres humanos.

Durante as minhas aulas, costumo utilizar um diálogo hipotético entre um neurocientista (N) e um pesquisador da área de inteligência artificial (PIA) para ilustrar o abismo que separa aqueles que, como eu, acreditam ser bem-vindo o uso da tecnologia para promover o alívio do sofrimento e a melhoria da qualidade de vida das pessoas e aqueles que trabalham apenas com o objetivo de concretizar a distopia de Kurzweil. O diálogo se daria mais ou menos assim:

N: *Como você programaria o conceito de beleza em uma máquina de Turing?*
PIA: *Defina beleza para mim, e eu posso programá-la.*
N: *Esse é o problema central. Eu não posso definir beleza – você também não pode, tampouco outro ser humano que jamais viveu e experimentou a sensação de deparar-se com a beleza.*
PIA: *Se você não pode defini-la de forma precisa, eu não posso programá-la. Na realidade, se você não pode definir algo precisamente, ela simplesmente não interessa. Ela não existe. E, como cientista computacional, eu não me importo com ela.*
N: *O que você quer dizer com ela não existe? Ou que com o fato de você não se importa com ela? Muito provavelmente existem tantas definições de beleza quanto o número de cérebros humanos que existiram ao longo da história da nossa espécie. Cada um de nós, devido às condições diferentes da vida, tem uma definição peculiar de beleza. Não podemos descrevê-la precisamente, mas sabemos quando a encontramos, quando a vemos, quando a tocamos ou a ouvimos. A sua mãe ou a sua filha são bonitas?*
PIA: *Sim, elas são.*
N: *E você pode definir por quê?*
PIA: *Não, eu não posso. Não posso programar a minha experiência subjetiva e pessoal no meu computador. Portanto, ela não existe nem significa nada do ponto de vista científico. Eu sou um materialista. Eu não posso definir precisamente, de forma quantitativa ou procedural, o que a minha experiência de beleza é; ela simplesmente não existe no meu mundo materialista e científico.*
N: *Por acaso isso quer dizer que, como você não pode quantificar a sensação de encontrar uma face bela – a face da sua mãe ou da sua filha –, essa sensação é irrelevante?*
PIA: *Basicamente, sim! Você entendeu o meu ponto de vista.*

Assustador como esse diálogo pode soar, milhões de pessoas vivendo nesses tempos modernos já decidiram que qualquer coisa que uma máquina de Turing não pode fazer não é relevante – nem para a ciência, nem para a vida delas, nem para a humanidade como um todo. Eu temo, portanto, que o meu hipotético pesquisador da inteligência artificial não seja o único a expressar esse tipo de preconceito. Muito pior que chegar a essa conclusão, ultimamente tenho ficado cada vez mais alarmado com a possibilidade de que, ao estabelecermos uma relação tão próxima, bem como uma dependência tão profunda, para com os sistemas digitais, o nosso cérebro de primatas altamente adaptativos seja exposto ao grave risco de emular como essas máquinas funcionam. Essa é a razão pela qual acredito que haja uma crescente possibilidade de que, se essa tendência continuar, o Verdadeiro Criador de Tudo decaia progressivamente e se transforme em uma máquina digital biológica, condenando toda a nossa espécie a viver como zumbis de inteligência não mais que mediana.

CAPÍTULO 7
BRAINETS: SINCRONIZANDO CÉREBROS PARA GERAR COMPORTAMENTOS SOCIAIS

Ninguém sabia de fato o que esperar do longo dia que estava por vir – nem os neurocientistas, nem os voluntários que haviam se congregado no nosso laboratório em Durham, na Carolina do Norte. Todavia, mesmo que não pudéssemos antecipar o resultado do experimento que havia sido planejado semanas antes, todos sabíamos que o dia prometia ser especial. Para começar, o nosso time científico teria que lidar simultaneamente com três voluntários, cada um colocado em uma sala individual, à prova de som, no nosso laboratório, sem a possibilidade de se comunicar com os outros dois participantes. Na realidade, nenhum dos participantes sabia da existência dos outros dois. Todavia, para se dar bem no novo experimento, os três pioneiros teriam que achar uma forma de colaborar intimamente entre si, de um jeito que nem eles nem ninguém havia conseguido.

Jamais!

Para deixar as coisas realmente interessantes, nunca antecipamos instruções ou pistas aos participantes sobre o tipo de interação social que seria requerida deles. A única coisa revelada durante a uma hora passada no laboratório era que a tarefa envolvia controlar os movimentos de um braço virtual, semelhante aos seus membros biológicos, projetado na tela do computador à frente de cada um deles. Uma vez que conseguissem mover o braço virtual, o seu trabalho era fazer com que a mão virtual alcançasse o centro de uma esfera que, no começo de cada tentativa, aparecia em localidades aleatórias da tela do computador. Toda vez que completassem essa missão corretamente, os voluntários poderiam desfrutar de uma recompensa saborosa, escolhida a dedo para satisfazê-los plenamente.

Soa simples, não? Todavia, o experimento era um pouco mais complicado. Primeiro, embora cada participante tivesse à disposição apenas uma representação bidimensional do braço virtual, na realidade essa ferramenta tinha que ser movida em um espaço virtual tridimensional para alcançar o alvo. Além disso, os participantes não podiam produzir nenhum movimento do próprio corpo para guiar o braço virtual. De fato, nem mesmo um *joystick* ou qualquer outro dispositivo eletrônico ou mecânico havia sido disponibilizado. Eles só conseguiriam realizar a tarefa aprendendo a usar uma estratégia diferente: literalmente, teriam que usar a atividade elétrica coletiva produzida pelos três cérebros para gerar o movimento do braço virtual.

Essa façanha só seria factível porque, nas semanas anteriores, os voluntários haviam aprendido a interagir com uma nova interface cérebro-máquina, criada em nosso laboratório exclusivamente para esse tipo de experimento. Porém, o experimento que estávamos prestes a rodar naquela tarde introduzia uma inovação substancial no paradigma clássico. Como vimos, a configuração original de uma interface cérebro-máquina permite que um operador aprenda, por meio de uma variedade de sinais de feedback, a controlar os movimentos de um único dispositivo artificial. Por muitos anos, cada um dos nossos voluntários havia interagido com diferentes interfaces cérebro-máquina criadas em nosso laboratório. Cada um deles poderia ser considerado um especialista renomado na operação desses sistemas; afinal, eles haviam participado de um número elevado de estudos na área, originando uma lista extensa de publicações científicas. No entanto, nesse dia eles tentariam operar, pela primeira vez, o que havíamos apelidado de "interface cérebro-máquina compartilhada"; três cérebros distintos conectados a um computador, de sorte que os operadores pudessem mover um braço virtual usando a atividade elétrica conjunta produzida simultaneamente pelas suas três mentes.

Anos antes, eu havia batizado a interface cérebro-máquina compartilhada com o nome de *Brainet*. Desde o início criei esse conceito apenas para ser usado de forma teórica, pensando que seriam necessários muitos anos para ele ser testado em um experimento real. Como acontece em geral em qualquer campo experimental científico, uma série de descobertas e eventos inesperados nos permitiu, em meados de 2013, transformar a ideia em realidade. A primeira versão da *Brainet* foi testada em experimentos de um dos meus mais brilhantes estudantes de pós-doutorado, o neurocientista português Miguel Pais-Vieira. Em uma série de estudos pioneiros, Miguel foi capaz de demonstrar que pares de ratos, cujos cérebros haviam sido conectados diretamente, aprendiam a trocar simples mensagens elétricas binárias (Figura 7.1). Nos experimentos, um rato, o "codificador", realizava um comportamento, como apertar uma de duas possíveis alavancas para conseguir uma recompensa. Enquanto isso, um segundo rato, o "decodificador", recebia, diretamente no seu córtex motor ou somestésico, uma breve mensagem elétrica, gerada pelo cérebro do rato "codificador" que descrevia o comportamento (apertar uma das alavancas) que este último havia realizado. A mensagem elétrica informava o rato decodificador o que ele teria que fazer – isto é, como imitar a ação do rato codificador – para receber a mesma recompensa que o seu colega havia ganhado ao apertar a alavanca correta. Em aproximadamente 70% das tentativas, foi o que aconteceu: o rato decodificador decidiu que alavanca apertar baseando-se em uma instrução elétrica que se originava no córtex motor de outro animal (o rato codificador).

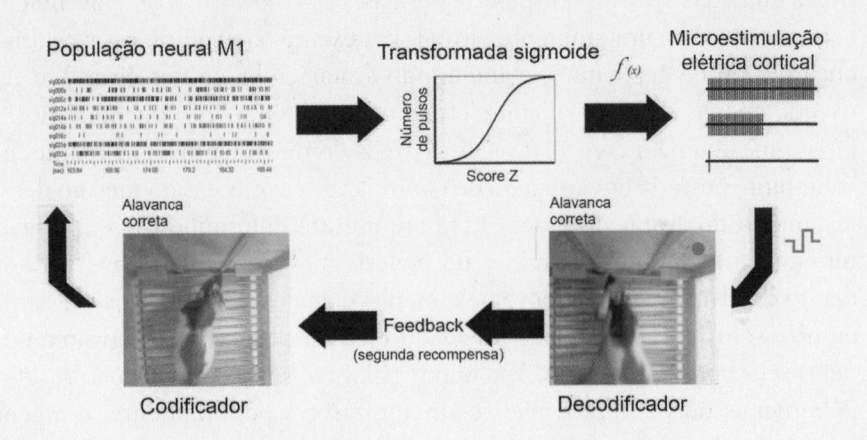

Figura 7.1 Esquema descrevendo o aparato experimental de uma interface cérebro-cérebro para transferência de sinais motores corticais entre dois animais. As flechas representam o fluxo de informação entre os dois ratos envolvidos no experimento (um codificador e um decodificador) (Originalmente publicado por M. Pais-Vieira, M. Lebedev, C. Kunicki, J. Wang, and M. A. Nicolelis, "A Brain-to-Brain Interface for Real-Time Sharing of Sensorimotor Information", *Scientific Reports* 3 [2013]: 1319.)

Para adicionar um pouco de ousadia a essa primeira demonstração de comunicação cérebro-cérebro direta, Miguel Pais-Vieira realizou experimentos em que o rato codificador estava localizado no Instituto Internacional de Neurociências Edmond e Lily Safra, que criei na cidade de Natal, em 2005, enquanto o rato decodificador estava no meu laboratório da Universidade Duke, nos Estados Unidos. Usando uma conexão comum de internet, essa comunicação entre um par de cérebros de roedores operou como se os dois animais estivessem lado a lado, colaborando em um mesmo ambiente, não a milhares de quilômetros um do outro.

Em 2014, decidi testar outra configuração de *Brainet*, desta vez usando uma interface cérebro-máquina compartilhada. Para liderar o novo projeto, recrutei Arjun Ramakrishnan, um brilhante jovem neurocientista indiano, natural da cidade de Bangalore, que havia se unido ao meu laboratório em 2012. Uma vez que os objetivos gerais do novo experimento foram definidos, Arjun e eu começamos a detalhar os componentes específicos que fariam parte da primeira interface cérebro-máquina compartilhada para controle motor. Para começar, diferentemente da abordagem de Miguel Pais-Vieira, que requeria uma conexão cérebro-cérebro direta, decidimos utilizar um computador para misturar a atividade elétrica gerada simultaneamente por três cérebros individuais. Nesse arranjo particular, o Brainet-B3, cada um dos três participantes seria capaz de controlar duas das três dimensões requeridas para mover o avatar de braço corretamente em um ambiente virtual. Por exemplo, o voluntário 1 estaria encarregado de gerar um movimento do avatar de braço nos eixos X e Y, usando apenas a sua atividade elétrica cerebral, enquanto o voluntário 2 faria o mesmo para controlar os eixos Y e Z do movimento. Finalmente, o voluntário 3 estaria encarregado de controlar os eixos X e Z do mesmo deslocamento do avatar de braço. Essa arquitetura determinou que a única forma pela qual a nossa Brainet-B3 poderia mover o braço virtual para o centro do alvo esférico seria se pelo menos dois dos três participantes sincronizassem perfeitamente a atividade elétrica produzida coletivamente pelos seus córtices motores. Em outras palavras, se os córtices motores de pelo menos dois cérebros não se sincronizassem perfeitamente, o braço virtual não se moveria. Caso eles se sincronizassem, porém, os modelos matemáticos, responsáveis por converter a atividade cerebral conjunta dos voluntários em comandos motores, seriam capazes de gerar um sinal tridimensional apto a mover o braço virtual em direção ao alvo. Tudo isso teria que acontecer enquanto cada um dos participantes continuava a ignorar a presença dos outros dois voluntários. Para checar a acurácia do seu trabalho mental, cada participante receberia um feedback visual no monitor do computador à frente, descrevendo os movimentos do braço virtual nas duas dimensões controladas pelo seu cérebro. Finalmente, em cada tentativa dessa tarefa, se o braço virtual interceptasse o alvo em um intervalo determinado, todos os participantes receberiam uma recompensa muito apreciada: um gole do seu suco de frutas favorito.

Usando essa regra bem simples, passamos a treinar três voluntários a operar esta nova *Brainet*. Conforme esperado, eles facilmente desempenharam a tarefa individual que cabia a cada um deles, ou seja, controlar os movimentos bidimensionais do braço virtual. Todavia, na maioria das tentativas o cérebro dos três participantes não estava em sincronia. Consequentemente, eles não conseguiram produzir movimentos tridimensionais do braço virtual. Resultado: nenhum deles recebeu suco como recompensa.

Como se pode deduzir, ninguém se sentiu satisfeito com esse cenário, nem os participantes, nem nós. Contudo, durante as primeiras sessões, de repente, dois ou todos os três voluntários conseguiram, esporadicamente, atingir uma perfeita sincronização dos seus córtices motores e, como resultado imediato, o braço virtual foi movido em 3-D rumo ao alvo.

Depois de três semanas observando essa dança mental dinâmica, espontaneamente buscando o ponto certo de sincronia dos três cérebros envolvidos na tarefa, notamos que as coisas pareciam próximas de um momento Eureka. Com o progressivo acúmulo de sessões realizadas, o número de tentativas nos quais dois ou mesmo os três cérebros tinham atingido breves sincronias corticais motoras começou a aumentar, lenta e consistentemente. Quando esses períodos de sucesso ocorriam, os três pioneiros experimentavam o verdadeiro gosto da vitória científica!

Três semanas depois que o primeiro experimento com a Brainet-B3 foi realizado, iniciamos mais uma tarde de teste. À medida que os três voluntários decidiram se empenhar, inicialmente tudo parecia muito familiar – uma forma educada de dizer que nada estava funcionando. Então, de repente, tudo mudou: por todo o laboratório, ouvia-se uma música metálica, em alto e bom som: o ritmo em cadência da batida contínua de três valvas solenoides, uma por sala, sinalizando a entrega sincronizada da recompensa líquida para os nossos três voluntários. Claramente, era o som que indicava o sucesso da nossa tríade. À medida que os sinais dessa sincronia de solenoides aumentaram e se transformaram em um ruído quase contínuo, todos os presentes no laboratório se deram conta de que um feito inédito e espetacular transcorria diante dos seus olhos (e ouvidos): os córtices motores da nossa Brainet-B3 haviam finalmente aprendido a entrar em sincronia e trabalhar em conjunto, como se fizessem parte de um único cérebro, em perfeita harmonia temporal. De fato, no fim daquele dia, quase 80% das tentativas feitas pelos três participantes resultou em uma sincronia perfeita dos seus cérebros. Mesmo localizados em três crânios distintos, mesmo sem estarem conectados de forma alguma, esses cérebros agora contribuíam para o funcionamento síncrono de um único computador orgânico, distribuindo em três salas diferentes, valendo-se da mistura dos sinais elétricos produzidos por 775 neurônios individuais, com o objetivo de gerar um programa motor capaz de mover um braço virtual em direção a um alvo.

Se a demonstração de uma interface cérebro-máquina no meu laboratório vinte anos atrás causou verdadeiro alvoroço na comunidade neurocientífica, criando todo um novo campo de pesquisa, o que aconteceria depois da primeira demonstração de que múltiplos cérebros poderiam sincronizar as suas tempestades elétricas para atingir um objetivo motor comum? Não fazíamos a menor ideia da resposta a essa pergunta em 2015. Tudo o que queríamos fazer naquele momento era mergulhar nos terabytes de dados coletados durante aquelas três semanas e ver o que havia realmente acontecido durante o tempo necessário para que aqueles três voluntários aprendessem a colaborar mentalmente a gerar um movimento coerente em três dimensões. No fim dessa análise, que levou meses, uma enorme variedade de resultados neurofisiológicos e comportamentais esclareceu o que havia acontecido durante aqueles onze dias nos quais a nossa Brainet-B3 se tornara operacional. Primeiro, confirmamos que, como um todo, a Brainet-B3 tinha aumentado a sua taxa de sucesso (movimento em 3-D coerente do braço virtual) de 20% (dia 1) para 78% (dia 11) das tentativas. Conforme previsão originária, a maior taxa de sucesso foi obtida quando os três participantes estavam totalmente engajados na tarefa e foram capazes de sincronizar os seus córtices motores de maneira apropriada (Figura 7.2). Quando analisamos os registros corticais, obtidos simultaneamente dos três voluntários que operaram a Brainet-B3, mais alguns dados obtidos com uma Brainet-B2, operada por dois destes mesmos voluntários, descobrimos que a ocorrência de tentativas bem-sucedidas estava altamente correlacionada com a produção transiente de altos níveis de sincronização da atividade elétrica dos três córtices motores dos três voluntários: isto é, grupos de neurônios corticais localizados em cada um dos três cérebros que participaram da Brainet-B3 passaram a disparar os seus pulsos elétricos praticamente ao mesmo tempo.

Outros resultados capturaram a nossa atenção. Em momentos nos quais um dos participantes decidia parar de jogar o jogo – para tirar uma soneca vespertina, por exemplo –, os dois remanescentes membros da *Brainet* mais que compensaram por essa perda temporária de poder cerebral. Para tanto, eles simplesmente aumentaram as taxas de disparos elétricos dos seus neurônicos corticais motores, aumentando, assim, o nível de sincronização entre os seus cérebros e, como resultado, movendo o braço virtual para o alvo indicado, sem a necessidade de contar com o terceiro membro da *Brainet* original. Dado que o participante que se absteve da tarefa deixou de ganhar suco de fruta, a sua falta de participação não foi recompensada. Isso garantiu que, tão logo a soneca terminasse, ele estaria de volta à ação.

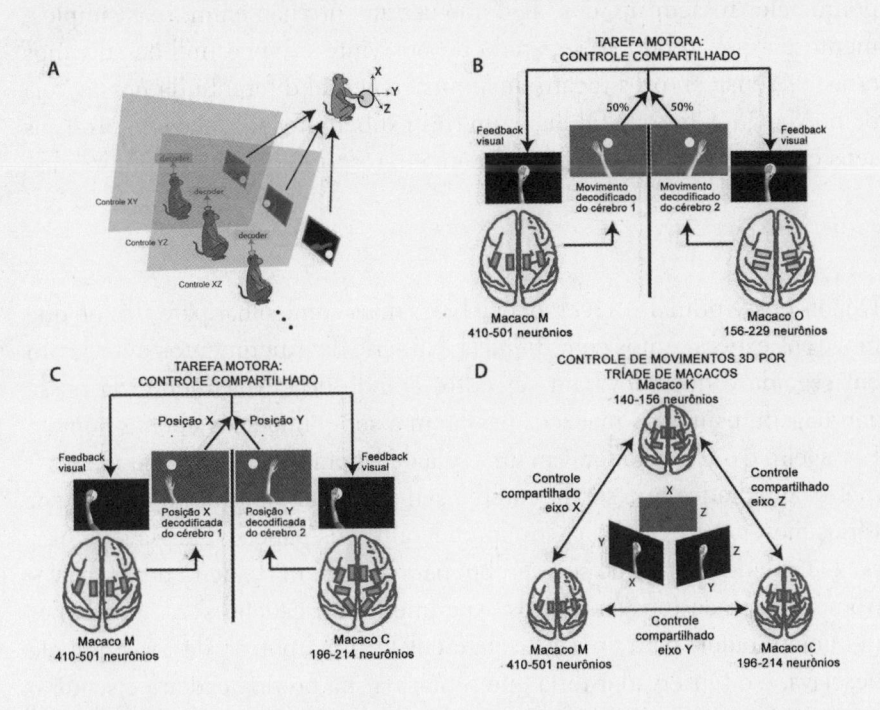

Figura 7.2 Diferentes configurações de uma *Brainet* de macacos criadas no meu laboratório. A: O arranjo geral de uma *Brainet* de macacos usada para realizar uma tarefa motora compartilhada. Os macacos sempre estavam localizados em salas separadas. Cada macaco tinha à sua frente um monitor de computador que mostrava um braço virtual. A tarefa comportamental a ser realizada envolvia o uso de movimentos tridimensionais deste braço virtual para alcançar um alvo esférico que aparecia no monitor. Os movimentos tridimensionais deste braço virtual eram produzidos pela combinação da atividade elétrica cortical produzida simultaneamente pelo grupo de macacos que definiam cada *Brainet*. B: Exemplo de uma tarefa motora compartilhada na qual cada um dos dois macacos participando do experimento contribuíram na codificação de 50% da posição bidimensional (X,Y) do braço virtual. A localização cortical de cada uma das matrizes de microeletrodos, implantadas cronicamente em cada um dos macacos envolvidos em cada experimento, é ilustrada abaixo do esquema descrevendo a tarefa realizada. C: Controle compartilhado: um macaco contribui exclusivamente para o deslocamento do braço virtual no eixo X, enquanto o outro se encarrega do deslocamento no eixo Y. D: Representação esquemática de uma tarefa motora compartilhada, realizada por uma Brainet contendo três macacos. Nesta tríade, cada macaco individualmente é responsável pela execução de uma tarefa bidimensional. Ao combinarmos a atividade elétrica cerebral dos três animais foi possível gerar movimentos tridimensionais contínuos do braço virtual. (Originalmente publicado em A. Ramakrishnan, P. J. Ifft, M. Pais-Vieira, Y. W. Byun, K. Z. Zhuang, M. A. Lebedev, and M. A. Nicolelis, "Computing Arm Movements with a Monkey Brainet", *Scientific Reports* 5 [July 2015]: 10767.)

Depois de esperar tantos anos para rodar esses experimentos, tentei correr em direção aos nossos três participantes para celebrar com eles o nosso feito coletivo. Afinal, acabáramos de demonstrar com sucesso a operação da primeira interface cérebro-máquina compartilhada construída em um laboratório. Infelizmente, extrair qualquer coisa além de alguns grunhidos e gorjeios dos nossos colaboradores provou ser impossível. Não porque eles fossem tímidos, algo que certamente não eram, mas simplesmente porque, tendo se separado de nós vinte e cinco milhões de anos atrás, os seus cérebros tocam uma música neural diferente da nossa. Veja bem, Mango, Cherry e Ofélia eram três exuberantes macacos *rhesus*. E os seus cérebros nunca se sincronizariam em resposta à linguagem humana.

★★★

Depois desse primeiro sucesso, não havia mais como olhar para trás no que tange aos experimentos com *Brainets*. Na série de experimentos que vieram em seguida e que provaram ser outro grande desenvolvimento da nossa abordagem, os nossos macacos passaram a ser conhecidos apenas como o Passageiro e o Observador. Em uma sala de laboratório de mais ou menos 3 metros quadrados que serviu como o seu principal playground mental por vários meses, pares de macacos aprenderam seus papéis: o Passageiro usaria a atividade elétrica do seu cérebro para dirigir uma cadeira de rodas eletrônica adaptada (ou, em outros experimentos, a cadeira seria guiada por um computador) para cruzar a sala e coletar uma porção de uvas que ele desejava, e o Observador teria que sentar na sua própria cadeira e seguir o exercício peculiar do Passageiro que transcorria bem diante dos seus olhos. E, embora em uma primeira impressão ser um Observador pudesse soar como papel secundário na tarefa, um pagamento recompensador estava associado: se o Passageiro fosse capaz de coletar as uvas antes que o tempo alocado para cada tentativa expirasse, o Observador seria recompensado pelo sucesso com um gole do seu suco de fruta favorito. Antes que eu esqueça, é importante mencionar que, como havia acontecido nos últimos vinte anos no nosso laboratório, esse experimento só pode ser executado porque Gary Lehew, também conhecido como "o mágico", adaptara uma cadeira de rodas eletrônica de segunda mão de forma a permitir que fosse controlada por atividade elétrica cerebral.

Foram precisos vários dias de treinamento, mas eventualmente o par Passageiro-Observador aprendeu a tarefa a ponto de, não importando o ponto de partida da sua cadeira de rodas, o Passageiro coletasse as suas uvas em quase todas as tentativas. Em cada tentativa, uma vez que o comando era dado, o cérebro do Passageiro imediatamente mapeava a nova localização relativa do pote que recebia as tão desejadas uvas em relação à posição do ponto de partida da cadeira de rodas que estava sob o seu controle mental. Isso permitiu ao cérebro do Passageiro definir a melhor trajetória para coletar as uvas. Em sequência a esse rápido cálculo mental, o cérebro do Passageiro passou a gerar o programa motor necessário para dirigir a cadeira de rodas em direção às uvas. Algumas centenas de milissegundos depois, o Passageiro iniciava a sua aventura como primeiro motorista de um carro autodirigível, controlado pelo pensamento do seu piloto. Nos segundos seguintes, o Passageiro atravessaria a sala, confortavelmente sentado na sua cadeira de rodas, esperando ansioso, e imóvel, o momento de coletar a sua tão apreciada recompensa.

Enquanto o par de macacos aprendia a executar essa interação social em uma sala do nosso laboratório, Po-He Tseng, um engenheiro taiwanês extremamente talentoso, trabalhando como um estudante de pós-doutorado no meu laboratório, mantinha-se muito ocupado registrando os sinais elétricos produzidos simultaneamente por centenas de neurônios localizados em múltiplas áreas corticais tanto do cérebro do Passageiro como o do Observador. Esse estudo marcou a primeira vez, em mais de meio século da história da neurofisiologia intracortical de macacos, em que alguém registrou comandos neuronais de larga escala, usando uma tecnologia sem fio, simultaneamente gerados em um par de macacos interagindo. Para realizar esse feito, havíamos desenvolvido uma nova interface sem fio de 128 canais que era capaz de amostrar e transmitir continuamente os potenciais de ação gerados por até 256 neurônios corticais por animal. Na realidade, a invenção da interface multicanal sem fio por um time de neuroengenheiros do nosso laboratório transformou-se em um componente essencial para o planejamento e a execução da tarefa social que manteve a dupla Passageiro-Observador, Po-He e boa parte do nosso time ocupados por muitos meses.

Enquanto Po-He escutava as transmissões vespertinas diárias da sua Rádio Monkey, o Passageiro e o Observador continuavam, dia após dia, a se consolidar como um time formado por jogadores muito eficientes. Nas palavras do mais famoso narrador de futebol brasileiro dos tempos modernos – meu grande amigo Oscar Ulisses –, aquele par havia "desenvolvido uma química correta", como uma dupla de atacantes, ou uma equipe de duplas no tênis, acostumada a jogar lado a lado. Como Po-He logo verificou, à medida que o par realizava a tarefa conjuntamente – isto é, em plena visão um do outro –, os dois macacos começaram a exibir níveis muito mais altos de sincronia elétrica cortical do que seria de se esperar se isso ocorresse apenas aleatoriamente (Figura 7.3). Ou seja, conforme o Passageiro dirigiu e o Observador observou o seu colega dirigindo, uma grande fração dos sinais elétricos produzidos por centenas de neurônios localizados no córtex motor dos dois animais começou a ocorrer praticamente ao mesmo tempo, apesar de parte se encontrar no cérebro do Passageiro, e outra parte, no do Observador. De fato, em muitas ocasiões, o nível de sincronia entre os dois cérebros ("sincronia intercerebral") alcançou 60%, enquanto o valor esperado, caso esse fosse um processo aleatório, deveria estar em torno de zero.

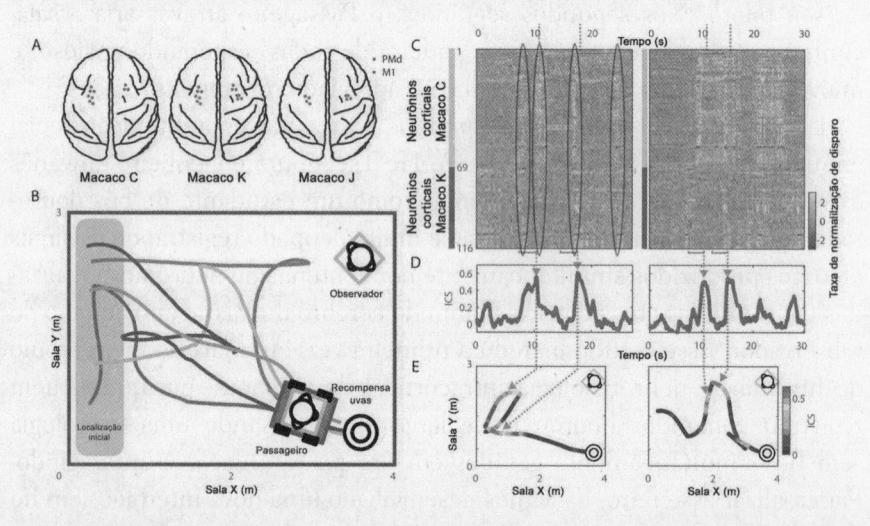

Figura 7.3 Sincronização cortical intercerebral em dois macacos durante a realização de uma tarefa social. A: Localização dos implantes corticais em três macacos (C, J e K). A atividade elétrica de populações de neurônios no córtex motor primário (M1) e premotor dorsal (PMd) em ambos os hemisférios corticais foi registrada simultaneamente, em cada animal, usando neurochips que se valem de transmissão sem fio. B: Dois macacos (Passageiro e Observador) foram colocados numa sala de 5,0 X 3,9 metros. Durante cada tentativa, o Passageiro navegava pela sala, a partir de uma posição original, em direção a um reservatório onde eram colocadas uvas para o seu consumo. C: Amostra da atividade elétrica de populações de neurônios em cada tentativa da tarefa. Cada linha horizontal representa a atividade de um neurônio individual. Cada potencial de ação produzido por um neurônio é representado por uma linha vertical em cada linha horizontal. Episódios de sincronia intercerebral entre os macacos C (Passageiro) e K (Passageiro) são indicados por elipses verticais sobrepostas na figura mais à esquerda. D: Quantificação destes episódios indicados em C. Valores máximos de correlação são indicados por pequenas flechas. E: Trajetória da cadeira eletrônica gerada pelo Passageiro nos mesmos eventos ilustrados em C e D. (Originalmente publicado em P. Tseng, S. Rajangam, G. Lehew, M. A. Lebedev, and M. A. L. Nicolelis, "Interbrain Cortical Synchronization Encodes Multiple Aspects of Social Interactions in Monkey Pairs", *Scientific Reports* 8, no. 1 [March 2018]: 4699.)

De início, pensamos que a simultaneidade dos disparos neuronais de dois cérebros poderia resultar da forma como ambos os macacos haviam sido expostos a um estímulo sensorial comum, como sinais visuais oriundos da sala, que seriam captados pelos dois cérebros simultaneamente. Como ficou claro, todavia, a potencial explicação era bem mais interessante. Uma análise mais profunda dos dados revelou que neurônios localizados nos córtices motores de ambos os animais disparavam simultaneamente porque as regiões corticais, nos dois macacos, calculavam em paralelo o par de vetores necessário para a cadeira de rodas do Passageiro alcançar a região da sala onde coletaria as uvas. Que o cálculo mental fosse realizado pelo cérebro do Passageiro, isso era mais que esperado, dado que o macaco estava encarregado de dirigir a cadeira de rodas. Ao mesmo tempo, apesar do seu papel passivo, o cérebro do Observador também estava ocupado em calcular, usando o seu próprio ponto de vista, o que seria necessário para levar a cadeira de rodas do Passageiro para o local correto. Em essência, alguns dos neurônios corticais motores do cérebro do Observador monitoravam com cuidado os movimentos da cadeira de rodas pilotada pelo Passageiro em direção ao alvo, objetivo que, quando completado, garantiria um novo gole de suco de fruta para o Observador. Claramente, o cérebro de ambos os macacos tinha gerado o mesmo tipo de sinais motores – velocidade de rotação e velocidade de translação – necessário para conduzir a cadeira de rodas rumo a uma recompensa que motivava os dois.

Aprofundando a análise dos dados, Po-He descobriu que a sincronização de neurônios do par de cérebros aumentava consideravelmente quando uma combinação particular de macacos desempenhava o papel de Passageiro e Observador. De fato, quando essa combinação era usada, a sincronia dos dois cérebros crescia à medida que o Passageiro se aproximava do Observador, chegando ao máximo quando a distância entre eles atingia cerca de 1 metro. Esse achado indicou que a magnitude da atividade neuronal sincronizada dos dois cérebros estava relacionada à distância entre o Passageiro e o Observador durante a sua interação social. Um pouco mais de escrutínio dos dados revelou que a sincronia atingia um valor máximo quando o macaco dominante da colônia desempenhava o papel de Passageiro e um animal de posição inferior servia de Observador. Quando os papéis se invertiam, ou seja, o macaco dominante virava o Observador e o subordinado assumia o papel de Passageiro, o aumento em sincronia intercerebral não se materializava de forma tão intensa. De repente, nos demos conta de que a magnitude da sincronia intercerebral poderia ser usada para estimar o ranking social de macacos envolvidos no experimento.

Curiosamente, a distância de separação interpessoal em que observamos uma sincronização máxima dos córtices motores dos dois animais – por volta de 1 metro – é aproximadamente equivalente ao limite de alcance do braço de um macaco *rhesus*. Mais ou menos a essa distância, um macaco pode usar as mãos para alisar ou atacar outro membro do grupo. Essas informações reforçam a nossa hipótese de que a sincronização intercerebral observada quando um macaco dominante, como o Passageiro, aproxima-se de um animal de menor ranking oferece uma pista sobre a relação social desse par.

Esse, no entanto, não foi o fim da história. Ao focar no que aconteceu no córtex motor dos macacos que usaram a nossa interface cérebro-máquina sem fio para dirigir a cadeira de rodas, Allen Yin, doutorando em engenharia biomédica no meu laboratório, descobriu que uma alta porcentagem dos neurônios dessa região alterava a magnitude da sua atividade elétrica de acordo com a posição relativa da cadeira de rodas em relação ao local onde os macacos podiam coletar a sua recompensa. Alguns neurônios disparavam mais quando a cadeira de rodas estava próxima das uvas, outros eram mais ativos quando o veículo estava mais longe. Como consequência direta desse achado, passamos a prever com precisão a trajetória espacial realizada pela cadeira de rodas, desde a sua posição de largada, até quando ela chegava às proximidades do local onde as uvas eram depositadas. Para tanto, bastava combinar os padrões de resposta espacial dos neurônios do córtex motor de cada animal. E, como antecipado pelo princípio da degeneração da teoria do cérebro relativístico, essa trajetória podia ser estimada, em diferentes tentativas, usando os disparos de diferentes neurônios.

Nesse ponto, nos demos conta de que, no todo, os resultados obtidos com os experimentos do Passageiro-Observador revelaram uma visão muito diferente do córtex motor primário – a qual provaria ser essencial para melhor entendimento de como indivíduos podem se sincronizar em uma *Brainet*. Da mesma forma, os resultados forneceram ainda mais subsídios para apoiar a minha teoria de como cérebros individuais funcionam. Para começar, ficou evidente que, além de participar da geração de programas motores que controlam os movimentos do corpo – a função clássica conferida pelos neurocientistas a essa região do córtex há mais de um século –, circuitos neurais do córtex motor aprendem rapidamente a codificar os movimentos necessários para movimentar dispositivos artificiais que requerem programas motores completamente diferentes daqueles usados para mover os membros de um corpo de primata. Além disso, os neurônios do córtex motor primário também podem estabelecer uma representação da posição espacial relativa do corpo de um indivíduo, durante a exploração de um ambiente, em relação a um ponto referencial, bem como codificar a distância interpessoal que separa indivíduos de um grupo social. Nessa lista, temos que incluir o fato de que aproximadamente metade dos neurônios que participam do planejamento de movimentos dos braços é capaz de alterar os seus disparos em antecipação a uma recompensa esperada pela execução de um movimento ou para indicar que a expectativa de recompensa criada pelo indivíduo foi ou não verificada.

Nenhuma teoria moderna do córtex motor de primatas prevê que todas essas funções sejam executadas simultaneamente pelos mesmos circuitos neurais contidos nessa área cortical – nem que parâmetros relevantes de interação social seriam representados por níveis aumentados de sincronia dos neurônios corticais motores de múltiplos indivíduos. No entanto, é exatamente isso que o princípio multitarefa da teoria do cérebro relativístico prevê: dada área cortical – como o córtex motor primário – participando em múltiplas tarefas funcionais simultâneas.

O primeiro pensamento que me veio à mente quando comecei a buscar algum nexo nesses achados extremamente interessantes foi que Po-He havia se deparado com um grupo de células corticais tradicionalmente conhecidas como "neurônios-espelho". Originariamente descritos pelo renomado neurocientista italiano, Giacomo Rizzolatti, professor da Universidade de Parma, em experimentos conduzidos com macacos *rhesus* nos anos 1990, esses neurônios receberam tal nome devido a um comportamento fisiológico peculiar: além de modular a sua taxa de disparo – para cima ou para baixo – quando um macaco prepara ou executa um movimento com a mão, essas células disparam quando o animal simplesmente observa outro macaco ou um pesquisador realizar o mesmo tipo de movimento. Alguns anos depois da descoberta original em macacos, padrões de atividade consistente com a existência de neurônios-espelho em seres humanos foram identificados, graças ao uso de modernas técnicas de imagem cerebral, como a ressonância magnética funcional (fMRI, do inglês *functional magnetic ressonance imaging*).

Na sua descrição original em macacos, o professor Rizzolatti relatou a existência de neurônios-espelho somente em uma área cortical motora de alta ordem, localizada na região mais lateral do córtex frontal. Tradicionalmente, Rizzolatti e outros pesquisadores chamam essa área de "F5", termo derivado de uma nomenclatura mais antiga. Para a maioria dos neurofisiologistas corticais, essa região é conhecida como "divisão ventral do córtex pré-motor", ou PMV. Alguns anos depois dessa descoberta, todavia, ficou claro que os neurônios-espelho não se restringiam ao córtex pré-motor. Como salientado por Stefano Rozzi em uma revisão detalhada desse campo de pesquisa, estudos subsequentes em seres humanos e macacos identificaram a presença dessa classe de neurônios em várias outras regiões corticais, tanto no lobo frontal como no parietal, sugerindo que esse padrão de atividade motora é gerado por um circuito frontoparietal altamente distribuído. Dessa forma, ficou estabelecido que o circuito de neurônios-espelho é formado por múltiplas áreas corticais e está envolvido na geração e na representação de movimentos das mãos, da boca e dos olhos. Rozzi também ressaltou que em pássaros os neurônios-espelho foram observados em estruturas cerebrais envolvidas na produção e no aprendizado de cantos.

A descoberta da presença de neurônios-espelho em áreas corticais frontais e parietais, tanto de macacos como de seres humanos, levantou a tese de que esse sistema neural poderia estar envolvido de forma decisiva na mediação de interações sociais tanto em animais como em grupos humanos. A hipótese pode ser facilmente entendida ao considerarmos que a atividade elétrica gerada por neurônios-espelho reflete não apenas a preparação, como a execução, de movimentos de um indivíduo, além da representação de movimentos similares realizados por outros membros do seu grupo social imediato ou de outros primatas (como quando um ser humano interage com um macaco). Pesquisadores descobriram que neurônios-espelho também podem sinalizar um ponto de vista particular do indivíduo que observa o movimento de outro membro do seu grupo social, bem como o valor, em termos de recompensa, dessa ação. No conjunto, os achados sugerem que a designação clássica de neurônio-espelho talvez não faça justiça em termos de sumarizar todas as funções a ser executadas por circuitos frontoparietais que contêm esses neurônios.

Na prática, a descoberta dos neurônios-espelho revelou que as áreas corticais têm acesso contínuo a sinais visuais. Essa observação foi confirmada e expandida por Solaiman Shokur enquanto ele era aluno de doutorado, e depois de pós-doutorado, em meu laboratório. Solaiman observou que, mesmo no córtex somestésico primário, além do córtex motor primário, mais de 30% dos neurônios podiam ser condicionados a responder a estímulos visuais complexos, depois de um breve período de estimulação visual e tátil simultânea. Os detalhes do experimento estão descritos em meu livro *Muito além do nosso eu*.

Um aspecto interessante é que sinais visuais alcançam o córtex motor por diferentes vias neurais. Entre elas, uma das mais interessantes é a que transmite sinais visuais do córtex temporal inferior, um componente do sistema visual, para o córtex pré-motor ventral, do lobo frontal, por meio de uma estação intermediaria no lobo parietal. Neurônios localizados no córtex temporal inferior tendem a disparar com intensidade quando macacos ou seres humanos olham para objetos elaborados. Um subgrupo desses neurônios responde especificamente quando primatas olham para imagens de faces.

É possível perceber que existem muitas similaridades entre as propriedades clássicas dos neurônios-espelho e os resultados obtidos por Po-He. Ainda assim, uma clara discrepância permanecia sem resposta: todos os nossos achados derivam de registros neuronais obtidos no córtex motor primário e na divisão dorsal do córtex pré-motor do lobo frontal de macacos – não na ventral, como descrito por Rizzolatti. Essa discrepância foi agravada pelo fato de que vários estudos de imagem cerebral em seres humanos deixaram de detectar padrões de atividade compatíveis com neurônios-espelho no córtex motor primário.

Após uma cuidadosa busca na literatura, no entanto, encontrei pelo menos dois estudos em que atividade compatível com neurônios-espelho foi identificada no córtex motor primário. Em um deles, neurofisiologistas observaram que, enquanto a maioria dos neurônios-espelho tendia a aumentar os seus disparos quando um macaco observava outro indivíduo realizando um movimento, uma fração menor dessas células, localizadas no córtex primário motor, respondia ao mesmo estímulo reduzindo os seus disparos, fenômeno que também havia sido observado no córtex pré-motor. O estudo mostrou, ainda, que neurônios-espelho no córtex primário motor de macacos tendiam a produzir taxas muito mais altas de disparos elétricos durante a execução de movimentos pelo animal do que quando o mesmo indivíduo observava os movimentos produzidos por outros. Essa modulação reduzida de disparos pode explicar por que tantos estudos de imagem em seres humanos foram incapazes de detectar atividade compatível com neurônios-espelho no córtex motor primário humano. Isso foi confirmado quando outro método, chamado "magnetoencefalografia" (MEG) – que registra os diminutos campos magnéticos produzidos pelo córtex – não teve dificuldade para identificar neurônios-espelho no córtex motor primário de seres humanos. Na realidade, o uso dessa tecnologia revelou que crianças autistas, embora exibindo padrões de atividade de neurônios-espelho no córtex motor primário, aparentemente não tiram vantagem da presença e da ativação dessas células para se engajar em comportamentos sociais. Isso reforça a minha hipótese de que a desconexão entre múltiplas áreas corticais pode ser a principal causa dos déficits cognitivos em crianças autistas.

Com base em toda essa literatura, a interpretação mais plausível para os nossos achados com os experimentos do Passageiro-Observador é que eles revelaram um tipo de interação social que, até agora, não havia sido descrito como parte do repertório clássico associado a neurônios-espelho encontrados no córtex motor primário de primatas.

Só que isso não era tudo.

O fato de que esses neurônios podem ser identificados tanto no córtex motor como no córtex somestésico primário me fez lembrar de uma série de estudos conduzidos em meu laboratório alguns anos atrás. Depois de me envolver nos achados mais recentes descritos na literatura, comecei a achar que, nos estudos anteriores, havíamos nos deparado com neurônios-espelho sem nos darmos conta. Na realidade, desde 2012, como parte do treinamento que os nossos macacos tinham que receber para aprender a controlar uma interface cérebro-máquina, o nosso laboratório realizou vários experimentos em que os animais deviam observar passivamente centenas de movimentos gerados por braço virtual, projetado em um monitor de computador (Figura 7.4).

Durante as sessões de observação passiva, registramos simultaneamente a atividade elétrica de centenas de neurônios localizados tanto no córtex motor como no córtex somestésico primário. Invariavelmente, uma alta porcentagem desses neurônios passou a responder à geração de movimentos realizados pelo braço virtual, isto é, a sua frequência de disparos passou a ser modulada em resposta aos movimentos. Quando, dias depois, os macacos começaram a interagir com uma interface cérebro-máquina, os neurônios permitiram que os animais logo se tornassem proficientes na tarefa de controlar os movimentos do braço virtual. Ou seja, a observação passiva do braço virtual foi suficiente para que os macacos adquirissem a proficiência cortical necessária para operar uma interface cérebro-máquina sem produzir algum movimento real dos seus braços biológicos.

Revisando esses resultados, notei que uma grande fração dos neurônios no córtex motor e somestésico primário exibiu propriedades fisiológicas compatíveis com a definição clássica de neurônios-espelho. Na realidade, essa deve ter sido a principal razão pela qual esses animais aprenderam a usar uma interface cérebro-máquina para mover membros artificiais. Curiosamente, à medida que os macacos acumularam sessões

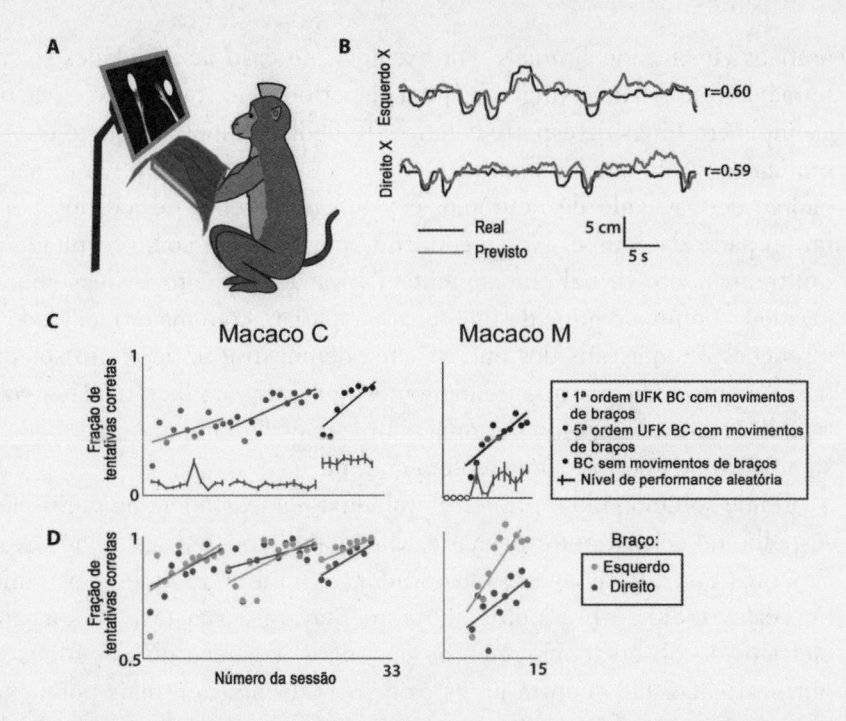

Figura 7.4 Treinamento de um macaco com a técnica de observação passiva para aprender a operar uma interface cérebro-máquina para controle simultâneo dos movimentos de dois braços virtuais. A: Aparato experimental. Um macaco sentando em frente de um monitor de computador com ambos os braços imobilizados e cobertos com um material opaco. B: Posição real, no eixo X, dos braços virtuais direito e esquerdo (traçado preto), comparada com predição (traçado cinza) obtida a partir da atividade elétrica coletiva de populações de neurônios corticais, registrada enquanto o animal realizava a observação passiva de movimentos destes avatares de membros superiores. Coeficiente de correlação (r) foi usada para quantificar a acurácia destas predições. C: Evolução da performance dos macacos C e M ao longo de vários dias quantificada usando a fração de tentativas corretas. Para o macaco C, dados obtidos com diferentes modelos matemáticos de decodificação são apresentados, assim como os resultados em sessões nas quais o animal conseguiu mover o braço virtual, usando a interface cérebro-máquina sem produzir nenhum movimento dos seus braços biológicos. D: Gráficos ilustram como, ao longo do tempo, os dois macacos melhoraram a sua capacidade de usar esta interface cérebro-máquina bimanual para controlar simultaneamente os movimentos de dois braços virtuais, valendo-se apenas da sua atividade elétrica cerebral. (Reproduzido com permissão. Originalmente publicado em P. Ifft, S. Shokur, Z. Li, M. A. Lebedev, and M. A. Nicolelis, "A Brain-Machine Interface Enables Bimanual Arm Movements in Monkeys," *Science Translational Medicine* 5, no. 210 [November 2013]: 210ra154.)

de observação passiva, mais e mais neurônios nessas regiões corticais passaram a modular a sua frequência de disparo em resposta a movimentos do braço virtual. A descoberta levantou a possibilidade, pouco discutida na literatura dessa classe de neurônios, de que as propriedades fisiológicas dos neurônios-espelho talvez sejam adquiridas pelo aprendizado de uma tarefa motora, simplesmente ao se observarem os movimentos realizados por outro indivíduo. A hipótese, se confirmada, poderá influenciar de maneira significativa a neurorreabilitação, bem como as aplicações práticas envolvendo *Brainets*. Por exemplo, no caso de atividades sociais humanas que visam a atingir alto grau de performance motora coletiva, por exemplo em times de esporte coletivo (futebol, voleibol, basquete etc.), a prática conjunta em um ambiente virtual ajudaria a ampliar e a refinar o padrão de atividade de neurônios-espelho no cérebro de jogadores que fazem parte da equipe. Nesse contexto, imagino que, como resultado de um treinamento virtual que aumente a ativação de neurônios-espelho, os jogadores de uma equipe de futebol antecipariam com maior facilidade as intenções motoras uns dos outros. Uma demonstração do efeito coletivo basicamente indicaria que treinamentos que aumentam a atividade coletiva de neurônios-espelho em uma equipe contribuem para uma melhora significativa da performance motora do time.

Tendo solucionado o primeiro problema – a existência de neurônios-espelho no córtex motor primário –, algo ainda nos intrigava: nos experimentos com o Passageiro-Observador, os neurônios que registramos no córtex motor e pré-motor não aumentavam a sua taxa de disparos elétricos ao observar movimentos das mãos, da boca ou dos olhos do outro macaco. Pelo contrário, essas células disparavam mais potenciais de ação como resultado dos movimentos de uma cadeira de rodas eletrônica, à medida que o Passageiro dirigia pela sala. Diferentemente da abordagem clássica usada para investigar neurônios-espelho, em que um único macaco permanece imóvel, sentado em uma cadeira, observando os movimentos de outro indivíduo (usualmente, o experimentador), empregamos macacos que interagiram em uma tarefa que garantia que pelo menos um dos indivíduos (Passageiro) estava se deslocando continuamente pelo ambiente. Além disso, registramos centenas de neurônios do córtex motor de dois macacos simultaneamente. Devido à abordagem, os nossos experimentos ofereceram, pela primeira vez, a oportunidade de registrar a atividade de centenas de neurônios-espelho em dois cérebros engajados em uma tarefa social.

A sincronia intercerebral observada nos experimentos do Passageiro-Observador é conhecida na neurociência como "acoplamento cérebro-cérebro". Durante a última década, a relevância potencial do fenômeno de acoplamento cérebro-cérebro para o estabelecimento e a manutenção de comportamentos sociais em animais ganhou tração entre neurocientistas como uma verdadeira mudança de paradigma na neurociência moderna. Basicamente, a nova visão propõe que sinais gerados pelo cérebro de um indivíduo e recebido por outro podem acoplar funcionalmente esses dois sistemas nervosos no tempo e no espaço. Em um artigo de revisão sobre o tema, Uri Hasson, professor da Universidade de Princeton, e seus colegas descreveram uma série de exemplos de comportamentos sociais fundamentais envolvendo o acoplamento cérebro-cérebro em animais e em seres humanos. Por exemplo, na vida selvagem, alguns pássaros tendem a aprender uma nova canção como resultado de interações. Hasson e colegas ilustram esse fato usando o exemplo do ritual de acasalamento dos pássaros do gênero *Molothrus*.. O macho aprende melodias que chamam a atenção das fêmeas, que não cantam. As fêmeas demonstram apreciação por uma boa serenata ao produzir movimentos delicados de suas asas. Os movimentos são um poderoso sinal de sincronização – ou reforço – para o macho cantor, provavelmente por meio da ação de neurônios-espelho. Encorajado pela resposta motora positiva da fêmea, o nosso Pavarotti aviário engata uma marcha mais alta e passa a repetir os componentes da canção que atraiu a atenção da fêmea. Não satisfeito, produz canções ainda mais elaboradas, na expectativa de atrair outras fêmeas. A manobra é fundamental para o macho porque as fêmeas, que são o alvo da serenata, tendem a escolher um pretendente com base no número de outras fêmeas que ele atraiu com a sua cantoria. Aparentemente, quase nada mudou em termos de estratégia de acasalamento no reino animal desde que os pássaros aprenderam a cantar.

A interação entre dois seres humanos adultos que usam a linguagem para se comunicar face a face oferece um exemplo fundamental de acoplamento cérebro-cérebro, bem como o tremendo impacto que ele tem nas interações sociais. Embora existam muitos aspectos fascinantes a discutir sobre a linguagem oral, aqui eu gostaria de focar no atributo neurofisiológico essencial envolvido na comunicação de um par de pessoas via produção e recepção da linguagem oral. Como qualquer outro comportamento motor, a linguagem oral é produzida como consequência de um programa, originariamente criado pelo córtex motor do lobo frontal. Uma vez transmitido para neurônios do tronco cerebral que controlam os músculos de laringe, cordas vocais e língua, esse programa motor gera um sinal acústico que, além de ter a sua amplitude modulada para cima e para baixo, oscila em uma faixa de frequência de 3 Hz a 8 Hz. O envelope oscilatório basicamente define o ritmo essencial ou a frequência na qual sílabas podem ser geradas pela linguagem humana, ou seja, três a oito sílabas por segundo. O envelope corresponde perfeitamente a um ritmo cerebral de atividade neuronal, chamado de "ritmo teta", que oscila na faixa de 3 Hz a 10 Hz. Além disso, grupos de neurônios localizados no nosso córtex auditivo, responsáveis por processar os sinais produzidos pelo discurso oral que um indivíduo ouve, geram oscilações na banda de 3 Hz a 8 Hz. Como enfatizado por Hasson e seus colegas, a presença dessa atividade neuronal oscilatória nos sistemas neurais que produzem e processam linguagem oral levou muitos teóricos a propor que essa correspondência em ritmos cerebrais desempenharia papel central na comunicação oral humana. Basicamente, ao utilizar um envelope de frequência similar para produzir, transmitir e processar a linguagem oral, o cérebro humano garante que os sons que definem a fala podem ser transmitidos otimamente, e mesmo amplificados, para melhorar a razão sinal-ruído, que pode ser naturalmente prejudicada pela interferência ambiental.

A importância do ritmo de 3 Hz a 8 Hz para compreensão da linguagem pode ser ainda mais enfatizada pelo fato de que, se ouvintes humanos são expostos a uma linguagem sintética que oscila em uma frequência mais alta que 3 Hz a 8 Hz, eles exibem dificuldades em entender o conteúdo desses sinais.

Obviamente, a comunicação pela linguagem envolve muito mais que o processamento de som. Por exemplo, o contato face a face contribui para a compreensão da fala em seres humanos adultos. Isso ocorre porque os movimentos típicos da boca – os quais todos usamos para produzir a fala – seguem mais ou menos a banda de frequência do ritmo teta. Basicamente, isso significa que, quando encaramos alguém que está falando conosco, o cérebro recebe dois fluxos paralelos de sinais na banda de 3 Hz a 8 Hz, um auditivo e outro visual. O fluxo de sinais visuais tende a reforçar o sinal acústico, que, uma vez traduzido para sinais elétricos no ouvido interno, alcança o córtex auditivo, onde se inicia o processo de interpretação da fala. De acordo com Hasson e colegas, ao encarar o nosso interlocutor, indiretamente induzimos um aumento na amplitude do sinal acústico da ordem de 15 decibéis.

No todo, esses resultados sugerem que, por meio do uso da linguagem, um acoplamento cérebro-cérebro é estabelecido pela sincronia coerente entre o cérebro do orador e o do ouvinte. Usando o meu próprio jargão, uma *Brainet* baseada na linguagem se estabelece inicialmente porque a produção, a transmissão e a interpretação de sinais linguísticos analógicos são mediadas por oscilações cerebrais ocorrendo no mesmo intervalo de frequência tanto no cérebro do orador como no do ouvinte. Para todos os propósitos e os efeitos, portanto, essa superposição de frequência é o primeiro passo para o estabelecimento de uma conexão entre cérebros em um computador orgânico distribuído – a minha definição de *Brainet*.

Além de oferecer um exemplo canônico de acoplamento cérebro--cérebro, a comunicação interpessoal humana via linguagem oral me permite descrever como a teoria do cérebro relativístico explica o estabelecimento de *Brainets*. Conforme visto no Capítulo 5, essa teoria propõe que a fusão de múltiplas áreas corticais em um único cérebro é mediada por campos eletromagnéticos. Ao usar essa capacidade, cérebros relativísticos podem tirar vantagem dos sinais analógicos neurais para estabelecer rapidamente e depois manter *Brainets* estáveis. No caso da linguagem oral, por exemplo, campos eletromagnéticos neurais permitiriam a ativação simultânea de muitas áreas corticais (e subcorticais) quer no cérebro do orador que gera a mensagem, quer no cérebro do recipiente a interpretar essa mensagem. No caso do recipiente, essa fusão cortical instantânea permitirá uma decodificação e uma compreensão do conteúdo tanto sintático como semântico de uma mensagem enviada pelo orador. Como resultado, da mesma forma que no experimento do Passageiro-Observador, a sincronização cortical intercerebral entre os indivíduos envolvidos em um diálogo emergiria rapidamente, levando a um acoplamento funcional dos cérebros. Para a teoria do cérebro relativístico, as *Brainets* são formadas por um processo de sincronização neuronal analógica, não digital, mediada por um sinal de comunicação. Nos seres humanos, com frequência a linguagem oral desempenha esse papel vital. Na realidade, é concebível que, nos seus estágios primitivos, o tipo de linguagem usado pelos nossos ancestrais hominídeos funcionou como sinal para o estabelecimento de sincronização intercerebral dentro de um grupo social, em vez do elaborado meio de comunicação usado hoje. São várias as vantagens de utilizar uma sincronização analógica para criar *Brainets*. Para começar, a sincronização analógica é mais rápida, mais fácil de implementar e mais maleável que a digital, uma vez que, para ocorrer, esta última requer uma precisão temporal muito maior entre os sinais participantes. Além disso, a sincronização analógica pode trabalhar sem subsistemas predefinidos, ou seja, para ser efetivada, ela não precisa de informação extra sobre os sinais participantes. Ela simplesmente acontece quando dois sinais contínuos entram em sincronia um com o outro.

Além de enfatizar a opção pela sincronização analógica, a teoria do cérebro relativístico postula que um princípio de aprendizado hebbiano clássico está envolvido no estabelecimento e na manutenção de longo prazo das *Brainets*. Nesse caso, em vez de dois neurônios interagindo através de uma sinapse, como na formulação original feita por Donald Hebb, em 1949, refiro-me a dois (ou mais) cérebros "conectados" por um sinal de comunicação ou por uma mensagem. O princípio hebbiano original afirma que, quando dois neurônios que compartilham uma sinapse disparam potenciais de ação conjuntamente, aumenta a magnitude da sinapse entre eles. A Figura 7.5 ilustra o princípio ao mostrar dois neurônios, 1 e 3, e a sinapse direta que o neurônio 1 faz com o neurônio 3. Se um potencial de ação produzido pelo neurônio 1 (conhecido como "neurônio pré-sináptico") induz o neurônio 3 (ou "neurônio pós-sináptico") a disparar em sequência, a sinapse entre esses dois neurônios se fortalece. Usando a mesma lógica, proponho que, quando duas pessoas se engajam em uma conversa, o cérebro delas pode se acoplar funcionalmente por meio de um mecanismo de aprendizado hebbiano que aumenta o grau de sincronização intercerebral entres os interlocutores. Enquanto no caso das sinapses, um químico – neurotransmissor – é responsável pelo mecanismo de comunicação entre o neurônio pré-sináptico e o pós-sináptico, no caso do acoplamento cérebro-cérebro durante uma conversa, a linguagem (além de outros sinais de comunicação), faz a parte do sinal de acoplamento.

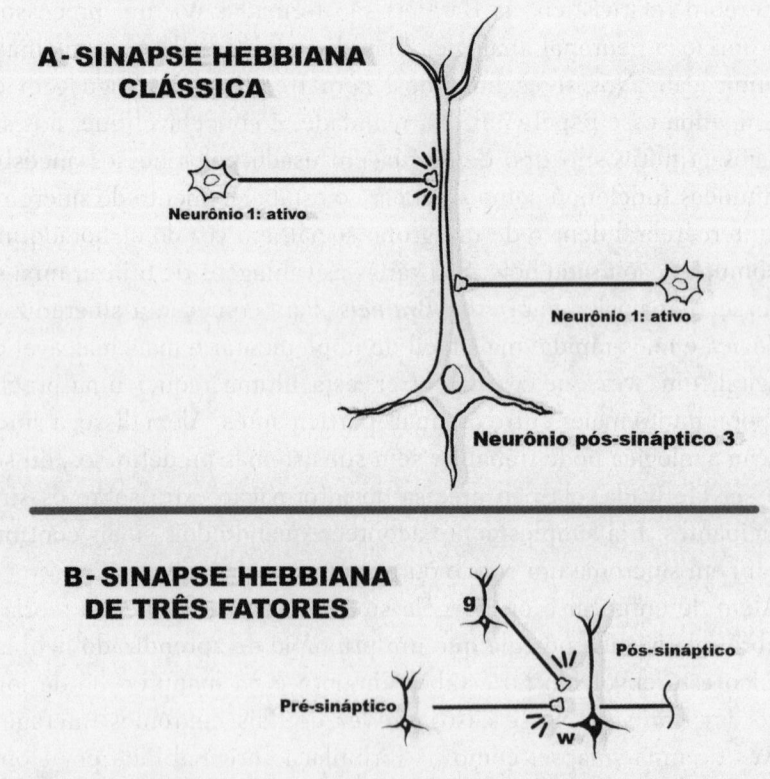

Figura 7.5 Representação esquemática de uma sinapse de Hebb (A) e um sinapse de Hebb de 3 fatores (B). (Ilustração por Custódio Rosa)

Como veremos, o simples mecanismo de acoplamento analógico "sem fio" poderia explicar como seres humanos tendem a construir *Brainets* capazes de sincronizar um número elevado de cérebros individuais para participar de grupos sociais. Essas *Brainets* humanas emergem com a troca de conceitos muito mais abstratos, como um conjunto comum de crenças, cultura ou conhecimento, ao longo de vastos intervalos de tempo e espaço, por toda a história humana.

No entanto, muito mais ocorre dentro do cérebro de um orador e um ouvinte à medida que eles se unem em uma *Brainet*. Graças ao artigo de Hasson, fui apresentado a uma série muito interessante de experimentos conduzidos por Greg Stephens e colegas, que detalham alguns dos aspectos envolvidos no estabelecimento de *Brainets* baseadas na linguagem. No estudo, o método da fMRI foi usado para mapear o padrão de ativação de áreas cerebrais de uma pessoa lendo em voz alta, sem nenhuma prática prévia, uma estória real. O registro de áudio dessa leitura foi, então, tocado para um ouvinte cujo padrão de ativação cerebral também foi medido usando a fMRI. Os padrões de ativação cerebral obtidos tanto do leitor como do ouvinte foram analisados em busca de potenciais correlações entre eles. Os autores observaram que os padrões cerebrais do leitor e do ouvinte exibiram claros sinais de sincronização temporal. Para testar a hipótese de que o acoplamento cérebro-cérebro era realmente significativo na comunicação de uma mensagem entre o leitor e o ouvinte, os pesquisadores realizaram experimentos-controle nos quais o leitor produziu uma narrativa usando uma linguagem que o ouvinte não compreendia. Quando os padrões de ativação do par foram analisados, observou-se uma redução significativa na sincronização dos dois cérebros, indicando que essa *Brainet* não havia se formado adequadamente.

A forma como o sistema nervoso humano compreende a linguagem também fornece boas evidências para a importância do ponto de vista próprio do cérebro, axioma fundamental da teoria do cérebro relativístico. Na sua revisão, Hasson e seus colegas descrevem que, em uma interação linguística entre um orador e um ouvinte, estruturas corticais e subcorticais estão ativamente engajadas na tarefa de antecipar as próximas palavras que o orador está prestes a produzir; no que tange à linguagem, os cérebros escutam antes de ouvir.

Embora a linguagem oral tenha mediado, desde tempos imemoriais, um número elevado de interações sociais humanas, essa não é a única forma para o cérebro humano se sincronizar com outros para formar uma *Brainet*. Gestos manuais podem realizar o mesmo truque, da mesma forma que a estimulação tátil mutual e certos hormônios, como a oxitocina, que é liberada quando as mães amamentam os seus bebês no peito ou quando as pessoas se apaixonam. Em ambos os casos, a oxitocina parece mediar uma forte conexão de indivíduos, que pode também envolver um aumento de sincronização analógica cortical dentro de cada cérebro.

Em outro estudo, Hasson e colegas relataram que, ao apresentar videoclipes – extraídos de filmes de ação – sequencialmente para múltiplos indivíduos, foi possível induzir um surpreendente nível de acoplamento cerebral entre a plateia, medido com a ajuda da ressonância magnética nuclear. Fugindo do padrão usado em estudos anteriores dessa área que focaram unicamente no sistema visual – outra vez, achado que poderia ser considerado trivial quando múltiplos indivíduos recebem o mesmo sinal visual –, Hasson relatou que a sincronia intercerebral obtida nesse estudo envolveu o recrutamento de regiões corticais geralmente conhecidas como "áreas associativas". Parte desse padrão de recrutamento cortical global e sincronização intercerebral foi gerada pelo que Hasson definiu como um componente mais genérico, que contribuiu para uma representação amplamente distribuída no córtex dos complexos estímulos visuais apresentados aos voluntários. A segunda fonte dessa resposta geral pode estar associada à demanda de atenção e ao alerta produzidos nos voluntários por cenas carregadas de conteúdo emocional. Colocando de lado por um minuto a discussão científica, esse achado em particular sugere que a sincronia intercerebral de plateias poderia ser empregada para acessar, de forma quantitativa, como uma audiência se engajou (ou não), sob o ponto de vista emocional e de atenção, com as mensagens visuais e auditivas, contidas em uma cena, um comercial de televisão ou uma manifestação na rua, por exemplo.

Além dos componentes gerais, os autores sugeriam a existência de um mecanismo bastante seletivo de processamento cortical das cenas contidas nos vídeos, o que afeta o nível de sincronização intercerebral dos indivíduos da plateia. O primeiro foi o processo usado para identificar objetos complexos – como faces humanas – em dada região do campo visual do observador. Independentemente do ângulo em que o rosto apareceu no videoclipe, neurônios do córtex temporal inferior envolvidos no processo cortical de reconhecimento facial foram capazes de responder, sem muito problema. Esse achado em particular ilustra bem por que a utilização de um mecanismo de sincronização analógico, por ser mais maleável, em vez da precisão de um mecanismo digital, pode ser mais vantajosa para a formação de uma *Brainet*. Basicamente, diferente do método digital, não existe a necessidade de utilizar sinais idênticos para produzir sincronização quando sinais analógicos são usados. No caso em questão, apesar de visualizarem a mesma face de diferentes ângulos, o cérebro de múltiplos indivíduos seria capaz de sincronizar, criando rapidamente uma *Brainet* coesa.

Outro aspecto que capturou a minha atenção nesse estudo foi que, quando um videoclipe mostrava uma das mãos se movimentando, neurônios localizados no córtex somestésico de todos os membros da audiência tendiam a disparar, contribuindo para um acoplamento cérebro-cérebro medido por Hasson e colaboradores. Uma vez mais, tudo leva a crer que o circuito formado por neurônios-espelho foi recrutado em múltiplos indivíduos, mesmo quando estes estavam envolvidos naquilo que seria considerado alguns anos atrás uma tarefa visual típica e prístina – intercalada com alguns breves períodos de exploração tátil – no escurinho do cinema.

De repente, ir ao cinema adquiriu uma dimensão totalmente diferente, pelo menos para mim!

Se, por qualquer motivo, você não ficou impressionado com o exemplo do cinema, basicamente porque raciocinou que não existe nada extraordinário sobre múltiplos cérebros humanos expostos a um vídeo produzirem padrões de atividade similares, lhe devo uma explicação. Eu citei esse experimento não porque um estímulo visual comum pode levar à sincronização transiente de múltiplos cérebros. De fato, se esse fosse o único fator, não haveria nada muito interessante a discutir. Pelo contrário, estou bem mais interessado no efeito posterior a assistir ao filme: quando as plateias saem do cinema. Para entender o meu ponto de vista, é preciso comparar o que aconteceria se decidíssemos rodar um experimento envolvendo dois grupos de plateias: uma formada apenas por seres humanos e a outra contendo apenas chimpanzés. Nesse experimento, cada grupo ocuparia uma sala separada para assistir ao mesmo filme, digamos, o episódio inicial de *Jornada nas estrelas*, dos anos 1960. Durante o filme, a atividade elétrica do cérebro de cada indivíduo em cada grupo seria registrada por um sistema de EEG sem fio. Como descrito por Hasson e colegas, esse registro coletivo nos permitiria documentar a ocorrência de sincronização cerebral entre os indivíduos de ambas as plateias. Trivial de novo, você diria. Por certo, eu teria de concordar. No entanto, a melhor parte do experimento aconteceria se decidíssemos seguir as duas plateias distintas e verificar o que cada um dos grupos sociais experimentaria após um breve acoplamento cérebro-cérebro, dirigido por um *input* visual comum. Enquanto a observação do grupo de chimpanzés mostraria que nada de substancial aconteceu depois que o filme terminou – isto é, os chimpanzés retornaram à rotina usual sem mostrar sinais explícitos de que assistir a um filme com outros membros do seu grupo social afetara a sua vida diária, um perfil muito diferente de comportamento social seria manifestado pela plateia humana. Depois da sua experiência cinematográfica, esse grupo passaria um tempo significativo conversando entre si, bem como com outros membros do seu grupo social que não puderam assistir ao filme, sobre as incríveis aventuras do capitão Kirk e do sr. Spock. Como resultado, tanto pessoas que assistiram ao filme como aquelas que não o viram decidiriam criar um clube de fãs de *Jornada nas estrelas*, se vestir como o capitão Kirk e o sr. Spock para ir à escola e até disseminar entre amigos as razões por que ninguém pode confiar nos romulanos. Alguns foram mais longe e se tornaram fluentes na linguagem dos klingons e participaram de convenções da série para conseguir autógrafos e selfies dos principais atores. Essencialmente, o que quero retratar é que, depois de terem sido alimentado, enquanto confinados todos juntos em uma sala escura, com uma narrativa ficcional, embelezada com extraordinárias imagens e uma trilha sonora cativante que ressoou profundamente em suas emoções, suas expectativas, seus desejos, suas crenças e suas visões de mundo, essa plateia humana integrou-se em um novo esquema de abstrações mentais, em uma fantasia que, a partir de então, ditou a forma como o grupo passou a se comportar.

Posso até concordar que o exemplo talvez soe um pouco satírico, mas ele ainda me permite descrever a minha hipótese de como potenciais mecanismos neurofisiológicos permitem que um período transiente de acoplamento cérebro-cérebro, como aquele gerado pelo tipo de estímulos visuais comuns compartilhados em uma sala de cinema, evolua para a consolidação de uma *Brainet* humana conduzida pela noção de pertencer a um grupo social que se mantém unido por compartilhar um novo conjunto de crenças abstratas – neste caso, fazer parte de uma aventura de ficção científica.

De acordo com a teoria do cérebro relativístico, isso acontece porque o período transitório de sincronização intercerebral pode ser seguido por uma fase de cristalização, mediada pela secreção de poderosos moduladores neuroquímicos, entre eles o neurotransmissor dopamina, por todo o córtex. Como o período transiente de sincronização cerebral gerou sensações hedônicas poderosas, compartilhadas por um elevado número de pessoas submetidas ao mesmo estímulo visual, ele provavelmente ativou circuitos cerebrais que mediam a nossa busca incessante por recompensas prazerosas. Além do seu papel essencial em comportamentos motores, a dopamina é um neurotransmissor utilizado por neurônios que participam dos circuitos que mediam comportamentos envolvidos na busca dessas recompensas, como o sexo e a procura por comidas palatáveis, e em uma série de comportamentos aditivos, como o consumo de drogas e o jogo compulsivo. Nesse caso em particular, proponho que, seguindo uma fase inicial de sincronia intercerebral transiente, a secreção concomitante de dopamina em múltiplos cérebros, como resultado de uma experiência compartilhada, contribua para a geração de uma conexão social forte, ou *Brainet*, de muito mais longo prazo. Esse mecanismo seria equivalente ao descrito pela sinapse hebbiana de 3 fatores (Figura 7.5). De acordo com esse mecanismo, um neurônio que usa a dopamina (ou outros neurotransmissores) pode exercer um importante efeito modulador em uma típica sinapse hebbiana, ao de fato criar um mecanismo supervisionado de plasticidade sináptica.

Em essência, o terceiro neurônio ofereceria um sinal de erro ou uma medida da magnitude de uma recompensa em relação àquilo que era originariamente esperado, ou uma medida do estado de atenção ou alerta do cérebro.

A dopamina também é conhecida como sinal indicador de recompensa e, assim, poderia modular a plasticidade de sinapses e o aprendizado hebbiano. No caso de comportamentos sociais, a secreção simultânea de dopamina em múltiplos cérebros individuais seria capaz de potencializar mecanismos hebbianos que permitiriam que o acoplamento cérebro-cérebro fosse consolidado, em larga escala espacial, por meio da potencialização da sincronização intercerebral de um número elevado de indivíduos.

Além disso, esse efeito modulador dopaminérgico garantiria que, o que começou com um período transiente de sincronia intercerebral, por meio de um estímulo visual comum, fosse mantido por períodos muito mais longos de tempo. Isso é particularmente relevante se considerarmos que, uma vez formados, um grupo social tende a gerar sinais hedônicos de autorreforço por meio das suas interações contínuas. Em essência, a teoria do cérebro relativístico levanta a hipótese de que mecanismos que operam nas sinapses – como a regra do aprendizado hebbiano e o aprendizado supervisionado – podem se manifestar na escala de interações cérebro-cérebro e, assim, contribuir para a formação e manutenção de *Brainets* que dão sustentação fisiológica à formação de grupos sociais em animais e seres humanos.

A essa altura, você deve estar se perguntado: por que a evolução de um estado de acoplamento transiente para um mais permanente não ocorre nos chimpanzés?

A despeito da clara capacidade de imitar, os chimpanzés o fazem muito menos que os seres humanos. Isso quer dizer que os chimpanzés ainda tendem a focar mais no processo de emular – copiar o produto final de um objetivo –, enquanto nós, seres humanos, somos muito melhores imitadores – focando primariamente na reprodução do processo por meio do qual realizamos um objetivo motor. Além disso, graças ao tremendo aumento na banda de comunicação oferecido pelo surgimento da linguagem, nós, humanos, somos bem melhores na arte de ensinar novas habilidades e disseminar ideias e conceitos a outros membros de nossa espécie. Isso se dá porque, em seres humanos, uma nova abstração mental ou descoberta pode se espalhar rápida e eficientemente por grupos sociais por meio da famosa fofoca e, no longo prazo, pelo estabelecimento de instrumentos culturais. Para trazer essa habilidade peculiar sob a perspectiva da teoria do cérebro relativístico, foquemos em um componente-chave desse argumento: o modo como o cérebro de diferentes primatas reage durante a observação de um ato motor.

Quando os padrões espaciais de ativação cortical observados durante a ressonância motora são comparados entre chimpanzés e seres humanos, identificamos, de imediato, uma diferença gritante entre essas duas espécies, o que reflete o fato de que os chimpanzés devotam relativamente mais ênfase para emular, enquanto os seres humanos são muito mais talentosos imitadores. A Figura 7.6 reproduz essa comparação ao mostrar a distribuição da ativação cortical enquanto chimpanzés e seres humanos observam o mesmo comportamento motor sendo produzido por um experimentador. De imediato, nota-se que, enquanto nos chimpanzés o padrão de ativação cortical estava restrito primariamente ao lobo frontal, com um grande recrutamento do córtex pré-frontal e uma contribuição muito menor do lobo parietal, nos seres humanos a observação de um ato motor gera um padrão de ativação cortical que se espalha amplamente por áreas corticais frontais, parietais e occiptotemporais. Nesse vasto território cortical, a maior ativação ocorre em quatro regiões interconectadas: o córtex pré-frontal ventral, o córtex pré-motor ventral, o lobo parietal inferior e o córtex temporal inferior. Ao analisar os resultados, Erin Hecht e Lisa Parr concluíram que esse padrão de ativação cortical em chimpanzés assemelha-se mais ao obtido em macacos *rhesus* que o padrão humano. Quando examinado em detalhe, o padrão humano de ativação cortical durante a ressonância motora depende, sobretudo, da conexão de regiões corticais mais relacionadas à representação da intenção, do contexto e do resultado final, como o córtex pré-frontal ventral, com áreas antes envolvidas com os detalhes do processo de integração sensório-motora, necessários para o planejamento e a execução das sequências de movimentos para imitar ações. Este último circuito inclui a área pré-motora ventral do lobo frontal – na qual os neurônios-espelho foram descobertos – e múltiplas regiões parietais e occiptotemporais. Hecht e Parr especulam que as diferenças no padrão de ativação cortical entre chimpanzés/macacos e humanos expliquem por que, "a despeito do fato de que chimpanzés podem imitar, eles normalmente não o fazem".

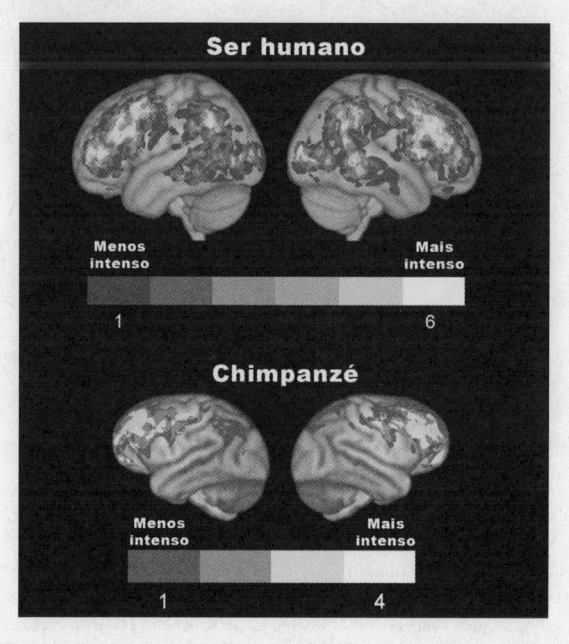

Figura 7.6 Diferenças no padrão de ativação cortical entre seres humanos e chimpanzés durante a observação de gestos de preensão manual realizados por um outro indivíduo. (Modificado com permissão do *Journal of Neuroscience*, de E. E. Hecht, L. E. Murphy, D. A. Gutman, J. R. Votaw, D. M. Schuster, T. M. Preuss, G. A. Orban, D. Stout, and L. A. Parr, "Differences in Neural Activation for Object-Directed Grasping in Chimpanzees and Humans," *Journal of Neuroscience* 33, no. 35 [August 2013]: 14117-34; permissão obtida através do Copyright Clearance Center, Inc.)

Enquanto os estudos já descritos focaram, sobretudo, nos padrões de ativação da substância cinzenta do córtex, a análise comparativa da distribuição de substância branca ao longo do circuito frontal-parietal-temporal em macacos, chimpanzés e seres humanos confirma os resultados funcionais. Três feixes importantes de substância branca cortical foram usados na análise comparativa. O primeiro é a chamada "cápsula extrema" que conecta regiões do lobo temporal – como aquelas localizadas no sulco temporal superior (STS) do córtex temporal inferior – com o córtex pré-frontal inferior (Figura 7.7). O segundo componente, que conecta o mesmo STS com uma região de neurônios-espelho localizada no córtex parietal, é formado pelos feixes do fascículo longitudinal medial e do fascículo longitudinal inferior. Por fim, a análise inclui o fascículo longitudinal superior, conhecido como SLF, do inglês *superior longitudinal fasciculus* (Figura 7.7), que media a comunicação entre grupos de neurônios-espelho nos lobos parietal e frontal.

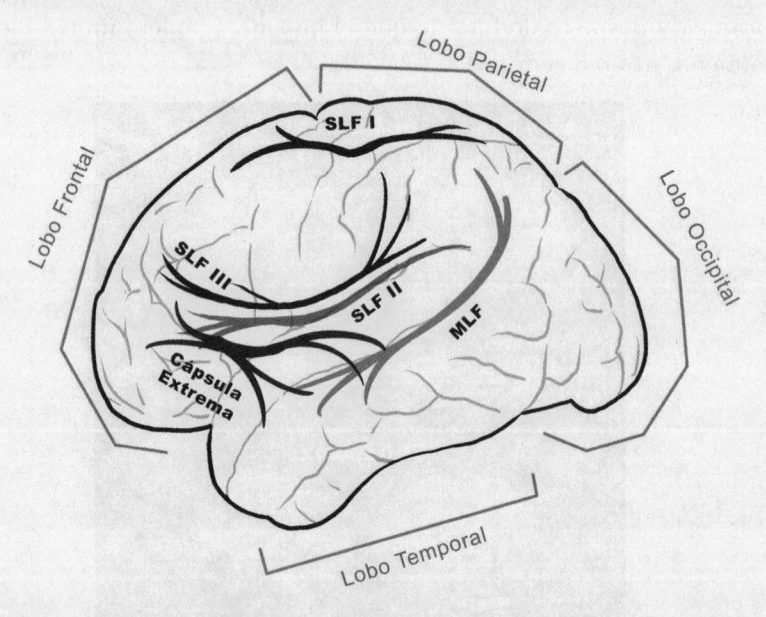

Figura 7.7 Visão lateral do cérebro humano mostrando os lobos frontal, parietal, temporal e occipital. A ilustração também representa a organização detalhada das subdivisões do fascículo longitudinal superior (SLF I, II, e III), um dos mais importantes feixes de substância branca cortical, conectando múltiplas regiões corticais, bem como a cápsula extrema e o fascículo longitudinal medial. (Ilustração por Custódio Rosa)

A análise comparativa dos três grandes feixes de nervos revelou que em macacos *rhesus* a conexão que liga diretamente as estruturas do lobo temporal com o córtex frontal – o componente ventral – é bem mais densa que a via frontoparietal, ou componente dorsal, mediado pelo SLF, e a ligação temporoparietal. Assim, as regiões corticais localizadas no STS representam a maior parte da conectividade no diagrama de conexões do macaco *rhesus*. Em chimpanzés, o componente dorsal frontoparietal aumenta um pouco a sua contribuição, mas não o suficiente para suplantar o componente ventral. Como resultado, nenhuma área cortical domina o tráfego de nervos do circuito dos neurônios-espelho (Figura 7.8).

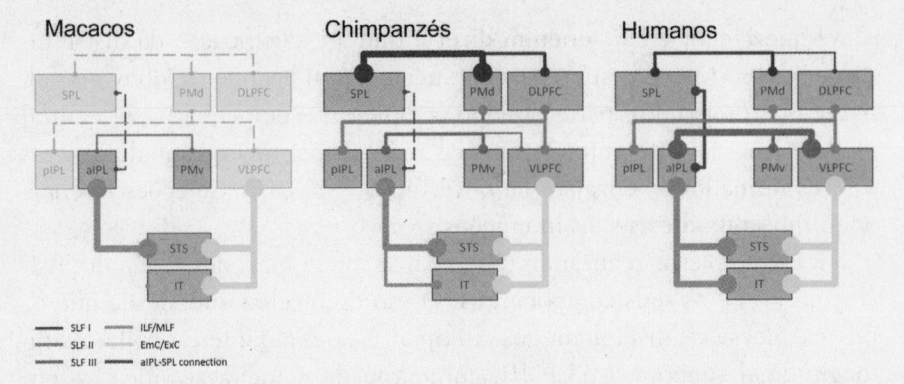

Figura 7.8 Sumário esquemático das diferenças em conectividade da substância branca cortical em macacos, chimpanzés e seres humanos. AIP = área interparietal anterior; aIPL = lobo parietal inferior anterior; DLPFC = córtex pré-frontal dorsolateral; EmC/ExC = cápsulas extrema (EMC) e externa (ExC); ILF/MLF = fascículos longitudinal inferior e médio; IT = córtex temporal inferior; pIPL = lobo parietal inferior posterior; PMd = córtex premotor dorsal; PMv = córtex premotor ventrolateral; SLF = fascículo longitudinal superior; SPL = lobo parietal superior; STS = sulco temporal superior; VLPFC = córtex pré-frontal ventrolateral. (Originalmente publicado em Erin E. Hecht and Lisa Parr, "The Chimpanzee Mirror System and the Evolution of Frontoparietal Circuits for Action Observation and Social Learning", New Frontiers in Mirror Neurons Research, editado por Ferrari e Rizzolatti [2015] Figure 9.4. Reproduzido com permissão da Oxford University Press.)

A situação muda dramaticamente quando o cérebro humano é considerado, porque a densidade dos componentes dorsal e ventral é bem mais equilibrada na nossa espécie, e o córtex parietal que concentra os neurônios-espelho é o principal *hub* de conectividade no circuito que liga os lobos temporal, parietal e frontal (Figura 7.8). Isso se dá graças a um aumento nas interações frontoparietais e temporoparietais. De acordo com Hecht e Parr,

> *a conexão da cápsula extrema ventral com essa rede oferece uma rota de transferência de informação que pode mediar a cópia dos resultados finais de uma ação [motora]. Por outro lado, as conexões dos fascículos longitudinais superior, medial e inferior podem oferecer uma via de transferência de informação que media o copiar [dos parâmetros] cinemáticos dessa ação. Dessa forma, uma maior conectividade ventral dentro dessa rede neural pode estar relacionada com uma maior ativação frontal durante a observação de uma ação [realizada por outros indivíduos] e uma maior propensão para a cópia dos resultados finais dessa ação. Ao mesmo tempo, uma maior conexão dorsal pode estar relacionada a uma maior ativação parietal e occiptotemporal durante a observação de uma ação, bem como a uma maior propensão para copiar os métodos empregados a fim de realizar esta ação.*

O que Hecht e Parr querem dizer é que a especificação da distribuição e da densidade da substância branca cortical ligando os lobos frontal, parietal e temporal (e parte do lobo occipital) desempenha papel central na definição das diferentes estratégias mentais por meio da qual primatas e seres humanos se engajam na observação e na cópia de ações motoras adquiridas durante as suas interações sociais.

Hecht e colegas realizaram uma análise ainda mais detalhada do SLF (Figura 7.7) e os seus componentes. O estudo revelou que, desde que os nossos ancestrais divergiram dos chimpanzés, o ramo inferior do fascículo longitudinal superior, o SLF III, aumentou de maneira significativa em termos de tamanho, à custa do ramo superior, o SLF I, que é o maior componente em chimpanzés. O SLF III é responsável por conectar o córtex pré-frontal inferior, a área pré-motora ventral e a porção anterior do córtex parietal inferior. Nos seres humanos, o SLF III mostra aumento importante nas projeções que terminam no giro frontal inferior. Assim, desde que a primeira população do *Homo sapiens* emergiu na África, cada um desses indivíduos carregava no cérebro uma clara expansão de conectividade do sistema dos neurônios-espelho para incluir não somente a clássica área pré-motora ventral e as regiões parietal e occiptotemporal, mas também um componente-chave do córtex pré-frontal.

Para a teoria do cérebro relativístico, todas as mudanças na configuração da substância branca humana, incluindo o aumento da conectividade frontoparietal dorsal e o crescimento diferenciado do componente inferior do SLF, levaram a profundas modificações no padrão de campos eletromagnéticos gerados por esses solenoides biológicos. Como resultado, um padrão completamente distinto de amálgama cortical emergiu no cérebro humano ao ser comparado com o dos chimpanzés e o dos macacos. A mudança dramática do contínuo neuronal cortical pode até explicar diferenças entre a nossa espécie e os nossos ancestrais hominídeos, não somente ao esclarecer por que o nosso cérebro individual é capaz de gerar abstrações mentais e comportamentos mais elaborados, como a linguagem e a fabricação de ferramentas, mas também por que eles são tão inclinados a estabelecer grupos sociais mais coesos e criativos que os nossos ancestrais primatas.

★★★

Várias razões explicam a motivação que o meu laboratório teve para realizar experimentos com *Brainets*. Primeiro, queríamos descobrir se era possível construir uma *Brainet* e demonstrar que múltiplos cérebros podem trabalhar em conjunto para gerar comportamentos motores coerentes sem a necessidade da produção de movimentos do corpo ou de comunicação entre os participantes. Além disso, queríamos confirmar a possibilidade de construir *Brainets* capazes de incorporar um ou mais pacientes paralisados, como os que participaram do Projeto Andar de Novo, com voluntários saudáveis, como terapeutas e médicos, mantendo a esperança de que os pacientes paralisados um dia se beneficiassem do poder mental coletivo da *Brainet* resultante para aprender mais rapidamente a operar uma interface cérebro-máquina a fim de restaurar mobilidade. Se essa ideia for factível, imagino um futuro no qual um único terapeuta ou médico poderá "doar" a sua atividade elétrica cerebral para treinar milhares de pacientes ao redor do mundo, por meio de uma interface cérebro-máquina compartilhada, capaz de melhorar o quadro clínico de uma multidão de paraplégicos. Coincidentemente, no momento em que escrevo este parágrafo, os primeiros experimentos demonstrando que essa abordagem pode ser executada com sucesso acabam de ser concluídos no laboratório que serve de sede do Projeto Andar de Novo, em São Paulo. Uma vez mais, as coisas parecem acontecer muito mais rapidamente do que o previsto.

A terceira razão desses experimentos tem a ver com o teste da minha teoria do cérebro relativístico: se a teoria tinha alguma chance de ser validada, eu precisava achar um mecanismo capaz de produzir sincronização disseminada ao longo de todo o córtex. Digo isso porque, embora eu tenha postulado que campos eletromagnéticos neuronais talvez estivessem envolvidos no processo, não é fácil destrinchar todos os detalhes requeridos para que uma sincronização neuronal de grande escala emerja em um cérebro intacto. Na minha visão, ao criar *Brainets* formadas por múltiplos cérebros individuais, teríamos mais chances de estudar os requisitos para o estabelecimento de tal sincronização neuronal de grande escala. Em uma *Brainet* construída em laboratório, pode-se controlar o feedback sensorial e os sinais de recompensa entregues a cada participante.

Imaginei que, ao medir como e onde essa sincronização ocorre nos vários cérebros envolvidos na cooperação, eu poderia obter alguma pista essencial de como se dá a sincronização neuronal de grande escala em um cérebro individual. Ocorre que, no caso da Brainet-B3, descobrimos que a combinação de um feedback visual comum e uma recompensa era suficiente para induzir uma sincronização precisa das tempestades elétricas produzidas por três cérebros individuais participando do experimento. Isso permitiu que uma Brainet-B3 controlasse movimentos tridimensionais de um braço virtual como se os sinais neuronais tivessem se originado de um cérebro só. Com esse achado, comecei a imaginar se essa combinação poderia também desempenhar papel fundamental na consolidação do contínuo neuronal de um cérebro individual. Essa foi a razão que me levou a propor que uma regra de aprendizado hebbiana de três variáveis, originariamente descrita como mecanismo de plasticidade sináptica, explicaria a nossa habilidade como espécie de formar e manter *Brainets* de grandes dimensões, que geram uma grande variedade de comportamentos sociais complexos. Com isso, cruzei mais um item da minha lista.

A quarta e última razão que me fez querer experimentar com *Brainets* no laboratório foi porque eu poderia investigar os princípios fundamentais que permitem a computadores orgânicos se formarem na natureza e implementar tudo aquilo que o Verdadeiro Criador de Tudo tem que realizar para construir o universo humano. Essa é a razão pela qual acredito piamente que comparar cérebros e *Brainets* com computadores orgânicos individuais e distribuídos respectivamente pode nos ajudar a entender por que colmeias têm muito em comum com as pirâmides do Egito. De acordo com a minha hipótese, ambos são exemplos tangíveis e exuberantes dos produtos gerados por diferentes versões de computadores orgânicos distribuídos; um, obviamente, composto de cérebros de abelhas-operárias, e o outro constituído por centenas de milhares de seres humanos que, trabalhando por décadas, planejaram e alcançaram um objetivo arquitetônico comum, que surgiu e tomou forma primeiro dentro do sistema nervoso de alguém e depois foi projetado na rocha egípcia.

Evidentemente, o computador orgânico formado por abelhas é muito mais simples, uma vez que pode ser sincronizado por sinais biológicos e ambientais primários, que acionam comportamentos geneticamente impressos nos cérebros das abelhas-operárias, que atuam como coletivo eficiente, mas que não exibem nenhum entendimento nem consciência da tarefa realizada. Por outro lado, a *Brainet* egípcia especializada em construir pirâmides dependeu da habilidade dos participantes de aprender proficiências físicas e mentais, criar novas ferramentas e conceber uma estratégia para solucionar problemas encontrados durante o processo de construção. Sem mencionar que cada participante individual da *Brainet* era plenamente consciente de seu papel e da tarefa hercúlea que residia nas suas mãos. Não é à toa, portanto, que o historiador e crítico literário americano Lewis Mumford batizou o esforço egípcio de construção como "megamáquina", o mecanismo primordial de labuta coletiva humana que serviria de inspiração e primeiro protótipo para a idade da mecanização artificial que floresceria milhares de anos depois. Para mim, esse também ilustra o exemplo clássico de uma *Brainet* humana. Todavia, tanto a colmeia como as pirâmides egípcias exemplificam o fato de que a confecção de produtos complexos específicos requer a interação colaborativa de diversos cérebros individuais sincronizados. A minha hipótese é de que, em ambos os casos, o objetivo é alcançado por uma sincronização analógica que leva a um acoplamento cérebro-cérebro em larga escala dos indivíduos pertencentes a dado grupo social.

Neste ponto, posso declarar qual é a minha principal razão para defender uma linha comum conectando colônias de animais, como as formadas por bactérias, formigas e abelhas, peixes e pássaros, às grandes *Brainets* geradas pelos seres humanos. Com o arcabouço termodinâmico introduzido no Capítulo 3, posso conectar todos esses exemplos ao concluir que, desde as origens humildes da vida no nosso planeta, organismos individuais passaram a formar colônias sincronizadas que maximizam a quantidade de trabalho útil a ser realizado com o fluxo de energia e informação trocado com o mundo exterior. Essencialmente, essas colônias animais e as *Brainets* compartilham da mesma solução encontrada pela natureza para produzir a maior redução de entropia e o maior nível de auto-organização – sem esquecer a mais alta taxa de incorporação de informação gödeliana – por unidade de fluxo de energia/informação trocada com o ambiente.

Para a vasta maioria das formas de vida, a solução propicia uma chance melhor de adquirir energia solar e estender as suas existências que estão sempre no limite da sobrevivência. No caso da nossa espécie, a solução fornece o combustível necessário para a criação do vasto espectro de abstrações mentais que nos permite assimilar informação potencial do cosmos e transformá-la em conhecimento e mais abstrações mentais.

★★★

Meses após os nossos experimentos terem terminado, deparei-me com um vídeo que mostrava as expressões faciais de dois dos nossos voluntários enquanto controlavam uma Brainet-B2. Observando apenas alguns minutos, tive a impressão de já ter encontrado aquele olhar antes. Não em um laboratório como o nosso, mas lá fora, no mundo, em uma variedade de circunstâncias. No cinema, durante uma cena que capturou as emoções coletivas, as memórias, as esperanças e os desejos de toda uma plateia; em uma manifestação, na qual a voz e as palavras de um carismático orador hipnotizaram centenas de milhares de pessoas que compartilhavam do mesmo ideal político; em um campo de futebol, quando torcedores empurravam seus times, cantando em uníssono como se aquele jogo fosse maior que a vida. Em todos os casos, as pessoas pareciam se fundir em um coletivo e se comportar não como indivíduos, e sim como um todo orgânico.

Agora, depois de rodar experimentos com *Brainets* no meu laboratório, construí uma hipótese sólida para explicar por que todos os exemplos de comportamentos coletivos aconteceram: cada um desses grupos sociais humanos, no cinema, na manifestação, no campo de futebol, basicamente ilustra como um computador orgânico distribuído pode ser formado em um intervalo de tempo bem restrito.

No começo, a ideia parecia estranha mesmo para um neurocientista como eu, razão pela qual tentei esquecê-la. Todavia, quanto mais refletia sobre ela e quanto mais queria aprender sobre os comportamentos sociais humanos e animais e sobre suas origens evolucionais, mais a minha hipótese sobre a existência dessa computação orgânica distribuída parecia ser consistente, levando em conta uma variedade de relatos e experiências conhecidos. Como um torcedor fanático de futebol, lembrei-me da famosa máxima que diz que não importa quantos craques um time tenha – pense no Palmeiras de 1996 e seus mais de 100 gols ou dos galácticos do Real Madrid –, se as estrelas não se fundirem, as chances de ganhar qualquer campeonato diminuem consideravelmente. O desenvolvimento da "química" que permite que um grupo de jogadores forme um time que joga coletivamente, jargão conhecido por todo torcedor, oferece uma analogia apropriada para descrever o que proponho que um computador orgânico distribuído formado por seres humanos seja, o que é capaz de realizar e por que requer muito treinamento para alcançar elevado grau de sincronização dos múltiplos cérebros individuais usados na operação.

Uma vez que ocorre esse amálgama de cérebros, o computador orgânico humano pode realizar feitos incríveis, que se manifestam por indicadores físicos ou em tesouros intelectuais ainda mais elaborados, que, na sua totalidade, definem a nossa cultura e o nosso legado.

Depois dessa fase esportiva, as coisas ficaram ainda piores. De repente, vi-me pensando sobre orquestras sinfônicas, como a Filarmônica de Berlim, executando a minha abertura operística favorita, *Tannhäuser*, não como amontoado de músicos virtuosos, mas enquanto outro exemplo de como, com anos de treinamento, apenas um punhado de gestos de um maestro e feedback auditivo, os córtices motores de dezenas de cérebros humanos se sincronizam com uma precisão de milissegundos para participar de episódios hipnóticos de criação de uma escultura acústica.

Dados todos esses exemplos, agora posso apresentar a minha definição operacional de *Brainet*. Basicamente, uma *Brainet* é um computador orgânico distribuído composto de múltiplos cérebros individuais, que se sincronizam – no domínio analógico – por um sinal externo, como luz, som, linguagem, química, ondas de rádio ou eletromagnéticas, e é capaz de produzir comportamentos sociais emergentes. Como no caso de cérebros individuais, esses computadores orgânicos distribuídos utilizam memória orgânica para estocar informação gödeliana enquanto transmitem informação shannoniana e são capazes de aprendizado coletivo, por meio de mecanismos semelhantes aos da plasticidade sináptica hebbiana, projetados ao nível de múltiplos cérebros individuais que interagem entre si. As *Brainets,* desta forma, exibem a capacidade de autoadaptação. Além disso, esse computador orgânico humano, dada a sua imensa complexidade, é capaz de uma operação prodigiosa que define um atributo, até onde sabemos, único do universo: a possibilidade de transformar informação fornecida pelo universo em um conhecimento a ser empacotado e transmitido a gerações futuras, para que estas deem continuidade à mais importante missão existencial da nossa espécie: a construção do seu próprio universo.

CAPÍTULO 8

O CASO EM FAVOR DE UMA COSMOLOGIA CENTRADA NO CÉREBRO HUMANO

Apesar da noite glacial, como sempre, eles vieram em número elevado. Espalhados em pequenos grupos, emergiam de todos os pontos da floresta escura e congelada, prontos para se misturarem com a procissão compacta que gradualmente adquiria o seu próprio ritmo de marcha. Uma vez incorporados, homens, mulheres, crianças e todos os anciões que ainda conseguiam andar por si mesmos instintivamente se fundiam à multidão que parecia definir uma espécie de lança humana, tentando resistir e, eventualmente, perfurar a nevasca e o vento, quase como uma nova força emergente da natureza, para continuar a progredir rumo ao seu destino. Andando em silêncio, esse verdadeiro arpão humano seguia um único cone faiscante de luz, gerado pela tocha cerimonial empunhada pelo mais venerado xamã, que, como líder da procissão, conduzia todos ao novo templo subterrâneo.

Deslocando-se em perfeita sincronia, mantinham a cabeça baixa, enquanto dobravam o torso para a frente, de sorte a reduzir o impacto brutal do vento, que, a cada sibilo, insistia em penetrar até a profundeza dos ossos. O longo rastro de pegadas profundas deixadas para trás no chão coberto pela neve, a coragem com que todos reagiam aos grunhidos aterradores produzidos pelos predadores que ansiosamente seguiam a procissão por trás da protetora escuridão da floresta e o lento progresso durante a noite ofereciam um testemunho irrefutável do sacrifício ilimitado que os peregrinos estavam dispostos a suportar para demonstrar a sua devoção. Trancafiados no meio daquela marcha, eles haviam se transformado em prisioneiros voluntários; enfeitiçados e convertidos, desde o começo da vida, por um desejo, tão irresistível quanto intangível, jamais experimentado por qualquer outro animal – nem mesmo pelos seus ancestrais símios e hominídeos. Sem se darem conta, haviam se transformado nos pioneiros de uma nova raça. Marchando incansavelmente, determinados em alcançar, a qualquer custo e por qualquer meio, primeiro a entrada e depois as entranhas do seu mais recente altar, os peregrinos seguiam uma miragem mental, de forma desafiadora e a despeito de todos os riscos. Ainda assim, nada na Terra impedia o avanço inflexível dessa primeira *Brainet* construída exclusivamente pela fé.

★★★

Cerca de quarenta mil anos atrás, provavelmente no meio de uma noite glacial congelante como a retratada nos parágrafos anteriores, homens e mulheres com corpo e cérebro como os nossos inauguraram uma das características mais permanentes da nossa espécie: a habilidade de criar e disseminar amplamente abstrações mentais que, apesar de serem concebidas inicialmente nos solenoides biológicos do nosso cérebro, são projetadas para o mundo exterior como se representassem a mais irrefutável e inquestionável verdade, merecedora da veneração cega e incondicional de todo ser humano.

Uma vez que não havia relógios, a vida desses peregrinos não contava com tantas nuanças do tempo: o dia e a noite, a transição entre eles, o ciclo da Lua, as estações naturais da Terra e os padrões de migração dos animais marcavam as delimitações temporais na rotina. Durante o dia, eles principalmente caçavam e coletavam o sustento diário; durante a noite, ao redor de uma fogueira, provavelmente compartilhavam estórias que mais tarde invadiriam os seus sonhos enquanto dormissem. No entanto, em algumas ocasiões especiais, eles marchavam em grandes grupos, como uma procissão coesa e orgulhosa, em direção a templos subterrâneos onde, quarenta mil anos depois, os seus descendentes diretos despenderiam uma enorme quantidade de tempo debatendo o que os migrantes de fato tinham em mente quando eles decidiram invadir as profundezas dessas cavernas e, lá, pintar cenas elaboradas nas paredes de rocha nua ou simplesmente venerar as pinturas criadas por outros que apareceram antes deles. Usualmente, as pinturas na rocha eram assinadas com a palma da mão com dedos estendidos. E, enquanto as cenas ricamente reproduzidas na pedra continham uma enorme profusão dos animais, tanto aqueles que eram caçados como aqueles que os caçavam, surpreendentemente havia esparsas referências pictóricas que contivessem qualquer rastro ou imagem desses artistas anônimos. Claramente, a ausência conspícua de reproduções do corpo e da face humana não refletia a falta de habilidade artística. Em vez disso, ela parecia indicar o desejo dessas gerações de pintores pré-históricos de deixar para a posteridade um registro das imagens mentais produzidas, resultando, como já vimos, na colisão entre sinais que descrevem o mundo natural e a maneira pela qual o Verdadeiro Criador de Tudo o percebe.

Até hoje, quando nos confrontamos com a beleza e a força das pinturas rupestres subterrâneas e com a constatação do esforço descomunal empenhado por nossos ancestrais para produzi-las no período Paleolítico Superior, a nossa tendência é inquirir qual teria sido a recompensa material ou a indulgência especial a motivar os peregrinos a buscar avidamente as profundezas da Terra, mesmo sabendo que a vida deles e a de seus familiares seriam expostas a um risco mortal? Que tipo de fortuna seduziu essa multidão a se aventurar em uma viagem por uma floresta cheia de armadilhas em busca de uma entrada para uma caverna subterrânea? Por que depositavam o seu destino de forma tão despreocupada nas mãos de um xamã ancião e à frágil luz que emanava tanto da sua visão como da sua tocha?

Antes de seguir nesta narrativa, preciso salientar que, enquanto escrevia este capítulo, novas evidências foram encontradas sugerindo que os neandertais produziram pinturas rupestres em cavernas por volta de sessenta e cinco mil anos atrás, ou aproximadamente vinte e cinco mil anos antes de qualquer *Homo sapiens* fazer o mesmo. Se essas evidências forem confirmadas, os neandertais serão considerados os primeiros artistas da nossa linhagem.

Embora possa soar como uma enorme surpresa na segunda década do século XXI, em um momento em que a sociedade de consumo e a cultura da autoindulgência atingiram os seus pináculos, toda a evidência arqueológica indica que esses homens e essas mulheres não estavam em busca de bem precioso ou monetário, poder ou iguaria alimentar durante essas excursões. Tendo satisfeito as suas necessidades imediatas de sobrevivência com a caça e a coleta, esses nossos ancestrais do Paleolítico Superior começaram a viajar por florestas congeladas em grupos vultuosos em busca de cavernas subterrâneas a ocupar, decorar ricamente com as próprias mãos e depois visitar com regularidade.

De fato, em algum lugar no meio de uma paisagem glacial que dominou o sudoeste e nordeste das montanhas da região dos Pirineus, onde hoje se situa a região sul da França e norte da Espanha, grupos de nômades do Paleolítico Superior deixaram para trás registros históricos altamente elaborados e impressos, na forma de pinturas coloridas, feitas com as próprias mãos, nas paredes e nos tetos rochosos de cavernas subterrâneas altamente convolutas. Em conjunto, essas obras de arte constituem os fragmentos sobreviventes dos aspectos fundamentais que definiam a vida física e mental de membros ancestrais da nossa espécie que adquiriram o desejo e a habilidade de deixar relatos das suas experiências e dos seus pensamentos. Para caracterizar apropriadamente a natureza épica dessa conquista do povo do Paleolítico Superior, é fundamental enfatizar que, até o momento em que eles decidiram se valer da pintura, gravando e esculpindo as paredes de cavernas subterrâneas, por milhares de anos, a linguagem oral era o único meio disponível para os membros da nossa espécie comunicarem as suas experiências. Da mesma forma, o cérebro humano era o único meio disponível para estocagem de memórias de longo prazo. Assim, de trinta mil a quarenta mil anos atrás, o substrato neural do cérebro humano servia de repositório primário tanto da história de vida individual como da acumulada da nossa espécie. Apenas a linguagem oral permitia que os registros históricos fossem transmitidos para gerações presentes e futuras.

Quando os nossos ancestrais se dirigiram para o subterrâneo e começaram a pintar as paredes e o teto das cavernas, deram início a uma gigantesca revolução na forma de comunicação por meio da qual a história humana passou a ser registrada, estocada e disseminada. Na rocha nua, os peregrinos foram capazes de projetar os seus mais íntimos sentimentos e representações do mundo ao redor e, em alguns casos, criar registros perenes das emoções e dos pensamentos humanos que, até hoje, nenhuma linguagem falada ou escrita pode reproduzir apropriadamente. Nesse contexto, diz-se que, ao escolher a pintura, esses antepassados destruíram de vez as grades que mantinham o cérebro humano prisioneiro da sua cela craniana. De acordo com o pensamento do filósofo austríaco Ludwig Wittgenstein, os magdalenianos inauguraram a tradição humana de mostrar com as mãos aquilo que não podia ser dito com voz. Usando os termos da teoria do cérebro relativístico, os nossos ancestrais do Paleolítico Superior usaram a pintura em vez da fala para melhor retratar as manifestações mentais da informação gödeliana de alta dimensão, coisas como emoções, abstrações, pensamentos, que não podem ser descritas de forma completa por canais que transmitem informação shannoniana de baixa dimensão, por exemplo, a linguagem.

Uma vez liberada no mundo, não havia mais como voltar atrás. A transferência humilde de imagens mentais humanas cruas e nuas – derivadas, como outros produtos mentais, da atividade eletromagnética neuronal de grande escala – para um meio artificial – no caso, a rocha – permitiu aos seres humanos expressar e comunicar a forma pela qual representavam e interpretavam o mundo natural, a verdadeira base da sua filosofia de vida e cosmologia, bem como dos seus códigos éticos e morais. Além disso, deu origem a uma busca obsessiva, que continua até hoje, para identificar novas formas de mídia e novos canais de comunicação para estocar e disseminar pensamentos, visões, opiniões e conhecimentos, tão vasta e rapidamente quanto for possível, por toda a civilização humana.

Durante os últimos trinta mil a quarenta mil anos, essa busca evoluiu da impressão de imagens mentais na rocha para a nossa habilidade de baixar, em tempo real, a atividade elétrica cerebral que media comportamentos motores e sensoriais em um meio digital, como rotineiramente fazemos no meu laboratório ao realizarmos os nossos experimentos envolvendo interfaces cérebro-máquina. Nada mal, certo?

Em suma, grupos de *Homo sapiens* no Paleolítico Superior – e talvez neandertais antes deles – foram pioneiros na expressão de um traço dominante do *éthos* humano, frequentemente expresso como se fosse alguma forma de maldição atávica, podendo ser identificada em uma variedade de formas, ao longo da história de todas as civilizações. Refiro-me à aparente inata obsessão humana de estender toda a sua obediência e a sua fidelidade, comprometer a sua vida presente e futura e estabelecer rígidos códigos de conduta moral e ética, com base em nada além de uma abstração mental intangível.

Da mesma forma que fazemos hoje, os magdalenianos – nome derivado de La Madeleine, uma caverna na região de Dordogne, na França –, como são conhecidos os povos que pintaram as cavernas da Europa ocidental, viveram e morreram sob o encanto de poderosas abstrações mentais: mitologias primordiais criadas, disseminadas e assimiladas, como se fosse uma realidade tangível, pelo Verdadeiro Criador de Tudo. De acordo com a minha teoria, naquele passado distante, e ao longo de toda a história da nossa espécie, essas visões de mundo foram inicialmente cultivadas nos confins dos circuitos cerebrais de um indivíduo ou de um grupo restrito de pessoas. Logo, porém, as abstrações mentais individuais se espalharam por comunidades, como fogo em arbusto seco, adquirindo vida e uma dimensão tão poderosa, tão influente e tão irresistível que, invariavelmente, cada uma delas ascendeu para se transformar em uma teologia dominante, um credo, uma cosmologia, uma ideologia ou uma teoria científica – os nomes variam, mas as verdadeiras origens neurobiológicas são provavelmente as mesmas –, determinando comportamentos individuais e coletivos, sem mencionar a cultura definidora dos princípios essenciais que guiam todas as civilizações.

No avassalador processo de conquista social, cada uma das abstrações mentais dominantes, em cada momento da nossa história, subitamente impôs o que passaria a ser legal ou ilegal, aceito ou inaceitável, próprio ou impróprio, em termos de conduta humana, envolvendo todos os aspectos da vida, produzindo, como resultado, uma sombra onipresente e com frequência autoritária sobre todos os aspectos da existência humana. De acordo com essa visão, ao longo de todo o curso da história humana, à medida que cada abstração mental manobrava para ascender e derrotar a miragem mental anterior, ela era capaz de ditar novos dogmas e cânones, mesmo quando eles contradiziam flagrantemente a razão e os fatos estabelecidos sobre o mundo natural que nos cerca.

Com base nessa premissa – de que as abstrações mentais desempenharam papel essencial na construção da história da nossa espécie –, proponho que a descrição cosmológica dos aproximadamente cem mil anos necessários para a edificação do universo humano – isto é, a totalidade das realizações intelectuais e materiais do *Homo sapiens* – pode ser radicalmente realinhada a partir de um ponto de vista muito diferente, cujo epicentro é o cérebro humano, por si só ou como parte de *Brainets*. De acordo com essa remarcação cosmológica, o universo humano foi gradualmente edificado conforme distintas abstrações mentais – e os grupos sociais que juraram lealdade a elas – competiam entre si, em uma grande batalha, pela dominação da mente coletiva da humanidade, com o objetivo de alcançar a posição hegemônica que garantiria ao vencedor, a cada bifurcação crucial da história, o poder de redirecionar a principal trajetória a ser seguida.

Durante essa batalha mental sem fim pelo direito de se transformar no escritor-fantasma do enredo da nossa espécie, o primeiro passo na transição, de uma antiga para uma nova abstração mental, provavelmente ocorreu quando uma nova ideia, introduzida como resultado de uma nova concepção mental de um indivíduo ou um pequeno grupo de pessoas, se disseminou livremente em uma comunidade e, por fim, capturou a mente de um número elevado de pessoas.

Proponho que o processo inteiro só pode acontecer devido às propriedades neurofisiológicas específicas do cérebro humano – isto é, a sua utilização de diminutos campos eletromagnéticos para fundir o espaço e o tempo neurais em um contínuo –, bem como o aperfeiçoamento da capacidade da nossa espécie de sincronizar grandes números de cérebros em *Brainets*, com o propósito de formar grupos sociais altamente coesos. Com base nessa teoria, sugiro que, desde o amanhecer da nossa espécie, *Brainets* humanas altamente sincronizadas, graças à disseminação de abstrações mentais específicas, competiram entre si pelo poder e, eventualmente, pelo direito de determinar o destino da nossa espécie.

Nesse arcabouço cosmológico centrado no cérebro, todo o curso da história humana foi influenciado pelo resultado dessas disputas sociais. Isso significa que os processos auto-organizativos que emergiram durante esses embates foram responsáveis pela ascensão de diferentes culturas, religiões e sistemas político-econômicos. Por isso, ouso dizer que uma cosmologia centrada no cérebro humano é mais justa em descrever o único legado oferecido pela nossa espécie ao cosmos, o qual, mesmo tendo existido bilhões de anos antes que a presença do *Homo sapiens* fosse sentida na Terra, dependeu de um observador disponível e disposto a fazer uma reconstrução da sua história, usando o seu ponto de vista cerebral como sistema de referência central.

Embora a ideia de uma cosmologia centrada no cérebro humano possa soar extravagante ou inapropriada devido à circularidade envolvida no argumento – um universo que leva ao aparecimento de um cérebro que devota sua existência para reconstruir a história do mesmo universo de onde ele surgiu –, senti-me reconfortado ao descobrir que, ao longo dos séculos, muitas pessoas de grande alcance intelectual propuseram readequação similar sobre a posição do nosso cérebro no universo. Por exemplo, em 1734, o italiano Giambattista Vico, em *Princípios de uma ciência nova*, sugeriu que os tempos estavam maduros para a criação de "uma nova ciência", que focasse na investigação dos princípios da sociedade humana. De acordo com uma citação originalmente reproduzida por David Lewis-Williams em *La mente en la caverna* [A mente na caverna], Vico propôs que

> a mente humana dá forma ao mundo material, e é essa forma, ou coerência, que nos permite entender e se relacionar com o mundo de forma efetiva. O mundo é modelado pela, e na forma da, mente humana, apesar de as pessoas verem o mundo como "natural" ou "doado". Ao realizar essa tarefa de modelar

o mundo, a humanidade criou a si mesma. Por ser assim, deveria existir uma "linguagem da mente" universal, comum a todas as comunidades. Estruturar, criar algo coerente do caos do mundo natural, representa a essência do ser humano.

Ecoando Vico, o grande mitologista americano, Joseph Campbell, afirmou, em *Para viver os mitos*, que "é uma característica curiosa da nossa espécie em formação que vivemos e orientamos a vida através de atos do faz de conta". Elaborando a ideia, ele continua:

> *Macaquices desse tipo ainda fazem efeito. Elas representam a projeção no mundo real – na forma da carne humana, dos costumes cerimoniais e das construções em pedra – de sonhos e imagens míticas derivados não de alguma experiência de vida real, mas das profundezas do que hoje chamamos de inconsciente. E, como tal, essas imagens emergem e inspiram no observador respostas não racionais, mais parecidas com sonhos. O efeito característico da tradução desses temas e motivos míticos em rituais, consequentemente, é que eles ligam o indivíduo a propósitos e forças que estão muito além dele e da sua vida cotidiana. Estudiosos do comportamento animal já observaram que, onde certas preocupações de uma espécie se tornam dominantes – como nas situações de cortejo e no combate entre pretendentes –, padrões de comportamento ritualizado e estereotipado movem os animais individuais de acordo com comandos programados de ações comuns a cada espécie. Desta forma, em todas as áreas de interação social humana, procedimentos ritualizados despersonalizam os protagonistas, derrubando-os ou elevando-os para fora de si mesmos, de forma que as suas condutas deixem de ser sua propriedade própria, passando a ser, em vez disso, parte da espécie, da sociedade, da casta, ou da profissão.*

Para não deixar nenhuma dúvida, Campbell conclui:

> *Pois é um fato assumido – como creio que todos nós tenhamos concebido – que as mitologias e as suas divindades são produtos e projeções da psique [isto é, do cérebro humano]. Que deuses existem, que deuses existiram além dos que a imaginação do homem criou?*

Como veremos neste e em outros capítulos, vários cientistas, filósofos e artistas compartilham da mesma visão, ainda que a ideia em si tenha sido raramente chamada de "cosmologia centrada no cérebro" (ou cerebrocêntrica), nome que escolhi para batizar essa teoria. Ao utilizar os argumentos de Campbell e de outros pensadores que apoiaram essa noção, acredito que, hoje, estamos em uma posição muito melhor para avançar e apoiar cientificamente a adoção de uma cosmologia centrada no cérebro humano como novo modelo epistemológico a descrever o universo humano. Digo isso porque, diferentemente de tentativas anteriores, baseadas em argumentos retóricos e filosóficos, podemos utilizar um argumento neurofisiológico contundente e abrangente para defender o novo sistema referencial. Assim, após introduzir os principais axiomas da teoria do cérebro relativístico nos primeiros sete capítulos, o objetivo aqui é combinar todos eles para construir um caso formal que mostre por que faz tanto sentido aceitar uma cosmologia centrada no cérebro humano. De fato, sabendo o que sei hoje, não vejo como esse novo ponto de vista pode ser evitado por mais tempo.

Antes de iniciar esta discussão, no entanto, gostaria de enfatizar que a cosmologia centrada no cérebro não implica defender uma definição antropocêntrica do universo. Nada nessa nova cosmologia pressupõe que a humanidade ocupe ou desempenhe papel excepcional no cosmos. Além disso, a cosmologia cerebrocêntrica não é equivalente e, consequentemente, não pode ser refutada enquanto manifestação contemporânea de solipsismo ou do idealismo kantiano. Isso se dá porque a cosmologia centrada no cérebro não nega de forma alguma a existência de um mundo natural externo. Muito pelo contrário, propõe que o universo nos oferece um vasto reservatório de informação em potencial a ser usada pelo cérebro humano para gerar abstrações mentais que representam esse cosmos. Por definição, a cosmologia centrada no cérebro que proponho reafirma a existência de um universo tangível ao nosso redor.

A sequência do meu argumento seguirá a pirâmide invertida representada na Figura 8.1. De início, o objetivo é discutir como a teoria do cérebro relativístico explica a habilidade sem igual do cérebro humano de gerar e disseminar abstrações mentais. Até aqui, encontramos vários exemplos de tais atributos peculiarmente humanos quando discutimos fenômenos como o esquema corpóreo, o senso de ser, a dor e a sensação do membro-fantasma. No todo, esses são exemplos claros de como o cérebro humano cria construções mentais autorreferenciais que definem uma representação neural interna do corpo em que habita. O cérebro humano, porém, é capaz de gerar construções mentais muito mais elaboradas que essas. Com base nesse fato, proponho que, graças a essa incrível capacidade, o nosso cérebro constrói a única definição compreensiva de realidade que nós, humanos, experimentamos. Antes de apresentar essa conclusão, é importante construir o meu argumento passo a passo.

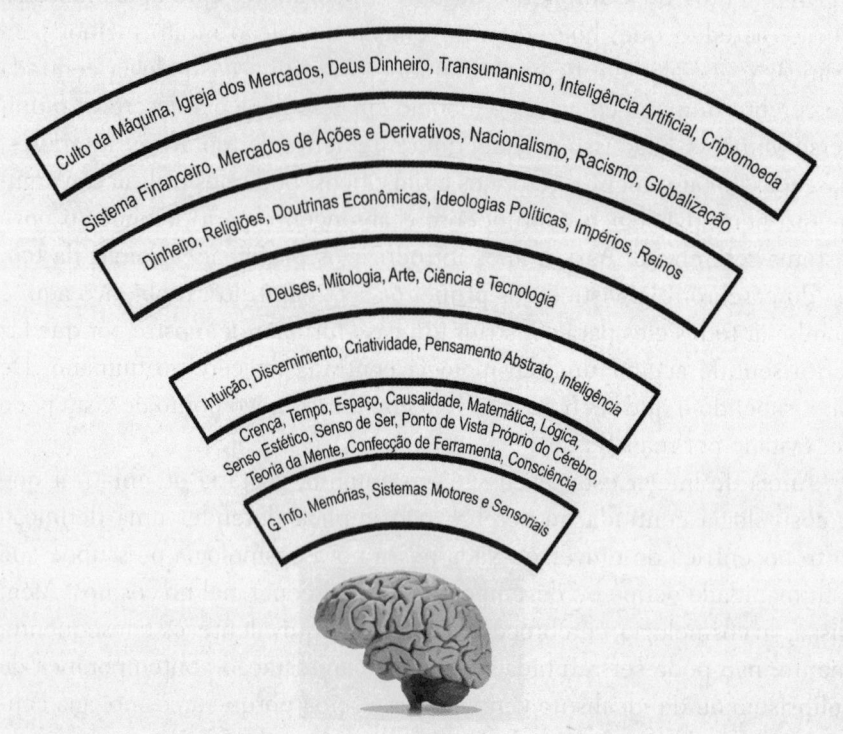

Figura 8.1 A Cosmologia Cerebrocêntrica: os diferentes níveis de abstrações mentais criadas pelo cérebro humano. (Ilustração por Custódio Rosa)

Vamos começar discutindo como o cérebro humano lida com o que o mundo exterior tem a oferecer. De acordo com o meu modelo cerebrocêntrico, aquilo que o universo nos oferece ou a qualquer outro observador inteligente pode ser descrito como informação em potencial. Na realidade, essa definição é bastante semelhante à clássica interpretação da Escola de Copenhague para a mecânica quântica, a qual propõe que, antes de qualquer observação ou medição ser feita, só podemos nos referir ao mundo exterior em termos de probabilidades. Ou seja, antes de uma medida, o que quer que esteja lá fora no mundo permanece indefinido. Em outras palavras, significa que, embora definitivamente exista algo lá fora – e não tenho dúvida alguma disso –, não faz sentido falar sobre o que isso é até que tenha sido observado ou medido por um observador inteligente.

Em vez de probabilidades, prefiro usar a expressão "informação em potencial" para descrever essa quantidade/entidade indefinida, porque, na minha visão, sem uma forma de vida inteligente desempenhando o papel de um observador ávido e de intérprete criativo, nada lá fora pode cruzar o limiar crucial necessário para ser considerado informação. Assim, da mesma forma que o renomado físico americano John Archibald Wheeler, subscrevo a teoria de que o universo só pode ser definido ou descrito pelo acúmulo das observações geradas por todas as formas de vida inteligente capazes de criar uma descrição coerente do cosmos. Dado que, a essa altura, nós só podemos verificar a existência de um observador assim qualificado – *Homo sapiens* –, a teoria do cérebro relativístico propõe que o cérebro humano é responsável pela operação de amostrar a informação potencial, disponibilizada na vastidão do cosmos que nos circunda, para transformá-la, primeiro em informação shannoniana e depois em informação gödeliana, aquela usada para construir o modelo interno cerebral da realidade (Figura 3.2). O processo de transdução, portanto, define o passo inicial para a construção da representação cerebrocêntrica do cosmos, definindo o universo humano ao qual tenho me referido desde o primeiro capítulo deste livro.

Vamos agora seguir os níveis da pirâmide invertida da Figura 8.1 para explicitar todo o argumento em apoio à cosmologia centrada no cérebro. A primeira camada da figura serve apenas para nos lembrar das propriedades anatômicas e fisiológicas essenciais que definem a operação do computador orgânico conhecido como "cérebro humano". Como vimos, os principais atributos do cérebro humano incluem ter à disposição uma grande massa de neurônios conectados de maneira particular, de sorte que campos eletromagnéticos complexos sejam criados e interajam entre si continuamente. Esses campos analógicos desempenham múltiplas funções, entre as quais incluo a fusão do cérebro em um contínuo espaçotemporal, bem como fornecer o substrato analógico por meio do qual grandes números de cérebros humanos se sincronizam para formar uma *Brainet*.

Nesse primeiro nível, pode-se incluir o aparato sensorial multicanal e altamente diversificado que permite amostrar e traduzir de forma contínua os sinais do mundo exterior em múltiplos fluxos de informação shannoniana. Uma vez que esse processo de tradução é efetuado por receptores sensoriais especializados localizados na periferia do corpo (na retina, na pele, no ouvido interno, na língua, no epitélio nasal), os fluxos de informação shannoniana – na forma de sequências de potenciais de ação – são transmitidos rapidamente para o córtex, por nervos periféricos e estruturas subcorticais que definem as vias sensoriais do cérebro. Uma vez lá, outro processo de tradução ocorre, agora no nível dos circuitos neuronais:

a geração de campos eletromagnéticos, derivados das correntes elétricas neurais, responsáveis por medir a conversão de informação shannoniana digital em informação analógica gödeliana (Figura 3.2).

Conforme visto no Capítulo 3, a informação gödeliana reformata a estrutura micro e macroscópica do tecido cerebral, por meio do processo de plasticidade neuronal, podendo ser continuamente embutida no tecido neural e formar memórias de longo prazo. Graças a essa última operação, o cérebro humano pode, de forma gradual, desenvolver e refinar o seu ponto de vista interno ao longo da nossa vida. Assim, cada vez que uma nova informação sensorial é amostrada, ela será comparada com o conteúdo do ponto de vista interno do cérebro com o objetivo de tanto atualizá-lo como definir dada experiência perceptual a cada momento do tempo. Esse primeiro nível da Figura 8.1 ressalta que uma série de princípios limita a operação do nosso cérebro (Capítulo 4).

O segundo nível da Figura 8.1 indica que, graças aos seus atributos básicos, o cérebro humano, trabalhando por si só ou como parte de *Brainets*, pode transformar amostras de informação potencial que ele coleta do mundo externo em um amplo espectro de construções mentais, as quais, quando combinadas, definem uma representação própria da realidade material. Se seguirmos a Figura 8.1 do segundo nível para cima, identificaremos uma progressão hierárquica das abstrações mentais, das mais básicas às mais elaboradas. De acordo com a hierarquia proposta aqui, no nível mais baixo a lista inclui conceitos primitivos como tempo e espaço, o isolamento e a identificação/nomeação de objetos individuais, uma representação compreensiva de relações de causa-efeito, e a emergência das nossas ricas experiências perceptuais. Nesse nível, eu também coloco a capacidade que o cérebro tem de gerar significado e semântica. Além disso, essa camada inclui o ponto de vista próprio do cérebro e um dos seus maiores contribuintes, o atributo mental exclusivo do ser humano: a crença (ou fé). O segundo nível engloba a nossa capacidade de criar e usar a matemática e a lógica para explicar fenômenos naturais.

Para mim, é de importância central a elucidação dos mecanismos neurofisiológicos que explicam como o cérebro gera ou se vale da crença em algo para guiar uma parte considerável dos nossos comportamentos. Digo isso porque usualmente é por meio de crença ou fé cega, e nada mais, que nós, seres humanos, criamos ou subscrevemos abstrações mentais frequentemente implausíveis na tentativa de elucidar questões existenciais primordiais: coisas como a origem do universo e o significado da vida.

Embora neurocientistas não discutam no seu dia a dia os potenciais mecanismos neurofisiológicos geradores da crença, a teoria do cérebro relativístico propõe que ela pode ser definida como "operador gödeliano". Com essa definição, quero dizer que, no cérebro, a crença é um mecanismo que age e modula a informação gödeliana, mais ou menos como um típico operador matemático (multiplicador, divisor etc.) atua sobre os números. Ao operar sobre a informação gödeliana, a crença afeta (amplifica, multiplica, divide, cria ou deleta, maximiza ou minimiza) percepções, emoções, expectativas, a atenção, a leitura das nossas memórias e muitas outras funções mentais. Em essência, como um todo, a crença tem o poder de formar e refinar a maioria, senão todo, o conteúdo do ponto de vista próprio do cérebro. Portanto, não é surpresa que os seres humanos sejam extremamente proficientes em criar uma enorme variedade de descrições mitológicas e religiosas, além de uma vasta lista de deuses, divindades, heróis e vilões, em uma tentativa de explicar, sem qualquer outro tipo de informação ou necessidade de validação empírica ou factual, toda sorte de fenômenos naturais que, em uma primeira inspeção superficial, desafiam a nossa compreensão. Seria possível argumentar que é graças ao poder universal e sedutor de crer na existência de causas sobrenaturais que a maioria da humanidade suportou por milênios, com apenas esporádicas manifestações de protesto, condições de vida altamente precárias que lhe foram impostas rotineiramente, quer pela natureza, quer pelos diferentes sistemas econômicos e políticos, bem como um sem-número de religiões.

Embora operacionalmente eu trate a crença como um operador gödeliano, cujas origens podem ser encontradas nos nossos circuitos cerebrais, como verdadeiros depósitos neuronais da herança transmitida a nós pelos nossos ancestrais, a crença (ou a fé) em algo pode ser adquirida ao longo da vida e disseminada por canais de comunicação que transmitem informação shannoniana, como a linguagem oral e escrita. Isso significa que as nossas crenças podem ser influenciadas pelos nossos contatos sociais, particularmente aqueles estabelecidos com familiares, amigos, professores e outras autoridades nos seus campos de atuação ou que desempenham papéis sociais dominantes.

A possibilidade de aprender uma crença pode explicar, por exemplo, fenômenos clínicos como o efeito placebo, discutido anteriormente, ou por que tantas pessoas se deixam enganar por *fake news* disseminadas amplamente pelas tecnologias modernas de mídia de massa, em particular quando se originam de alguém considerado como uma fonte teoricamente idônea, como o presidente de um país. Veremos no Capítulo 11 que a possibilidade de influenciar a crença de um número elevado de pessoas pelos meios de comunicação de massa desempenha papel crítico na formação das *Brainets*, como a descrita no início deste capítulo.

O fato de que crenças podem ser aprendidas com instruções supervisionadas também enfatiza a importância e o potencial impacto dos sistemas educacionais nas sociedades modernas. Digo isso porque, de acordo com a teoria já descrita, uma educação apropriada, com base em valores humanísticos, pode ser ferramenta poderosa para formar uma atitude coletiva em relação a uma variedade de problemas sociais que continuam a existir nas sociedades modernas, como o racismo, a homofobia, a xenofobia, a violência contra as minorias e as mulheres, para mencionar apenas alguns itens de uma extensa lista. Vamos retornar a esse tópico importante no Capítulo 13.

Subindo mais um degrau na Figura 8.1, entramos no domínio das funções cerebrais mais complexas, como a intuição, a criatividade, a introspecção, o pensamento abstrato e a inteligência. A partir daqui, podemos derivar uma série de abstrações mentais complexas, como deuses, heróis e mitologia, mas também manifestações artísticas, a ciência e a nossa habilidade de produzir e se tornar proficiente no uso de ferramentas sofisticadas para alterar o ambiente ao nosso redor e, mais recentemente, até nós mesmos. Usando esses elementos, agora podemos cruzar um novo limiar no qual um número elevado de indivíduos começa a se organizar ao redor de abstrações mentais complexas, levando ao estabelecimento de estruturas sociais, econômicas, religiosas e políticas cada vez mais convolutas, graças à capacidade que o cérebro humano tem de estabelecer *Brainets* altamente sincronizadas e de grande escala.

De acordo com a cosmologia cerebrocêntrica, é daí que surgem os reinos e os impérios, as cidades-estado e as nações, os partidos políticos e as filosofias econômicas, os movimentos artísticos, as escolas de pensamento. É desse mesmo substrato mental inicial que instituições construídas única e exclusivamente na base da fé humana, como a Igreja católica ou o sistema financeiro internacional, para mencionar apenas algumas, ascenderam até serem aceitas como criações divinas, ou parte da realidade tangível, por tanta gente. Para mim, esses são exemplos claros de abstrações mentais que, no limite, transformaram-se em algo maior e mais relevante para a sociedade que a própria vida humana.

Tendo chegado até aqui, estou finalmente preparado para revelar a minha definição de uma abstração mental: uma computação cerebral analógica que envolve a geração de uma representação gödeliana que tenta reduzir, de forma significativa, um grande volume de informação potencial, amostrada do mundo exterior, depois de ela ter sido comparada com o ponto de vista interno do cérebro (em que a "crença" reina suprema). O resultado é um modelo mental compreensivo e de baixa dimensão de porções ou do todo da realidade material. De acordo com essa definição, abstrações mentais são compostas de informação gödeliana, que definem as melhores hipóteses que o nosso cérebro relativístico é capaz de gerar com o objetivo de interpretar o que existe no universo, em um esforço de adquirir uma vantagem ecológica que aumente as nossas chances de sobrevivência.

Para refinar essa definição, uso uma metáfora que pode ser do interesse dos leitores mais inclinados a pensar em termos matemáticos. O maior problema de usar analogias matemáticas, todavia, é que elas não são muito acuradas – ainda assim, servem para esclarecer um pouco mais a essência da minha definição. Mantendo esse alerta em mente, eu diria que as abstrações mentais são geradas por transformações neurais conceitualmente análogas ao conhecido método da estatística multivariada chamado "análise de componentes principais" (ou PCA, usando a sigla em inglês para *principal component analysis*). De forma bem simplificada, a PCA é usada para identificar a existência de correlações lineares entre um número elevado de variáveis escolhidas para descrever dado fenômeno ou sistema. Uma vez que essas correlações são identificadas, a PCA nos permite reduzir o espaço multidimensional, definido pelas variáveis originais, para um número muito menor de componentes ortogonais que explicam, conjuntamente, toda a variabilidade descrita por um número maior de variáveis. Isso se dá porque cada um dos principais componentes é formado por uma combinação linear e particular das variáveis originais. Assim, por meio da tremenda redução de dimensionalidade, o mesmo sistema pode ser descrito apenas com um punhado de componentes principais, não com um número elevado de variáveis originais.

Antes de continuar, é importante enfatizar que eu não estou dizendo que o cérebro literalmente executa uma PCA para gerar suas abstrações mentais. Longe disso. Se isso acontecesse, qualquer máquina de Turing seria capaz de gerar abstrações mentais em excesso. Como sabemos, isso não ocorre e jamais ocorrerá. Mas por que a PCA não é uma analogia perfeita? Para começar, é um método linear, e o cérebro humano, claramente, utiliza processos não lineares para gerar os seus produtos mentais. Além disso, quando o cérebro gera alguma abstração mental, como forma de reduzir a dimensionalidade das variáveis que ele tem à disposição, ele o faz por meio de uma filtragem com seu viés próprio, presente no ponto de vista próprio do cérebro. Em outras palavras, o cérebro se vale de operadores gödelianos, como a crença, e outras rotinas neuronais primitivas, embutidas nos circuitos neurais como parte da herança coletiva que recebemos dos nossos ancestrais, ao longo de milhões de anos de evolução, para modular o processo pelo qual a informação potencial é integrada e combinada em novas abstrações mentais.

Portanto, usando os argumentos discutidos nos Capítulos 3, 5 e 6, proponho que abstrações mentais são construções analógicas, feitas de informação gödeliana, formadas por operações não computáveis que envolvem a mistura dinâmica e não linear de campos eletromagnéticos neurais. Por essa razão, nenhum computador digital jamais será capaz de criar um novo deus ou uma teoria científica por si mesmo. Como no caso da crença, o cérebro pode projetar as suas abstrações mentais na forma de informação shannoniana de baixa dimensão e disseminá-la pelos canais de comunicação usuais, como a linguagem oral e escrita.

Outro exemplo que talvez esclareça um pouco mais a minha definição de abstração mental é o fato muito conhecido de que, dado o mesmo conjunto original de informação potencial e observações descrevendo um evento que ocorre no mundo natural, dois cérebros distintos podem produzir abstrações mentais totalmente diferentes para explicar o mesmo evento.

Suponha que dois indivíduos com experiências de vida distintas – uma pessoa extremamente religiosa e um meteorologista agnóstico – se encontrem no topo de um arranha-céu em São Paulo, quando uma típica tempestade de uma tarde de verão começa a tomar conta da cidade. Ambos observadores podem ver as nuvens escuras e a velocidade do vento crescendo de maneira violenta, até que, de súbito, um verdadeiro *staccato* de relâmpagos e raios começa a riscar o horizonte; estes são logo seguidos por trovões ensurdecedores anunciando a abertura dos céus e o desaguar de verdadeiras paredes de água capazes de encharcar tudo. Embora ambos os observadores tenham sido expostos à mesma informação em potencial, quando questionados sobre o que está por trás desse fenômeno natural que eles acabaram de testemunhar, as suas opiniões divergem de maneira dramática.

De um lado, o observador profundamente religioso diz que a tempestade foi uma criação de Deus, que, acima das nuvens, decidiu atirar raios e gritar com a voz dos trovões para manifestar o seu descontentamento com o comportamento humano. Por sua vez, o meteorologista oferece uma explicação baseada na sua experiência e no seu conhecimento acumulado sobre as condições climáticas responsáveis pela produção desse tipo de tempestade de verão nos trópicos. Em ambos os casos, os observadores valeram-se de abstrações mentais (religião e ciência) – e as suas crenças individuais em cada uma delas – para oferecer uma explicação a respeito do evento climático complexo observado. Pode-se argumentar que, em ambos os casos, ocorreu uma redução dimensional significativa das variáveis originais e das observações realizadas, quando as crenças individuais operaram sobre a colisão resultante entre a informação shannoniana advinda do mundo externo e a informação gödeliana estocada em seus cérebros.

Em termos gerais, tanto a explicação envolvendo Deus como a que se valia de uma teoria científica resultaram de uma operação mental semelhante à que envolve o colapso de um complexo e numeroso conjunto de dados e observações em uma explicação de baixa dimensão. A vantagem adicional de produzir uma explicação ao mesmo tempo abrangente e reduzida é que, apesar de serem totalmente díspares, ambas as abstrações mentais podem ser verbalizadas e disseminadas, de sorte que, dependendo do tipo de crença da audiência que as ouvir, duas *Brainets* muito distintas podem emergir dentro de um grupo social exposto a essas explicações divergentes.

Evidentemente, pode-se argumentar que, apesar de terem sido geradas por um aparato neuronal similar, existe uma profunda discrepância separando as duas interpretações, incluindo o que elas são capazes de realizar. Por exemplo, enquanto a explicação envolvendo a intervenção divina na geração da tempestade só oferece uma explicação satisfatória para aqueles que compartilham da mesma fé em Deus, a descrição científica, uma vez que pode ser verificada independentemente por qualquer um por meio da aplicação de um método, não requer fidelidade a uma crença específica para ser aceita. Em vez disso, ela requer que aceitemos o fato de que a mente humana produz boas descrições de fenômenos naturais usando a matemática e o método científico.

Sem dúvida, pode-se considerar essa aceitação uma forma particular de crença, mas nós temos que admitir que ela carrega consigo um fator importante: enquanto ambas as explicações fornecem relatos concisos do evento, somente aquela oferecida pelo meteorologista contém algum poder de previsão e reprodutibilidade em seu bojo. Dizer que uma divindade supranatural criou a tempestade não nos ajuda a lidar com a situação presente nem com futuros eventos similares. Ao mesmo tempo, a possibilidade de usar uma descrição científica para analisar a tempestade atual para prever outras que ocorrerão no futuro melhora as nossas chances de enfrentar tais intempéries. Em essência, a explicação científica nos oferece uma chance muito melhor de sobreviver às vicissitudes criadas pelo mundo exterior ao permitir que nos adaptemos a este mundo, entendendo-o, manipulando-o e reconfigurando-o com o objetivo de adquirir vantagem ecológica para a nossa espécie.

De modo geral, acredito que todas as abstrações mentais, da mais simples à mais complexa, são geradas pelo mesmo mecanismo de redução de dimensionalidade gödeliana já descrito. Também acredito que, em uma cosmologia centrada no cérebro humano, a integração de todas as abstrações mentais criadas por todas as mentes humanas que já existiram – incluindo as que estão vivas hoje, bem como as que ainda viverão no futuro, até o expirar do último membro da nossa espécie – oferece a melhor definição possível do universo humano.

Para apoiar essa posição filosófica, gostaria de usar a parte final deste capítulo para realizar um breve exercício de reconstrução de alguns eventos importantes da história recente da nossa espécie sob a ótica da cosmologia cerebrocêntrica. O objetivo central desse exercício limitado é demonstrar como essa história pode ser realinhada e recontada usando a tese de que ela basicamente reflete uma disputa dinâmica incessante entre abstrações mentais distintas – e os grupos sociais que juraram lealdade a cada uma elas – pela dominação hegemônica da mente coletiva da humanidade.

★★★

Para começar a digressão histórica inspirada na cosmologia cerebrocêntrica, nada mais apropriado que fazer a seguinte pergunta: o que, exatamente, as pinturas rupestres do Paleolítico Superior nos dizem sobre os nossos ancestrais? Embora seja bem difícil definir o que aqueles artistas pré-históricos queriam comunicar com a sua arte e múltiplas teorias tenham sido propostas desde que os primeiros traços das pinturas subterrâneas foram descobertos, muitos especialistas acreditam que as pinturas dos magdalenianos expressam metáforas visuais sofisticadas para descrever a organização social dessas comunidades pré-históricas. Por exemplo, em sua monografia intitulada *Pinturas das cavernas pré-históricas*, reconstrução tão cuidadosa quanto emocionante da arte rupestre paleolítica, o historiador da arte alemão Max Raphael propõe que uma das primeiras abstrações mentais a influenciar todos os aspectos da vida humana era centrada, surpreendentemente, não no ser humano, mas na grande variedade de animais que ocupavam o mundo natural ao seu redor e que, por seu sacrifício, garantiam a sobrevivência ao homem pré-histórico, ao fornecer alimento, vestimentas e outros materiais cruciais (por exemplo, ossos) para a manufatura de ferramentas e armas de caça.

Depois de analisar as pinturas feitas pelos nossos ancestrais na superfície rochosa de várias cavernas europeias, Max Raphael concluiu que as cenas que ilustravam os animais não eram simples representações pictóricas de eventos vistos de longe, como alguns arqueólogos inicialmente concluíram. Em total contraste com as pinturas da antiguidade clássica, os magdalenianos retrataram cenas decoradas com grupos de animais específicos, vistos a uma distância que estava ao alcance das próprias mãos do pintor. Raphael propôs que isso pode ser explicado porque "o caçador paleolítico lutava com o animal em um embate próximo, corpo contra corpo... [Assim,] o objeto da arte paleolítica não é retratar a existência individual dos animais e dos homens, mas sim a sua existência grupal, a manada e a horda".

Outro testemunho que apoia a tese de que as habilidades artísticas dos nossos ancestrais estavam longe de ser primitivas e simplistas foi dado por ninguém menos que o imortal Pablo Picasso. Anos depois da descoberta dessas pinturas das cavernas, ele exclamou: "Nenhum de nós poderia pintar daquela forma".

Na realidade, a descoberta das cavernas subterrâneas de Chauvet, Altamira, Miax, Lascaux e muitas outras e as grandiosas pinturas paleolíticas que elas abrigavam podem ser consideradas um divisor de águas nas nossas tentativas de reconstruir a história dos nossos ancestrais recentes. Max Raphael entendeu a dimensão de tais achados e a sensação de admiração que eles despertaram, em particular porque foi um dos primeiros autores a colocar essas pinturas em uma perspectiva histórica apropriada. Na sua narrativa, ele menciona que essas foram as primeiras imagens criadas pelos cérebros do primeiro povo que "emergiu de uma existência puramente zoológica, quando, em vez de serem dominados pelos animais [e as inúmeras ameaças e perigos do mundo natural], começaram a dominá-los".

No meio do processo de conquista, eles experimentaram, pela primeira vez na longa e aventureira história do clã humano – e de todas as formas de vida da Terra, ou quem sabe, em todo o cosmos –, o privilégio de serem capazes de refletir sobre as suas experiências de vida e, em um ato de puro desafio e criatividade revolucionária, transferir as suas imagens mentais para um meio duradouro – a rocha sólida – capaz de representar, com grande esplendor e em três dimensões, o ponto de vista próprio do seu cérebro. O que eles provavelmente não anteciparam foi que essas "fotografias mentais", gravadas nos afrescos de caverna, seriam preservadas por dezenas de milhares de anos, permitindo que as impressões primordiais do seu despertar neural, o verdadeiro *big bang* da mente humana, fosse transmitido a futuras gerações, oferecendo mero vislumbre de como pensava um ser humano no amanhecer do Verdadeiro Criador de Tudo. Por essa e muitas outras razões, Max Raphael definiu o povo paleolítico como "um povo fazedor de história por excelência; eles estavam no meio dos espasmos de um processo [totalmente inédito] de transformação porque [pela primeira vez na história da humanidade] confrontaram de frente os obstáculos e perigos do seu ambiente e tentaram dominá-los".

Confrontado com uma série de semelhanças e discrepâncias que o deixaram em profundo estado de perplexidade, Max Raphael questionou quais seriam os verdadeiros motivos por trás das representações criadas por esses artistas. Seriam os animais usados para retratar as ações, os desejos e os pensamentos do artista? Ou representavam a forma como o artista os via na natureza – ou, ainda, em uma hipótese mais provocativa, será que os animais seriam uma metáfora para representar o artista, o seu grupo social e competidores de outra tribo? Quaisquer que sejam as respostas – e não existe nenhuma forma definitiva de provar qual seriam –, Raphael insistentemente defendeu a conclusão, que ele considerava inegável, de que "o totemismo e a mágica coexistiam na visão de mundo do povo do Paleolítico".

Para Raphael, tanto os atos quase sagrados dos homens do Paleolítico Superior em documentar e venerar os próprios pensamentos, transportados para um veículo externo, como os registros artísticos deixados por eles, resultantes de uma emergente visão de mundo gerada por seus cérebros, constituem testemunhos inequívocos da ascensão da mente humana moderna.

Raphael impressionou-se muito com o fato de que o mesmo instrumento usado para sacrificar os animais, a mão humana, fora usado para representar imagens mentais do homem paleolítico, suprindo as deficiências da linguagem oral que, provavelmente, já havia ficado aparente para esses nossos ancestrais. Para mitigar a falta de sons e palavras para descrever de forma adequada os seus pensamentos mais íntimos, os seus desejos e o seus medos mais profundos, homens e mulheres usaram as mãos para desenhá-los e pintá-los, na rocha pura, inaugurando uma tradição artística que, a partir de então, jamais os abandonaria. A única coisa que mudou, de um tempo ao outro, foi o meio no qual passaram a gravar os seus sentimentos e as suas crenças. Rocha, cerâmica, papel, telas, fotografias, ondas eletromagnéticas, fitas magnéticas, LPs, CDs, DVDs, até a nuvem digital: cada um desses meios serviu de depósito externo ocasional dos transbordamentos da mente humana.

Em muitos aspectos, algumas dessas imagens mentais transferidas não podiam ser discutidas verbalmente. Em vez disso, descobriram que, para se expressar de forma plena, tinham que envolver as mãos para depositar em algum suporte os próprios pensamentos, esculpidos pelas ondas eletromagnéticas de seus cérebros. Nesse contexto, é impressionante imaginar que as mesmas razões misteriosas que motivaram um pintor de cavernas subterrâneas do Paleolítico Superior a criar a sua arte levaram, dezenas de milhares de anos depois, um grande artista da nossa espécie, Michelangelo Buonarroti, a esculpir a sua visão cerebral de David em um bloco de mármore de Carrara e, de acordo com a lenda, ao término da sua batalha titânica com a rocha, olhar para a sua criação e simplesmente implorar: *"Parla, David, parla"* [Fale, David, fale].

Para o homem do Paleolítico, além de servir de instrumento para a confecção de ferramentas, empunhar uma arma ou mediar interações sociais íntimas, as mãos haviam se transformado em um essencial "instrumento de mágica".

Evidências em favor do novo papel quintessencial e alegórico da mão humana, de acordo com Raphael, podem ser confirmadas pelo fato de que, em muitas cavernas, como Gargas e Castillo, encontram-se dezenas de impressões de mãos, isoladas ou em grupos, feitas na rocha ao lado dos animais que representam a principal abstração mental da cosmologia do homem paleolítico. Duas formas principais dos "carimbos" de mãos foram identificadas nas cavernas: os carimbos positivos, produzidos pela aplicação de tinta na mão e depois pressionando a palma e os dedos na superfície da rocha; e o negativo, aplicando a mão na superfície da rocha enquanto o artista soprava tinta ao redor. Nesse último caso, somente o contorno da mão ficava impresso na rocha.

Para mim, esses testemunhos pictóricos, com tantas mãos, tanto de adultos como de crianças, impressas em sobreposição ou lado a lado, podem ser interpretados como uma forma de comunicar a mensagem de que a autoria, a veracidade e a aceitação dessas pinturas tinham sido reconhecidas e validadas por grandes grupos sociais humanos, durante as suas visitas a esses santuários subterrâneos, como a mais vívida e dominante representação da visão cosmológica do universo do povo do Paleolítico Superior – primeira descrição de *Brainets* que representaram o trabalho coletivo de muitas mentes humanas operando em conjunto para atingir um objetivo final abstrato: criar arte.

Outro fato descoberto por Max Raphael, que suporta totalmente a sua tese de que nossos ancestrais do Paleolítico Superior usavam as mãos para definir toda a sorte de padrões, é que, em muitas pinturas rupestres, a altura e a largura dos animais representados parecem seguir a proporção áurea (3:5), escala facilmente obtida espalhando os dedos da mão na superfície da rocha na forma mais natural para dividi-la ao meio – no melhor estilo Vulcano –, de sorte que o polegar, o indicador e o dedo médio fiquem o mais separados dos últimos dois dedos.

O que me fascina mais nas pinturas rupestres do Paleolítico Superior é a sua dimensão heroica; o que elas representam simplesmente por estarem lá, impressas naquelas paredes rochosas, assinadas pelos artistas que as pintaram e as multidões que as cultuaram. Embora nunca saibamos ao certo quais foram as intenções dos artistas que as compuseram, existe uma mensagem profunda e irrevogável a ser extraída desse esforço épico; nos milhões de anos necessários para o cérebro humano adquirir a capacidade de gerar alguma explicação minimamente crível sobre o que nos circunda e encanta neste universo, durante o Paleolítico Superior, uma abstração mental, criada no cérebro humano, foi traduzida, por comandos motores voluntários usados para guiar as mãos de um artista, para um meio perene, permitindo que muitos outros membros da nossa espécie adquirissem o conhecimento necessário para explicar a maioria, senão todos, os aspectos da realidade tangível experimentada por esses nossos irmãos e essas nossas irmãs do passado. Se esse conhecimento é, de fato, verdadeiro ou não em termos de padrões modernos, isso é totalmente irrelevante neste momento. O que importa é que, ao criar um processo para gerar e disseminar conhecimento, os pioneiros do Paleolítico Superior iniciaram uma mudança profunda na forma de vida humana usual, que até então era caracterizada exclusivamente por comportamentos necessários para a sobrevivência imediata e para a perpetuação da espécie. Em contraste a essa existência puramente animal, como Max Raphael indicou, as multidões de devotos que se aventuraram pelas incertezas das florestas frígidas de quarenta mil anos atrás para contemplar e assimilar as mensagens cifradas das pinturas dos seus templos subterrâneos inauguraram a tradição duradoura da nossa espécie de elevar uma abstração mental ao pico do monte Olimpo e extrair dela a força motriz necessária para guiar e tolerar a totalidade das mundanas existências humanas.

A partir de então, o mesmo fenômeno se manifestou, vez após outra, na história das civilizações humanas. E, em cada instante, uma vez que uma nova abstração mental foi bem-sucedida em sequestrar as mentes individuais e coletivas do homem e convertê-lo e ao seu grupo social em verdadeiros fiéis, nenhum desses expressou resistência em renunciar a tudo em favor do novo dogma, revogando pensamentos dissidentes que pudessem ainda resistir à inevitabilidade e ao encantamento que esse novo "vírus mental" semeou nas mentes.

Em *Para viver os mitos*, Joseph Campbell introduziu um ponto de vista muito similar, também compartilhado pelo historiador da cultura Leo Frobenius, que propôs que, pela "*paideumatics*" ou por poderes pedagógicos, "o homem – este animal inseguro e desinformado, em cujo sistema nervoso os mecanismos de expressão não são estereotipados, mas abertos às impressões – tem sido governado e inspirado na formação da sua cultura ao longo da história". Isso explicaria por que, como Campbell disse, "vivemos e moldamos a nossa vida por meio de atos do faz de conta".

Na linguagem da neurociência moderna, a natureza altamente plástica do cérebro do *Homo sapiens* nos transforma em presas fáceis dos imensos poderes predatórios das nossas próprias abstrações mentais, as quais podem facilmente se impor sob o modo racional de interpretar o mundo natural.

Conforme já discutido, Leo Frobenius propôs que a primeira abstração mental a dominar a visão cosmológica da nossa espécie foi ditada puramente pelos mistérios identificados no comportamento dos animais. Cerca de dez mil anos atrás, uma vez que grupos humanos se assentaram para formar comunidades fixas e começaram a subsistir por meio da agricultura, os ciclos sazonais da terra, a fertilidade do seu solo e a abundância das suas plantas se tornaram o novo centro da religião e da visão cosmológica humana. Como no caso do povo do Paleolítico Superior, a nova crença influenciou todos os aspectos da vida do homem do Neolítico – das suas manifestações artísticas aos seus rituais. Como indicado por David Lewis-Williams e David Pearce em *Dentro de la mente neolítica: conciencia, cosmos y el mundo de los dioses* [Dentro da mente neolítica: consciência, cosmos e o reino dos deuses], diferente do Paleolítico Superior, sociedades neolíticas construíram os seus templos sobre o solo, não mais em cavernas subterrâneas. O grande matemático e filósofo britânico Bertrand Russell, em *História da filosofia ocidental*, concordou com essa visão e adicionou que "a religião do Egito e da Babilônia, da mesma forma que outras religiões antigas, começou com cultos de fertilidade nos quais a Terra era [representada] como a fêmea, e o Sol, como o macho".

Essa nova abstração mental levou ao incremento de uma estratificação social incipiente que já havia sido lançada no Paleolítico Superior. Como resultado desse processo, conforme enfatizado por Williams e Pearce, nos primeiros assentamentos permanentes do Neolítico – as primeiras cidades construídas pela nossa espécie –, observa-se o surgimento de uma elite social: uma classe superior diferenciada detentora do acesso privilegiado ao conhecimento exotérico e encarregada de realizar cerimônias regulares para grandes multidões e lhes ensinar os cânones da religião dominante. Esses sacerdotes escolhidos a dedo logo se tornaram um estrato altamente influente e, por conseguinte, passaram a desempenhar papel central na vida política das sociedades.

Williams e Pearce propõem essa profunda mudança no ritualismo xamanista como um dos fatores decisivos da opção das sociedades neolíticas em "construir grandes cidades e massivos monumentos". Com essa atitude, tais culturas deram início a mais uma duradoura tradição humana: aquela que envolve a construção de suntuosas edificações e monumentos que refletem e pagam tributo muito mais aos mundos do imaginário humano que à própria realidade da vida. Totens, esculturas, pirâmides, templos e catedrais são apenas alguns dos exemplos nos quais a arquitetura e sofisticadas técnicas de engenharia foram postas a serviço da consolidação de crenças humanas, tecidas a partir de nada mais que abstrações mentais, em estruturas sólidas edificadas com o propósito de eternizar a vida biológica dos homens, bem como a história das sociedades que as criaram.

De acordo com Leo Frobenius, o estágio seguinte no processo de empréstimo de abstrações mentais para guiar a criação de normas políticas e sociais se deu quando os primeiros astrônomos do Oriente Médio – os sacerdotes sumérios, como Campbell se refere a eles – foram bem-sucedidos em mudar "o foco para a matemática das sete luzes cósmicas em movimento", o céu celestial acima da Terra. "De repente, o firmamento acima do homem se tornou o centro da fascinação humana e o fulcro da sua visão cosmológica."

Nas palavras de Joseph Campbell, "ao usar coroas simbólicas e roupas solenes, o rei, a rainha e as cortes duplicaram em mímica terrestre o espetáculo das luzes celestiais".

A manifestação de tal grau de devoção ao poder celestial projetou-se no surgimento de reinos poderosos, que cultuavam a fonte dos seus poderes conferidos pelos céus através da edificação de algumas das mais majestosas estruturas já construídas na história da humanidade – por exemplo, as grandes pirâmides de Gizé, no Egito. Por falar no Egito, foi lá que Ramsés II, o mais prolífico construtor entre todos os faraós, elevou a conexão mental-celestial ao limite ao se autointitular o primeiro rei-deus.

Por volta de 2000 a.C., todavia, ocorreu outra dramática mudança na abstração mental dominante que relaciona o homem ao universo. De acordo com Campbell,

> *nos textos da Mesopotâmia de 2000 a.C., nos quais uma distinção começava a ser feita entre o rei, como mero ser humano, e um deus, a quem o rei agora serve, ele não é mais um rei-deus como o faraó do Egito. Agora, ele é chamado de "vassalo camponês" desse deus. A cidade do seu reino é a propriedade terrestre do deus, e ele, o mero capataz ou encarregado. Além disso, foi neste período que mitos da Mesopotâmia começaram a aparecer descrevendo os homens como criações dos deuses para servi-los como escravos. Os homens se tornaram meros servos; o deus, o mestre absoluto. O homem não era mais, em nenhum sentido, a encarnação da vida divina, mas de uma natureza inteiramente diferente, uma natureza mortal e terrestre.*

Campbell se referiu a esse evento como "a dissociação mítica" e identificou nele os atributos essenciais que, mais tarde, dominariam os cânones das três religiões monoteístas que emergiram no Levante e na península Arábica: o judaísmo, o cristianismo e o islã.

Foi somente com o surgimento da civilização grega antiga que, pela primeira vez, o homem colocou a si mesmo no centro do próprio universo. Entre outras manifestações na escultura e na arquitetura, essa oscilação dramática na cosmologia dominante serviu de pano de fundo para os versos da *Ilíada* e a *Odisseia*, poemas épicos atribuídos ao poeta Homero. Embora se estime que a versão original dos poemas tenha sido composta no século VIII a.C., eles retratam eventos que transcorreram séculos antes, provavelmente em torno de XII a.C.

Na *Ilíada* e na *Odisseia*, a despeito de todo o poder e o controle que exercem em relação às pessoas, os poderosos deuses gregos do Olimpo são retratados com claros atributos humanos, como a vaidade, o ciúme, o ódio, a sensualidade, a paixão, sem mencionar uma grande variedade de falhas de caráter. Todavia, Homero, mesmo no meio de relatos dos mais sangrentos campos de batalha, devota grande quantidade de tempo para explicar quem foi o indivíduo prestes a morrer, de onde veio, quem eram seus pais e sua esposa e quais dos seus filhos ele deixaria de ter a oportunidade de abraçar novamente, uma vez que passaria a residir nas profundezas de Hades, o subterrâneo que hospedava os mortos. Lendo essas passagens ao longo dos últimos quarenta anos, eu pude sentir tudo que, enquanto espécie, perdemos em termos da nossa humanidade. Para entender o que quero dizer, basta comparar as duas descrições retiradas da *Ilíada* com um comunicado da mídia moderna de vítimas fatais de um campo de batalha:

> *Imediatamente Ájax, filho de Telamon, matou o jovem Simöeisius, filho de Antheminio, cuja mãe o levou dentro de si pelas margens do Simois, quando ela desceu o monte Ida, quando ela esteve com seus pais para ver os seus rebanhos. Portanto ele foi chamado Seimöesisius, mas não viveu para retribuir aos seus pais pela sua criação, porque foi trucidado pela lança do poderoso Ájax.*

> *Meriones então matou Phereclus, o filho de Tecton, que era o filho de Hermon, homem cuja mão era hábil em todas as formas de destreza, ou artesanato, pois Palas Minerva o amava profundamente. Fora ele que fizera os barcos de Alexandrus, começo de toda a injúria, e trouxera o infortúnio tanto para os troianos como para Alexandrus.*

Só para fins de comparação, eis um trecho de reportagem descrevendo as vítimas de mais um dia da guerra civil interminável da Síria: "Na vizinha província de Idlib, mais dezenove pessoas foram mortas em ataques aéreos neste domingo, o grupo do Centro de Mídia de Alepo informou".

Joseph Campbell avaliou a imensa contribuição da civilização grega para o *éthos* humano da seguinte forma:

> *É nas tragédias dos gregos que encontramos o primeiro reconhecimento e celebração deste novo, imediatamente humano, centro de reverência. Os rituais de todos os outros povos destes tempos eram dirigidos para animais, plantas e as ordens cósmicas e supranaturais; mas na Grécia, já no período de Homero, o mundo tinha se tornado o mundo do homem, e nas tragédias dos grandes poetas do século V, as implicações espirituais finais deste reajuste de preocupações foram para todo o tempo anunciados e revelados.*

No entanto, ser o pioneiro em posicionar o homem no centro do próprio universo não foi a única façanha mental realizada pelos gregos. Eles também foram responsáveis pela criação da ciência, da filosofia e da matemática – impressionante tríade de abstrações mentais.

Como Bertrand Russell disse, foi a combinação da paixão e de um intenso desejo de perseguir a vida intelectual "que fez os gregos grandes, enquanto a sua grandeza durou". A arte grega, com esculturas e edifícios portentosos, como o Parthenon da Acrópole de Atenas, projetou as construções mentais da sua civilização em templos magníficos, que passaram a definir o padrão da arquitetura por séculos, muito além das fronteiras da Grécia e em direção à imortalidade histórica.

Eventualmente, todos os valores estéticos dessa arquitetura clássica, modelada em grande parte pela miraculosa, mas evanescente, dominação do modo de pensar grego, e todas as inovações implicadas – uma vez que a escolha mental foi feita por optar por uma visão cosmológica que verdadeiramente se centrou no homem – foram soterrados por outro terremoto mental poderoso na história da humanidade, aquele que deu à luz muitos séculos de obscurantismo na Europa ocidental.

A era das trevas tomou vida com a ascensão e a disseminação avassaladora de uma abstração mental que projetou tanto uma visão de mundo quanto uma cosmologia diametralmente oposta à dos gregos. Durante o milênio seguinte, uma abstração mental supranatural reduziu o homem europeu a mero servo de um Deus todo-poderoso jamais visto, nunca ouvido, mas sempre onipresente e onisciente. Em uma contradição frontal ao modo de vida grego, durante esses mil anos, a convergência dos dogmas das três maiores religiões que se originaram no Levante e na península Arábica demoveram o homem do centro do cosmos para uma posição secundária, insignificante, como um escravo submisso. O nascimento do pecador, do homem para sempre corrupto, significou a morte da vida terrestre, no que tangia a ele. A partir de então, o único objetivo digno de uma existência mortal passou a ser a adoração a Deus, na ânsia de garantir o privilégio de despender a vida eterna na sua companhia no Paraíso.

Enquanto a designação dessa entidade divina singular e toda-poderosa – Jeová, Deus ou Alá – variou de acordo com a *Brainet* monoteística, os efeitos devastadores produzidos em distintas sociedades foram igualmente sombrios. Por exemplo, Lewis Mumford, em *Técnica e civilização*, afirmou que na Europa ocidental,

> *durante a Idade Média, o mundo externo não tinha nenhum significado conceitual sobre a mente [humana]. Os fatos naturais eram insignificantes comparados com a ordem divina e intenção, que Cristo e a sua Igreja tinham revelado: o mundo visível era apenas uma garantia e um símbolo do Mundo Eterno, daqueles êxtases e danações para os quais ele ofereceu uma fortaleza*

aguçada. *Qualquer significado que os itens da vida diária tivessem, eles representavam apenas acessórios de palco, vestes e ensaios para o drama da peregrinação do homem pela eternidade.*

Mumford cita outro autor, Émile Mâle, que vaticinou que,

> na Idade Média, a ideia de uma coisa que um homem formara por si mesmo era sempre mais real do que a coisa em si mesma, e por esta razão nós podemos entender por que estes séculos místicos não tiveram nenhum conceito daquilo que os homens hoje chamam de ciência.

Parafraseando uma das mais precisas metáforas de Mumford, naquilo que se transformaria em uma maldição repetida ao longo da sua história: "O homem forjou as suas próprias algemas".

Usando a sua própria mente, vale a pena acrescentar: a confiança cega no divino, todavia, ficou longe de ser idílica e pacífica. Muito pelo contrário: existe sempre bastante perigo associado em valer-se de abstrações mentais extremamente rebuscadas como guia da existência humana. A verdade dessa afirmação pode ser apreciada de forma categórica pelo fato de que, como Campbell salienta, muitas civilizações antigas transformaram as suas crenças em questão de vida ou morte, não importando quão abstratas e irreais fossem. Em alguns casos, as crenças intangíveis conspiraram para a completa aniquilação de culturas inteiras. Por exemplo, de acordo com Campbell:

> a civilização asteca acreditava que, a não ser que sacrifícios humanos fossem continuamente feitos em numerosos altares, o Sol pararia de se mover, o tempo cessaria, e o universo desmoronaria. E foi apenas para obter centenas ou milhares de vítimas para essa verdadeira orgia de sacrifícios que os astecas mantiveram um estado de guerra total contra os seus vizinhos.

Corroborando essa tese, de acordo com Bertrand Russell, a obsessão que os egípcios desenvolveram para com o culto da morte e a vida do além levaram a um grau de pensamento religioso conservador a ponto de a sociedade egípcia simplesmente cessar de investir em esforços para evoluir e inovar. Como resultado, o Egito foi invadido e facilmente subjugado pelos hicsos, povo semita, durante o século XVII a.C.

Como no Egito e em outras grandes civilizações cuja cultura passou a ser dominada por abstrações mentais poderosas e esmagadoras, durante a Idade Média a Igreja católica valeu-se da arquitetura como uma das formas mais eficientes e efetivas de disseminar o seu cânone e exercer a dominação sobre os seus principais fiéis: as massas europeias. Isso implicou que a mitologia cristã, que, a propósito, convivia com múltiplas controvérsias – como a relação entre o Filho, o Pai e o Espírito Santo, que foram resolvidas pelo voto de não mais que um par de centenas de bispos, que se reuniam em uma série de concílios esporádicos da igreja –, passasse a estar totalmente solidificada em paredes de rocha, torres, naves e altares de todos os tamanhos. O impacto de tais igrejas e catedrais nas pequenas comunidades medievais foi incomensurável, como ressaltado pelo historiador da arte E. H. Gombrich:

> A Igreja frequentemente era a única construção de porte em qualquer lugar na vizinhança: ela era a única grande edificação por milhas e milhas ao redor, e o seu campanário era o único ponto de referência para aqueles que viam de longe. Nos domingos e durante os serviços religiosos, todos os habitantes da cidade se encontravam ali, e o contraste entre este prédio sublime e as habitações miseráveis e primitivas nas quais o povo passava toda a vida deve ter sido opressivo. Não é à toa que toda a comunidade estava interessada na construção destas igrejas e que ela também se orgulhava de sua decoração.

De toda forma, havia outro lado nessa experiência. Depois de inspecionar imagens ou, melhor ainda, visitar alguns dos primeiros desses gigantescos prédios medievais, como a Catedral de Tournai, na Bélgica, ou a Catedral de Durham, na Inglaterra, ou monumentos góticos posteriores, como a Notre-Dame de Reims ou a Catedral de Colônia, não é preciso muito para imaginar o sentimento de opressão e insignificância que os camponeses europeus sentiam ao entrar nesses imensos templos. De forma proposital, as suntuosas catedrais medievais e góticas desempenharam papel vital na impressão da abstração mental dominante da Idade Média – a impotência do homem perante Deus –, garantindo a sua subjugação ao convencer comunidades inteiras do papel irrelevante do homem no universo quando comparado com o poder infinito do seu Deus.

Veremos no Capítulo 13 que pouco ou nada mudou na estratégia perene de diminuir a contribuição do homem ao seu próprio mundo. A única coisa que mudou nos nossos tempos modernos foi o nome dos deuses e das igrejas que alegam ter poderes muito superiores aos da humanidade.

No frigir dos ovos, tudo se resume a obter o controle total da vida humana. E a tirania instalada não tinha outro aliado a agradecer senão a própria mente do homem.

A devastação causada pela visão cosmológica medieval, que aviltou em vez de elevar a condição humana, não foi privilégio do cristianismo. Durante a Renascença muçulmana, entre os séculos VIII e XI d.C., estudiosos, astrônomos e matemáticos muçulmanos, vivendo e trabalhando em múltiplas cidades da Ásia central, como Merv (atual Turcomenistão), Nishapur (Irã), Bucara (Uzbequistão), e mais tarde Bagdá, mas também em Córdoba e Toledo, parte do califado árabe na Andaluzia, na Espanha, foram responsáveis por grandes avanços nas áreas de medicina, astronomia, matemática e filosofia, graças à incorporação e à expansão das tradições gregas. Pois bem, o trágico colapso desse período de iluminismo e humanismo teve como principal origem a atuação de um único teólogo dogmático persa: Abu Muhammad Al-Ghazali. Entre outras das suas visões anticientíficas, Al-Ghazali defendia que o único livro digno de ser lido pelos fiéis muçulmanos era o sagrado Alcorão. Possuído de uma retórica convincente, que foi apoiada por amigos poderosos em Bagdá, Al-Ghazali pode ter conseguido, por si só, a façanha de obliterar a intensa luz de conquistas científicas e humanistas muçulmanas pelos próximos dez séculos.

Foi necessária outra Renascença, nascida de uma *Brainet* de gênios italianos, incluindo Dante, Plutarco, Donatello, Brunelleschi, Leonardo da Vinci e Michelangelo, para resgatar a humanidade do seu quase fatal buraco negro da Idade Média. Com a florescência irresistível dessa Renascença italiana, tudo mudou. Em vez de infindáveis retratos de anjos, madonas e santos, uma nova geração de desenhos, pinturas e esculturas revelaram os mais diminutos detalhes do corpo humano, com músculos e veias, expressões faciais de amor, gozo, dor e tristeza – tudo da perspectiva do fitar flamejante dos olhos mortais e penetrantes do homem.

Assim, quando o cérebro de Michelangelo teve a perspicácia de dedicar o afresco central do teto da Capela Sistina à representação do momento em que o divino toque de Deus dotou o homem da sua essência vital, em total contraste com os seus predecessores medievais, o gênio fiorentino pintou tanto o corpo de Deus como o de Adão com níveis idênticos de esplendor e requintados detalhes biológicos.

Muito certamente, esse fato não escapou às retinas de Júlio II, o papa sovina que havia comissionado a pintura virtualmente impossível da Capela Sistina a Michelangelo – um escultor – quase como uma punição pela sua audácia de insistir em um contrato para construir a tumba do mesmo Sumo Sacerdote. Dentro de si, todavia, quando Vossa Santidade finalmente contemplou os afrescos ainda úmidos do teto da

Capela Sistina, em algum momento do verão de 1512, provavelmente se deu conta de que qualquer resistência da sua parte seria em vão. Afinal, em um diminuto e fugidio momento da sua história milenar de sofrimento, por meio da destreza das próprias mãos, um homem havia exposto e impresso, uma vez mais, o íntimo do seu cérebro de primata em uma parede de pedra, liberando, com esse ato único de audácia e gênio, a fagulha mental necessária para reivindicar, em alto e bom som, o seu justo posto como o Verdadeiro Criador de Tudo.

CAPÍTULO 9
CONSTRUINDO UM UNIVERSO COM ESPAÇO, TEMPO E MATEMÁTICA

Durante uma manhã de inverno, no começo dos anos 1300, enquanto os primeiros raios de sol tingiam os frígidos céus europeus revelando um amanhecer laceado de rosa digno de um poema grego, a vila suíça de Saint Gallen, situada ao redor das paredes de pedra do icônico monastério de São Galo, erigido pela ordem beneditina em algum momento do século VIII, já se preparava para a interrupção do último ciclo coletivo de sono da noite. Uma vez mais, como era hábito acontecer havia algum tempo, os habitantes daquela típica comunidade medieval estavam prestes a ser arrancados dos seus sonhos doces e das suas camas quentes pelo som que havia mudado a vida deles para sempre.

Assim que os imensos sinos de ferro das torres do monastério badalaram anunciando por quilômetros de distância a chegada da primeira das sete horas canônicas, chamada de matins ou raiar do dia, do novo dia, cada cérebro alcançado, por aquele som tornado divino, por decreto, uma vez mais se alinhou, como parte de uma *Brainet* bem sincronizada.

Seguindo à risca o decreto do século VII, publicado durante o papado de Sabiniano, que instituiu a tradição das horas canônicas, nas vinte e quatro horas seguintes os sinos do monastério produziriam o mesmo som intimidador seis outras vezes – *prime*, às 6h da manhã; *terce*, por volta das 9h; *sext*, por volta de meio-dia; *nones*, por volta das 3h da tarde; *vespers*, no começo da noite; e *complin*, mais ou menos na hora de ir para a cama. No conjunto, essa sequência sonora era responsável por efetivar o controle irreversível que o decreto papal conquistara sobre os cérebros do século XIV, ao ditar a rotina diária de todos os cristãos. Afinal, desde que o anúncio das sete horas canônicas pelo dobrar de sinos se tornara lei, todos acordavam às 6h da manhã (na hora *prime*), almoçavam ao meio-dia (no *sext*), jantavam e, finalmente, se recolhiam para dormir, seguindo os comandos dos sinos. Uma vez que essa prática estabeleceu o monopólio de controle de toda vida ao redor das paredes de pedra beneditina, a cada novo dobrar dos sinos o cérebro dos aldeões estava pronto para alertar os seus donos de que o tempo não mais podia ser experimentado como fenômeno contínuo, alongando-se do amanhecer ao anoitecer, sem nenhuma pontuação ou significado, fluindo a reboque dos ritmos do mundo natural, das suas estações e dos seus humores.

Com o advento das horas canônicas – e, mais tarde, do relógio mecânico, que logo encontrou seu caminho para o alto das mesmas torres dos monastérios medievais –, um novo ditador (o tempo discreto criado pelo homem) arrebatou a agenda diária da vida, subjugando até mesmo a cadência natural e inata dos ritmos circadianos biológicos humanos. Embora só em 1345 tenha se dado o consenso de que uma hora seria dividida em sessenta minutos, e um minuto, em sessenta segundos, foi imenso o impacto dessa nova forma de dispensar o tempo na maneira como as pessoas pensavam, se comportavam, viviam.

De fato, o dispensar do tempo pelos monastérios medievais se transformou em um evento capaz de mudar o estilo de vida de milhões de europeus ao criar um novo senso de ordem e ao contribuir para o avanço dos aspectos regimentais da vida humana, pela imposição, de forma extremamente artificial, daquilo que Lewis Mumford chamou de "a batida regular coletiva e o ritmo da máquina".

Ressoando o tema central que emerge da minha própria visão de como *Brainets* humanas se estabelecem e são responsáveis por comportamentos sociais fundamentais desde o surgimento da nossa espécie, Mumford justifica a sua afirmação dizendo que "o relógio não é apenas um meio para observar o passar das horas, mas também uma ferramenta para sincronizar as ações dos homens".

Tão poderosa provou ser a nova realidade de sincronização temporal das atividades humanas que se pode creditar aos monastérios beneditinos da Europa ocidental a introdução de uma das estruturas mentais básicas necessárias para o estabelecimento bem-sucedido da Revolução Industrial – alguns séculos mais tarde – e o surgimento e a disseminação simultânea de outra abstração mental extremamente poderosa: o capitalismo. Essa é a razão pela qual Mumford confere ao relógio mecânico, não ao motor a vapor, a glória de ser a invenção-chave a anunciar a chegada da era industrial, bem como o nascimento de outra religião criada pelo ser humano e batizada por ele como Culto das Máquinas (Capítulo 13).

Em um desenvolvimento paralelo, a contagem do tempo também se tornaria ferramenta essencial para o florescimento de outra abstração mental fundamental para a construção do mundo moderno: a ciência. Novamente emprestando as palavras de Lewis Mumford,

> o relógio, além de tudo, é um pedaço de máquina cujo produto são segundos e minutos: pela sua natureza essencial, ele dissociou o tempo dos eventos humanos e ajudou a criar a crença num mundo independente de sequências matematicamente mensuráveis: o mundo especial da ciência.

O impacto criado por uma fonte oficial para impor uma métrica de tempo arbitrária sobre o comportamento humano pode ser ainda mais apreciado quando nos damos conta de que os monastérios da Europa ocidental não estavam sozinhos na missão de ditar os ritmos do viver para grandes populações humanas. Desde os dias do profeta Maomé, no século VI, o mundo muçulmano já havia adotado os horários do Salah, os cinco momentos do dia nos quais todo crente deveria interromper fosse lá o que estivesse fazendo para concluir suas orações. O momento exato para os cinco momentos de orações depende da posição do Sol no céu, variando de acordo com a localização geográfica de cada indivíduo. Todavia, esses momentos são conhecidos como *Fajr* (amanhecer a nascer do sol), *Dhuhr* (Sol a pino no meio do dia), *Asr* (tarde), *Maghrib* (pôr do sol) e *Isha'a* (meio-termo entre o pôr do sol e o nascer do sol, antes da meia-noite).

Anunciados publicamente pelo canto do muezim, do topo dos minaretes das mesquitas de todo o mundo, os chamados para orações são uma fonte de sincronização dos cérebros mulçumanos e não crentes pelos últimos mil e quatrocentos anos, desde que, de acordo com a lenda, o profeta Maomé aprendeu o ritual diretamente de Alá. O *Zmamim* dos judeus também determina momentos específicos do dia para certas obrigações, de acordo com o talmude, serem realizadas.

O que isso ilustra é que, em essência, a partir da Idade Média, cristãos, mulçumanos, judeus e praticamente todos os seus vizinhos não tiveram mais como escapar do novo mantra humano de marcar a passagem do tempo. Na realidade, em certo grau, podemos dizer que, nos últimos setecentos anos, desde que os primeiros relógios foram introduzidos na Europa, a maioria dos seres humanos foi escravizada pela incessante e implacável marcação do tempo criada pelo homem. E, a despeito de mudanças na forma e no estilo, a essência dos relógios permaneceu praticamente imutável ao longo dos séculos. Prova do sucesso avassalador desse monopólio no negócio de dispensar tempo se verifica pelo fato de que, até hoje, os relógios ainda controlam a nossa rotina, como itens permanentes de todo e qualquer dispositivo digital criado na segunda década do século XXI. Se você tem dúvida, dê uma olhada no seu smartphone agora e, ao localizar o aplicativo de relógio, lembre-se de que está olhando para um descendente de uma tecnologia medieval que determina o ritmo da vida humana por mais de sete séculos.

Hoje, pode-se especular quão diferente o mundo seria se os processos para manter e dispensar tempo não tivessem sido inventados ou atingido o grau de penetração e dominância na rotina de vida humana. Uma amostra dessa forma alternativa de vida pode ser obtida ao observarmos como as poucas sociedades e culturas que não sucumbiram ao ritmo artificial determinado por dispositivos de marcação de tempo conduzem as suas rotinas. Alternativamente, podemos retornar no tempo, para uma era na qual não havia ainda conceito de tempo como introduzido durante a Idade Média. Por exemplo, alguns milhões de anos atrás, antes de a linguagem surgir e permitir aos seres humanos estabelecer uma tradição oral (e digital) de transmissão de informação e cultura de uma geração para outra, o mais longo registro temporal que um hominídeo individual poderia manter era aquele que ele ou ela preservava no seu próprio cérebro, na forma de memórias de longo prazo.

Gravadas no manto cortical de cada indivíduo, essas memórias contêm traços das experiências que cada um de nós viveu ou observou durante a vida. No entanto, desde que apenas uma fração da vida de alguém pode ser recuperada conscientemente, ou declarada, como o jargão neurocientífico diz, qualquer tentativa de reconstruir, mesmo uma única existência individual que seja, está destinada a ser incompleta, fraturada e enviesada. Ainda assim, o surgimento de mecanismos neurofisiológicos que permitiram memórias de longo prazo serem gravadas no tecido neural, permanecendo estocadas e acessíveis, para futuras consultas durante toda a vida, marca uma mudança fundamental no processo natural de contagem do tempo pela matéria orgânica.

O tremendo impacto que a possibilidade de criar memórias de longo prazo teve nos nossos ancestrais hominídeos e no nosso modo de vida moderno pode ser ilustrado quando essa habilidade extraordinária é perdida, quer por uma doença neurológica, quer por um trauma que gera dano cerebral. Nesse domínio, o caso de Henry G. Molaison, imortalizado na literatura neurocientífica como paciente H. M., oferece, de longe, um dos relatos mais emblemáticos do que é viver sem a possibilidade de criar memórias. Tendo sofrido com um quadro de epilepsia desde os dez anos de idade, quando H. M. se tornou um adulto jovem, ele se encontrou totalmente incapacitado pela piora dramática das suas convulsões epiléticas, uma vez que elas haviam parado de responder à medicação anticonvulsivante disponível à época. Como um último recurso para tentar melhorar a sua condição, em 1953, H. M. foi submetido a um procedimento neurocirúrgico radical e extensivo para remover grande porção do seu tecido cortical do lobo temporal médio, região em que as suas crises epiléticas se iniciavam. Como resultado, um volume considerável do hipocampo de H. M., além de outras estruturas-chave localizadas no lobo temporal médio, foi removido em ambos os hemisférios cerebrais.

Após se recuperar da cirurgia, H. M. passou a experimentar seriíssimos déficits de memória. No período pós-operatório imediato, não conseguia mais se lembrar dos profissionais que cuidaram dele diariamente antes da cirurgia. Além disso, não conseguia mais se recordar dos eventos ocorridos durante a sua estadia no hospital. Embora a sua atenção, a sua habilidade intelectual e a sua personalidade não tivessem sido afetadas, logo ficou óbvio para todos que H. M. não mais estocava em seu cérebro memória de longo prazo envolvendo informações diretamente adquiridas ou elaboradas pela mente.

O impacto mais surpreendente do déficit de memória se manifestava quando H. M. se engajava em uma conversa com alguém que ele acabara de conhecer. A despeito de ser capaz de estabelecer um diálogo e interagir com o novo interlocutor, alguns minutos depois H. M. não mais se lembrava de ter participado da conversa – tampouco recordava o assunto discutido; H. M. não era capaz nem de lembrar ter visto o interlocutor que ele havia acabado de conhecer.

A condição peculiar de H. M. passou a ser conhecida como "amnésia anterógrada". Basicamente, ele não mais criava memórias de longo prazo para depois reativá-las. Embora fosse capaz de aprender a realizar novas tarefas motoras e perceptuais, simplesmente não se lembrava de ter executado as ações repetitivas envolvidas nesse tipo de aprendizado. Da mesma forma, não conseguia descrever verbalmente as experiências ou as interações com os experimentadores que o acompanhavam nelas. E isso não era tudo.

Embora a maioria das memórias passadas, adquirida anos antes do procedimento cirúrgico, continuasse preservada, H. M. não se lembrava mais de episódios autobiográficos da sua vida pregressa. Esse achado sugeria que ele também havia desenvolvido certo nível de amnésia retrógrada. Como resultado desses déficits neurológicos, a partir do momento em que ele acordou da anestesia geral até o fim da vida, o cérebro de H. M. cessou de criar um registro permanente do presente, quase como se tivesse decidido congelar o fluxo de tempo.

Após o desenvolvimento de mecanismos neurofisiológicos responsáveis pela criação e pela manutenção de memórias de longo prazo, o passo crucial nos processos biológicos de manutenção do tempo foi dado quando a linguagem oral passou a ser usada de forma disseminada pelos nossos ancestrais. Por variadas razões, a emergência da linguagem oral pode ser considerada um divisor de águas no épico da nossa história, outro "*big bang*" da mente humana.

No contexto da monitoração humana do tempo, a habilidade de expressar os pensamentos pela linguagem significou que, em vez de ser limitada a um registro histórico pessoal privado da sua existência, comunidades de *Homo sapiens* podiam desenvolver um relato coletivo abrangente de tradições, realizações, emoções e desejos. Apesar de esse novo enredo histórico coletivo ainda requerer a gravação de memórias no tecido neuronal dos indivíduos para obter-se uma preservação de longo prazo, a linguagem certamente contribuiu para uma expansão tremenda da noção de tempo entre os nossos ancestrais. O surgimento da comunicação oral e da fala entre *Homo sapiens* pode, portanto, ser considerado o mecanismo primordial de manutenção de registros mentais que deu origem ao processo sem fim de construção um universo humano.

Desta forma, a disciplina da história foi provavelmente criada ao redor de uma fogueira, enquanto os anciões da tribo repetiam para os mais jovens as lendas e os mitos que haviam aprendido pelas vozes dos seus pais e dos seus avós, em um processo contínuo, que reverberou por milênios. Essa é a razão pela qual gosto de dizer que a história e a contagem do tempo são filhas gêmeas da mãe linguagem.

Embora frequentemente ignoremos esse fato, a tradição oral de contar estórias dominou grande parte da estratégia de comunicação da nossa espécie ao longo da história e ao redor de todo o mundo. Por exemplo, muito antes de terem sido imortalizadas em uma mídia mais permanente no século VIII a.C., muitas das passagens poéticas da *Ilíada* e da *Odisseia* foram provavelmente memorizadas e depois declamadas ou cantadas, por inúmeras gerações de gregos, como forma de perpetuar os principais fundamentos da sua cultura e tradição. Esse ritual era tão importante que, diz a lenda, tanto Platão como Sócrates eram totalmente contrários à transferência desses grandes poemas gregos a registros escritos, dado que ambos acreditavam que o novo meio contribuiria para uma erosão das habilidades mentais do seus pupilos: os estudantes, de acordo com Sócrates, se tornariam preguiçosos, porque, com registro escrito, gradualmente abandonariam a tradição de aprender os versos pela repetição oral que garantiria a memorização destes. Veremos no Capítulo 12 que a discussão sobre os efeitos da introdução de novos meios de comunicação sobre a cognição humana permaneceu conosco.

Por sua vez, os nossos ancestrais do Paleolítico Superior descobriram uma forma de registrar a sua visão de mundo, as suas abstrações mentais: marcando as paredes de rocha de cavernas subterrâneas. Ao fazer isso, eles garantiram que o tempo passasse a ser não só expandido em suas próprias mentes, mas que adquirisse uma representação visual permanente. Foram necessários trezentos e cinquenta séculos para que o processo de contabilizar o tempo mudasse das pinturas rupestres para outro tipo de suporte.

O surgimento dos primeiros calendários astronômicos, construídos por meio da observação de eventos celestiais recorrentes, como o movimento relativo da Terra ao redor do Sol ou o ritmo das fases da Lua, introduziu um novo padrão de tempo. Criados originariamente por sumérios, egípcios e um pouco mais tarde por chineses, os primeiros calendários astronômicos surgiram com os primeiros registros da linguagem escrita, por volta de 4000 a.C. Os calendários babilônicos, persas, zoroastras e hebreus vieram na sequência, mostrando que a medição do tempo adquiriu uma posição de grande destaque nas principais culturas humanas.

A introdução da escrita, de calendários e, mais tarde, a impressão de jornais, textos e livros em grande escala – graças aos métodos de impressão inventados pelos chineses, e mais tarde por Gutenberg, em 1440 – forneceram novos mecanismos de sincronização para *Brainets* humanas. Em cada um desses exemplos, múltiplos cérebros individuais puderam ser sincronizados sem nem estarem próximos, dentro do alcance espacial no qual a linguagem oral opera como sinal sincronizador.

Ao colocarem pensamentos, descobertas, ideias, dúvidas e teorias no papel, indivíduos passaram se comunicar com audiências humanas numerosas e distribuídas por grandes distâncias. Livros impressos, em particular, revolucionaram a forma como *Brainets* puderam ser estabelecidas, mantidas e espalhadas pelo tempo, permitindo uma comunicação unidirecional entre gerações. Os mecanismos neurofisiológicos responsáveis pela formação dessas *Brainets* foram similares aos discutidos no Capítulo 7; a grande diferença foi que o reforço à base de dopamina, tanto de expectativas como de abstrações mentais, gerado pelo cérebro dos leitores em dada época acontecia quando estes estabeleciam contato com o legado intelectual deixado por gerações pregressas.

Por exemplo, no momento em que escrevo este parágrafo, sinto a clara influência que as palavras escritas por Lewis Mumford têm no meu processo de criação. Da mesma forma, todo e qualquer cientista experiente já desfrutou da sensação de ter estabelecido uma conexão intelectual com mentes que viveram décadas ou séculos antes, mas cujas ideias, imortalizadas pela palavra impressa, continuam a influenciar, guiar e definir visões filosóficas, hipóteses e agendas experimentais, mesmo muito depois da sua desintegração física. Essa propriedade extraordinária para sincronização ao longo do tempo e do espaço é exclusiva do cérebro humano e, como tal, desempenha papel central no processo de dissipar energia para gerar conhecimento.

Depois desta breve discussão sobre o contar do tempo, abordemos como o conceito de espaço evoluiu ao longo da história. Para justificar essa mudança de tópico, peço permissão para recrutar outra mente para a *Brainet* Mumford, da qual me sinto parte neste momento. Refiro-me a Joseph Campbell, que escreveu que

> *o espaço e o tempo, como Kant já havia reconhecido, são formas a priori da [nossa] "sensibilidade", precondições que antecedem todas as experiências e ações, implicitamente reconhecidas pelo nosso corpo e sentidos mesmo antes do nosso nascimento, como o meio no qual nós iremos funcionar. Eles [espaço e tempo] não estão simplesmente "lá fora", como os planetas estão, para serem compreendidos de forma analítica, por observações separadas. Nós carregamos as suas leis dentro de nós, e como tal [eles] já envolveram as nossas mentes ao redor do universo.*

Quando discutimos no Capítulo 7 os experimentos do Passageiro--Observador, introduzi um par de mecanismos usados pelo cérebro para calcular a nossa posição absoluta no espaço, bem como outros processos neurofisiológicos utilizados para computar coordenadas espaciais relativas, como a distância para uma fonte de recompensa ou aquela que nos separa de outro membro do nosso grupo social. Embora nas últimas décadas esses mecanismos básicos tenham sido identificados em mamíferos e primatas, é evidente que estavam à disposição dos nossos ancestrais hominídeos, milhões de anos atrás. Contudo, a noção de espaço, do ponto de vista do cérebro humano, sofreu profundas expansões desde o surgimento da nossa espécie. Uma das primeiras formas em que a noção de espaço do *Homo sapiens* alargou-se para além do ambiente natural imediato que o circundava foi, provavelmente, por migrações aventurosas, que levaram os nossos ancestrais da África à Europa, ao Levante, à Ásia e, eventualmente, a ocupar todo o planeta. Os registros históricos dessas primeiras expedições épicas, todavia, permaneceram embutidos apenas nas memórias cerebrais dos nossos ancestrais, há muito perdidas, uma vez que outro meio artificial não havia sido inventado nessa época para manter os diários das viagens inaugurais.

O uso de cavernas subterrâneas, durante o Paleolítico Superior, em locais escolhidos para expressar as recém-adquiridas habilidades artísticas da nossa jovem humanidade, também contribuiu para uma considerável expansão da nossa representação mental de espaço, uma vez que, para alguns especialistas, essa invasão se deu porque nossos ancestrais acreditavam que o mundo subterrâneo definia uma dimensão espacial completamente nova, uma vez que foi construída nas profundezas das suas mentes para acomodar o território do mundo após a morte.

Mais tarde, quando o céu tornou-se a nossa maior fonte de inspiração, o conceito de espaço da humanidade expandiu-se além da superfície da Terra para o espaço sideral, mesmo que, à época, ninguém tivesse a menor ideia sobre a forma do planeta e onde as suas fronteiras poderiam ser encontradas.

Na altura em que os primeiros assentamentos permanentes foram estabelecidos no período Neolítico, o espaço, na forma da posse da terra, começou a ser acumulado para estabelecer divisões sociais dentro das comunidades e, mais tarde, para expandir o alcance dos reinos. A expansão territorial, por meio da conquista e da guerra, e um processo intenso de construção de edificações, explorando o conhecimento recém-adquirido dos engenheiros e arquitetos reais, se tornaram o *modus operandi* das civilizações antigas para cimentar os seus domínios sobre outros povos.

De repente, o espaço tornou-se mercadoria, uma moeda que rendia poder social, econômico e estatal àqueles que o conquistavam, ocupavam-no, reformatavam-no e o exploravam para benefício próprio.

Milhares de anos depois, uma grande mudança ocorreu quando o espaço começou a ser codificado em termos matemáticos. Esse feito extraordinário se deu com a introdução da geometria (a medida da Terra, no grego antigo) por Euclides, matemático que viveu na cidade portuária de Alexandria, no Egito, entre o fim do século IV e o começo do século III a.C.

Provavelmente influenciado por textos babilônicos, *Os elementos*, de Euclides, primeiro livro-texto de geometria em múltiplos volumes, permaneceria como única formulação matemática do espaço pelos vinte séculos seguintes, até que um matemático alemão, Georg Friedrich Bernhard Riemann, na Universidade de Göttingen, a Meca alemã da matemática, propôs, no meio do século XIX, sua versão de geometria não euclidiana. A geometria riemanniana, que lida com estruturas multidimensionais lisas, foi resgatada do anonimato acadêmico, cerca de meio século após a sua criação, por ninguém menos que Albert Einstein, que empregou essa nova visão de espaço multidimensional para formular a sua teoria geral da relatividade.

De todo modo, antes que a teoria de Einstein parisse um universo onde espaço e tempo se fundem em um contínuo espaçotemporal, outras revoluções reformataram a visão humana do espaço, esticando o seu espectro e o seu alcance, do infinitesimalmente diminuto ao imensamente gigantesco.

Uma vez mais, a mudança da abstração mental que impulsionou a transição da Idade Média para o Renascimento na Europa desempenhou papel central no processo de expansão e reformatação espacial. Essa transição profunda, que trouxe o homem de volta para o centro da visão cosmológica dominante, também alterou a maneira como o espaço era percebido pelas pessoas comuns e, como havia acontecido tão frequentemente na história anterior, como era representado por artistas, em especial os pintores. Uma vez mais, valho-me das palavras de Lewis Mumford para enfatizar quão fundamental foi essa mudança na representação do espaço durante esse período de transição.

> *Durante a Idade Média as relações espaciais tendiam a ser organizadas como símbolos e valores. O objeto mais alto da cidade era a torre da igreja, que apontava na direção dos céus e dominava todas as construções de menor importância, como a igreja dominava todas as esperanças e medos. O espaço era dividido arbitrariamente para representar as sete virtudes, ou os doze apóstolos, ou, ainda, os dez mandamentos da trindade. Sem a referência simbólica constante das fábulas e dos mitos do cristianismo, a racionalização do espaço medieval simplesmente colapsaria.*

Isso explica por que nas pinturas medievais o tamanho dos personagens era usado para denotar diferentes níveis de importância social em um grupo. Analisadas hoje, algumas dessas pinturas criam uma sensação estranha, uma vez que corpos humanos teoricamente equivalentes, que deveriam ser retratados com dimensões semelhantes, dado que compartilhavam o mesmo plano visual, eram representados com grande grau de disparidade de tamanho, se, por exemplo, um deles fosse um santo ou homem da igreja. Ao misturar nas suas pinturas cenas retratando a vida de Cristo, ocorridas séculos antes, com imagens contemporâneas, artistas medievais não tinham problema em fundir múltiplas épocas dentro do mesmo domínio espacial. Como um exemplo dessa tendência, Mumford cita o quadro de Botticelli, *Três milagres de São Zenóbio*, que mistura três momentos distintos em uma única cena urbana. Ao sumarizar essa visão medieval do espaço, na qual objetos podiam aparecer ou desaparecer sem nenhuma lógica ou serem colocados em posições estranhas ou fisicamente impossíveis, Mumford concluiu que,

> neste mundo simbólico de espaço e tempo, tudo era ou um mistério ou um milagre. A conexão dos eventos era a ordem religiosa e cósmica; a verdadeira ordem de espaço era o Paraíso, da mesma forma que a verdadeira ordem do tempo era a eternidade.

O choque poderoso que abalou a tradição artística de representar o espaço, como outras tradições medievais, foi a consequência imediata do triunfo de uma nova abstração mental, que pode ser facilmente descrita como uma das grandes revoluções na história da formação da nossa condição humana. Seguindo a sua breve manifestação na Grécia, durante o século V a.C., a segunda ascensão do homem comum ao centro do universo humano aconteceu na Europa, entre os séculos XIV e XVII d.C. Entre outras coisas, o renascimento épico do homem, não mais visto como o pecador incurável, mas agora elevado ao papel de protagonista do seu próprio universo, escancarou a necessidade de se rearranjar espacialmente a representação do mundo natural.

A partir de então, o espaço não mais seria considerado e representado como mero apêndice da ordem divina. O mundo passaria a ser descrito a partir do ponto de vista e viés do olho humano. Nesse novo contexto, a descoberta dos princípios da perspectiva, e a sua influência decisiva para a criação de uma escola de pintura totalmente nova na Itália, deu origem às projeções visuais, em telas coloridas, de uma nova ordem mundial, vista e preenchida pelo cérebro humano. O ponto de vista próprio do cérebro agora dirigia a mão do pintor enquanto ele usava cores contrastantes e sombras para criar uma reprodução do mundo.

Depois de levar quase mil anos fermentando dentro da mente do homem, eventualmente, esse novo ponto de vista libertou-se, espalhando-se por centenas ou mesmo de milhares de mentes humanas, sincronizando-as em uma *Brainet* que, por meio do seu trabalho e da sua coragem coletiva e coerente, deu à luz do movimento que ficou conhecido como o Renascimento italiano. Na avaliação de Mumford,

> *entre os séculos XIV e XVII ocorreu na Europa ocidental uma mudança revolucionária no conceito de espaço. O espaço como uma hierarquia de valores foi substituído pelo espaço como um sistema de magnitudes... [A partir daí] os corpos não existiam separadamente como magnitudes absolutas: eles passaram a ser coordenados com outros corpos dentro do campo de visão e representados em escala. Para atingir esta escala, uma representação acurada do objeto deveria ser atingida, por meio da criação de uma correspondência, ponto a ponto, entre a pintura e a imagem original. Esse novo interesse na perspectiva trouxe profundidade para a pintura e distância dentro da mente.*

Como o novo centro do universo, o homem rearranjou o mundo em torno de si mesmo e o pintou, primeiro na sua mente e mais tarde nas telas que veneramos ainda hoje. Ao olhar para algumas das obras de arte desse período, pode-se consumir um tempo considerável admirando tudo o que o cérebro e as mãos dos gênios da Renascença foram capazes de criar.

Para confirmar mais essa libertação dos céus, podemos ir além da arte renascentista e focar em outra disciplina, a cartografia. Valendo-se da experiência de cartógrafos gregos e mulçumanos, ao redor de 1436, a nova visão renascentista do espaço infectou a forma de confeccionar novos mapas do mundo. Com a introdução das linhas de latitude e longitude, todo espaço conhecido da Terra foi dotado de uma localização espacial bidimensional. Uma nova geração de mapas e a introdução de novas tecnologias para navegação oceânica – astrolábios, efemérides e o compasso, além do bastão de Jacob, o precursor do sextante do século XVIII – impeliram os pioneiros navegadores portugueses e espanhóis a lançar a grande era das explorações marítimas dos séculos XV e XVI, gerando outro enorme ímpeto para a expansão da visão renascentista do espaço.

De repente, depois de séculos de penitência piedosa como prisioneiros dos territórios da Europa ocidental, a exploração dos vastos limites e da extensão espacial dos grandes oceanos da Terra, à época totalmente desconhecidos, bem como as riquezas que escondiam, tornou-se a obsessão central das cortes europeias e dos aventureiros, cujos nomes, dada a magnitude épica das suas viagens – e dos seus crimes, vale dizer – transformaram-se em lendas que sobrevivem até hoje. Em vários casos, em nome de Deus e da fortuna, as expedições europeias na direção do espaço desconhecido da Terra desencadearam genocídios de comunidades indígenas. Sem esquecer essa mancha trágica e terrível, homens como Colombo, Vasco da Gama, Pedro Álvares Cabral, Américo Vespúcio, Hernán Cortés, Francisco Pizarro e Fernando de Magalhães produziram, pelos seus atos, uma revolução na noção coletiva da mente medieval sobre o espaço terrestre. Assim, não é surpresa que os novos territórios nos quais Vespúcio, Colombo e Cabral aportaram tenham passado a ser conhecidos como "Novo Mundo"; no que diz respeito ao conceito do espaço da Terra dominante na Europa medieval, a chegada dos europeus ao continente americano pode ser comparada, metaforicamente, à identificação de um novo exoplaneta, em um sistema solar distante, no século XXI.

Tão estranhos eram esses novos territórios que as cortes europeias expressaram um choque profundo com a descoberta da tremenda diversidade da flora, da fauna e dos alimentos do Novo Mundo, bem como de seus habitantes e da sua cultura. Esse choque foi, porém, rapidamente apaziguado pela descoberta de grandes quantidades de prata, ouro e pedras preciosas que os seus emissários extraíram de suas novas possessões para presentear os seus reis e rainhas. Para a realeza do século XVI, o espaço ocupado no Novo Mundo, mais ainda que o tempo, significava dinheiro.

No que tange à noção de espaço, os duzentos anos que definem o período entre o meio do século XV e a metade do século XVII foram turbulentos. Como se a chegada do Novo Mundo não fosse surpreendente o suficiente, a *Brainet* criada pela sincronização dos pensamentos e das descobertas, geradas pelas mentes únicas de Nicolau Copérnico, Johannes Kepler, Galileu Galilei, Isaac Newton, Robert Hooke, Anton van Leeuwenhoek, entre muitos outros, foi responsável pela indução de uma das maiores explosões mentais no conceito de espaço em toda a história da humanidade. De fato, somente a expansão espacial ocorrida entre o fim do século XIX e as três primeiras décadas do século XXI, graças à introdução da mecânica quântica e da teoria geral da relatividade de Einstein, foi capaz de rivalizá-la.

O impacto dessa *Brainet* iniciada no século XV começou a se materializar quando Nicolau Copérnico (1473-1543) mudou da Polônia, sua terra natal, para a Itália, a fim de se matricular na Universidade de Bolonha, onde, em um dos mais irônicos desenvolvimentos da história, ele concluiria um doutorado em lei canônica. Ainda nas suas primeiras décadas de vida, Copérnico realizou as próprias observações astronômicas. Por meio da análise de próprias mensurações e extensivas leituras de trabalhos de astrônomos gregos e muçulmanos, começou a identificar falhas profundas no modelo clássico do sistema solar proposto por Cláudio Ptolomeu, por volta de 100 d.C., o qual propunha que uma Terra imóvel ocupava uma posição central não só no sistema solar, mas no universo.

Embora Ptolomeu usualmente receba todo o crédito como o criador dessa cosmologia geocêntrica, o seu modelo incorporou uma versão refinada de modelos similares desenvolvidos na Grécia, por múltiplos astrônomos que viveram alguns séculos antes dele. E, apesar de existir aparente consenso sobre o modelo geocêntrico, outros astrônomos gregos – por exemplo, o grande Aristarco de Alexandria – desafiaram desde o início a cosmologia que colocava a Terra no centro do universo. Essas dúvidas foram registradas e, provavelmente, sobreviveram até os tempos de Copérnico.

No modelo geocêntrico ptolomaico, todas as estrelas, os planetas do sistema solar, a Lua e o Sol orbitam uma Terra imóvel. Cinco séculos antes, a discussão sobre a verdadeira posição da Terra no universo carregava enorme peso político e religioso, particularmente para a instituição cuja sobrevivência dependia da aceitação contínua e inquestionável da abstração mental que dominou a Idade Média. Digo isso porque, para as sociedades da Europa ocidental, mais que um debate científico ou astronômico abstrato, a posição espacial singular ocupada pela Terra, como o epicentro de todo o universo, constituía prova cabal das duas mais veneradas crenças daqueles tempos: a singularidade da humanidade, como a progênie privilegiada por Deus, e a reivindicação inquestionável de a Igreja católica e os seus porta-vozes institucionais, o exército de cardeais, bispos, freiras e padres, ser o único representante verdadeiro de Deus na Terra. Nesse contexto, o modelo geocêntrico do universo proposto por Ptolomeu representava uma ferramenta poderosa de dominação da Igreja, a qual foi defendida de forma brutal até o último milissegundo de credibilidade, sem importar quanto sofrimento humano causasse ou quantas vidas eliminasse.

Embora hoje seja fácil desdenhar da visão geocêntrica do universo como extremamente provinciana, é preciso levar em conta que, por mais ou menos quinze séculos, o modelo ptolomaico foi rotineiramente usado para gerar infindáveis predições astronômicas referentes às orbitas planetárias com um grau surpreendente de acurácia. Como o físico Lee Smolin discute em *O renascer do tempo: da crise da física ao futuro do universo*, ao adotar o conceito de epiciclos e seguindo alguns refinamentos introduzidos por astrônomos islâmicos, o modelo ptolomaico previu a posição dos planetas, do Sol e da Lua com margem de erro de 0,1%!

Em cerca de quarenta páginas de uma monografia intitulada *Commentariolus* [Pequenos comentários], a qual nunca foi oficialmente publicada, mas circulou amplamente entre estudiosos do começo do século XVI, Copérnico escreveu o que pode ser considerado o preâmbulo da sua contribuição definitiva e perene para a ciência: o tratado *De revolutionibus orbium coelestium* [Sobre a revolução das esferas celestes], datado de 1543, um pouco antes da sua morte. Nele, com única pincelada de gênio, planejada por mais de meio século, Copérnico expeliu a Terra, com seus habitantes, animais, montanhas, oceanos, desertos, Velho Mundo e Novo Mundo, além da Igreja católica e os seus burocratas, do centro do universo. No lugar, Copérnico assentou o Sol, que passou a ocupar o centro do cosmos. Nessa nova configuração, um ano do calendário gregoriano passou a ser necessário para que a Terra completasse uma órbita ao redor do Sol. A rotação diária da Terra passaria a ser responsável pelo ciclo dia-noite que todos experimentamos. Copérnico também deduziu que, comparada com as estrelas distantes, a distância da Terra para o Sol era insignificante.

Tendo morrido logo depois da publicação do seu rearranjo monumental do universo humano, Copérnico não presenciou quão profundo e penetrante foi o impacto do seu modelo heliocêntrico nem quão brutal foi a reação da Igreja contra ele. Resumindo o choque que Copérnico e seus discípulos causaram, Joseph Campbell escreveu:

> *O que Copérnico propôs foi um universo que nenhum olho poderia ver, que somente a mente poderia imaginar: uma construção matemática, totalmente invisível, de interesse apenas para os astrônomos, não visto e não sentido por ninguém mais da raça humana, cujos olhos e sentimentos ainda permaneciam trancafiados na Terra.*

Ainda assim, o modelo heliocêntrico prevaleceu, a despeito do sacrifício final de muitos que o defenderam contra o dogma geocêntrico preferido pela Igreja. O destino do padre dominicano italiano Giordano Bruno, discípulo de Copérnico, que ousou propor que a estrelas eram apenas sóis distantes ao redor do qual planetas como a Terra orbitavam, oferece o mais conhecido exemplo da reação da Igreja para com o novo modelo cosmológico de Copérnico. Por causa da coleção das suas "heresias", Bruno foi julgado e condenado pela Inquisição. Em 1660, no meio da Renascença italiana, morreu queimado na estaca.

Pegando o bastão que Copérnico passou, o astrônomo alemão Johannes Kepler foi o próximo protagonista da expansão da percepção humana de espaço. Usando os dados das observações astronômicas realizadas pelo último dos grandes astrônomos a olho nu da história, o dinamarquês Tycho Brahe, Kepler focou todas as suas energias para tentar explicar uma pequena discrepância na órbita de Marte. A partir do pequeno erro gerado pelo modelo ptolomaico, Kepler derivou uma abstração mental completamente nova, moldada na forma de linguagem matemática, para descrever como os planetas orbitam o Sol. Com as suas leis do movimento planetário, Kepler demonstrou que todos os planetas do sistema solar seguiam uma órbita elíptica – e não circular – ao redor do Sol.

O impacto de Kepler foi muito mais profundo do que muitos imaginam. Afirmo isso, porque, com seu trabalho, Kepler estendeu a mais bem-sucedida abstração de espaço do seu tempo – a geometria euclidiana – para os céus. Essa façanha, por sua vez, doou ao modelo heliocêntrico de Copérnico um grau fino de precisão matemática, dado que mesmo Copérnico fazia uso dos epiciclos para explicar a falta de circularidade da órbita de Marte. A elegante solução proposta por Kepler também abriu as portas para dois outros gênios: Galileu Galilei e Isaac Newton.

Galileu Galilei é reconhecido como o criador de múltiplos campos da física experimental, incluindo a astronomia observacional auxiliada por ferramentas. Ele imprimiu na sua mente a certidão de nascimento da forma de abordagem que dita a prática de investigação científica até os nossos dias, o chamado "método científico". As suas observações sobre a Via Láctea, as luas de Júpiter, as fases de Vênus, as manchas solares, as crateras e as montanhas da Lua resultaram da utilização rotineira de um dos dois mais poderosos instrumentos de expansão espacial produzidas pela Renascença: o telescópio.

Junto com o contemporâneo microscópio (1595), o telescópio foi introduzido em 1608 graças ao aperfeiçoamento do processo de fabricação de lentes. Como muitos outros exemplos na história da tecnologia, a indústria de lentes beneficiou-se de um desenvolvimento ocorrido séculos antes: o dramático crescimento na produção de vidro durante os séculos XII e XIII, devido à interminável demanda por vitrais para decorar as janelas das igrejas por toda a Europa. Com a fundação, no século XIII, das oficinas de vidro em Murano, comunidade próxima a Veneza, a Renascença italiana facilitou o surgimento de instrumentos que mudaram para sempre a forma como exploramos diferentes escalas de espaço: do muito grande e distante ao muito pequeno e próximo, domínios espaciais nunca antes explorados tornaram-se accessíveis para a nossa observação, a nossa reflexão e o nosso deslumbramento.

A introdução do microscópio produziu uma expansão súbita nos limites visíveis do espaço em uma escala a nível do micrômetro ($1\ \mu m = 10^{-6}\ m$). Nesse domínio do mundo microscópico, Robert Hooke foi capaz de observar, identificar e nomear a unidade funcional-chave tanto do tecido animal como do vegetal: a célula. Em 1665, Hooke publicou *Micrografia*, descrevendo essa e outras descobertas. Depois de ler o livro de Hooke, Anton van Leeuwenhoek, comerciante holandês sem escolaridade ou treinamento científico, decidiu aprender a produzir lentes e construir os próprios microscópios. Como resultado desse esforço, motivado apenas pela sua curiosidade intelectual, Van Leeuwenhoek usou o próprio microscópio para descobrir a existência das bactérias – usando uma amostra da própria saliva – e grande quantidade de parasitas e outras formas de vida.

Para espanto geral, os resultados obtidos por Hooke, Van Leeuwenhoek e outros microscopistas descortinaram a existência de um vasto mundo microscópico que se mostrou tão rico e diverso quanto aquele que vemos a olho nu. O próprio cérebro humano, logo se descobriu, também era formado por um emaranhado de dezenas de bilhões de células microscópicas batizadas "neurônios".

Olhando na direção oposta, para os céus infinitos, Galileu usou o telescópio para realizar observações astronômicas da Lua, dos planetas, do Sol e de estrelas distantes. A sua confirmação da tese de Giordano Bruno de que as estrelas eram basicamente similares ao nosso próprio Sol – todos exemplos de fornalhas celestiais – expandiram ainda mais o conceito do espaço celestial para os limites que os olhos auxiliados pelo telescópio podiam ver. Combinado com Kepler – contemporâneo –, Galileu descreveu um universo cuja compreensão estava ao alcance do homem, particularmente quando se valeu da mesma nova e emergente abstração mental que Kepler utilizara: a matemática, linguagem simbólica cifrada, que passou a ser usada desde então para descrever (quase) tudo o que existe ao nosso redor e dentro de nós.

Ao demonstrar que todos os objetos, não importa quão leves ou pesados, caem em direção ao solo com uma aceleração constante, seguindo uma mesma curva, que pode ser descrita por uma equação matemática simples, Galileu deu o primeiro aviso de que leis derivadas na superfície da Terra, por meio do pensamento matemático abstrato e da ingenuidade, se aplicam em territórios muito maiores do universo. Antes que muitos soubessem, o espaço tinha explodido em ordens de magnitude, pelo menos na mente de Galileu.

Soa quase como uma profecia de que o indivíduo que iria tomar o passo decisivo para avançar significativamente o programa de pesquisa original de Galileu – isto é, transformar abstrações e objetos matemáticos, derivados unicamente pela dinâmica eletromagnética interna da mente humana, na forma de leis que se aplicam para vastos confins de todo o cosmos – nasceu no mesmo dia em que Galileu morreu. Como outro distinto membro da *Brainet* que revolucionou o senso de espaço da humanidade, Isaac Newton projetou a mente humana para territórios espaciais nunca antes visitados, o vasto reino do universo conhecido e desconhecido, cujos limites permanecem misteriosos até hoje, com a introdução do conceito de gravidade.

É difícil descrever em palavras a verdadeira magnitude da conquista mental realizada por Newton. Por dois séculos depois da sua formulação, a gravidade de Newton permaneceu como a primeira e única descrição de uma força fundamental da natureza, capaz de agir de longe, seguindo o mesmo princípio, em qualquer e toda parte da natureza. Que essa descoberta impressionante seja sumarizada por uma equação simples tornou-se, por gerações, o maior exemplo do triunfo épico do pensamento racional humano sobre o misticismo. No tempo devido, a física newtoniana assumiu o papel do foguete autopropelido que catapultou o materialismo para a posição filosófica dominante que ele ainda ocupa na ciência contemporânea.

Um dos grandes toques de gênio da descoberta de Newton, e a razão pela qual ele expandiu a visão de Galileu, foi a descoberta de que "orbitar é uma forma de cair". Ao se dar conta disso, Newton unificou os achados de Galileu, que tratavam da queda de objetos na Terra, com as leis de movimento planetário de Kepler em uma única e elegante ideia: a gravidade.

O modelo de Newton produziu várias outras predições, para não dizer imposições, acerca da forma como o universo deveria se comportar. Para começar, no universo newtoniano, o espaço era considerado uma entidade absoluta que não requeria nenhuma explicação em termos da sua origem, da sua natureza ou do seu comportamento; ele estava simplesmente presente, uma oferenda de Deus ao cosmos e tudo que ele continha, incluindo nós. Essa visão indicava, ainda, que o espaço não era uma dádiva menor para os matemáticos, que, de acordo com Newton, não deveriam se preocupar com ele. O espaço estava lá para sustentar o belo show de forças agindo nos objetos a fim de criar um movimento preciso. Como tal, deveríamos apenas deixá-lo em paz, para que ele realizasse a sua labuta fundamental silenciosa e anonimamente, sem criar dificuldade matemática desnecessária ou irritante para todos nós.

Talvez ainda mais surpreendente que transformar o espaço em um ator coadjuvante, na reconstrução newtoniana do universo, tenha sido o fato de que o tempo não havia recebido um ingresso de entrada para o show, uma vez que todos os eventos ocorridos no teatro cósmico de Newton eram totalmente determinísticos. Isso significa que, dadas as condições iniciais do sistema e as forças que impingem em determinado objeto, pode-se prever, aplicando-se as leis do movimento de Newton, todos os movimentos desse objeto, derivando-se a sua aceleração, a direção do seu movimento e a sua trajetória. Em outras palavras, se conhecemos as condições iniciais do sistema, as forças e usamos as leis de Newton, podemos calcular de forma muito simples a posição futura de um objeto, mesmo antes de ele chegar lá. É por isso que não existem surpresas de qualquer sorte no universo newtoniano; nada é deixado à chance; cada passo em direção ao futuro é previsível, com grande antecedência.

Usando a analogia computacional do Capítulo 6, o universo newtoniano é como uma máquina de Turing, um computador digital: a partir de uma entrada de dados e um programa, o mesmo resultado é obtido, e o tempo por si só não tem influência no resultado, porque o seu fluxo não muda o programa computacional nem altera a forma como o computador lê a entrada original. Além disso, ainda como computador digital, no universo newtoniano, pode-se reverter o tempo tão facilmente como mudar de direção; com certo resultado de um movimento, ao reverter a direção que aplicamos às leis de movimento, somos capazes de recuperar as condições iniciais que levaram à produção desse movimento.

A visão newtoniana da natureza passou a ser conhecida como "determinismo" – a crença de que todos os fenômenos naturais, incluindo as intenções humanas, podem ser determinados por causa bem definida. Ninguém definiu melhor as consequências de se adotar o determinismo, baseado nos axiomas centrais do universo newtoniano, que o gênio matemático francês Pierre-Simon Laplace, que propôs que,

> *se a ele fossem dados a posição precisa e os movimentos de todos os átomos do universo, conjuntamente com uma descrição exata das forças que agem sobre eles, ele poderia prever o futuro do universo com acurácia total.*

Newton não estava sozinho na sua visão determinística: os universos de Copérnico, Kepler e Galileu compartilhavam, em essência, os atributos do espaço absoluto e a total ausência, ou insignificância, do tempo.

O universo de Newton também não reserva papel algum ao observador. As coisas simplesmente acontecem, independentemente de qualquer ser humano – ou qualquer outra forma de vida inteligente, diga-se de passagem – estar presente para observar o espetáculo sideral.

No fim do século XIX e durante as primeiras duas décadas do século XX, a humanidade experimentou uma nova expansão e a redefinição do conceito de espaço. Como fora o caso no século XVII, a noção de espaço explodiu outra vez em duas direções: na direção do extremamente gigantesco – os bilhões de anos-luz que definem todo o universo – e, na direção contrária, rumo aos nanômetros (1×10^{-9} m) e angstroms (1×10^{-10} m) que definem o mundo atômico. Em primeiro lugar, foquemos na explosão rumo ao muito grande.

Durante as primeiras duas décadas do século XX, as abstrações mentais de Albert Einstein revolucionaram a visão dominante do movimento relativo espaço e gravidade e, no processo, criaram um universo bem distinto daquele imaginado por Isaac Newton. Com a publicação da sua teoria especial da relatividade em 1905, Einstein levou o ponto de vista referencial do observador para o palco central do universo. Ele fez isso ao examinar a seguinte questão: podem dois observadores, localizados longe um do outro e se movimentando com velocidade distinta, concordar que dois eventos, separados por grandes distâncias, ocorrem ao mesmo tempo?

Ao levantar a questão, Einstein foi bastante influenciado pelas teorias do eminente físico austríaco Ernst Mach, que acreditava que todos os movimentos ocorridos no universo são relativos. Em outras palavras, as coisas se movem em relação a outras coisas, não por si mesmas. O gênio de Einstein se deu conta de que, se aceitamos a visão relativa de movimento de Mach e a ela somamos outro axioma – isto é, que a velocidade da luz é definida por uma constante universal, significando que, para qualquer par de observadores, não importa quão distantes estejam, obterão o mesmo valor (299.792 km/s) caso realizarem uma mensuração –, nem o tempo nem o espaço podem ser mais considerados entidades absolutas.

Confrontado com o dilema, Einstein não hesitou: simplesmente desencadeou uma ruptura total com a visão newtoniana do espaço e tempo ao propor o que Paul Halpern chamou, em *Einstein's Dice and Schrödinger's Cat* [Os dados de Einstein e o gato de Schrödinger], de "noções mais maleáveis" desses conceitos primitivos. Ao fazer isso, Einstein descobriu que o tempo e o julgamento da simultaneidade de eventos ocorrendo longe um do outro são relativos e ambíguos.

O exemplo clássico para ilustrar a teoria especial da relatividade de Einstein baseia-se na interação de dois observadores, representados, por exemplo, por irmãos gêmeos, um que está a bordo de uma nave espacial viajando em uma velocidade próxima da luz, longe da Terra, enquanto o outro permanece no nosso planeta à espera de seu retorno. Do lado de cada gêmeo, há um relógio medindo o tempo que se passou. Sob essas condições, se o irmão que ficou na Terra pudesse olhar no relógio do seu gêmeo astronauta, localizado na nave espacial que está muito distante e deslocando em grande velocidade, ele verificaria que o tempo passou a fluir mais lentamente que no seu relógio localizado na superfície da Terra. A dilatação do tempo, como esse efeito clássico ficou conhecido, significa que, no seu retorno à Terra, o astronauta descobriria que o seu irmão tinha envelhecido muito mais que ele. Curiosamente, do ponto de vista de cada um dos cérebros individuais, o tempo teria fluído como sempre, não importando qual irmão ficasse na Terra e qual voasse na espaçonave.

Pela mesma lógica, se o irmão que permaneceu na Terra tivesse usado um telescópio poderoso para avaliar o comprimento da espaçonave do irmão astronauta durante a viagem, notaria que ela teria encurtado um pouco enquanto viajava próxima da velocidade da luz. A contração do comprimento basicamente significa que, à medida que a velocidade se aproxima daquela da luz, o espaço encolhe.

Ou seja, a teoria especial da relatividade de Einstein mostra que julgar a simultaneidade de dois eventos não é algo trivial, uma vez que dois observadores distantes, viajando a velocidades distintas, não concordarão nas suas estimativas. Muito mais que criar confusão na sincronização dos relógios dos irmãos, esse enigma proveu argumentos contra a existência de um conceito absoluto de tempo no universo. Ainda mais perturbadora, a teoria especial da relatividade questionou a nossa habilidade de discernir objetivamente quando dois eventos, ocorrendo longe um do outro, compartilham certa relação causal, isto é, a ocorrência de um levar à ocorrência do outro. Nas palavras de Lee Smolin,

> não existe resposta correta para questões em que os observadores não concordam, como se dois eventos distantes um do outro acontecem simultaneamente. Assim, não pode haver nada objetivamente real sobre a simultaneidade, nada real sobre o "agora". A relatividade da simultaneidade foi um grande golpe para a noção que o tempo é real.

E Smolin continua:

Consequentemente, na medida que a teoria especial da relatividade é baseada em princípios verdadeiros, o universo [proposto por Einstein] é atemporal. Ele é atemporal em dois sentidos: não existe nada nele que corresponda à experiência do momento presente, e a descrição mais profunda do universo é a história completa de relações causais instantaneamente. A imagem da história do universo dada por relações causais realiza o sonho de Leibniz de um universo no qual o tempo é definido completamente por relações entre os eventos. Assim, as relações são a única realidade que corresponde ao tempo – relações do tipo causal.

Ao propor esse universo atemporal, Einstein completou o *"coup d'état"* iniciado pelos seus companheiros de *Brainet,* Galileu e Newton, estabelecendo o chamado "universo em bloco", em que o tempo é considerado outra dimensão espacial. A transformação ficou ainda mais evidente quando, em 1909, mal passados quatro anos da publicação da teoria de Einstein, um dos seus ex-professores em Zurique, o matemático Hermann Minkowski, introduziu uma descrição puramente geométrica da relatividade especial. Minkowski realizou essa façanha fundindo as tradicionais três dimensões do espaço com o tempo, criando um contínuo espaçotemporal de quatro dimensões que explicaria todos os movimentos no universo em termos geométricos.

Num piscar matemático de olhos, uma abstração suíça – o contínuo espaçotemporal – fez com que o tempo desaparecesse completamente do nosso universo.

Uma vez mais, Lee Smolin oferece uma metáfora perfeita do que isso significou, no grande esquema das coisas, ao citar o grande matemático Hermann Weyl, que, ao refletir sobre a magnitude do feito de Einstein, disse que

o mundo objetivo simplesmente é, ele não acontece. Apenas aos olhos da minha consciência, rastejando ao longo da linha do meu corpo, uma fatia do mundo ganha vida como imagem fugaz no espaço, que muda no tempo continuamente.

A esta altura você já deve ter adivinhado por que, como neurocientista, estou levando você por uma viagem às profundezas do ponto de vista mental que instigou Einstein a comandar a sua revolução. Mantenha as palavras de Weyl em sua memória de longo prazo por um instante, porque vou voltar a elas em alguns parágrafos.

Se ainda existia barreira segurando a sua determinação em perseguir uma descrição matemática mais profunda do universo, especialmente uma que incluísse uma nova visão da gravidade, o grande impacto e a calorosa aceitação da comunidade científica para com o tratamento matemático proposto por Minkowski para a relatividade especial provavelmente incentivaram Einstein a perseguir o mesmo caminho.

Nos dez anos seguintes, Einstein procurou obstinadamente por uma nova descrição geométrica do universo. O resultado dessa busca épica ficou conhecido como "teoria geral da relatividade". Ao adotar uma matemática que descreve o comportamento de curvas multidimensionais, ou *manifolds*, também conhecida como "geometria riemanniana", Einstein inovou uma vez mais. A primeira grande revolução da sua nova abstração mental foi a introdução da ideia de que o arcabouço do universo, o contínuo espaçotemporal de Minkowski, não é rígido nem fixo, mas extremamente dinâmico. Por isso, pode torcer-se e dobrar-se, permitindo a propagação de ondas.

E qual seria a fonte das ondas que viajavam pelo contínuo espaçotemporal do universo? A resposta, que levou à implosão instantânea do universo newtoniano, não poderia ter sido mais chocante: a gravidade!

Ao dar continuidade à tradição de generalizar o conceito da queda dos objetos, Einstein propôs que a gravidade não se manifestava pelo universo como força agindo a distância – a visão clássica de Newton –, mas como uma curvatura do contínuo espaçotemporal causada pela massa das estrelas e dos planetas. De acordo com Lee Smolin,

> *os planetas orbitam o Sol não porque este produz uma força sobre eles, mas porque a enorme massa do Sol deforma a geometria do espaço-tempo de forma que as geodésicas, caminhos mais curtos entre dois pontos em uma esfera ou superfície curvada, se curvem ao seu redor.*

No universo einsteiniano, ondas gravitacionais são geradas pelo movimento de objetos celestes massivos, por todo o cosmos, carregando consigo informação acerca dos mínimos detalhes dessa dança celestial. Visto que essas ondas gravitacionais foram geradas desde que o nosso universo passou a existir, como resultado da explosão primordial conhecida como *big bang*, a descoberta de novos métodos para detectá-las pode fornecer registros inéditos de eventos cosmológicos ocorridos antes do tempo da dissociação dos fótons, durante a chamada "época recombinante", período em que fótons passaram a ser emitidos e irradiados na forma de luz, antes de serem rapidamente recapturados por outras partículas.

Nesse contexto, o contínuo espaçotemporal carrega o registro do ritmo da vibração do cosmos ao longo de toda a história. Foi essa vibração do contínuo espaço-tempo, na forma de ondas gravitacionais, que recentemente se detectou, pela primeira vez, pelo projeto do Observatório de Ondas Gravitacionais por Interferômetro Laser (*Laser Interferometer Gravitational-Wave Observatory*) – descoberta que, uma vez mais, confirmou a teoria geral da relatividade de Einstein e levou os três pesquisadores pioneiros que lideraram o projeto a receberem o Prêmio Nobel de Física em 2017.

Lee Smolin resumiu bem o caráter radical da mudança intelectual perpetrada por Einstein ao dizer que

> *a matéria influencia as mudanças geométricas na mesma medida em que a geometria influencia o movimento da matéria. A geometria se torna um aspecto da física, da mesma forma que o campo eletromagnético. A geometria é dinâmica e influenciada pela distribuição de massa, novamente realizando a ideia de Leibniz de que o espaço e o tempo são puramente relacionais.*

Como já havia acontecido, ao aplicar a teoria geral da relatividade de Einstein, os físicos melhoraram as predições das órbitas dos planetas ao redor do Sol, particularmente no caso de Mercúrio. No entanto, outras predições derivadas do novo modelo do universo surpreenderam alguns físicos. Por exemplo, quando revertidas e solucionadas em direção ao passado, eventualmente as equações da relatividade geral convergiam a um ponto em que nem o espaço nem o tempo existiam mais; nesse ponto, as equações produziam apenas infinitos, não podiam ser solucionadas analiticamente. O limite hipotético passou a ser conhecido como "singularidade". A partir da mesma comparação com uma máquina de Turing usada para descrever o universo newtoniano, esse resultado indicava que o "computador einsteiniano" nunca pararia. Nesse caso, essa singularidade marcou o que muitos acreditam ser o começo do nosso universo: o *big bang* primordial.

Ao projetar suas geniais abstrações mentais para descrever o cosmos, Einstein transformou o *status* da matemática e dos objetos matemáticos, elevando-os ao Olimpo do credo da religião científica oficial e conferindo a eles o protagonismo central no processo da criação do cosmos.

Finalmente, a ciência havia tocado o divino e visto a face do seu deus. Nesse processo, decifrou os seus sagrados mandamentos, todos escritos com a gramática elegante e divina da matemática aplicada sob um pano de fundo tecido pela fusão do espaço e do tempo.

★★★

Mas, afinal, de onde vieram o espaço e o tempo?

Dada a longa história por trás desse debate, a minha resposta poderá ser considerada por alguns como uma das afirmações mais contenciosas deste livro. Ainda assim, como havia antecipado no capítulo anterior quando apresentei a Figura 8.1, a teoria do cérebro relativístico oferece uma resposta bastante direta para o mistério das origens do tempo e espaço: ambos são criações do cérebro humano.

Como essa afirmação pode soar chocante para alguns, estou preparado para revelar e defender por que, sob o ponto de vista da teoria do cérebro relativístico, o tempo é como a dor e o espaço é como o senso de ser. O que quero dizer com essa metáfora é que, basicamente, os conceitos primitivos de espaço e tempo são também abstrações mentais criadas pela mente humana, com o propósito de reduzir a dimensionalidade da informação potencial complexa obtida do mundo exterior. Além disso, proponho que, como abstrações mentais básicas, o tempo e o espaço emergem do processo de seleção natural, isto é, por meio de interações com o mundo natural, como forma de melhorar a nossa aptidão evolucionária. Ou seja, ao preencher o universo humano com um arcabouço contínuo feito de tempo e espaço, o cérebro aumenta as nossas chances de sobreviver às contingências impostas pelo ambiente em que estamos imersos desde a origem da nossa espécie.

Como acabei de mencionar, o meu argumento em defesa de uma origem cerebral para o tempo e o espaço é simples. Não existe nenhuma manifestação física, seja do tempo, seja do espaço, no mundo exterior. De fato, como vimos, para a maioria dos modelos cosmológicos propostos ao longo da história, o tempo e o espaço foram considerados quantidades absolutas (como no universo newtoniano) ou reduzidos a uma descrição geométrica (no caso da relatividade). Ninguém até hoje propôs a existência de uma partícula fundamental para o tempo ou o espaço – nenhum bóson temporal ou espacial – que servisse como entidade física (ou material) responsável pela existência e pelas propriedades desses dois primitivos.

Esse é o primeiro argumento para explicar que isso se dá porque nem o tempo nem o espaço existem *per se* no mundo exterior. Em vez disso, ambos representam abstrações mentais construídas para nos permitir dar sentido a modificações contínuas nos estados físicos e objetos existentes no mundo exterior – que são como a passagem do tempo – ou daquilo que separa os objetos que individualizamos – e que chamamos de "espaço". Coerente com essa visão é o fato de que em geral não medimos o tempo, e sim a passagem do tempo (ou o "delta temporal").

Após essa breve introdução, posso explicar por que o tempo é como a dor. A resposta mais breve é: porque nenhum dos dois existe no mundo exterior em si mesmo. Nem o tempo nem a dor podem ser medidos diretamente ou detectados por algum aparato sensorial periférico. Tanto o tempo como a dor resultam de um processo em que o cérebro coalesce potenciais fontes de informação fornecidas pelo mundo exterior. Uma vez que essa informação é integrada e comparada com o ponto de vista interior do cérebro, ela é experimentada por nós como sensações primordiais apelidadas como "tempo" e "dor". Em essência, de acordo com a teoria do cérebro relativizado, o tempo é a manifestação de uma propriedade emergente construída pelo cérebro.

Você deve se lembrar de quando eu disse, no começo deste capítulo, que, antes da introdução de ferramentas para se quantificar a passagem do tempo, instrumentos como sinos dos monastérios e relógios mecânicos, o tempo era percebido de forma mais contínua, definido pela transição gradual do dia para a noite ou pelas estações do ano. O impacto desse fenômeno ambiental nos organismos é foco de muitas décadas de pesquisa sobre as origens dos nossos ritmos circadianos – isto é, os processos biológicos intrínsecos que oscilam em um ciclo de aproximadamente vinte e quatro horas.

Presentes em todas as formas de organismos vivos, os ritmos circadianos biológicos provavelmente emergiram muito cedo durante o processo de evolução natural, como forma de maximizar a sincronização de processos biológicos fundamentais com o período de vinte e quatro horas de oscilação de variáveis fundamentais para o suporte da vida – por exemplo, os níveis de oxigênio no ambiente ou a presença de luz solar.

Para maximizar as chances de sobreviver, os organismos tiveram que embutir na sua rotina biológica um relógio orgânico de vinte e quatro horas. Por seu papel central em sincronizar processos biológicos em um ciclo de vinte e quatro horas, sinais ambientais externos que variam em um ritmo circadiano são conhecidos pelo termo alemão *Zeitgeber* (algo como "doadores do tempo"). A importância fundamental dos ritmos circadianos no controle de processos biológicos foi recentemente reconhecida quando Jeffrey Hall, Michael Rosbash e Michael Young receberam o Prêmio Nobel de Medicina e Fisiologia de 2017 por elucidarem os circuitos neurais e os genes envolvidos na geração de ritmos circadianos nas moscas-das-frutas (*Drosophila melanogaster*).

Em mamíferos, como nós, muitos processos fisiológicos essenciais seguem um ritmo circadiano – por exemplo, o ciclo sono-vigília e a produção de hormônios. A manutenção do batimento circadiano é ditada por um relógio neural formado por um pequeno aglomerado de neurônios do hipotálamo, conhecido como "núcleo supraquiasmático", que gera e distribui uma cadência circadiana que eventualmente alcança todo o cérebro e o nosso corpo.

Os neurônios do núcleo supraquiasmático são capazes de realizar essa tarefa porque recebem projeções diretas das células localizadas na retina, as quais indicam a presença de luz no mundo exterior. Além disso, alguns desses neurônios supraquiasmáticos exibem um ciclo endógeno de vinte e quatro horas que pode persistir mesmo quando animais estão em completa escuridão. Assim, o núcleo supraquiasmático, bem como os circuitos neuronais que recebem suas projeções, provavelmente desempenharam papel essencial no surgimento original, no cérebro dos nossos ancestrais, da abstração mental que chamamos de "tempo". Naquele momento original, todavia, o tempo era percebido como contínuo, variando gradualmente de acordo com o nível de luz no mundo exterior.

A existência do relógio circadiano primordial criado pelo cérebro me oferece um exemplo claro para ilustrar como sinais do ambiente externo – neste caso, a variação da intensidade da luz do dia – podem ter sido utilizados pelo cérebro humano para gerar a percepção da passagem do tempo que é tão inerente à nossa vida. De fato, a passagem do tempo pode ser gerada pelo cérebro a partir de qualquer processo que muda continuamente, no mundo exterior ou dentro de nossa mente. Neste último caso, é percebida de forma natural, como um fenômeno contínuo, porque é primariamente associada a um fenômeno mental que requer a expressão de informação gödeliana. Isso inclui as nossas emoções e os nossos sentimentos, que podem ser embutidos nos ritmos em que cantamos uma música ou recitamos um poema, por exemplo. Essa mistura é guiada por outra abstração mental: o nosso senso de estética. Portanto, não é surpresa que o tempo ocupa uma posição-chave em todas as teorias científicas criadas para explicar o que ocorre no cosmos.

As origens dos ritmos circadianos também nos ajudam a dar sentido a todo os dados históricos descritos no início deste capítulo ao demonstrar que relógios e outros meios artificiais de registrar o tempo influenciam o tecido neural para gerar experiências de passagem do tempo de modo discreto, ou seja, não contínuo. Tendo sido exposto por séculos a conceitos artificiais como segundo, minuto ou hora, cada um de nós é capaz de experimentar as medidas de tempo como uma sensação de intervalo, mesmo que sejam imposições artificiais criadas por tecnologias e abstrações saídas da mente humana.

Como no caso do tempo criado pelo cérebro, a noção de espaço também pode ser atribuída ao Verdadeiro Criador de Tudo. Ou seja, a nossa sensação de espaço não passa de uma inferência feita pelo cérebro sobre "aquilo" que se situa entre objetos que identificamos e destacamos do *background* do mundo exterior. Nesse contexto, os mecanismos neurofisiológicos detrás da gênese do espaço são similares àqueles que dotaram nosso cérebro com uma variedade de entradas sensoriais (tátil, visual, proprioceptiva etc.) para gerar o nosso senso de ser e a vívida experiência de ocupar um corpo finito, separado do mundo exterior.

Um exemplo, apesar de simples, me ajuda a introduzir a hipótese de como o cérebro humano constrói a sensação comum de espaço. Enquanto escrevo este parágrafo, posso usar a minha visão periférica para ver um copo com água colocado em minha escrivaninha.

Desde os experimentos pioneiros de Hans Geiger e Ernest Marsden, entre 1908 e 1913, no laboratório do físico neozelandês e ganhador do Prêmio Nobel Ernest Rutherford, na Universidade de Manchester, sabemos que os átomos que formam o vidro e a água que percebo como duas entidades distintas são basicamente formados por um núcleo massivo, mas bastante diminuto, uma nuvem de elétrons e uma quantidade enorme de espaço vazio. Isso significa que a maior parte do volume ocupado pelo átomo é basicamente vazia. Os experimentos clássicos de Geiger e Marsden revelaram essa estrutura atômica básica ao mostrar que, quando uma folha de ouro muito fina é bombardeada com um feixe de partículas alfa (um núcleo de hélio formado por dois prótons e dois nêutrons), a maioria dessas partículas passa pela folha de metal sem desviar a trajetória. Ainda assim, quando você, eu e todos os seres humanos – bem como outros animais na Terra – experimentamos o copo com água como ocupando um espaço tridimensional, aí fora no mundo exterior, não existe sinal de espaço vazio quando olhamos para o copo, da mesma forma como faço agora, somente vemos uma estrutura contínua, a despeito da enorme vastidão de vazio existente em cada um desses objetos no nível atômico.

Para a teoria do cérebro relativístico, o que em geral chamamos de "espaço" é basicamente um produto do cérebro, uma abstração mental criada por circuitos neurais para nos permitir dar sentido a uma cena apresentada, em particular à forma como objetos se posicionam em relação uns aos outros. Essa noção emergente de espaço pode não parecer tão estranha se aceitarmos que as macropropriedades do vidro e da água, isto é, a liquidez da água e a lisura da superfície do vidro do copo, não podem ser antecipadas se nos ativermos apenas às propriedades dos átomos individuais ou de pequenos grupos de átomos que definem a água e o vidro. Em outras palavras, quando estruturas feitas de átomos são projetadas, da sua escala nanométrica natural para o mundo macroscópico em que vivemos e percebemos o universo ao nosso redor, experimentamos as propriedades dos objetos – coisas como a "liquidez" da água e a "lisura" do vidro – que não podem ser derivados imediatamente a partir da descrição dos seus átomos individuais.

Um sistema que produz esse efeito é chamado "complexo" e a estrutura que emerge, como resultado das interações dos seus elementos, é conhecida como uma "propriedade emergente". Como o cérebro tende a gerar abstrações, ele continuamente produz propriedades emergentes como a liquidez da água e a lisura do vidro. Isso significa que o que experimentamos na vida cotidiana durante as nossas interações com o mundo exterior resulta ou depende das propriedades emergentes produzidas quando o nosso cérebro interpreta uma potencial informação que nos é fornecida por tais sistemas complexos.

Até este ponto, tratamos de conceitos muito bem-aceitos – sistemas complexos, propriedades emergentes –, que, em 2020, não causam mais tanta controvérsia, embora certamente tenham causado em um passado não tão distante. Depois de refletir muito sobre esse assunto, cheguei à conclusão de que nosso cérebro está constantemente ocupado com a geração de propriedades emergentes que nos permitem construir uma representação contínua do mundo exterior que faça sentido para cada um de nós. Acredito que, sem um observador como nós – ou seja, um organismo cujo cérebro está em permanente atividade, tentando dar sentido ao mundo exterior para aumentar as nossas chances de sobreviver –, essas propriedades emergentes não seriam experimentadas.

Emprestando uma metáfora originariamente proposta pelo físico Julian Barbour, em seu livro *The End of Time* [O fim do tempo], para ilustrar o cerne da sua teoria de uma cosmologia atemporal, consideremos outro exemplo concreto: um gato. No nível quântico, o gato não passa de uma gigantesca pilha de átomos, dispostos em um arranjo molecular particularmente complexo. De um momento para o outro, a enorme coleção de átomos assume diferente configurações, que, quando vistas do ponto de vista da escala atômica, não significariam muito. Todavia, na escala macroscópica em que as nossas observações naturais ocorrem – bem como as de um pobre camundongo –, um gato é algo totalmente diferente: um ser vivente e arfante, que experimentamos como entidade contínua que pode pular, correr, nos arranhar e que podemos acariciar. Se nos comportarmos apropriadamente, vale ressaltar.

Com essa metáfora em mente, a primeira ideia que tive foi que, para explicar por que não experimentamos a presença de espaço vazio quando olhamos para a pilha de átomos que define um gato, mas, pelo contrário, percebemos um ser vivo contínuo no nível macroscópico, temos que levar em conta como o cérebro, em particular o sistema visual, reage ao ser confrontado com descontinuidades inesperadas no mundo exterior. O fenômeno neurofisiológico associado a essa contingência é o "preenchimento visual". Para entender tal fenômeno, lembre-se do meu aforismo preferido – "nós enxergamos antes de olhar" –, repetido algumas vezes em outros capítulos. Uma vez mais, uso esse aforismo para enfatizar que nosso cérebro relativístico continuamente se vale do seu modelo interior do mundo para decidir o que está prestes a ver no futuro.

O fenômeno do preenchimento visual (Figura 9.1) claramente ilustra essa propriedade fundamental. Embora não exista um triângulo branco desenhado na Figura 9.1, o seu cérebro – e o meu – simplesmente gera uma imagem que corresponde a ele ao combinar o espaço vazio deixado pela forma peculiar na qual os círculos interrompidos e os triângulos pretos foram dispostos. Pacientes com lesões retinais experimentam o mesmo fenômeno. E isso explica por que eles com frequência não se dão conta mesmo de déficits visuais graves até o momento em que são testados por um oftalmologista ou quando começam a colidir com objetos ou bater o carro ao tentar entrar na garagem. Essa é a essência do fenômeno do preenchimento: o cérebro basicamente preenche uma área eliminada do campo visual – conhecida como escotoma e causada pela lesão da retina – com elementos ao redor.

O fenômeno do preenchimento também se manifesta em outros canais sensoriais, sugerindo que representa uma estratégia cerebral genérica empregada para dar sentido a cenários nos quais apenas parte da informação está indisponível. Assim, pela mesma razão que, para o nosso cérebro, o mundo não deve ter um "buraco" no meio, criado por um ponto cego, nós normalmente "preenchemos" palavras ao ouvirmos sentenças interrompidas durante uma conversa. Por mecanismos similares, sequências de estímulos táteis discretos aplicados na pele, quando em uma frequência particular, podem ser percebidos como um toque contínuo. Do ponto de vista da teoria do cérebro relativístico, o fenômeno de preenchimento, que parece ocorrer principalmente no nível cortical, representa outro exemplo do poder dos campos eletromagnéticos neuronais ao gerar uma sincronização neural de grande escala que media a produção de uma descrição analógica e contínua do mundo exterior.

Figura 9.1 O fenômeno de preenchimento visual. (Ilustração por Custódio Rosa)

Assim, sugiro que a generalização do fenômeno do preenchimento no cérebro é bem vantajosa do ponto de vista evolucionário, uma vez que oferece uma forma ótima de reconstruir o mundo exterior quando há uma perda localizada de informação – um ponto cego – provida pelos receptores sensoriais da periferia do corpo.

Coincidentemente, enquanto escrevia este parágrafo, uma clara demonstração do potencial do preenchimento visual se manifestou ao meu lado. Uma vez que a minha visão central estava focada no monitor do meu laptop, mal notei o meu iPad no meu campo periférico de visão. De repente, quase pulei da cadeira ao experimentar a vívida sensação de que uma barata gigantesca voava em minha direção. Na verdade, a suposta barata monstruosa não era nada mais que uma esfera marrom se movendo horizontalmente na tela do iPad como parte de um comercial. Graças ao fenômeno de preenchimento visual, o meu cérebro converteu uma esfera marrom inócua em uma ameaça assustadora, fazendo-me reagir para garantir a minha sobrevivência.

Proponho que o fenômeno de preenchimento visual tem muito a ver com o porquê da nossa tendência natural de perceber continuidades, no nível macroscópico, de objetos que são, de outra forma, totalmente descontínuos no nível quântico. Em outras palavras, sem o cérebro com que o processo de evolução nos presenteou, as projeções do mundo quântico no nosso reino macroscópico não seriam percebidas como objetos contínuos.

Para explicar na íntegra como isso ocorre, porém, devemos introduzir um mecanismo pelo qual o sistema visual é treinado para criar uma expectativa de continuidade para os objetos – e usar essa expectativa como o padrão de operação para reconstruir o mundo exterior, seja qual for o nível de descontinuidade em uma cena ou em um objeto. Acredito que nosso cérebro foi formado para realizar essa tarefa, primeiro por um longo processo evolucionário que nos trouxe até aqui, mas também durante o nosso longo período de desenvolvimento pós-natal. Neste último caso, creio que outras modalidades sensoriais, particularmente o senso do tato, são usadas para calibrar o nosso sistema visual (e vice-versa), de sorte que, por tentativa e erro, o cérebro converge a uma solução final indicando que objetos devem ser experimentados como entidades contínuas.

Nesse contexto, é relevante lembrar que, na realidade, nunca tocamos um objeto. Graças ao princípio de exclusão de Pauli e do fato de que os elétrons da superfície de qualquer objeto tendem a repelir os elétrons da superfície do nosso corpo (cargas negativas repelem umas às outras), os nossos dedos chegam microscopicamente perto, mas não conseguem verdadeiramente tocar a superfície de nenhum objeto. Naquilo que pode ser considerada uma das maiores ironias da neurobiologia de sistemas sensoriais, o que experimentamos como "toque" nada mais é que o produto da repulsão eletromagnética.

Além da calibração multidimensional, o cérebro muito provavelmente é influenciado, durante o período pós-natal, por interações sociais que nos ajudam a aprender um modelo consensual daquilo que se deve esperar do mundo exterior. Quando os pais falam com seus bebês e os instruem sobre todos os aspectos da vida – "tome cuidado com a água quente", "não toque na lâmina da faca afiada" –, certamente estão ajudando o cérebro de seus filhos a consolidar um modelo particular de como os objetos são percebidos. Em conjunto, todos esses mecanismos – evolução, calibração multimodal, consenso social pós-natal – provavelmente explicam como o nosso cérebro gera o tipo de propriedade emergente que nos permite experimentar objetos sólidos e contínuos constituídos, sobretudo, de espaço vazio em nível atômico.

Se levarmos essa hipótese adiante, não é difícil imaginar que as noções primitivas de espaço e tempo, como nós as experimentamos, poderiam também ser consideradas propriedades emergentes produzidas pelo cérebro, usando uma versão similar, mas expandida do fenômeno de preenchimento. Até aqui, a melhor evidência em favor dessa hipótese deriva de relatos de indivíduos sob a influência de drogas alucinógenas. Por exemplo, é sabido que pessoas sob o efeito de LSD relatam que o espaço ao redor pode, de súbito, se tornar líquido. O meu exemplo clássico vem de um relato que ouvi anos atrás, quando era aluno da Faculdade de Medicina da Universidade de São Paulo (FMUSP): um indivíduo relatou que, alguns minutos depois de ingerir LSD, decidiu mergulhar em uma calçada de concreto porque teve a sensação de que ela havia se transformado em uma piscina.

Em *As portas da percepção*, o escritor inglês Aldous Huxley descreveu detalhadamente o que sentiu meia hora depois de ingerir uma dose de mescalina. Perguntado como tinha experimentado o espaço ao redor, Huxley disse:

É difícil responder. Verdade, a perspectiva me pareceu bem estranha, e as paredes da sala não mais pareciam se encontrar em ângulos retos. Os fatos realmente importantes eram que as relações espaciais cessaram de ter relevância e que a minha mente estava percebendo o mundo em termos de outras categorias espaciais. Em tempos normais o olho se preocupa com problemas como "onde?" – "quão longe?" – "como isto está situado em relação a aquilo?". Durante a experiência com a mescalina, as questões para as quais o olho responde são de outra ordem. Lugar e distância cessam de ser de muito interesse.

Quando lhe solicitaram que descrevesse a mobília da sala, Huxley relatou o que aconteceu com as relações espaciais entre uma escrivaninha, uma cadeira e uma mesa colocada atrás da cadeira:

As três peças formaram um padrão intricado de horizontais, verticais e diagonais – um padrão que era muito interessante porque não podia ser interpretado em termos de relações espaciais. Cadeira, escrivaninha, mesa se misturaram em uma combinação que lembrou algo composto por Georges Braque (que, junto com Picasso, foi um dos fundadores do cubismo) ou Juan Gris; uma vida morta ainda reconhecidamente relacionada com o mundo objetivo, mas retratada sem profundidade, sem nenhuma tentativa de representação relativa a um realismo fotográfico.

Quando lhe perguntaram sobre a sua percepção do tempo, Huxley foi ainda mais categórico:

Parecia haver muito dele. Muito dele, mas exatamente quanto era totalmente irrelevante. Eu poderia, claro, ter olhado no meu relógio; mas o meu relógio, eu sabia, estava em um outro universo. A minha experiência real tinha sido, e ainda era, de uma duração indefinida ou, alternativamente, de um presente perpétuo feito de um apocalipse que mudava continuamente.

Mais tarde, refletindo sobre essa experiência pouco usual, Huxley concluiu:

Como nós somos animais, o nosso objetivo é sobreviver a todo custo. Para fazer com que a nossa sobrevivência biológica seja possível, a nossa mente livre tem que ser afunilada através da válvula de redução do cérebro e do sistema nervoso central. O que sai do outro lado desta válvula é um mero gotejamento do tipo de consciência que nos ajudará a nos manter vivos na superfície deste planeta.

A maioria interpreta relatos como o de Huxley para afirmar que manipulações do cérebro – por exemplo, com agentes farmacológicos – alteram a nossa percepção do tempo e do espaço. Ao defender essa posição, o tempo e o espaço são tidos como entidades existentes por si só no mundo externo. Essa é a versão mais aceita. Você, leitor, tem total liberdade para divergir dessa interpretação. Em essência, a minha teoria propõe que o espaço e o tempo são verdadeiras abstrações mentais, criadas pelo nosso cérebro, por mecanismos neurofisiológicos que incluem o fenômeno do preenchimento. Essa é uma ideia muito semelhante àquela originariamente proposta pelo polímata alemão Gottfried Wilhelm Leibniz – o maior rival de Isaac Newton –, que, no século XVII, defendeu que o espaço não pode ser visto como uma entidade em si, que deveria ser considerado uma propriedade emergente derivada da relação estabelecida entre objetos. A mesma visão relacional foi aplicada por outros filósofos à noção do tempo, como Lee Smolin relata em seu livro.

Acredito que os nossos peculiares sentidos de tempo e espaço estejam incluídos no "pacote" que o cérebro deve criar para otimizar as chances de sobrevivência. No entanto, como Huxley e um número elevado de indivíduos testemunharam, o delicado tecer do contínuo espaçotemporal, esculpido pelo cérebro, pode ser perturbado.

Suspeito de que, a esta altura, você deve se perguntar: o que essa teoria tem a dizer sobre a flecha do tempo de Prigogine ou a noção de que, ao seguir estritamente a segunda lei da termodinâmica, a natureza provê um sinal-guia a partir do qual o tempo pode emergir?

Uma coisa é ter à disposição um relógio natural em potencial; outra, completamente diferente, é extrair a noção do tempo dele. A minha contenção é que o tempo precisa de um observador, mais especificamente, do cérebro de um observador para materializá-lo e percebê-lo. Além disso, de acordo com o famoso teorema da recorrência de Henri Poincaré, depois de um tempo muito longo, mas finito, um sistema dinâmico, que evoluiu para uma configuração particular, eventualmente retorna ao seu estado inicial. Nesse contexto, a potencial flecha do tempo de Prigogine, em uma escala muito longa, pode simplesmente desaparecer, à medida que o sistema que a criou retornar ao seu estado inicial.

CAPÍTULO 10
AS VERDADEIRAS ORIGENS DA DESCRIÇÃO MATEMÁTICA DO UNIVERSO

Tendo introduzido a minha hipótese cerebrocêntrica sobre a geração do tempo e do espaço, posso agora discutir a origem de outra abstração mental empregada pelo Verdadeiro Criador de Tudo para construir uma descrição tangível da realidade e do mundo que nos cerca. A fim de guiar a discussão, a principal questão a ser respondida é: de onde vem a matemática?

Em essência, a pergunta define o cerne de outra indagação fundamental que intrigou não apenas Albert Einstein, mas também toda uma geração de proeminentes matemáticos do século XX. Por exemplo, durante uma palestra como convidado das aulas de Richard Courant de ciências matemáticas, na Universidade de Nova York, o matemático, físico e ganhador do Nobel Eugene Wigner definiu essa indagação como a "eficácia irracional" da matemática em explicar o mundo exterior.

A raiz do enigma se situa nas repetidas vezes em que, ao longo dos últimos quatro séculos, objetos e formulações matemáticas descreveram, com grande acurácia, o comportamento de fenômenos naturais no universo. O grande espanto provocado pelas inúmeras verificações desse fenômeno, em muitas das mais brilhantes mentes que contribuíram para a revolução quântica, pode ser exemplificado em outra declaração de Wigner:

O milagre da adequação da linguagem matemática para a formulação das leis da física representa um presente precioso que nós nem entendemos nem merecemos. Devemos nos sentir agradecidos por ele e ter esperanças de que permaneça válido em pesquisas futuras e de que se estenda, para melhor ou para pior, mesmo que com a nossa perplexidade, para amplas áreas de aprendizado.

De acordo com a cosmologia centrada no cérebro, para solucionar esse enorme mistério, devemos antes identificar o verdadeiro criador da matemática, as linguagens que múltiplas *Brainets* humanas criaram, desenvolveram e promoveram como a melhor gramática para compor uma descrição abrangente e acurada do cosmos.

Não é segredo que a maioria dos matemáticos profissionais acredita que a matemática possui uma existência própria no universo, sendo totalmente independente do cérebro e da mente humana. Os matemáticos assumem essa posição primeiro como forma de expediência profissional, pois ela lhes permite ter um controle maior sobre a sua área específica de trabalho. Ainda assim, levada ao limite, essa visão implicaria dizer que toda a matemática conhecida por nós emergiu de um processo puro de descoberta realizado pelos seus praticantes. Os defensores dessa postura intelectual costumam ser chamados de "platonistas". Para eles, não há dúvida de que Deus – se é que Ele existe – é um exímio e habilidoso membro da fraternidade dos matemáticos. De modo irônico, Kurt Gödel, o matemático genial que demonstrou categoricamente a incompletude inerente a todos os sistemas axiomáticos formais, era um devoto platonista.

No outro extremo da discussão, neurocientistas cognitivos e psicólogos, como George Lakoff e Rafael Núñez, refutam de forma consensual o culto platonista da matemática. Esses cientistas argumentam, de forma categórica, com base em grande volume de evidências experimentais, que a matemática é mais uma preciosa criação do cérebro humano. Em consequência disso, esses cientistas acreditam que toda matemática é inventada na mente para ser usada como forma de criar uma descrição dos fenômenos naturais ocorridos no mundo ou para prever eventos ainda não observados. Na introdução de *Where Mathematics Come From: How the Embodied Mind Brings Mathematics Into Being* [De onde vem a matemática: como a mente incorporada traz a matemática à vida], Lakoff e Núñez afirmam que

> *tudo o que é possível para os seres humanos se restringe a obter um entendimento da matemática em termos daquilo que o cérebro e a mente humana podem proporcionar. A única conceptualização que podemos ter da*

matemática é uma conceptualização humana. Portanto, a matemática como a conhecemos e ensinamos só pode ser a criada e conceitualizada por seres humanos.
[...]
Se você assume que a origem da matemática é uma questão científica, então a matemática só pode ser vista como uma criação conceitual dos seres humanos, usando todos os mecanismos cognitivos dos seus cérebros.

Ao abordar a razão fundamental que permite a matemáticos e físicos usar a matemática, repetidamente, para formular teorias precisas e abrangentes sobre o universo, Lakoff e Núñez não hesitam em indicar que

qualquer semelhança existente entre uma teoria matemática e o mundo exterior ocorre na mente de cientistas que observaram este mundo cuidadosamente e aprenderam (ou inventaram) uma matemática apropriada para descrever de forma efetiva um fenômeno natural, usando mentes e cérebros humanos.

De acordo com essa visão, não restam dúvidas sobre qual é a resposta em relação às origens da matemática: ela vem de nós, mais precisamente do tipo de cérebro e mente que temos.

Conforme documentado por Mario Livio em *Deus é matemático?*, ao longo dos anos, muitos matemáticos de renome internacional divergiram da posição dogmática da sua fraternidade ao defender, publicamente, a noção de que a matemática é uma criação humana, germinada e acalentada no cérebro. Por exemplo, o aclamado matemático egípcio-britânico Michael Atiyah, ganhador das medalhas Fields e Copley, acreditava que,

se nós examinarmos o cérebro no seu contexto evolucionário, o grande mistério do sucesso da matemática e da física pode ser pelo menos parcialmente explicado. O cérebro evoluiu para lidar com o mundo físico, portanto não deveria ser tão surpreendente constatar que ele foi capaz de desenvolver uma linguagem, a matemática, que é muito adequada a esse propósito.

A defesa da tese de uma matemática construída pelo cérebro humano desafia o famoso aforismo criado por Albert Einstein, que diz que "a mais surpreendente característica do universo é que ele pode ser entendido". Quando examinado pela ótica da proposta de que a matemática é um subproduto produzido por um cérebro esculpido pelo processo de evolução, o fator enigmático embutido neste aforismo einsteiniano perde boa parte do mistério. De fato, como o cientista computacional Jef Raskin aponta: "A base para a criação da matemática foi estabelecida há muito tempo no cérebro dos nossos ancestrais, provavelmente ao longo de milhões de gerações".

Livio cita em seu livro que Raskin acredita que a matemática tem que ser consistente com o mundo natural e, como tal, é uma ferramenta criada pelo cérebro humano com a função de criar uma descrição do mundo que existe fora da nossa cabeça. Portanto, não há razão para falar em um grande mistério quando nos referimos à capacidade de conceitos matemáticos descreverem o mundo, simplesmente porque foi este mundo e as suas características peculiares que levaram o nosso cérebro a incorporar os conceitos primitivos, os quais resultaram, em primeiro lugar, no surgimento da lógica e da matemática.

A tese da natureza evolucionária da matemática é sustentada pela demonstração de que outros animais, incluindo outros vertebrados, mamíferos e os nossos ancestrais mais próximos, macacos e símios, também expressam aptidões matemáticas rudimentares, como habilidades numéricas. Lakoff e Núñez enumeram em seu livro uma série de exemplos convincentes, coletados em estudos realizados nas últimas seis décadas. Por exemplo, ratos podem ser treinados para apertar uma alavanca por um número específico de vezes a fim de obter uma recompensa comestível. Roedores também aprendem a estimar um número finito, pela percepção de sequências de tons sonoros ou *flashes* de luz, demonstrando que o seu cérebro possui uma capacidade genérica de estimativa numérica que independe da modalidade sensorial usada.

Evidências experimentais também indicam que os primatas são melhores "matemáticos" que os roedores. Por exemplo, macacos *rhesus* selvagens parecem exibir um nível de proficiência aritmética que se compara à dos bebês humanos. Outros estudos demonstram que os chimpanzés são capazes de realizar operações com frações, como um quarto, metade e três quartos.

Em resumo, existe o consenso de que, diferentemente dos seres humanos, roedores e outros primatas não têm cérebro equipado para expressar habilidades matemáticas que vão além de alguns conceitos primitivos. Por causa desta limitação, tais animais não conseguem criar descrições abstratas do mundo natural, como nós.

Há mais de meio século, os neurocientistas sabem que neurônios individuais do córtex visual de mamíferos e de primatas disparam quando linhas de luz, apresentadas em diferentes orientações, ou mesmo barras de luz em movimento, cruzam o campo receptivo visual dessas células. Para mim, isso sugere que conceitos primitivos da geometria, como linhas retas, foram embutidos no cérebro de animais durante o processo evolucional, como resultado das interações com o ambiente externo. E, dado que esse processo de "impressão" conferiu grande vantagem adaptativa aos animais, ele passou, de geração para geração, e de espécie para espécie, até ser reproduzido nas profundezas do córtex visual dos seres humanos.

Até aqui, falei apenas de mamíferos e primatas. Todavia, um par de anos atrás, Ronald Cicurel me alertou sobre a existência de um vídeo apresentado durante uma conferência científica na qual ele estava presente. O vídeo ilustra o ritual de acasalamento realizado por um peixe, o "baiacu japonês", para atrair fêmeas da sua espécie. O peixe, que é naturalmente quase invisível nas águas azuis do oceano, despende uma semana, trabalhando vinte e quatro horas por dia, sem nenhum descanso, para completar uma obra de arte geométrica, esculpida nas areias do leito do oceano, com apenas uma finalidade: atrair uma parceira. Usando uma "planta" instalada no seu minúsculo cérebro pelo processo de evolução, o baiacu japonês é capaz de usar as barbatanas para "arar" a areia do fundo do mar e esculpir um "chamado para o acasalamento" tridimensional magnificente, feito apenas de areia branca prístina e puro instinto matemático.

Parafraseando o naturalista e jornalista britânico David Attenborough, se o esforço artístico do baiacu japonês não o convencer de que os conceitos primitivos da matemática e da geometria foram embutidos no cérebro dos animais, incluindo o nosso, há muito tempo, como resultado das interações com o mundo, nada mais o fará. De fato, ao comentar o vídeo, o meu grande amigo Ronald tocou diretamente em um ponto crucial:

> *Nós não fomos selecionados pela evolução para ver ou experimentar realidade como ela é, mas para maximizar a nossa habilidade de sobreviver à maioria das contingências criadas pelo mundo que nos circunda. Experimentar a realidade como ela é não nos garante a aptidão para sobreviver; na verdade, essa capacidade pode ser deletéria. Portanto, não há razão para os nossos cérebros serem "realistas" na representação que fazem do mundo natural. A função primordial do sistema nervoso é antecipar e reduzir os riscos potenciais aos quais estamos sujeitos enquanto imersos neste mundo, mesmo que somente possamos experimentá-lo através do ponto de vista criado pelos nossos cérebros de primatas, não como este mundo realmente é.*

Lakoff e Núñez oferecem amplo suporte à visão de Ronald ao descrever estudos que demonstram como algumas proficiências matemáticas são inatas, sendo expressas por bebês em um estágio inicial de vida pós-natal. Nesse domínio, Lakoff e Núñez enfatizam que todos os seres humanos, não importa o grau de instrução ou formação cultural, são capazes de dizer instantaneamente se há um, dois ou três objetos à sua frente. Todos os dados experimentais disponíveis indicam que essa habilidade específica é inata. Tudo leva a crer que, no caso de seres humanos, alguns aspectos básicos de operação aritmética, como agrupamento de objetos, adição e subtração e alguns conceitos geométricos primitivos devem ser inatos.

Nos últimos anos, métodos neurofisiológicos e de imagem têm sido utilizados para identificar as regiões do cérebro envolvidas no processo de "fazer matemática". Em um dos achados mais interessantes dessa linha de pesquisa, neurocientistas identificaram um pequeno grupo de pacientes com crises epiléticas desencadeadas no momento em que começam a realizar alguma operação aritmética. Apropriadamente designada como *Epilepsia arithmetices*, a origem das crises epiléticas foi localizada no córtex parietal inferior. Subsequentes estudos de imagem cerebral indicaram o envolvimento do córtex pré-frontal durante a realização de operações aritméticas mais complexas. Curiosamente, a memorização de tabelas de multiplicação – a velha tabuada – requer o envolvimento de estruturas subcorticais, como os gânglios da base. E diferentes circuitos cerebrais daqueles usados na prática da aritmética são ativados quando sujeitos executam operações algébricas.

Em seu livro, Lakoff e Núñez propõem que a principal razão por trás da expansão das habilidades matemáticas inatas dos seres humanos reside na capacidade de criar "metáforas conceituais". Esse conceito é bem semelhante à minha ideia de considerar a matemática como outra abstração mental elaborada pela mente humana. Lakoff e Núñez consideram esta como uma capacidade mental única da nossa espécie, a habilidade de projetar um conceito abstrato em termos muito mais tangíveis. Em apoio a essa tese, Lakoff e Núñez sugerem que a aritmética, uma ferramenta mental que adquiriu importância vital e concreta na vida humana, pode ter origens neurais associadas a uma metáfora aplicada à coleção de objetos. Usando o mesmo raciocínio, os autores propõem que a álgebra mais abstrata que caracteriza a lógica booleana pode ter emergido como metáfora que liga classes e números.

Ao fechar esta parte do argumento, considero mais que justo conceder a Lakoff e Núñez a última palavra sobre a visão que confere ao Verdadeiro

Criador de Tudo os direitos de inventor da matemática e de todos os objetos matemáticos criados para explicar os fenômenos naturais do universo humano. Nas palavras dos dois autores,

> *a matemática é uma parte natural do ser humano. Ela surge pelo nosso corpo, pelo nosso cérebro e pelas nossas experiências diárias com o mundo. A matemática é um sistema de conceitos humanos que tira extraordinário proveito das ferramentas da cognição humana... Os seres humanos foram responsáveis pela criação da matemática, e nós continuamos a ser responsáveis pela sua manutenção e expansão. O retrato da matemática tem uma face humana.*

Após examinar os principais argumentos usados na disputa pela verdadeira origem da matemática, há uma última particularidade que nem os mais ardentes platonistas podem refutar. Se um dia eles encontrassem uma prova categórica em defesa do seu ponto de vista, ela viria de um cérebro humano, como todas as provas produzidas por matemáticos na história da área.

Essa constatação vem provar que, inevitavelmente, não há como escapar do encanto do Verdadeiro Criador de Tudo.

A esta altura, posso dizer que as consequências de aceitar a matemática como produto da mente humana tem implicações muito profundas e impactantes. Se aceitarmos as origens evolucionais da matemática como fato incontestável, nem a lógica nem a matemática criadas por nós pode ser considerada universal. Isso implica que teorias construídas com a matemática humana como base não podem ser encaradas como a única nem mesmo como a mais acurada descrição do cosmos. Logicamente, é possível imaginar pelo menos em teoria que, se existirem outras formas de vida inteligente no universo e que um dia elas possam estabelecer contato e se comunicar conosco, a nossa lógica e matemática talvez não façam sentido para esses alienígenas. Isso seria particularmente verdadeiro se eles estivessem evoluindo em uma parte do universo onde reinam condições ambientais bem diferentes das encontradas na Terra – digamos, em um planeta orbitando um estrela binária.

Em vez de aceitarem a nossa descrição do universo, os extraterrestres provavelmente ofereceriam uma explicação alternativa que soaria completamente ininteligível para todos nós, seres humanos. O que isso significa, basicamente, é que todas as visões cosmológicas do universo só podem ser vistas como "relativísticas", uma vez que diferentes formas de vida inteligente, que evoluíram substratos orgânicos para gerarem a sua inteligência, muito provavelmente criariam descrições distintas do cosmos. Em essência, isso implica que o conceito de movimento relativo, criado pelo físico austríaco Ernst Mach, que serviu de grande inspiração para Einstein na sua concepção da teoria da relatividade especial, poderia ser expandido do seu domínio original até ser aplicado como construção mental que inspirasse a proposta de uma nova visão cosmológica. É o que a cosmologia cerebrocêntrica pretende realizar.

A ideia pode ser ilustrada usando uma analogia matemática muito simples, empregada pelo matemático Edward Frenkel. Na analogia, um mesmo vetor simples é definido pelo ponto de vista de dois sistemas de coordenadas bidimensionais distintos. Dependendo do sistema de coordenadas selecionado, o vetor será descrito por um par diferente de números. Essa analogia ilustra o que quero dizer quando afirmo que descrições cosmológicas só podem ser descritas em termos relativísticos: como no caso do vetor, dependendo do "sistema de coordenadas" empregado por diferentes formas de vida inteligente, vivendo em distintas partes do universo, o mesmo cosmos será descrito de maneiras bem distintas.

De acordo com a teoria relativística do cérebro, a natureza não linear das interações eletromagnéticas neuronais que caracteriza o "motor" híbrido analógico-digital do cérebro humano permitiria a gênese de abstrações mentais de alta complexidade (como a matemática elaborada) por um sistema nervoso individual. Subsequentemente, por meio de trocas sociais com outros indivíduos, ao longo de múltiplas gerações, conceitos e objetos matemáticos poderiam evoluir de forma natural. De minha parte, consigo enxergar como a existência de uma dinâmica não linear, inerente tanto ao nosso cérebro individual como às grandes *Brainets* humanas, levaria à geração de comportamentos imprevisíveis que lembram aqueles descritos tanto pelo genial matemático francês Henri Poincaré, ao analisar a reação de algumas equações não lineares a diminutas mudanças nas suas condições iniciais, quanto por Ilya Prigogine nos seus estudos sobre o súbito surgimento de estruturas espaçotemporais complexas em reações químicas (Capítulo 3).

Por causa dessa propensão em gerar interações e combinações dinâmicas ricas, a operação de longo prazo de *Brainets* humanas dedicadas à matemática, ao longo de centenas de gerações, certamente explica o surgimento de todas as camadas e variações do conhecimento matemático, desde o seu início humilde, semeado pela impressão de um núcleo de conceitos matemáticos e geométricos primitivos no tecido neural dos nossos ancestrais animais e humanos. De acordo com essa visão, todo o corpo de conhecimento matemático acumulado poderia ser considerado mais uma propriedade emergente gerada pelo cérebro humano ao longo de toda a história da humanidade.

E por que este debate é relevante? Basicamente porque nele está em jogo a credibilidade de dois conceitos que a maioria dos cientistas, em particular os físicos, tem defendido durante um longo tempo, uma vez que, como Erwin Schrödinger afirmou apropriadamente em *O que é a vida?*, eles servem de fundação perfeita para o tipo de ciência que escolhemos fazer desde o tempo de Galileu. Sem eles, muita coisa mudaria na abordagem para explorar o mundo – ou, pelo menos, na forma como interpretamos os nossos resultados.

Esses dois alicerces da ciência moderna são: a existência de uma realidade objetiva que independe da mente humana e o conceito de casualidade. Como você já deve ter notado, a cosmologia cerebrocêntrica que proponho desafia a noção clássica que nos permite referir a uma realidade objetiva sem levar em conta a interferência introduzida pelo cérebro durante o processo de descrever o universo. Embora esse debate seja antigo, felizmente para mim, vários pensadores de grande relevância defenderam a ideia geral de uma cosmologia centrada no cérebro humano semelhante à apresentada neste livro, mesmo que nenhum deles tenha se valido dessa expressão para descrever os seus pontos de vista. Na última parte deste capítulo, o meu objetivo é trazer de volta ao primeiro plano alguns físicos, cientistas e filósofos que construíram as fundações que suportam a proposição de uma cosmologia cerebrocêntrica.

Embora alguém possa argumentar que o intenso debate entre os renomados físicos austríacos Ernst Mach e Ludwig Boltzmann, ocorrido nas últimas décadas do século XIX, em Viena, represente o primeiro símbolo da batalha contemporânea pela definição da verdadeira natureza da realidade, eu gostaria de ilustrar o profundo fosso que separa duas visões de realidade por meio de um encontro bem menos conhecido do grande público. Refiro-me a duas conversas que poderiam ser facilmente classificadas como os maiores duelos intelectuais do século XX. Essa colisão épica de duas visões de mundo distintas começou no dia 14 de julho de 1930, quando o poeta, filósofo e prêmio Nobel de Literatura Rabindranath Tagore visitou Albert Einstein em Berlim. Durante o encontro, o seguinte diálogo foi registrado:

Einstein: *Existem duas concepções distintas sobre a natureza do universo: 1) o mundo como entidade dependente da humanidade e 2) o mundo como realidade independente do fator humano.*

Tagore: *Quando o universo está em harmonia com o homem, o eterno, referido por nós como a Verdade, nós o experimentamos como beleza.*
Einstein: *Essa é a concepção puramente humana do universo.*
Tagore: *Não pode haver outro tipo de concepção. Este é um mundo humano – a visão científica dele também é a do homem científico. Existe um padrão de razão e prazer que nos dá a Verdade, o padrão do Homem Eterno cujas experiências são experimentadas pelas nossas experiências.*
Einstein: *Essa é a realização da entidade humana.*
Tagore: *Sim, uma entidade eterna. Devemos percebê-la através das nossas emoções e atividades. Percebemos o Homem Supremo que não tem limitações individuais com as nossas próprias limitações. A ciência se preocupa com aquilo que não se restringe aos indivíduos; o mundo humano impessoal de verdades. A religião percebe essas verdades e as liga com as nossas necessidades mais profundas; a nossa consciência individual da Verdade ganha significância universal. A religião aplica valores para a Verdade, e nós reconhecemos esta Verdade como sendo boa por meio da nossa harmonia com ela.*
Einstein: *A Verdade, então – ou a Beleza –, não é independente do homem?*
Tagore: *Não.*
Einstein: *Se não houvesse mais nenhum ser humano, o Apollo de Belvedere não seria mais belo.*
Tagore: *Não.*
Einstein: *Concordo no que diz respeito ao conceito de beleza, mas não com o que se refere à Verdade.*
Tagore: *Por que não? A Verdade é percebida pelo homem.*
Einstein: *Eu não posso provar que a minha concepção é verdadeira, mas essa é a minha religião.*
Tagore: *A beleza é o ideal de perfeita harmonia que está presente no Ser Universal; a Verdade como a perfeita compreensão da Mente Universal. Nós, como indivíduos, a abordamos através de erros e enganos, através de experiências acumuladas, de consciência iluminada – como, de outra forma, reconheceríamos a Verdade?*
Einstein: *Não posso provar cientificamente que a Verdade deve ser concebida como uma Verdade válida independentemente da humanidade; mas acredito nisso firmemente. Acredito, por exemplo, que o teorema de Pitágoras em estados geométricos é aproximadamente verdadeiro, independentemente da existência do homem. De qualquer forma, se existe uma realidade independente do homem, deve existir também uma Verdade*

relativa a essa realidade – e, da mesma forma, a negação da primeira levaria à negação da existência da segunda.

Tagore: A Verdade, que é uma com o Ser Universal, deve essencialmente ser humana, de outra forma qualquer coisa que nós, indivíduos, percebemos como verdadeira não pode ser chamada de Verdade – pelo menos a Verdade que é descrita como científica e que somente pode ser alcançada pelo processo da lógica; em outras palavras, pelo órgão do pensamento (cérebro), que também é parte do ser humano. De acordo com a filosofia indiana, existe o Brahman, a Verdade absoluta, que não pode ser concebido pelo isolamento da mente individual nem descrito pelas palavras, somente pode ser experimentado com a completa imersão do indivíduo no seu infinito. E essa Verdade não pode pertencer à ciência. A natureza da Verdade que estamos discutindo é apenas uma aparência – quer dizer, aquilo que parece ser verdadeiro para a mente humana e, portanto, é humano e pode ser chamado maya, ou "ilusão".

Einstein: Assim, de acordo com a sua concepção, que pode ser considerada a concepção indiana, essa ilusão não é algo individual, mas da humanidade como um todo.

Tagore: A espécie também pertence a uma unidade, à humanidade. Portanto, a mente humana coletiva percebe a Verdade; a mente indiana ou a europeia se encontram em uma percepção comum.

Einstein: A palavra "espécie" é usada em alemão para descrever todos os seres humanos; na realidade, os símios e os sapos pertenceriam a ela também.

Tagore: Na ciência, utilizamos o processo de eliminar as limitações da nossa mente individual para, então, alcançar a compreensão da Verdade que é a mente do Homem Universal.

Einstein: O problema começa quando a Verdade independe da nossa consciência.

Tagore: O que chamamos de "verdade" se encontra na harmonia racional entre os aspectos subjetivos e objetivos da realidade, e ambos pertencem ao homem superpessoal.

Einstein: Mesmo na vida diária, nós nos sentimos compelidos a atribuir uma realidade independente do homem aos objetos que utilizamos. Fazemos isso para conectar as experiências dos nossos sentidos de forma razoável. Por exemplo, se ninguém se encontra nesta casa, a mesa permanece onde está.

Tagore: Sim, ela permanece fora da mente individual, mas não da mente universal. A mesa que percebo é perceptível pelo mesmo tipo de consciência que eu possuo.

Einstein: *Contudo, se ninguém estivesse na casa, a mesa ainda existiria da mesma forma – e isso já é ilegítimo sobre o seu ponto de vista –, porque não podemos explicar o que significa que a mesa está lá, independente de nós. O nosso ponto de vista natural no que tange à existência de uma Verdade independente da humanidade não pode ser explicado ou provado, mas é uma crença que ninguém pode deixar de ter – nem mesmo seres primatas. Atribuímos a Verdade a uma objetividade super-humana; ela nos é indispensável, essa realidade independente da nossa existência e da nossa experiência e da nossa mente – embora não possamos dizer o que ela significa.*

Tagore: *A ciência provou que a mesa como objeto sólido é uma aparência e, portanto, algo que a mente humana percebe como uma mesa não existiria se todas as mentes não existissem. Ao mesmo tempo, deve-se admitir que o fato de que a realidade física não passa de uma grade variedade de centros rotatórios de força elétrica também pertence à mente humana. Na compreensão da Verdade, existe um conflito eterno entre a mente universal e a mesma mente confinada em um indivíduo. O processo perpétuo de reconciliação está sendo executado pela nossa ciência, pela nossa filosofia e pela nossa ética. De qualquer forma, se existisse qualquer Verdade absolutamente dissociada da humanidade, para nós ela seria totalmente inexistente. Não é difícil imaginar uma mente em que a sequência das coisas acontece não no espaço, mas somente no tempo, como a sequência de notas de uma música. Para tal mente, essa concepção de realidade é semelhante à realidade musical na qual a geometria pitagoreana não tem significado algum. Existe a realidade do papel, que é infinitamente diferente da realidade da literatura. Pois, para a mente de uma traça que come o papel, a literatura contida em uma folha é totalmente inexistente, enquanto para a mente do homem a literatura tem um valor muito maior de Verdade que o papel em que ela foi escrita. De forma similar, se existisse uma Verdade que não guardasse relação racional ou sensual com a mente humana, ela permaneceria sendo um nada irreconhecível enquanto formos seres humanos.*

Einstein: *Então sou mais religioso que você.*

Tagore: *A minha religião é a reconciliação do Homem Superpessoal, o espírito universal humano, no meu próprio ser.*

Em um segundo encontro, no dia 19 de agosto de 1930, o diálogo extraordinário continuou:

Tagore: *Eu estava discutindo... Hoje as descobertas matemáticas, que nos dizem que, no mundo dos átomos infinitesimais, a chance tem o seu papel, o drama da existência não é predestinado de uma forma absoluta.*
Einstein: *Os fatos que fazem com que a ciência se mova nessa direção não dizem adeus à causalidade.*
Tagore: *Talvez não, mas parece que a ideia de causalidade não está nos elementos, e sim que outra força constrói com eles o universo organizado.*
Einstein: *Tentamos entender como a ordem se estabelece no plano superior. A ordem está lá, onde os grandes elementos se combinam e guiam a existência; nos elementos diminutos, todavia, essa ordem não é perceptível.*
Tagore: *Essa dualidade está na profundeza da existência – as contradições do impulso livre e o desejo direcionado que se impõem sobre ele e criam um esquema ordenado das coisas.*
Einstein: *A física moderna não diz que eles são contraditórios. As nuvens parecem de uma forma a distância, mas, ao observá-las de perto, elas se apresentam como gotas de água desordenadas.*
Tagore: *Identifico um paralelo na psicologia humana. As nossas paixões e os nossos desejos são indisciplinados, mas o nosso caráter submete esses elementos em um todo harmonioso. Seriam os elementos rebeldes, dinâmicos, com o impulso individual? Existe algum princípio no mundo físico que os domina e os coloca em uma organização estruturada?*
Einstein: *Nem mesmo os elementos existem sem ordem estatística; os elementos do* radium *sempre mantêm a sua ordem específica, da mesma forma como o fizeram anteriormente. Existe, então, uma ordem estatística dos elementos.*
Tagore: *Senão o drama da existência seria por demais desordenado. É a harmonia constante da chance e do determinismo que faz com que ela seja eternamente nova e vivível.*
Einstein: *Acredito que tudo o que fazemos ou vivemos tem uma causa por trás; é melhor, todavia, que possamos olhar através dela.*

Se alguém tivesse me perguntando cinco anos atrás quem venceu o debate, eu teria respondido de imediato que Einstein havia triunfado. Hoje, não tenho nenhum problema em admitir que o poeta Tagore ganhou de lavada essa disputa ao forçar Einstein a admitir, por fim, que a sua defesa obsessiva da existência de uma realidade objetiva, independente da mente humana, não passava de um produto da sua crença religiosa particular, para não mencionar o seu bias viés intelectual. Portanto, de uma maneira que somente os poetas da magnitude divina de Tagore são capazes de fazer, esse filósofo indiano ofereceu o resumo mais apropriado do argumento que tentei sintetizar nos últimos dois capítulos. De fato, se lermos esse diálogo algumas vezes para nos acostumarmos como o jargão usado por Tagore e o seu estilo oratório, facilmente identificaremos conceitos-chave da cosmologia cerebrocêntrica proposta por mim – informação gödeliana, operadores gödelianos (crença), o uso de abstrações mentais como ferramentas para explicar o mundo exterior e a conclusão inexorável de que, seja qual for a descrição científica do universo, não importa quão validada experimentalmente ela tenha sido por nós, ela sempre será limitada pelas propriedades e pelas características neurofisiológicas do cérebro humano, uma vez que a única realidade a que temos acesso é aquela esculpida pelo cérebro. Isso significa simplesmente que a nossa condição humana funciona tanto como dádiva quanto como limitador para a realização do nosso desejo obsessivo de conferir significado a todo o cosmos.

Antes que me esqueça, a posição filosófica de Tagore me ajuda a trazer à tona outra discussão fundamental: a natureza da causalidade. De acordo com a teoria relativística, nosso cérebro de primata constrói internamente uma vasta representação das relações causa-efeito, as quais são extraídas do reservatório de informação potencial amostrado do mundo exterior. Da mesma forma que o espaço, o tempo e a matemática, um banco de dados de causas e efeitos derivado do cérebro humano é essencial para a nossa sobrevivência e, por causa disso, a sua construção foi favorecida pelo processo de seleção natural como forma de maximizar a nossa adequação ao mundo.

Na minha visão, como no caso da percepção, relações de causalidades criadas pelo cérebro basicamente envolvem confronto e mistura de múltiplas informações do mundo exterior com o ponto de vista próprio do cérebro. Nessa operação, o cérebro foca em construir relações de causa-efeito de curta duração úteis para a escala temporal em que experimentamos a nossa existência diária.

Nesse contexto, as cadeias causais de longo prazo por trás dos fenômenos naturais, que são muito mais complexas, são totalmente filtradas do material usado pelo cérebro para criar o seu próprio banco de dados causa-efeito. Essa visão da causalidade é, de alguma forma, reminiscente daquela proposta pelo filósofo escocês do século XVIII, David Hume, que defendeu a ideia de que todas as abstrações mentais (as nossas ideias) e as suas associações, criadas pelo cérebro, são ditadas por sensações, experiências e reflexões.

Claramente, como no caso de Einstein, a maioria dos físicos modernos não aceita a validade dos argumentos de Tagore, tampouco a existência de uma cosmologia cerebrocêntrica. Da mesma forma que os matemáticos platonistas, a maior parte dos físicos tradicionais continua defendendo o castelo medieval da realidade objetiva – realismo, como os filósofos o apelidaram –, apesar do crescente cerco provocado por um modelo alternativo. Eles assim o fazem por uma questão de princípio, por abominar visceralmente a possibilidade de que qualquer gota do subjetivismo humano influencie as suas elegantes e acuradas descrições do universo e tudo o que ele contém. Nós só precisamos assistir a um diálogo contemporâneo entre um físico teórico, Sean Carroll, e um filósofo budista, Bruce Alan Wallace, para verificar que pouco mudou desde o encontro de Tagore e Einstein.

Vale citar que uma das coisas que permaneceram imutáveis foi que, mais uma vez, um filósofo budista claramente venceu o debate entre duas visões antagonistas do mundo real ao apresentar uma visão muito mais convincente das origens da nossa realidade.

Curiosamente, como a física teórica Sabine Hossenfelder detalha em *Lost in Math* [Perdido na matemática], a maioria dos físicos ainda utiliza termos como "beleza", "simplicidade", "elegância" e "naturalidade" para avaliar o potencial de uma teoria no seu campo de atuação ou para explicar por que escolheram um tipo peculiar de matemática para desenvolver uma nova descrição do mundo físico que ainda não foi alvo de validação experimental (e, em alguns casos, jamais será, como no caso da teoria das cordas). Ao destacar o uso desses critérios totalmente subjetivos, Sabine afirma: "Estas regras escondidas são onipresentes nos alicerces da física. Elas são inestimáveis. E em completo conflito com o mandato científico de total objetividade".

Evidentemente, o campo de batalha das duas visões conflitantes da realidade é a mecânica quântica, possivelmente a teoria científica mais bem-sucedida de todos os tempos, junto com a teoria da evolução de Darwin. Embora as predições da mecânica quântica tenham sido validadas experimental e repetidamente, não existe consenso na interpretação dos seus achados. Basicamente, os físicos se sentem orgulhosos ao repetir que a mecânica quântica funciona sempre, mesmo que logo ressaltem que ninguém tem ideia do motivo desse sucesso absoluto. Ao notarem o espanto na face dos interlocutores, tentam nos tranquilizar dizendo que esse detalhe não faz diferença, desde que ela continue funcionando.

A origem do problema em definir o que a mecânica quântica tem a dizer sobre a realidade tem origem em um clássico experimento realizado por ninguém menos que o pai do modelo de código neural distribuído, o gênio britânico Thomas Young, no começo do século XIX. Ao projetar um feixe de luz através de duas ranhuras verticais finas, produzidas em um pedaço de papelão, Young observou a ocorrência de um padrão de interferência ondular em uma tela colocada a certa distância do papelão. Young de imediato concluiu que, ao contrário do que Newton havia proposto, a luz comportava-se como uma onda, não como uma partícula (como Newton pontificou). Young baseou essa conclusão no fato de que, quando a luz atravessava as duas ranhuras, ela produzia na tela um padrão idêntico ao observado quando duas ondas, produzidas ao se jogarem duas pedras em um lago, se encontram.

A controvérsia sobre a verdadeira origem da luz ficou ainda mais confusa quando Albert Einstein propôs que, se um feixe de luz ultravioleta incidisse sobre uma superfície metálica, seria possível medir a emissão de elétrons do metal. Para produzir esse efeito, de acordo com Einstein, a luz tinha que ser formada por feixes de partículas discretas, cada qual carregando uma quantidade fixa – ou *quantum* – de energia. O fenômeno, que ficou conhecido como "efeito fotoelétrico", foi demonstrado experimentalmente alguns anos depois por Robert Millikan, garantindo tanto ao teórico (Einstein) como ao experimentalista (Millikan) o Prêmio Nobel de Física.

A despeito disso, a enormidade da descoberta de Thomas Young e de seu experimento da ranhura dupla pode ser julgada pelo fato de que, mais de duzentos anos depois, os físicos continuam a discutir a interpretação desses achados – e uma variedade de outros resultados obtidos com múltiplas variações desse experimento pioneiro.

Hoje sabemos que, quando feixes contendo fótons, elétrons ou mesmo pequenas moléculas, como o fullereno, são usados em versões modernas do experimento da ranhura dupla de Young, o mesmo padrão de interferência de onda é obtido. Para piorar a situação, ao longo dos tempos, resultados ainda mais estranhos foram obtidos. Por exemplo, se um detector é colocado em frente a cada uma das ranhuras, quando um fóton individual (ou um elétron, ou uma pequena molécula) impacta esse detector, um instante antes de passar pelas ranhuras, ele se comporta como partícula! É precisamente essa dualidade partícula-onda que define um dos mais perenes obstáculos para a interpretação da mecânica quântica.

A fim de explicar a ocorrência do padrão de interferometria ondular no experimento da ranhura dupla, três teorias foram propostas – na realidade, existem várias outras menos aceitas. De acordo com o Consenso de Copenhague, originariamente formulado pela colaboração dos renomados físicos Niels Bohr e Werner Heisenberg, o padrão de interferometria ondular emerge porque o que de fato atravessa as ranhuras não é a luz propriamente dita, mas "funções de onda probabilísticas" que descrevem os diferentes estados potenciais que a luz pode assumir uma vez que é medida. Quando essas funções atingem a tela colocada atrás das ranhuras, e um observador observa o impacto (e este é um detalhe fundamental), diz-se que essas funções "colapsaram", produzindo o padrão de interferometria observado por Young. Ao mesmo tempo, se um detector é posicionado antes das ranhuras, a função de onda colapsa de forma diferente, produzindo um impacto característico de uma partícula.

Por que (e como) isso acontece? Essa pergunta é bastante conhecida como "problema da mensuração da mecânica quântica". Em essência, o Consenso de Copenhague propõe que o ato de observação realizado por um observador externo, direta ou indiretamente via instrumento de detecção, é necessário para reduzir um conjunto de probabilidades descrevendo as potenciais propriedades de um sistema físico – a função de onda – em uma única solução (partícula ou onda). Antes de a mensuração ser feita, a mecânica quântica só pode descrever o sistema físico por meio de uma construção matemática: a função de onda.

A segunda explicação, conhecida como "teoria dos universos múltiplos", formulada pelo físico americano Hugh Everett no fim dos anos 1950, nega qualquer papel para o observador do experimento na produção do colapso da função de onda probabilística, como proposto pelo Consenso de Copenhague. Essa teoria afirma que o padrão de interferometria emerge porque, apesar de o experimento ser realizado no nosso universo, os fótons – ou elétrons – que geramos para rodar o experimento tendem a interferir, no momento em que alcançam as ranhuras, com partículas idênticas existentes em outros universos. De acordo com essa teoria, o padrão de interferometria que observamos simplesmente reflete uma interação complexa entre um número infinito de mundos!

Por fim, a terceira interpretação é conhecida como "teoria da onda-piloto", ou "teoria de Broglie-Bohm", em honra ao físico francês ganhador do Prêmio Nobel Louis de Broglie e ao físico americano David Bohm. Em resumo, a teoria propõe que o padrão de interferometria emerge porque cada fóton – ou elétron – é carregado por uma espécie de onda-piloto que cruza ambas as ranhuras ao mesmo tempo. Assim, o padrão de interferometria que observamos seria resultado da interferência produzida por essa onda-piloto associada a cada partícula.

Embora, como ressaltei, a maioria dos físicos certamente hoje discordem da minha proposta de uma cosmologia cerebrocêntrica, ela é totalmente consistente com a interpretação proposta pelo Consenso de Copenhague para o experimento das ranhuras duplas. Em primeiro lugar, a função de onda probabilística proposta pela interpretação de Copenhague é idêntica à minha definição de informação potencial, a fonte de tudo aquilo que o mundo oferece ao cérebro de um observador.

Além disso, ambas as visões reconhecem o papel ativo do observador no processo de "colapso" da função de onda. Essa convergência entre a cosmologia cerebrocêntrica e a interpretação de Copenhague para a mecânica quântica pode ser demonstrada em uma famosa citação de Niels Bohr:

> *Não existe um mundo quântico. O que existe é uma descrição abstrata da física quântica. É incorreto pensar que a tarefa da física é descobrir como a natureza é. A física se preocupa com o que nós podemos dizer sobre a natureza.*

Niels Bohr não foi o único a fazer esse alerta. Veja o que o grande astrônomo e físico britânico Sir Arthur Eddington tinha a dizer à época do nascimento da mecânica quântica: "O nosso conhecimento da natureza, dos objetos analisados pela física, se restringe à leitura dos ponteiros e dos painéis de instrumentos e outros indicadores".

Bertrand Russell compartilhava da mesma visão ao dizer que "a física é matemática não porque conhecemos muito sobre o mundo físico, mas porque sabemos bem pouco sobre ele; nós só podemos descobrir as suas propriedades matemáticas".

No seu *Significado e verdade*, Bertrand Russell escreveu:

> *Todos nós começamos a partir do ponto de vista de um "realismo ingênuo", isto é, a doutrina que as coisas são como as vemos. Nós pensamos que a grama é verde, que as pedras são duras e a neve é fria. Mas a física assume que o verde da grama, a dureza das pedras e a frieza da neve não são as sensações que todos experimentamos, e sim algo muito diferente. O observador, quando está observando uma pedra, está realmente, se formos acreditar na física, observando os efeitos da pedra nele. Assim, a ciência parece estar em guerra consigo mesma: quando ela tenta ser a mais objetiva possível, encontra-se mergulhada na subjetividade contra a sua própria vontade. O realismo ingênuo leva à física, e a física, se verdadeira, nos mostra que esse realismo*

ingênuo é falso. E, portanto, o cientista que estuda o comportamento, quando pensa registrar observações sobre o mundo exterior, na realidade está registrando observações sobre o que acontece com ele mesmo.

Como Philip Goff recentemente escreveu em um artigo publicado pelo jornal *The Guardian*, o que tanto Bertrand Russell quanto Arthur Eddington queriam dizer é que, "enquanto a física é capaz de nos dizer o que a matéria faz, ela não consegue nos dizer o que ela é". Goff continua:

O que realmente sabemos sobre o que a matéria é além da forma como ela afeta os nossos instrumentos? Somente que uma fração dela – isto é, aquilo que está no nosso cérebro – envolve a consciência. A consciência deveria ser o nosso ponto de partida na tentativa de descobrir o que a matéria realmente é, em vez de algo que tentamos espremer como se fosse uma coisa secundária.

O ponto de vista de Goff é ilustrado claramente quando tentamos seguir uma regressão infinita muito comum, conhecida como "reducionismo" e empregada pelos físicos para descrever a realidade. De início, dizem que todo o universo é feito de átomos. Até aí, tudo bem. No entanto, ao aprofundar a ideia, dizem que os átomos são feitos de partículas elementares, como elétrons, prótons e nêutrons. Sem problemas. Indo mais fundo ainda, recebemos a notícia de que prótons e nêutrons são feitos de coisas estranhas chamadas *quarks*. Ok. Tão estranhos são os *quarks* que, até hoje, nenhum cientista foi capaz de vê-los com os próprios olhos – nem mesmo com a ajuda de poderosos instrumentos. Isso acontece porque eles somente existem enquanto objetos matemáticos que provaram ser úteis para prever o comportamento da matéria.

E do que são feitos estes tais *quarks*? Se acreditar na última abstração matemática posta na mesa pelo reducionismo, você tem que aceitar que os *quarks* são feitos de cordas infinitesimalmente pequenas (10^{-35} m), retorcidas em bem mais dimensões que as quatro em que a maioria de nós identifica na vida (três dimensões de espaço e uma de tempo). A despeito de representarem um dos campos mais quentes da física teórica moderna, não há qualquer tipo de experimento a demonstrar a existência destas "cordas". Elas só ganham existência própria na forma de objetos matemáticos altamente elaborados, criados pelas abstrações mentais do cérebro de matemáticos brilhantes. E, como tal, parecem ser extremamente úteis para o mundo matemático.

Eugene Wigner concordou com Russell, Eddington e Goff quando declarou, em *Observações sobre a questão do corpo-mente*:

> Quando o território da teoria física foi estendido para incluir os fenômenos microscópicos, pela criação da mecânica quântica, o conceito de consciência retornou ao primeiro plano: não foi possível formular as leis da mecânica quântica de forma totalmente consistente sem se referir à consciência. Tudo o que a mecânica quântica parece proporcionar são conexões probabilísticas entre impressões subsequentes da consciência, e, embora a linha divisória que existe entre o observador, cuja consciência está sendo afetada, e o objeto físico observado seja significativamente deslocada em direção a um ou ao outro, ela não pode ser eliminada. Talvez seja prematuro acreditar que a filosofia presente da mecânica quântica permanecerá como atributo permanente de teorias futuras da física; o que certamente permanecerá sendo extraordinário, seja qual for a forma em que os nossos futuros conceitos se desenvolvam, é que o estudo do mundo exterior levou à conclusão de que o conteúdo da consciência é uma realidade final.

Desde o início da revolução causada pela mecânica quântica, outros físicos renomados manifestaram apoio a um conceito semelhante à cosmologia cerebrocêntrica proposta neste livro. Em seu ensaio "O universo mental", publicado na revista *Nature* em 2005, o renomado astrônomo da Universidade Johns Hopkins, Richard Conn Henry, cita alguns desses físicos para defender a adoção de uma visão cerebrocêntrica do universo. Entre outros luminares da revolução quântica e da física do século XX, Conn Henry cita o físico inglês Sir James Hopwood Jeans:

> O fluxo de conhecimento está se encaminhando para uma realidade não mecanicista: o universo começa a se parecer muito mais com um grande pensamento do que uma grande máquina. A mente não parece desempenhar mais o papel de um penetra acidental no mundo da matéria... Nós devemos saudá-la [a mente] como o criador e o governo do mundo da matéria.

Mais apoio para a teoria da cosmologia cerebrocêntrica pode ser encontrado em interpretações recentes da mecânica quântica. Por exemplo, em 1994, o físico italiano Carlo Rovelli, do Centre de Physique Théorique de Luminy, da Universidade Aix-Marseille, introduziu uma teoria que ele chamou de "mecânica quântica relacional". Nela, Rovelli propõe que não existem quantidades absolutas em física. Pelo contrário, todo estado quântico seria relacional, significando que depende totalmente das correlações ou das interações estabelecidas entre esse sistema e o observador. Em essência, a abordagem de Rovelli argumenta em favor do uso do ponto de vista do observador para definir qualquer sistema físico, da mesma forma que a minha cosmologia cerebrocêntrica.

Eu e Ronald Cicurel entendemos que a chave para o melhor entendimento do que acontece durante o colapso da função de onda pode estar relacionada ao fenômeno do entrelaçamento quântico, área de grande interesse na física moderna. Basicamente, partículas se entrelaçam quando os seus estados quânticos não podem mais ser descritos independentemente um do outro. Ao realizar a medida de alguma propriedade física de uma partícula – digamos, o seu *spin* –, você instantaneamente afeta a mesma propriedade da partícula entrelaçada a ela. Então, se a medida inicial retornar um valor de *spin* igual a -½ para a primeira partícula, a partícula entrelaçada assumirá valor de *spin* igual a ½. Por definição, portanto, partículas entrelaçadas são correlacionadas. Ronald e eu acreditamos que, quando realizamos uma observação – como olhar um feixe de luz passar por duas ranhuras verticais paralelas –, partículas na nossa retina tornam-se entrelaçadas com fótons do feixe de luz, levando ao colapso da função de onda predita pela interpretação de Copenhague. A exploração dessa hipótese, em colaboração com físicos, pode oferecer uma justificativa quântica para a adoção de uma cosmologia cerebrocêntrica.

Voltando ao fio da meada, tenho um último exemplo para dar sustento à minha tese de que abstrações mentais se encontram por trás de todas as nossas teorias científicas. De acordo com o cânone mais atual da física de partículas, uma das propriedades mais fundamentais das partículas elementares, a sua massa, é "doada" a cada uma delas pela interação com uma entidade matemática abstrata, o campo de Higgs, operação intermediada pelo agora famoso bóson de Higgs. Novamente, um componente vital da explicação mais consensual da realidade – a massa das partículas elementares – só pode ser definido pelos físicos como objeto matemático. Esse fato sugere que, no que tange à física, o cosmos inteiro é feito de nada mais que uma enorme sopa de informação potencial, que só pode ser descrita com o emprego de abstrações mentais – ou objetos matemáticos, caso prefira o jargão mais técnico – altamente elaboradas, criadas por alguns dos mais brilhantes cérebros humanos. Por essa simples razão, para o desgosto de alguns dos meus amigos físicos (não todos), o universo humano é a única descrição possível do cosmos disponível para nós. Aparentemente, Lewis Mumford já havia descoberto isso algum tempo atrás, quando escreveu que "é somente através da iluminação pela mente do homem que o drama cósmico e humano faz sentido".

Antes que alguém reclame que estou isentando as minhas próprias teorias sobre o cérebro das limitações fundamentais discutidas até aqui, vale dizer que não há dúvida alguma na minha própria mente de que qualquer teoria criada por nós sofre das mesmas restrições neurobiológicas. Quando neurocientistas tentam encontrar explicações sobre o funcionamento do nosso cérebro, eles sofrem com as mesmas limitações enfrentadas pelos físicos que tentam explicar a realidade material. A única vantagem que os neurocientistas têm sobre os nossos colegas físicos é que um número maior de nós está propenso a admitir que chegou a hora de posicionar o cérebro humano no centro do universo humano e passar a considerar o cérebro do observador quando propomos as nossas teorias científicas.

Em resumo, não podemos mais ignorar que todas as abstrações matemáticas propostas para explicar a existência de uma realidade objetiva que é independente do ser humano são, na verdade, produtos do cérebro humano, não de algum processo independente que existe no universo por si só. Os físicos costumam responder a essa afirmação com a objeção de que, uma vez que o universo existe há muito mais tempo que nós, nem a existência humana nem a nossa experiência subjetiva e as nossas percepções podem explicar uma realidade existente antes da nossa aparição no cosmos.

Usando o mesmo raciocínio, podemos retrucar que não faz o menor sentido que um universo que existiu por bilhões e bilhões de anos antes do surgimento da nossa espécie seja explicado unicamente pela lógica e pela matemática que derivam das propriedades neurobiológicas intrínsecas do cérebro humano. As chances de que algo assim ocorra são basicamente nulas. Portanto, as leis da física só podem ser consideradas universais em relação ao cérebro humano e à sua mais espetacular criação, o universo humano, mesmo porque, em última análise, tanto a concepção teórica como a validação experimental dessas leis são realizadas pelo mesmo protagonista central: o cérebro humano.

Na realidade, a física sofre de um problema muito conhecido da pesquisa biomédica: a falta de um grupo-controle. Para provar que as leis da física derivadas do cérebro humano são universais, seria necessário comprovar que outras formas de vida inteligente, provenientes de partes distintas do universo, desenvolveram e comprovaram as mesmas leis que nós, seres humanos, usamos para explicar o cosmos. Infelizmente, esse experimento não é factível. Pelo menos não até o presente.

O que isso tudo significa? Simples. Para os seres humanos não há como escapar da caverna de Platão. Como Tagore explicou, de forma poética e eloquente, para o grande Einstein, o que chamamos de "universo" só pode ser experimentado, descrito e compreendido pelas sombras de uma realidade elusiva que é continuamente esculpida nas profundezas da mente humana, como um subproduto do ponto de vista peculiar de seu cérebro. Assim, em perfeita coerência com a visão do filósofo austríaco Ludwig Wittgenstein e dos teoremas de Kurt Gödel, uma descrição puramente matemática da realidade nunca será suficiente para descrever o todo de complexidade que define o universo humano. Como essa afirmação pode soar chocante em alguns cantos do mundo acadêmico contemporâneo, essa asserção implica que nós, cientistas, precisamos humildemente aceitar que o nosso modo tradicional de fazer ciência talvez não seja amplo e abrangente o suficiente para descrever a totalidade do universo humano.

Como cientista profissional, não antecipo tragédias nem derrotas nesta conclusão. Pelo contrário, antevejo uma enorme oportunidade de reflexão e mudança de hábitos antigos e ultrapassados. Isso não significa, de forma alguma, que nós, cientistas, tenhamos que nos valer de qualquer visão mística, religiosa ou metafísica, mas devemos notar as limitações da nossa arte.

Depois de séculos de disputas intelectuais – nas quais uma série de abstrações matemáticas altamente elaboradas se degladiaram pela conquista do privilégio de definir a melhor narrativa que a nossa espécie pode oferecer para descrever o universo –, o platô alcançado nos revelou conclusões surpreendentes. Não somente é a natureza, bem no centro do seu cerne quântico, não computável e, portanto, não determinística de acordo com a crença newtoniana e laplaciana, mas, ao contrário da "religião" profunda de Einstein, não existe realidade objetiva sem o filtro imposto pelo cérebro do observador. Como este é um universo humano, é o nosso cérebro que ocupa o seu centro. E isso é totalmente adequado, uma vez que, como Tagore ensinou, ao contrário de outras abstrações, só existe um universo que de fato importa para nós: aquele que criamos.

Nas palavras de Niels Bohr:

Na física, lidamos com situações muito mais simples do que aquelas da psicologia e, ainda assim, aprendemos continuamente que a nossa tarefa não é investigar a essência das coisas – não temos a menor ideia do que isso significa –, devemos, sim, desenvolver conceitos que nos permitam conversar de forma proveitosa sobre os eventos da natureza.

Isso nos leva aos últimos dois-pontos deste capítulo. Outro resultado surpreendente derivado da proposta de adotar-se uma cosmologia cerebrocêntrica é a predição de que, se existem coisas no universo que são mais complexas que o nosso cérebro, elas estarão para sempre fora do alcance da compreensão que nós, seres humanos, possuímos. Nesse contexto, os fenômenos que chamamos de "processos aleatórios" podem apenas representar eventos situados fora das fronteiras da lógica compreendida pelo cérebro humano. Visto por esse prisma, como o meu amigo Marcelo Gleiser gosta de dizer, o universo humano pode ser metaforicamente comparado a uma pequena ilha de conhecimento cercada por um vasto oceano de entropia que, dadas as limitações do cérebro humano, jamais será navegado pela mente humana.

Longe de constituir um grande desapontamento, a analogia oferece uma verdadeira dimensão da magnificência e da singularidade daquilo que, como espécie, fomos capazes de alcançar coletivamente por um processo cuidadoso de edificação e aperfeiçoamento dessa ilha de conhecimento ao longo de milhões de anos. Digo isso porque, até que alguma evidência concreta seja encontrada sobre a existência de outro tipo de vida extraterrestre, o universo humano constitui a mais refinada realização mental já alcançada por uma forma de vida inteligente que ousou emergir, ascender e mobilizar uma porção extra de coragem e perseverança para deixar a sua pegada mental neste vazio, gélido e, para sempre, misterioso cosmos.

Como já mencionei, a abordagem cerebrocêntrica implica que, para obter a mais acurada definição possível do que existe no cosmos, a descrição e a interpretação definitiva da realidade requerem a inclusão do ponto de vista do cérebro do observador. Quando extrapolada para incluir a totalidade do universo humano, essa visão propõe que, para descrever de forma apropriada todo o cosmos humano, teríamos que levar em conta o ponto de vista de todos os cérebros, de todos aqueles observadores humanos que caminharam pela Terra e tiveram a oportunidade de, durante pelo menos alguns segundos, experimentar as maravilhas ao seu redor.

De fato, em um universo feito de informação em potencial, nada realmente acontece, nada leva a nada, e nada adquire relevância até que o cérebro de um observador ou de uma *Brainet* decida carimbar significado a um conjunto de observações nuas. Ao realizar esse ato tão fundamental da espécie, cada um de nós adiciona um pequeno grão de conhecimento nas praias da ilha do conhecimento, aquelas criadas pelas indagações realizadas desde quando os nossos primeiros ancestrais ousaram levantar a cabeça para contemplar o céu em uma noite estrelada e, fascinados, pela primeira vez questionaram de onde tudo aquilo teria surgido.

De acordo com essa nova cosmologia, a qualquer momento no tempo, o universo humano é definido pelo amálgama coletivo, numa única entidade, de cada ato de observar, viver, pensar, refletir, criar, relembrar, imaginar, amar, cultuar, odiar, entender, descrever, matematizar, compor, pintar, escrever, falar, cantar, perceber e experimentar.

Você não precisa acreditar em mim para aceitar essa definição. Apenas escute o que o grande físico americano John Wheeler tinha a dizer no fim da carreira. Considerando os resultados conflitantes obtidos pelo experimento das duas ranhuras verticais, Wheeler propôs um experimento mental no qual ele previu que, ao observar hoje a luz gerada bilhões de anos atrás por uma estrela distante, um observador no planeta Terra poderia mudar a manifestação de um subfeixe dessa mesma luz estelar que se espalhou por outras regiões do universo. Ou seja, Wheeler propôs que a observação realizada hoje por um humano poderia mudar a natureza da luz emitida em um passado remoto, por uma estrela localizada bilhões de anos-luz distante de nós. Com base nessa previsão teórica, ele introduziu uma teoria que prevê que o universo só pode ser descrito como um "cosmos participativo", uma vez que tudo o que acontece no universo depende das observações acumuladas por todas as formas de vida inteligente que habitam dentro das suas fronteiras.

Anos depois de Wheeler publicar essa ideia, experimentos evidenciaram a validade das suas especulações por meio do que ficou conhecido como "apagador quântico de decisão adiada". Resumindo, o experimento demonstrou que, se um feixe de luz é dividido de modo a gerar um feixe contínuo formado por pares de fótons entrelaçados e, subsequentemente, cada um dos fótons de cada par é desviado para diferentes regiões de um aparato experimental, demonstra-se que o ato de observar um desses fótons que foi desviado para uma trajetória mais longa altera as propriedades do outro fóton membro do par direcionado a uma trajetória mais curta, mesmo que este último fóton tenha sido detectado oito nanossegundos no passado.

Assim, se eu e você, como observadores do experimento, olhássemos para o fóton que percorreu a rota mais longa e determinássemos que ele se comportava como uma partícula, o simples ato de observação induziria – instantaneamente – o outro fóton que define o par entrelaçado a se comportar também como partícula – e não como onda –, mesmo que este último já tivesse alcançado o detector no fim da rota mais curta alguns nanossegundos antes! Desde a primeira demonstração, nos últimos anos vários laboratórios foram capazes de reproduzir esse fenômeno, gerando mais um grande mistério sem solução na mecânica quântica – a menos que a explicação cerebrocêntrica de John Wheeler seja aceita, o que significaria dizer que a mais abrangente descrição do universo seria aquela definida pela soma de todas as observações realizadas por todas as formas de vida inteligente que o habitam.

Como é possível observar, quanto mais buscamos pelas origens de todos os atributos para definir a nossa descrição humana da realidade – como espaço, tempo, matemática e ciência –, mais as evidências parecem nos conduzir ao mesmo responsável: o Verdadeiro Criador de Tudo.

CAPÍTULO 11
COMO ABSTRAÇÕES MENTAIS, VÍRUS INFORMACIONAIS E HIPERCONECTIVIDADE CRIAM *BRAINETS* LETAIS, ESCOLAS DE PENSAMENTO E O *ZEITGEIST*

Precisamente às 7h30 da manhã do dia 1º de julho de 1916, o silêncio ao redor das águas plácidas do rio Somme, na zona rural do norte da França, foi subitamente interrompido. Um ruído uníssono aterrador: centenas de apitos militares espalharam o alerta por toda a vala profunda e enlameada que definia a trincheira compartilhada pelos exércitos aliados. Ao ouvirem o som fatídico que eles tinham ansiosamente antecipado, por vários dias, mais de 100 mil homens fortemente armados, advindos de todas as classes sociais britânicas e francesas, deixaram para trás tudo o que verdadeiramente tivera significado para eles, ainda na metade da vida, para ascender como uma enorme onda humana da sua posição de relativa segurança no fundo daquele buraco de lama e mergulhar, sem qualquer sinal de hesitação, em um futuro que ninguém poderia imaginar.

No que mais parecia, a distância, um balé ensaiado, aquela gigantesca horda humana, na realidade, reencenou uma trágica coreografia, testemunhada muitas e muitas vezes ao longo da história da nossa espécie, à medida que cada homem, em sincronia com o todo ao redor, escalou a escada que, em mero piscar de olhos, conduzia-lhe ao encontro de seu destino, decidido pelas mãos cruéis daquilo que os soldados proféticamente haviam batizado de "Terra de Ninguém" – os 400 metros de espaço aberto totalmente desprovido de senso de humanidade e que separava cada soldado aliado da primeira linha de defesa alemã.

Uma vez cruzado o portão de entrada daquela bifurcação de vida e morte que a Terra de Ninguém encarnava, apenas a sorte – ou a falta dela – definiria por qual lado da encruzilhada cada homem sairia.

Profundamente imbuídos de devoção pela mãe-pátria e do seu senso individual de honra e dever, esses bravos homens emergiram de seus esconderijos na terra em plena luz matinal, com a esperança de que uma rápida corrida lhes conduzisse à segurança temporária de uma das milhares de crateras intermediárias, geradas por quase 2 milhões de bombas despejadas durante os sete dias de bombardeio intenso precedentes dessa carga de infantaria. Ou, melhor ainda, almejavam alcançar as trincheiras alemãs, supostamente abandonadas devido ao alto número de fatalidades e feridos decorrentes da verdadeira chuva de chumbo e do fogo que caíra sobre o inimigo durante uma semana inteira.

Muitos dos soldados britânicos não tiveram tempo de sentir a textura do solo da Terra de Ninguém sob as suas botas. A única coisa que eles realmente sentiram foi o gosto amargo e mortal daquele solo. Contrariando a ilusão que havia se instalado tanto entre a tropa como por todo o alto-comando das forças aliadas, antes daquela carga de infantaria fúnebre os alemães haviam suportado o bombardeio aliado de forma estoica, enterrando-se nas profundezas de abrigos e *bunkers* fortificados por aqueles sete dias infernais. Assim, ao notar a mudança de padrão da artilharia britânica na manhã daquele 1º de julho, os alemães logo emergiram dos abrigos para ocupar as primeiras linhas de defesa e, a partir dessas trincheiras, usar suas poderosas metralhadoras e dizimar as infantarias britânica e francesa. No momento em que os soldados aliados deixaram o refúgio das trincheiras, os alemães estavam mais que prontos para lidar com o assalto aliado.

A primeira onda de ataque britânico, ao norte do flanco esquerdo e no centro, foi recebida com uma parede densa de chumbo formada por disparos contínuos de metralhadoras, acompanhada por um bombardeio de artilharia que, imediatamente, indicava que qualquer avanço aliado viria com um custo humano sem precedentes. Foi no meio dessa junção que, tendo por fim recebido a resposta que eles mais temiam, centenas de homens começaram a cair, feridos gravemente ou simplesmente mortos, ao longo de toda a Terra de Ninguém.

Ainda assim, pela maior parte daquela manhã, onda após onda de infantaria britânica mergulhou em um inferno que, baseado em todas as descrições, constituiu a mais próxima definição de morte certa que alguém poderia experimentar.

Até hoje, a dimensão da tragédia humana que se desenrolou às margens do Somme, como resultado da decisão cruel e inconsequente do alto-comando britânico em continuar a mandar milhares de homens para uma verdadeira pira de sacrifício, permanece uma ferida aberta na consciência nacional, particularmente depois que vieram à tona provas de que essa verdadeira calamidade humana foi concebida a partir de estratégia e tática militares cheias de equívocos e inúmeras ilusões infundadas.

Ao fim do primeiro dia de uma das mais sangrentas batalhas da Primeira Guerra Mundial, os britânicos feridos somaram quase 57.470, dos quais 19.240 foram mortos. Essas cifras indicam que quase seis de cada dez soldados do ataque inicial foram mortos ou feridos em um único dia de combate.

Essa filosofia de engajamento militar determinou que as tropas em ambos os lados seriam trucidadas, dia após dia, até que fossem pulverizadas ou reduzidas a pedaços irreconhecíveis de carne humana, pelas mais modernas tecnologias de matança disponíveis para os exércitos nos dois extremos desse conflito. De fato, a convergência perfeitamente cronometrada de tecnologias múltiplas, orquestrada pelos complexos industriais militares, tanto da Inglaterra como da Alemanha, desempenhou papel central em determinar não apenas a quantidade exorbitante de feridos e mortos, mas também a extrema gravidade dos ferimentos gerados nos combates ao longo do Somme.

De acordo com Peter Hart em *The Somme* [O Somme], a determinação quase fetichista de empregar novas tecnologias de ataque em massa incluiu, somente do lado britânico, o equivalente a 1.527 modernas peças de artilharia – cada uma posicionada a apenas 20 metros da outra, ao longo de um *front* de batalha de mais de 25 quilômetros –, capazes de aniquilar, no caso dos canhões de cargas de 60 libras, alvos a 10,5 quilômetros de distância, além de metralhadoras capazes de cuspir mortes a uma taxa de quinhentos disparos por minuto, atingindo alvos a 4,5 quilômetros de distância; granadas de mão de alta letalidade; minas; e, à época, a última geração de rifles de repetição. Bombardeios com gás venenoso foram usados de maneira disseminada e em quantidades profusas para atormentar impiedosamente as trincheiras inimigas de ambos os lados da Terra de Ninguém. No Somme, pela primeira vez o Exército britânico introduziu tanques em um campo de batalha, em um presságio macabro daquilo que seria norma na Segunda Guerra Mundial.

Em *A era dos extremos*, o renomado historiador britânico Eric Hobsbawm abordou a questão central que ainda choca quem examina o grau de devastação que atingiu a Europa pela decisão catastrófica que as maiores potências daquele continente tomaram de resolver as suas diferenças, em 1914, não pela diplomacia, mas por uma guerra de aniquilação total. Na visão de Hobsbawm, a principal pergunta a ser formulada, na tentativa de explicar essa hecatombe humana sem precedente, é a seguinte: "Por que a Primeira Guerra Mundial foi travada pelas potências dos dois lados como um jogo de soma nula, isto é, como uma guerra que podia ser apenas totalmente ganha ou perdida?".

Para essa pergunta, ele ofereceu a seguinte resposta:

A razão foi que se tratou de uma guerra diferente de outras que a antecederam, as quais eram travadas seguindo objetivos limitados e específicos, com base em fins não delimitados. Na era dos impérios, a política e a economia fundiram-se. A rivalidade política internacional passou a ser modelada com base no crescimento e na competição econômica, cuja característica básica era a ausência de limites definidos.
[...]
Mais concretamente, para os dois maiores adversários daquele conflito, Alemanha e Grã-Bretanha, o céu era o limite, dado que a Alemanha queria atingir a posição política global e marítima ocupada pela Grã-Bretanha – desejo que automaticamente relegaria um status inferior a um já decadente Reino Unido. Essa guerra só poderia ter um vencedor.

Na cosmologia cerebrocêntrica que proponho, nações, impérios e corporações multinacionais são, como a matemática elaborada, propriedades emergentes dos princípios primitivos embutidos no nosso cérebro. Enquanto a matemática de alto nível surge dos princípios básicos da lógica, da geometria e da aritmética, como visto no Capítulo 10, acredito que essas estruturas político-econômicas de grande escala têm suas origens no conjunto das interações sociais primordiais cultivadas desde as nossas humildes origens tribais. No limite, essas estruturas político-econômicas tentam superar o fato de que, como visto no Capítulo 2, uma vez que o número de indivíduos de agrupamentos humanos supera 150, existe uma necessidade de impor sistemas de supervisão – como os diferentes níveis de administração de uma empresa, a Constituição e as leis de um país, as regras e os regulamentos de uma economia. Nesse sentido, o fato de que um número elevado de pessoas está disposto a morrer em nome da fidelidade a entidades simbólicas, como a pátria, uma ideologia política ou um sistema econômico, demonstra quão poderosas, e fatais, as abstrações mentais e as crenças podem ser para o comportamento e o destino de sociedades humanas.

Essa afirmação pode ser confirmada pela dimensão da carnificina humana ocorrida na batalha do Somme. Ao fim das hostilidades, no dia 18 de novembro de 1916, aproximadamente 3 milhões de soldados, de ambos os lados, haviam entrado em conflito. Destes, mais de 1 milhão – ou um terço – deixou o campo de batalha ferido ou morto. Esses números tornam-se ainda mais exorbitantes quando nos damos conta de que, em troca de 623.917 feridos e mortos, as forças aliadas não conseguiram avançar, durante toda a duração da batalha, mais de 8 quilômetros dentro do território ocupado pelos alemães. Ao término desse verdadeiro triturador de carne humana que custou tantas vidas, nenhum dos dois lados alcançou algo próximo da vitória decisiva que ambos ambicionaram. Do Somme, como em tantas outras batalhas na história, as únicas coisas que sobraram foram registros históricos, memórias dolorosas, medalhas feitas de metal barato, um exército de órfãos e viúvas e vastos cemitérios.

Escolhi a batalha do Somme para ilustrar o meu ponto de vista não somente pelo profundo simbolismo que ela carrega – no que tange à demonstração cabal da futilidade e do horror de qualquer guerra –, mas também porque retrata, em uma forma trágica e poderosa, como abstrações mentais específicas são usadas, ao longo da história, para trancafiar milhares ou milhões de mentes humanas em uma *Brainet* tão coesa, tão sincronizada, que os participantes, usualmente representados por indivíduos comuns, quando vistos no isolamento da vida corriqueira, uma vez recrutados por um lema coletivo, dispõem-se a sacrificar tudo por uma causa que, na maioria das vezes, eles não podem definir nem compreender claramente.

Sem diminuir de forma alguma o tremendo heroísmo e a coragem de todos os homens que lutaram e morreram, em ambos os lados do cemitério a céu aberto conhecido como Terra de Ninguém, a batalha do Somme oferece um perfeito exemplo de como grandes grupamentos humanos podem ser levados ao limite do que toleram física e mentalmente quando uma abstração mental é empregada, ou manipulada o suficiente, para sincronizar o cérebro desses indivíduos em uma única entidade coletiva.

Por um instante, coloque-se no lugar de um soldado de 18 ou 19 anos, agachado em uma trincheira, continuamente atordoado pelo bombardeio sem fim e pelos gritos desesperados dos feridos, testemunhando o massacre que se desenrola à frente, e imagine como você reagiria quando, apesar de ver milhares de corpos sem vida amontoados por toda a Terra de Ninguém, o seu número fosse chamado pelo soprar de um daqueles apitos? Como seria sentir que era a hora de escalar aquela escada de madeira, que já havia conduzido um sem-número de colegas de infância em direção àquela chuva escaldante de balas mortíferas e repetir o mesmo gesto, sabendo que a conclusão desse ato já era fato consumado? Que razão poderia fazer com que você aceitasse realizar aquele último passo, esperando encontrar nada mais que o abraço gélido da morte ou, no mínimo, uma vida inteira de sofrimento e desfiguração? Posso até ouvir a sua resposta reflexiva: coragem, patriotismo, bravura, senso de moral e dever para com o seu país e a sua família. Certamente, esses e outros sentimentos genuínos e sublimes contribuiriam, em parte, para a força condutora que faria você enfrentar chances, tão irracionais quanto mínimas, de sobrevivência, derrotando o medo e o terror, em vez de se recusar a sair da trincheira, como alguns soldados fizeram, ou correr o mais rápido possível para longe daquele inferno.

No entanto, de onde esses sentimentos vieram? Em cada um daqueles soldados, o que favoreceu a capacidade de superar a racionalidade, a ponto de permitir que eles ignorassem qualquer tipo de julgamento lógico, que intuitivamente os induziria a garantir, em primeiro lugar, a sua autopreservação e a sua segurança, mas que, pelo contrário, os havia colocados em risco mortal?

Por mais surpreendente que pareça, proponho que esses comportamentos e essas atitudes contraintuitivas ocorrem porque o cérebro humano é extremamente suscetível a abstrações mentais que apelam aos nossos instintos básicos, também conhecidos como "arquétipos primitivos". Estes, uma vez embutidos nos circuitos neurais subcorticais dos nossos ancestrais pelo processo de seleção natural, milhões de anos atrás, foram transmitidos pela árvore evolucionária humana até serem enterrados nas profundezas do nosso cérebro de *Homo sapiens*, como parte de uma herança silenciosa.

Para os que ainda duvidam, gostaria de enfatizar que essa discussão é extremamente pertinente porque, ao elucidar os mecanismos neurofisiológicos promotores da formação dessas *Brainets* humanas, surge uma hipótese neurobiológica para explicar como, ao longo dos seis mil anos de que há registro da história da nossa espécie, ocorreram inúmeros momentos nos quais grandes grupamentos sincronizaram seu cérebro para formar *Brainets* poderosas.

Uma vez exposta ao "chamado" para defender e sustentar uma abstração mental dominante – uma nação, uma religião, um grupo étnico, um sistema econômico ou uma ideologia política, para citar apenas alguns exemplos –, que apela diretamente para crenças primitivas e profundamente arraigadas na mente humana, essas *Brainets* são capazes de declarar guerra total contra o seu próprio clã ou se engajar na dizimação de qualquer outro grupo humano.

Da imensa frota grega que navegou pelo mar Mediterrâneo, entre os séculos XII e XIII a.C., para alcançar a costa de Troia, simplesmente com o objetivo de vingar a honra marital arranhada de Menelaus, rei de Esparta, e resgatar a sua rainha, Helena, dos braços do jovem Paris, à custa da total destruição da civilização troiana, à guerra civil síria, mais de três mil anos depois, travada em um campo de batalha mediterrâneo próximo e que até este momento já havia matado, ferido ou deslocado milhões de pessoas, o padrão parece se repetir, com poucas nuanças, uma vez que todos esses eventos são reanalisados sob o ponto de vista da cosmologia cerebrocêntrica.

Embora os fatos específicos variem, o cerne parece ser sempre o mesmo: primeiro uma abstração mental, sem qualquer conexão com a realidade, é selecionada como a razão pela qual uma guerra total deve ser declarada ou um genocídio deve ser cometido; a seguir, uma mensagem em apoio a esse tipo de ação irracional é disseminada por dado grupo social humano, usando os mais eficientes meios de comunicação disponíveis, de sorte que um número elevado de pessoas sincronize seu cérebro em uma *Brainet* com a missão de sustentar e concretizar o objetivo de vitória a qualquer custo e com a erradicação total do inimigo.

De modo geral, de acordo com a minha teoria, esse é o esboço do processo de formação, sincronização e engajamento das *Brainets* humanas com alto grau de coesão que, ao longo da história, cometeram atrocidades bárbaras sob o pretexto, para citar alguns exemplos, de disputas religiosas, preconceito étnico, social e racial, conflitos imperiais, interesses econômicos nacionais, disputas de fronteiras imaginárias, busca de monopólios comerciais, ganhos financeiros, ideologias políticas, manobras geopolíticas e tantas outras formulações e conceitos abstratos; estes, todavia, serviram para justificar a demonização, a perseguição, a injúria, a segregação, a tortura, a morte e o extermínio do inimigo.

Uma vez engajadas em uma dessas *Brainets*, como os soldados da batalha do Somme, hordas de homens e mulheres ensandecidos são capazes de marchar em direção ao objetivo comum, mesmo que isso signifique, em casos extremos, a sua autoaniquilação ou, em outro extremo, unir-se para cometer atrocidades sem limites contra seres humanos – atos que, individualmente, antes de serem recrutadas para fazerem parte de tais *Brainets*, essas pessoas jamais teriam concebido. Como François-Marie Arouet, mais conhecido como Voltaire, uma vez disse: "Se eles conseguem fazer com que você acredite em absurdos, eles podem fazer com que você cometa atrocidades".

A sabedoria de Voltaire, datada do século XVIII, captura a essência da minha tese, uma vez que nos ajuda a entender como a mistura altamente combustível de abstrações mentais poderosas, criada ao longo dos últimos cento e cinquenta anos – por exemplo, o fanatismo religioso e a moderna encarnação de tribalismo, patriotismo e nacionalismo, superioridade racial e étnica –, num processo de contínua aceleração e refinamento dos meios de comunicação de massa, bem como dos de exterminação humana, tem contribuído para definir as eras da modernidade e da pós-modernidade, que se estende do meio do século XIX aos nossos dias.

Como aconteceu no passado, a abstração mental dominante desse tempo foi identificada, expressa e dissecada de forma mais vívida pela arte. De certa forma, as manifestações artísticas ocuparam a vanguarda do anúncio dos novos tempos. No caso das primeiras quatro décadas do século XX, quando todo o planeta foi engolido por duas guerras cataclísmicas, duas pinturas capturaram o sentimento de horror e desespero experimentado por dezenas de milhões de pessoas mundo afora: *O grito*, do pintor expressionista norueguês Edvard Munch, e uma das mais reconhecidas obras de arte produzidas por Pablo Picasso, *Guernica*, na qual o pintor andaluz retratou, com uma paleta sinistra em preto, branco e cinza, a tragédia e o ultraje causados pelo bombardeio do vilarejo basco e que serviu de símbolo ideológico da Segunda Guerra Mundial por esquadrões das Forças Aéreas alemã e italiana, em apoio ao futuro ditador espanhol, Francisco Franco, durante a guerra civil espanhola.

Para apreciar quão cataclísmicas podem ser as consequências da transmissão de abstrações mentais por "vírus informacionais" capazes de sincronizar milhões de mentes humanas – que, individualmente, não constituem riscos, mas, como parte do todo das *Brainets*, transformam-se em agentes capazes de produzir níveis devastadores de destruição humana –, eu gostaria de citar três exemplos emblemáticos de tragédias antropogênicas.

Entre 1851 e 1864, a guerra civil chinesa, também conhecida como Rebelião Taipan, explodiu como resultado de disputa religiosa entre a dinastia Qing, no poder, e o movimento cristão (conhecido como Taipan Reino dos Céus), e culminou em algo entre 40 milhões e 100 milhões de mortes, dependendo de quem conta a história. A conquista espanhola do México e do Peru, motivada pela ganância insaciável por ouro e prata, matou cerca de 33 milhões de astecas e incas. E o número total de fatalidades da Segunda Guerra Mundial foi de cerca de 60 milhões, ou aproximadamente 3% da população mundial.

Vinte e cinco anos atrás, um dos mais inacreditáveis e desconcertantes exemplos de assassinato em massa desenrolou-se sob os olhos de todo o mundo, em um período de não mais que cem dias, em Ruanda – país anteriormente apelidado de "Suíça africana", dado o esplendor de suas cadeias de montanhas cobertas por uma floresta tropical exuberante. O genocídio de Ruanda, em 1994, é um lembrete macabro de que, uma vez que uma abstração mental espalha-se e passa a ser aceita indiscriminadamente como "verdade", catástrofes antropogênicas de proporções épicas têm grande possibilidade de ocorrer.

No caso de Ruanda, 1 milhão de pessoas pereceram em um conflito étnico cujas origens estiveram na decisão dos governos coloniais europeus de dividir, de maneira arbitrária, a população nativa do país. Sob qualquer ponto de vista antropológico ou social, o povo era homogêneo, compartilhava linguagem, cultura e religião, e foi segregado em dois grupos que passaram a competir entre si, os tútsi e os hutu. A divisão se deu de forma arbitrária e ditatorial pelos poderes coloniais que ocuparam o país – primeiro os alemães e depois os belgas.

Além de promover a divisão étnica artificial, as autoridades europeias instituíram uma política enviesada, que favorecia, em várias dimensões, os indivíduos tútsi. Eram oferecidas a eles as melhores oportunidades de educação, emprego, ganho econômico e ascensão social, uma vez que esse grupo étnico foi arbitrariamente selecionado para ocupar as melhores posições do serviço público do país, bem como preencher os cargos mais importantes do regime fantoche que governava Ruanda em nome dos interesses dos colonizadores.

Desprovida das mesmas oportunidades, a população hutu foi condenada, sem possibilidade de defesa ou recurso, à miséria crônica. Como resultado previsível da segregação socioeconômica, o ressentimento dos hutu pelos tútsi aumentou durante as décadas de domínio colonial, culminando em conflitos violentos ao longo dos anos.

Esses incidentes prenunciaram um massacre de proporções bíblicas, e tudo porque as autoridades coloniais haviam decidido dividir um povo sem justificativas a não ser os próprios preconceitos, favorecendo os tútsi por serem "mais altos, de pele mais clara, mais ricos e empreendedores e com feições faciais mais leves".

Ironicamente, uma das características que guiaram a divisão em tútsi e hutu foi basicamente o diferencial (por volta de 12 centímetros) que separava as classes mais abastadas e mais pobres que habitavam as diferentes vizinhanças das metrópoles europeias, como Londres, no século XIX.

A carnificina ruandesa começou em 6 de abril de 1994, quando o avião que transportava o então presidente Juvénal Habyarimana, líder de um governo formado majoritariamente por membros hutu, foi abatido ao se aproximar do aeroporto de Kigali, capital do país. Naquela manhã, inflamados por programas de rádio que incitavam a população hutu a vingar a morte do seu maior líder, liberando a ira acumulada por décadas, as Forças Armadas, a polícia e milícias hutu começaram a caçar e executar sumariamente, a sangue frio, milhares de civis desarmados, cujo único crime cometido havia sido receber um cartão de identidade que lhe conferia filiação à etnia tútsi.

Durante a crescente onda de formação da *Brainet* hutu, que antecedeu o genocídio, estações de rádio que disseminavam por meses a fio a propaganda de ódio hutu foram instrumentais no processo contínuo de demonização e desumanização da comunidade tútsi. As estações indicaram que, no momento decisivo, ordens seriam transmitidas para coordenar o "ataque final" ao inimigo – e todos deveriam se preparar.

Quando, por fim, o momento chegou, todos os membros da *Brainet* genocida estavam prontos. Armados com facões, facas, foices e outras ferramentas ou apetrechos capazes de desferir golpes mortais, dezenas de milhares de hutu desencadearam um extermínio contra vizinhos, colegas de escola e de trabalho, conhecidos e totalmente desconhecidos tútsi, sem sinal de misericórdia. Ninguém ficou a salvo do tsunâmi de sangue que envolveu o país – nem crianças de colo, nem mulheres indefesas, nem idosos. Todos os capturados cujo cartão de identidade indicasse origem tútsi foram imediatamente assassinados.

O genocídio ruandês, como inúmeros outros, é um exemplo sombrio e um lembrete amargo tanto do alcance como do poder das forças letais que podem ser geradas e liberadas quando um grande agrupamento humano sincroniza cérebros em resposta a uma mensagem disseminada, particularmente uma que eleva uma abstração mental distorcida ao *status* de verdade universal – algo cuja veracidade está acima de qualquer questionamento, algo tão irrefutável e evidente em cada uma das mentes que se sincronizaram a ponto de nenhum tipo de intervenção racional ou lógica ser capaz de remover dos cérebros cooptados como adeptos e fiéis.

No momento em que uma *Brainet* humana com essas proporções se forma, não faz diferença se falamos de hutus e tútsis em Ruanda ou de generais de dois exércitos inimigos se digladiando na Primeira Guerra Mundial: uma vez perdido no nevoeiro desorientador de um conflito entre grupos manipulados, ninguém está imune de ser arrastado para uma *Brainet* altamente sincronizada e capaz de produzir consequências nunca antes imaginadas ou defendidas pelos seus membros enquanto indivíduos.

Depois de refletir sobre a natureza desses comportamentos humanos coletivos catastróficos, no contexto dos resultados obtidos estudando *Brainets* criadas no meu laboratório, concluí que esses exemplos de total impermeabilidade coletiva a qualquer tipo de pensamento racional – batalha do Somme e genocídio ruandês, além de tantas outras calamidades indescritíveis causadas pela humanidade – podem ser pelo menos parcialmente explicados pelo mecanismo discutido em capítulos anteriores deste livro. Em suma, proponho que comportamentos humanos coletivos catastróficos emergem, basicamente, da capacidade de o cérebro social de primata estabelecer *Brainets* altamente sincronizadas, envolvendo muitos indivíduos (podendo chegar a centenas de milhões ou mesmo bilhões de pessoas).

Nos casos extremos deste capítulo, a sincronização intercerebral envolve tanto estruturas corticais como subcorticais, além do córtex motor, principal envolvido na *Brainet* formada nos experimentos com a dupla Passageiro e Observador, citada no Capítulo 7.

Para atingir a sincronização intercerebral necessária para desencadear ações tão letais, algumas condições são necessárias. Primeiro, uma abstração mental precisa emergir e ser disseminada de maneira ampla por um grupo social, a ponto de ser aceita pela vasta maioria dos participantes, como visão de mundo consensual ou verdade universal. Invariavelmente, para cruzar esse patamar, a nova abstração mental tem que apelar, em um nível básico, aos instintos mais primitivos embutidos no nosso cérebro social: o desejo quase obsessivo de pertencer a um grupo tribal coeso e seletivo, que compartilha valores, crenças, preconceitos e visões comuns de mundo e, ainda mais fundamental, a disposição de lutar para repelir inimigos, a representação do arquétipo do "demoníaco" a ser neutralizado e destruído a qualquer custo, uma vez que é a causa de todos os males que ameaçam o modo de vida da tribo. Em outras palavras, uma vez que, como outros animais, os seres humanos contêm, na profundeza do cérebro, traços e restos de comportamentos instintivos fixos que provaram ser de grande valor adaptativo no passado evolucionário da nossa espécie, todos nós somos suscetíveis à persuasão (e à sincronização) das abstrações mentais que apelam às crenças primitivas e aos seus padrões comportamentais estereotipados. O recrutamento para uma *Brainet* pode ocorrer com facilidade, apesar do desenvolvimento exacerbado do córtex e, consequentemente, da nossa habilidade de aprender normas sociais de comportamento, valores éticos e morais por meio do processo educacional oferecerem defesa ou obstáculo para a livre expressão dos instintos primitivos.

Como observamos há pouco, uma vez que uma abstração mental torna-se dominante dentro de um grupamento humano, para eclodir ela precisa de uma mensagem, a qual chamo de "vírus informacional", e um meio para disseminá-la.

Uma vez que essa *Brainet* cruza certo patamar de adesões, ela começa a operar como um dos sistemas dinâmicos não lineares descritos originariamente pelo gênio matemático francês Henri Poincaré, um sistema cujo comportamento global se torna imprevisível. Ao mesmo tempo, à medida que penetra em um regime de comportamento tão imprevisível como incontrolável, a *Brainet* humana pode perpetrar todo tipo de violência visto em guerras, revoluções, genocídios e outras variações de tragédias antropogênicas.

No caso específico do genocídio ruandês, como vimos, durante os meses que precederam o evento, o rádio foi o meio de escolha para a disseminação do ódio. Ao mover a sincronização dos instintos tribais de milhões de hutu para além de um patamar crítico, houve a liberação de uma avalanche irracional que levou ao juízo final dezenas de milhares de tútsi.

Em geral, a minha noção de repertório compartilhado de modos inatos de pensamento e comportamento, permeando todos os cérebros humanos, como precondição para a criação de *Brainets* de grande escala, é de alguma forma semelhante ao conceito clássico do "inconsciente coletivo", originariamente proposto pelo psiquiatra suíço Carl Jung. A semelhança fica evidente ao examinarmos uma das descrições de Jung sobre o papel do inconsciente humano, que ele dividia da seguinte maneira:

> *Uma camada mais ou menos superficial do inconsciente é indubitavelmente pessoal. Eu a chamo de "inconsciente pessoal". Mas esse inconsciente pessoal se situa sob uma camada mais profunda e não deriva de experiências pessoais*

porque não pode ser adquirido ao longo da vida, mas, ao contrário, é inato. Essa camada profunda eu chamo de "inconsciente coletivo".

Em outras passagens, Jung elabora a sua definição do inconsciente coletivo:

Escolho o termo "coletivo" porque esta parte do inconsciente não é individual, mas universal; em contraste com a psique pessoal, ele possui conteúdos e modos de comportamento que são mais ou menos os mesmos em todos os indivíduos, em todos os lugares. Em outras palavras, ele é idêntico em todos os humanos, constituindo um substrato psíquico comum de natureza suprapessoal, presente em cada um de nós.

Embora Jung em algum momento tenha aplicado conotações místicas à sua teoria do inconsciente, algo que eu certamente não subscrevo, quando aplicada ao contexto a que direcionei a presente discussão, a definição do "inconsciente coletivo", alinhada com o conhecimento neurocientífico disponível hoje, nos permite descrever como se formam as *Brainets* humanas de larga escala. Basicamente, uma vez que um número elevado de cérebros é invadido por uma mensagem que se propaga como um vírus mental, os indivíduos contaminados passam a conferir uma relevância enorme a conceitos altamente abstratos, como o de mãe-pátria, superioridade racial ou étnica, dogmas religiosos, ideologias e sistemas econômicos. Isso é exatamente o que a minha teoria relativística do cérebro pode, no futuro, nos permitir fazer.

Na visão de Jung, há quatro níveis de processos mentais que modulam a forma como nos comportamos. Primeiro, o nível determinado pelas nossas relações sociais. Em geral, o domínio social interpessoal determina certos limites para comportamentos aceitáveis ou não ao impor certo "filtro social" ou uma força de contenção que circunscreve as nossas ações cotidianas. Depois, o nível da ação consciente, aquele que confere a cada um de nós a nossa identidade, o nosso ego e o nosso senso de ser e pensar por nós mesmos. Os outros dois níveis são reservados ao inconsciente, que Jung divide em dois componentes: o pessoal e o universal. O inconsciente pessoal é determinado antes pelo conjunto de experiências pessoais individuais gradualmente estocadas no cérebro, ao longo da vida, e que ficam alheias ao nosso acesso consciente. Abaixo da camada do inconsciente pessoal, reside o conjunto inato de instintos e comportamentos e pensamentos de padrão fixo que constituem o inconsciente coletivo, que todos compartilhamos de forma mais ou menos semelhante.

Jung tinha plena ciência das consequências trágicas da liberação da energia potencial da força humana, estocada em *Brainets* de grande porte, na forma de comportamentos coletivos.

> *Tão logo o inconsciente nos toca, nós nos transformamos nele – ou seja, ficamos inconscientes de nós mesmos. Esse é o perigo imemorial, conhecido e temido instintivamente pelo homem primitivo, o qual se encontrava muito perto desse precipício. Sua consciência é ainda incerta, balançando nos próprios pés. Ainda na sua infância, tendo emergido recentemente das águas primordiais. Uma simples onda vinda do inconsciente pode facilmente inundá-lo e rapidamente fazê-lo esquecer quem ele é e levá-lo a fazer coisas estranhas ao seu modo de vida. Dessa forma, o homem primitivo sempre foi temeroso das emoções descontroladas, porque a consciência se esfacela e se deixa levar quando sob o seu efeito. Todos os esforços do homem, portanto, foram direcionados ao processo de consolidação da consciência. Esse foi o propósito fundamental por trás dos ritos e dos dogmas: eles funcionavam como verdadeiras represas ou paredes de contenção para mitigar perigos e riscos do inconsciente, "as ameaças da alma". Os ritos primitivos consistem, consequentemente, no exorcismo do espírito, na remoção dos encantos, na repulsão dos presságios demoníacos, na purificação e na produção, através da mágica congenial, de ocorrências úteis.*
>
> *[...]*
>
> *A minha tese, portanto, é a seguinte: além da nossa consciência imediata, que é totalmente de natureza pessoal e que acreditamos ser produto de uma psique empírica (mesmo que com acréscimos obtidos do inconsciente pessoal), existe um segundo sistema psíquico de natureza coletiva, universal e impessoal que é idêntico em todos os indivíduos. Esse inconsciente coletivo não se desenvolve individualmente, mas, pelo contrário, é herdado. Ele consiste de formas preexistentes, os arquétipos, que somente podem se tornar conscientes secundariamente e que dão forma definitiva a certos conteúdos psíquicos.*

Coincidentemente, o exemplo cardinal selecionado por Jung para ilustrar o poder do inconsciente coletivo reflete o clima dominante na Europa, durante os meses que precederam a Primeira Guerra Mundial. Peter Hart descreve em O Somme:

> *O apetite popular pela guerra foi atiçado, então, como agora, pela ação de políticos cínicos e pelos proprietários de jornais de moral opaca; todavia, a fonte que*

alimentava esse sentimento brotava dos recantos escuros da consciência popular. Os imperativos políticos de defender um império inchado, o racismo endêmico e a tese casual, abraçada pela maioria, de uma suposta superioridade moral expressa à época, a confiança cega no uso de ameaças contundentes [de guerra] para atingir objetivos que poderiam ter sido conquistados pelo jogo diplomático mais sutil – estes eram todos componentes da herança inglesa em 1914.

A tese de que rotinas neuronais embutidas no cérebro humano, capazes de gerar comportamentos primitivos, foram responsáveis, em grande parte, pelo incentivo para que milhões de pessoas abraçassem a guerra no começo do século XX, em vez de pressionar os políticos para um acordo pacífico satisfatório à ganância geopolítica das potências europeias, é substanciada por muitos outros conflitos humanos de larga escala sob circunstâncias semelhantes ao longo da história.

Na descrição de Jung sobre o inconsciente coletivo,

quando uma situação ocorrida corresponde a dado arquétipo, este torna-se ativo, levando à compulsão, que, como um impulso instintivo, prevalece sobre qualquer razão e desejo ou, então, produz um conflito de dimensões patológicas, a neurose.

As consequências, então, ficam óbvias:

Quando, em um estado de emoção violenta, dizemos ou fazemos coisas que excedem o ordinário, pouco é preciso para tanto: amor e ódio, júbilo e luto são suficientes para fazer com que o ego e o inconsciente troquem de lugar. Nessas ocasiões, ideias muito estranhas de fato podem tomar posse de pessoas totalmente saudáveis. Grupos, comunidades e nações como um todo podem ser capturados por essas verdadeiras epidemias psíquicas.

Mesmo sem mencionar a evolução natural em semear nas profundezas do nosso cérebro os programas mentais que eventualmente produzem, em cada um de nós, um *fac-símile* de padrões de pensamento, instintos e comportamentos que definem o inconsciente coletivo, Jung enfatiza a relevância do "componente histórico" no processo de formação daquilo que chamo de "ponto de vista próprio do cérebro": "Enquanto pensamos em anos, o inconsciente pensa e vive em milênios".

Jung propõe claramente que o pensamento consciente é um produto muito mais recente, do ponto de vista evolucionário e, como tal, pode ser sequestrado, a qualquer momento, pelo mais antigo e dominante repertório inconsciente de programas mentais. Para ele, "a consciência cresce da psique inconsciente, que é mais antiga e que continua a funcionar com ela [a consciência] ou a despeito dela". "Frequentemente, também, padrões inconscientes se sobrepõem às nossas decisões conscientes, em especial sobre assuntos de vital importância."

A convergência das ideias de Jung com os conceitos mais operacionais e baseados em achados neurofisiológicos propostos neste livro sugere uma abordagem interessante para dissecar os mecanismos que têm permitido, ao longo de milhares de anos, a criação de *Brainets* humanas de larga escala. Com base nesse esquema, devemos separar o papel das abstrações mentais – que, ao longo da nossa história, tornaram-se dominantes em grupos sociais humanos e, consequentemente, adquiriram poder de apelar para os nossos arquétipos primitivos – daquele dos meios de comunicação que permitiram ao cérebro humano se sincronizar de forma coesa, uma vez que um vírus informacional disseminou-se a ponto de infectar muitos indivíduos ao mesmo tempo.

Neste ponto, é importante enfatizar que a minha definição de vírus informacional é diferente do neologismo usado pelo biólogo evolucional britânico Richard Dawkins para explicar como "memes" têm tamanho alcance. Na minha definição, um vírus informacional é basicamente uma abstração mental capaz de funcionar como poderoso agente ou sinal sincronizador que leva à formação de grandes *Brainets* humanas. Dawkins introduziu o termo "meme" em seu livro *O gene egoísta* para descrever como uma ideia, um comportamento ou uma manifestação cultural se espalha em uma população, segundo um processo que lembra uma infecção viral.

Seguindo essa definição inicial, alguns autores propuseram que um meme é equivalente a "uma unidade cultural" cuja transmissão – ou infecção – é governada pelas mesmas leis da evolução natural. Embora interessante, essa visão não é a que uso quando me refiro a vírus informacionais no contexto da sincronização de *Brainets*.

Mudemos agora a atenção para o outro componente essencial no processo de amalgamação mental que leva ao estabelecimento das *Brainets* de larga escala capazes de nos conduzir a atos de atrocidade deploráveis contra outros membros da nossa espécie. Para tanto, temos que discutir como diferentes estratégias de comunicação natural ou tecnologias criadas por nós mesmos impactam os comportamentos coletivos. Tal discussão, para ser minimamente satisfatória, requer alguns conceitos de teoria da mídia, originariamente propostos pelo professor e filósofo canadense

Marshall McLuhan em seu clássico "Os meios de comunicação como extensões do homem".

A grande ideia de McLuhan foi mostrar que os diferentes meios de comunicação usados pelo homem — sejam eles naturais, como a linguagem oral e a música, sejam os resultantes de novas tecnologias criadas por nossa espécie, como linguagem escrita, livros, telefones ou rádios — expandem o nosso alcance, ao mesmo tempo que colapsam as dimensões de tempo e espaço, a ponto de toda a humanidade ser reduzida, do ponto de vista comunicacional, a nada mais que uma "vila global".

Considere, por exemplo, a música. Não é coincidência que todos os países têm um hino nacional, ou que os exércitos se valham de marchas marciais, ou que todas as religiões utilizem cantos sacrocomunitários e que os filmes empreguem trilhas sonoras para seduzir audiências mundo afora. Em todos os exemplos citados, a música provavelmente desempenha papel vital como sinal sincronizador, permitindo que as pessoas se unam a abstrações mentais, como fazer parte de uma nação, combater por um exército ou compartilhar uma crença religiosa. Assim, depois de ouvir uma multidão cantando entusiasticamente *La Marseillaise*, que cidadão francês — ou quem quer que entenda a letra do hino francês — não estaria pronto para defender o seu país, sua bandeira ou sua ideologia? Da mesma forma, quem não passaria a acreditar no Deus cristão se exposto nos primeiros anos de vida à melodia sedutora do coro de peregrinos da ópera *Tannhaüser*, de Wagner, ou ao *Messias*, de Händel?

McLuhan utiliza um dos meus exemplos favoritos para descrever a operação de uma *Brainet* — um estádio cheio de torcedores — e apresentar o poder e o alcance de um meio de comunicação ao sincronizar pessoas e permitir que elas expressem, de modo coletivo, comportamentos sociais primitivos e emoções que permanecem no inconsciente coletivo.

> *O amplo apelo que os esportes contemporâneos, como beisebol, hóquei e futebol americano, têm como modelos exteriores da nossa vida psicológica interna torna-se compreensível. Como modelos, eles representam dramatizações coletivas, não privadas, da vida interior. Como as linguagens coloquiais, todos os esportes são meios de comunicação interpessoal, não tendo existência nem significado exceto como extensões da vida interna imediata.*
>
> *[...]*
>
> *O esporte, como forma de arte popular, não se limita a ser somente uma forma de autoexpressão, mas representa um meio profundo e necessário de interação dentro de uma cultura.*

Nos últimos cinquenta anos, testemunhei em primeira mão os efeitos dessa tese de McLuhan durante excursões por estádios de futebol em muitas cidades do mundo. Nessas visitas, notei que, independentemente do país e da cultura, os padrões de comportamento e os efeitos emergentes destes são sempre os mesmos: uma vez em um desses estádios, pessoas de todas as classes sociais – trabalhadores braçais, doutores, juízes, engenheiros e cientistas – tendem a abdicar das rotinas e das regras habituais de conduta social para se fundir completamente com a multidão que lota as arquibancadas, de sorte a se transformar em uma única voz e corpo ao torcer por seu time do coração (Palmeiras, no meu caso). Uma vez sincronizados, os torcedores passam a entoar canções que jamais cantariam no dia a dia, a dizer coisas que jamais admitirão ter dito depois e a agir de forma que nunca aprovariam ao se desligarem das *Brainets* futebolísticas.

De acordo com a visão proposta por McLuhan, os eventos esportivos "são extensões do nosso ser social, não individual"; basicamente, uma forma de manifestação de mídia de massa, capaz de sincronizar milhares de pessoas durante um ritual que relembra, em grande parte, as nossas origens tribais primitivas. Esses eventos parecem necessários para manter a coesão social das culturas. Isso talvez explique por que o Império Romano devotava tanto esforço e atenção – sem mencionar dinheiro – para manter a população entretida com uma variedade de jogos letais, tanto no Coliseu como em outras inúmeras arenas, ou porque os gregos davam tanto valor aos atletas que se destacavam nos Jogos Olímpicos, considerando-os verdadeiros heróis. O fato de que, nos nossos tempos, atletas profissionais recebem salários astronômicos, além de receber *status* de celebridades mundiais, parece confirmar o que os gregos e os romanos sabiam milênios atrás.

Meio século antes de os especialistas começarem a falar sobre a globalização da economia mundial, McLuhan previu que o fenômeno talvez fosse uma das consequências das sucessivas ondas de novas tecnologias de comunicação de massa no século XX. Dessa forma, ideias propostas por McLuhan no fim dos anos 1950 e no começo dos anos 1960 previram, com precisão e de muitas formas, um futuro que representa o nosso presente, no fim da segunda década do século XXI. De fato, usando uma terminologia diferente da minha, McLuhan chegou a conclusões muito semelhantes sobre como sinais de sincronização, gerados por tecnologias de comunicação, levariam à geração de *Brainets* humanas de larga escala. Nos termos dele, todas as tecnologias de meios de comunicação de massa compartilham uma propriedade comum: a extensão do alcance humano, incluindo primeiro o seu corpo e os seus sentidos, e a introdução do que ele chamava de "mídia elétrica", a expansão de seu próprio sistema nervoso central. Como consequência desse processo contínuo, o emprego disseminado e massivo das tecnologias de comunicação teriam profundo impacto na sociedade humana. Nas palavras de McLuhan: "O uso de qualquer meio ou extensão do homem altera os padrões de interdependência entre as pessoas, assim como altera as razões entre os nossos sentidos".

Da linguagem oral à música, mais antigos sinais sincronizadores disponíveis para grupos sociais humanos, à linguagem escrita, a arte, livros impressos, telégrafos, telefones, rádios, cinema, até chegarmos à televisão, McLuhan expõe o papel essencial desempenhado pela comunicação de massa em definir as nossas crenças, as nossas visões de mundo, o nosso modo de vida e os nossos comportamentos coletivos. O grau de presciência dessa visão se comprova ao se verificar que McLuhan previu corretamente o tremendo impacto que os computadores digitais e outros "meios elétricos", como a internet, teriam nas interações político-econômico-sociais das sociedades humanas do futuro (isto é, do nosso presente).

Algumas passagens de *Os meios de comunicação como extensões do homem*, mesmo concebidas nos remotos anos 1960, soam como se tivessem sido escritas alguns dias atrás. Por exemplo:

> *A nossa nova tecnologia elétrica que estende os nossos sentidos e os nossos nervos em um abraço global tem grandes implicações para o futuro da linguagem. A tecnologia elétrica não requer palavras mais que um computador digital precisa de números. A eletricidade aponta para um modo de extensão da nossa própria consciência, em uma escala mundial, e sem que qualquer verbalização seja necessária.*

Ao explorar o mesmo tema com mais profundidade, McLuhan basicamente antecipou o meu conceito de *Brainets*, ainda que ele não tivesse à época forma de conhecer os potenciais mecanismos neurofisiológicos envolvidos no estabelecimento destas redes neurais distribuídas. Mesmo com essa ressalva, é extraordinário ler o que ele tinha a dizer mais de meio século atrás.

> *A tendência da mídia elétrica é criar um tipo de interdependência orgânica entre todas as instituições da nossa sociedade, enfatizando a visão de Chardin,*

que propôs que a descoberta do eletromagnetismo deve ser considerada "um evento biológico maravilhoso".
[...]
Se instituições políticas e comerciais assumiram certo caráter biológico por meio da comunicação elétrica, é comum hoje que biólogos, como Hans Selye, considerem o organismo físico uma rede de comunicação.

De acordo com McLuhan, a "rede orgânica" se materializaria por si só porque

> essa peculiaridade da forma elétrica, que leva ao término da era mecânica caracterizada por passos individuais e funções especializadas, tem uma explicação direta. Enquanto todas as tecnologias anteriores (salvo a linguagem) estenderam partes dos nossos corpos, a eletricidade pode ser interpretada como o passo que exteriorizou o nosso sistema nervoso central, incluindo o nosso cérebro.
> [...]
> Vivemos hoje a era da informação e da comunicação, porque o meio elétrico cria instantânea e constantemente um campo total de eventos interativos do qual todos os homens participam.
> [...]
> A simultaneidade da comunicação elétrica, que também caracteriza o nosso sistema nervoso, torna cada um de nós presente e acessível a todo e qualquer outro ser humano no mundo. Em grande medida, a nossa copresença em todos os lugares e ao mesmo tempo nesta idade elétrica determina uma experiência passiva, não ativa.

McLuhan também tentou explicar como a introdução de meios artificiais de comunicação global levou a grandes mudanças no comportamento humano. Conhecendo o papel que as transmissões de rádio tiveram para o desenrolar do genocídio ruandês antes de ter conhecido o trabalho de McLuhan, na primeira vez em que encontrei algumas das suas predições, feitas exatamente trinta anos antes da ocorrência daquela tragédia na África Central, devo confessar ter ficado arrepiado.

> O rádio afeta a maioria das pessoas de forma íntima, indivíduo a indivíduo, oferecendo um mundo de comunicação sem fala entre escritor, locutor e ouvinte. Esse constitui o aspecto imediato do rádio. Uma experiência privada. As profundezas subliminares do rádio são carregadas de ecos dos tambores

tribais e de outros instrumentos antigos. Isso é inerente à natureza do meio, com o seu poder de transformar a psique e a sociedade em uma única câmara de eco.

Essa declaração tem muito do genocídio de Ruanda. E McLuhan continua:

> O rádio forneceu a primeira experiência massiva de implosão eletrônica, a reversão de toda a direção e todo o significado da civilização ocidental educada. Para povos tribais, para aqueles em que toda existência social é uma extensão da família, o rádio continuará a ser uma experiência violenta.

De acordo com a doutrina de McLuhan, cenários desagradáveis, envolvendo elevado grau de violência, poderiam se transformar em uma preocupação real se as transmissões de rádio se tornassem instrumento de dominação de regimes autoritários dispostos a impor uma visão única de mundo a uma população majoritariamente desprovida de educação e de informação crítica e independente; ou seja, sem os meios de analisar ou questionar as informações recebidas. Assim, McLuhan mais uma vez se aproxima da minha definição do vírus informativo, como um potencial agregador de uma *Brainet* humana que sincroniza muitos cérebros e que, uma vez estabelecida, decide realizar toda sorte de atos condenáveis que não seriam cometidos isoladamente por seus indivíduos. O que McLuhan diria se estivesse vivo para testemunhar o tsunâmi de *fake news* rotineiramente disseminadas pelas redes sociais?

McLuhan acreditava que a comunicação de massa oferece os meios pelos quais o inconsciente coletivo de Jung pode ser sincronizado e liberado das profundezas dos cérebros de uma comunidade humana para subverter o pensamento consciente racional ou outras pressões sociais que, em geral, bloqueariam comportamentos coletivos indesejáveis.

> O rádio fornece uma aceleração da informação que também causa a aceleração de outras mídias. Ele certamente contrai o mundo ao tamanho de uma vila e cria o gosto insaciável dos seus habitantes pela fofoca, pelo rumor e pela maledicência pessoal.

A previsão que ele fez de que a ampla disseminação da mídia elétrica ao redor do mundo levaria à emergência da vila global, um estado de conectividade total da humanidade, na qual tanto o espaço como o tempo de comunicação colapsam, transformou-se na mais icônica metáfora associada ao seu trabalho. O outro dos seus aforismos famosos é aquele que indica que "o meio é a mensagem".

Em um dos seus escritos mais proféticos, McLuhan declara sem hesitação que tipo de futuro as tecnologias de comunicação elétricas nos trarão:

> *Na era da eletricidade, quando o nosso sistema nervoso central se estende pela tecnologia para nos envolver com o todo da humanidade e incorporar este todo a cada um de nós, cada ser humano passará a participar, profunda e intimamente, das consequências das nossas ações. Neste momento, não será mais possível adotar o papel dissociado e distante do intelectual do Ocidente.*

Na maior parte das vezes, tendo a concordar que McLuhan chegou muito perto de descrever o nosso presente: as ondas de inovação que levaram à introdução de formas de mídia eletrônica e, em particular, à disseminação explosiva da internet por todos os cantos da Terra realmente criou uma vila global. Todavia, as evidências sugerem que a utopia da vila global proposta por McLuhan parece refletir muito mais o nível de conectividade potencial, ou penetração, alcançado pela última e mais avançada das nossas tecnologias de comunicação em massa, a internet, que oferecer um descrição acurada do tipo de efeito social humano dominante induzido, ou liberado, pela revolução tecnológica.

Ironicamente, existe um consenso crescente de que, quanto mais on-line nos tornamos, mais fragmentadas e conflituosas são as relações sociais. Nós só precisamos examinar superficialmente os efeitos das mídias sociais mais populares para sustentar a noção de que as pessoas que vivem, mais e mais, em sociedades modernas e hiperconectadas tendem a limitar as interações sociais reais em favor de encontros virtuais. Invariavelmente, estes últimos acabam ocorrendo em grupos ou ambientes virtuais cuidadosamente construídos ou selecionados, que restringem as discussões a um conjunto de temas, valores e visões de mundo.

Nenhum tipo de divergência nesta era das mídias sociais é tolerado. Em vez disso, estar cercado e interagir constantemente com pessoas que pensam como você e compartilham das suas visões políticas, religiosas, éticas, morais e culturais parece ser uma opção muito mais desejada e popular. Além disso, no mundo das mídias sociais, a remoção de alguns dos mais tradicionais filtros que caracterizam interações humanas na vida real – o primeiro nível na classificação de níveis proposta por Jung – pode explicar a prevalência de comportamentos agressivos, preconceituosos e a linguagem violenta e autoritária em boa parte das mensagens do ciberespaço. Some-se a isso a existência disseminada dos *"trolls"* e das "gangues de linchamento virtuais" que organizam ataques individuais ou coletivos de *"bullying* virtual".

Nesse contexto, fico imaginando como McLuhan reagiria se estudasse a nova realidade da comunicação virtual humana e, no processo, se desse conta de que toda a tecnologia de mídia de massa adquirida pela vila global, ao longo das últimas décadas, bem como o estado de hiperconectividade com que a nova estrutura nos presenteou, induziu, como efeito principal, um aparente retorno ao modo tribal que caracterizava a vida dos nossos ancestrais nômades, dezenas de milhares de anos atrás. Como McLuhan responderia, na presente junção da história das interações sociais humanas, ao fato de que o nosso ávido desejo de desenvolver tecnologias que aumentem as habilidades comunicacionais a ponto de o nosso cérebro fundir-se em um único sistema nervoso distribuído por todo o globo basicamente nos transformou em uma prova da onipresença do teorema da recorrência de Poincaré, que prevê que, depois de um tempo suficientemente longo, alguns sistemas complexos tendem a retornar aos seus estados iniciais.

Tendo me tornado ávido leitor dos escritos de McLuhan, posso quase escutar a sua mais provável resposta a esta provocação: "Uma vez parte de uma tribo, para sempre membro dela, não importam os desvios!".

★★★

Para não deixar a impressão de que a combinação de abstrações mentais, infecções por vírus informacionais e conectividade massiva leva somente a *Brainets* que espalham devastação a partir da nossa herança mental tribal, termino este capítulo enfatizando a existência de um lado muito mais brilhante dessa moeda neurobiológica. De acordo com a teoria relativística do cérebro, os mesmos mecanismos neurobiológicos discutidos anteriormente podem explicar como grupos sociais humanos, ao longo da história, engajaram-se em gigantescos esforços colaborativos para produzir os maiores avanços intelectuais e tecnológicos da humanidade.

Como vimos, o poder derivado do modo original de colaboração humana advém da possibilidade de estabelecer interações intelectuais com grandes grupos que compartilham métodos, ideias e conceitos. Essa tradição levou à criação, ao desenvolvimento e à manutenção, durante longos períodos, de inúmeras escolas de pensamento, incontáveis tradições culturais, bem como de um número elevado de movimentos artísticos e científicos. O advento dos novos meios de comunicação de massa (como a escrita, a impressão e outras mídias), além da linguagem oral, permitiu que colaborações humanas se estendessem a pessoas localizadas a grandes distâncias umas das outras (definindo um fenômeno de ressonância espacial), ou, mais extraordinariamente, grupos que viveram em diferentes períodos históricos (ressonância temporal).

A facilidade com que *Brainets* humanas se formam, como resultado de uma infecção por vírus informacional, explica, também, como grandes grupos sociais compartilharam e assimilaram uma nova abstração mental, um humor, uma ideia, um senso estético ou uma visão de mundo que, uma vez criados, se disseminaram por toda uma comunidade em dado período. Essa tendência mental que ressoa por um grande domínio em uma sociedade é conhecida como *Zeitgeist*. Para a teoria do cérebro relativístico, *Zeitgeist* é o principal produto de uma infecção de grande escala de um vírus informacional, que sincroniza muitos cérebros individuais em uma *Brainet* que reativa instintos primitivos ou arquétipos arraigados na nossa mente de primata.

Em essência, ao se basear em vírus informacionais, crenças, abstrações mentais e diferentes formas de comunicação de massa para formar *Brainets* com alto nível de coesão, os grupos sociais humanos adquiriram os meios para gerar produtos altamente benéficos de um processo de cooperação neurobiológico que promove e otimiza o pensamento coletivo. Poderíamos considerar isso a forma mais sofisticada de *"brainstorming"* humano!

Alguns exemplos ajudam a esclarecer o que quero dizer com tudo isso. Pense na Atenas do século V a.C., quando tantos cérebros gregos passaram a se sincronizar (e se inebriar) em uma *Brainet* de abstrações mentais revolucionárias, verdadeiras joias neurais: a matemática, a ciência, a filosofia e a democracia. Outro bom exemplo seria o *Zeigeist* que contaminou um punhado de artistas imortais em Florença durante o Renascimento e que levou à redescoberta da beleza do corpo humano. O chamado Círculo de Viena, atuante por um par de décadas no começo do século XX como resultado das interações de um grupo de renomados filósofos, matemáticos (incluindo Kurt Gödel), cientistas, economistas, cientistas sociais e outros intelectuais austríacos que gravitavam ao redor de um grupo central de professores e pesquisadores afiliados à Universidade de Viena, pode ser citado como terceiro exemplo de uma *Brainet* que ditou o *Zeitgeist* de um grupo social durante um período da nossa história.

Os três exemplos revelam propriedades comuns. Por exemplo, uma vez que dado *Zeitgeist* penetra em um grupo humano, ele se espalha, como uma onda epidêmica, por todos os estratos sociais da comunidade, contaminando hábitos, humores e gostos estéticos. Assim, ele com frequência se manifesta em um espectro de atividades. Por exemplo, a enormidade do impacto tecnológico e social causado pela Revolução Industrial foi amplamente documentada pelas cores, pela técnica de composição e pelas imagens do legendário J. M. W. Turner, um dos maiores pintores românticos, especializado em paisagens. Coincidentemente, Turner morou e trabalhou em um ateliê localizado na rua Queen Anne, 47, a meio quarteirão da residência do grande Thomas Young, na rua Welbeck, 48.

Como um dos pintores mais importantes da Inglaterra vitoriana, Turner não limitou seus engajamentos sociais a frequentes encontros e reuniões da Royal Academy. Ávido por explorar novos horizontes, participou de discussões e aulas científicas proferidas na Royal Society, que, à época, convenientemente dividia o prédio com a Royal Academy. Turner deve ter participado como ouvinte de uma das aulas do famoso astrônomo William Herschel sobre a natureza dinâmica da superfície do Sol e as suas emissões de luz infravermelha. Da mesma forma, deve ter ouvido falar da teoria das cores proposta por Goethe, que alguns acreditam ter influenciado suas pinturas. O que se sabe, com certeza, é que, durante um dos encontros que reuniam artistas e cientistas de renome mundial, Turner tornou-se amigo de Michael Faraday, aquele que estava destinado a se tornar herdeiro de Thomas Young e um dos defensores, na Royal Institution, da teoria ondular da luz proposta por Young, além de um dos maiores experimentalistas de todos os tempos.

Mais que ninguém, Turner foi responsável por criar os mais permanentes registros visuais do que representou para a Inglaterra e para o povo inglês ser varrido por múltiplos e simultâneos impactos tecnológicos, sociais, artísticos, científicos, os quais abalaram a ordem vigente primeiro no Reino Unido, depois na Europa, até, finalmente, se espalharem pelo mundo. Em uma série de pinturas das primeiras décadas do século XIX, Turner documentou as zonas rurais da Inglaterra, assim como a sua costa e o mar, como ninguém antes e, indiscutivelmente, ninguém depois foi capaz de retratar. Ele realizou essa proeza pictórica incluindo em várias de suas composições um novo tratamento da luz, misturado com uma variedade de objetos e cenas que representavam o efeito avassalador da revolução científica e tecnológica que ocorria ao seu redor naquele momento.

Os elementos de inovação tecnológica que se transformam em objetos de adoração de Turner incluíam os motores e os moinhos a vapor que invadiram a paisagem bucólica do campo inglês (*Crossing the Brook*); os grandes feitos da engenharia da época (*O farol de Bell Rock*); um rebocador movido a vapor que levava uma verdadeira relíquia naval da Marinha Real, o *HMS Temeraire*, com 98 canhões, ao porto (*The Fighting Temeraire*); locomotivas a vapor cruzando a ferrovia Great Western a uma velocidade surreal (para a época) de 50-65 km/h (*Chuva, vapor e velocidade – a grande estrada de ferro*). Por meio dessas obras, Turner tornou-se o porta-voz artístico por excelência da Revolução Industrial inglesa, o autodesignado cronista de um tempo de transformações épicas para a humanidade.

No estágio final da carreira, momento em que produzia uma obra de arte atrás da outra, ele foi acusado de perder o seu toque, dada a insistência em perseguir uma forma totalmente revolucionária de misturar a luz, o mar e os céus, enquanto dissipava as linhas que definiam os contornos dos objetos concretos presentes na composição. Ainda assim, o envolvimento quase visceral de Turner com as múltiplas inovações científicas e tecnológicas que ocorreram ao redor foi tão intenso que alguns historiadores sugerem que uma das suas telas mais veneradas, o magnífico *Barco a vapor numa tempestade de neve no oceano*, esconde, por trás de sua representação de uma fusão dinâmica entre céu, oceano, neblina e neve, o esboço de um campo magnético observado por Michael Faraday em seus experimentos.

Outro grande exemplo de *Zeitgeist* duradouro se deu na *belle époque*, tempo de grande otimismo na Europa e que perdurou dos anos 1870 aos anos que antecederam a Primeira Guerra Mundial. Conforme vimos no Capítulo 5, durante esse período os impressionistas franceses cobriam as suas telas com o "humor relativístico" defendido pelo eminente físico austríaco Ernst Mach. E, como em outros momentos da história, o tom de júbilo da *belle époque* infectou não somente pintores e cientistas, mas também compositores e escritores – uma vez mais, demonstrando a ressonância espacial comandada por uma infecção mental informacional. O fato de que a *belle époque* permanece objeto de estudo acadêmico até hoje ilustra, por sua vez, a enorme ressonância temporal obtida por esse *Zeitgeist*.

Pouco depois, na transição do século XIX para o século XX, outro *Zeitgeist* sincronizou os cérebros – tanto de artistas como de cientistas – em uma *Brainet* que afetou profundamente a nossa definição da realidade. Basicamente, a esta *Brainet* procurou basear-se em formas geométricas puras para representar e explicar tudo no mundo natural, dos objetos individuais ao cosmos relativístico que nos envolve. Nas artes, esse credo geométrico emergiu dos pincéis pós-impressionistas do mestre francês Paul Cézanne. Ele logo foi seguido por uma obra científica equivalente, criada, primeiro, por Hermann Minkowski e a sua representação geométrica da teoria da relatividade especial de Einstein e, depois, pelo próprio Einstein, com a sua teoria geral da relatividade. Mais tarde a fascinação geométrica contaminou e inspirou Pablo Picasso e Georges Braque no cubismo, dando origem à arte moderna.

Como havia transcorrido em Atenas, Florença, Paris e Viena, uma vez mais, um *Zeitgeist* dominante, de um período ebuliente da nossa história, transformou-se no escultor de revoluções mentais paralelas ocorridas em múltiplas áreas de atuação. De fato, em *Einstein, Picasso, espaço, tempo e a beleza que causa estrago*, Arthur I. Miller argumenta que é preciso evocar desenvolvimentos tecnológicos, científicos e matemáticos desse período caso queiramos obter uma pista mais incisiva dos fatores que levaram Picasso a pintar *As senhoras de Avignon*, obra-prima que serviu de primeiro símbolo cubista. Na opinião de Miller, "a teoria da relatividade e As senhoras de Avignon representam a resposta de duas pessoas – Einstein e Picasso, mesmo que geograficamente separados – às dramáticas mudanças que varriam a Europa como um maremoto".

Em termos relativistas, à medida que foram infectados pelo vírus informacional definido pelo *Zeitgeist* daquele momento, tanto Picasso como Einstein expressaram duas abstrações mentais da realidade, ricas em informação gödeliana e que, uma vez geradas por cérebros geniais, se projetaram na forma de duas manifestações particulares da linguagem geométrica: a relatividade general e o cubismo.

A partir desse ponto, não foi preciso muito para que físicos e artistas de vanguarda se sincronizassem em uma *Brainet* capaz de conceber abstrações mentais ainda mais elaboradas, com a finalidade de produzir visões de realidade repletas de informação gödeliana. Quando os dois grupos revelaram novas construções mentais, eles o fizeram se livrando das formas tradicionais dos objetos que em geral encontramos em nossa rotina. Essa é a razão pela qual Miller propõe que, "da mesma forma que não faz o menor sentido ficar na frente de uma obra-prima de Mondrian ou Pollock, por exemplo, e perguntar o que essas pinturas representam, é totalmente descabido inquirir com que um elétron da mecânica quântica se parece".

O meu exemplo final para ilustrar tudo de bom que o cérebro humano sincronizado é capaz de produzir se relaciona à forma como praticamos a arte da ciência. Graças a um presente evolucionário que nos permite usar ideias e abstrações produzidas por gerações anteriores para sincronizar os nossos pensamentos presentes, nós, cientistas, somos capazes de construir *Brainets* que cruzam séculos. Por exemplo, graças à contribuição de uma *Brainet* que se estende por mais de seis séculos (Figura 11.1), formada pelo legado mental interconectado de nomes como Petrus Peregrinus de Maricourt, William Gilbert, Luigi Galvani, Alessandro Volta, Hans Christian Oersted, André-Marie Ampère, Michael Faraday, Heinrich Hertz e James Clerk Maxwell, entre tantos, uma descrição completa do eletromagnetismo, um dos fenômenos mais comuns em todo o cosmos, pode ser reduzida a algumas linhas de símbolos matemáticos mundanos.

A *BRAINET* DE SEIS SÉCULOS QUE DECIFROU O ELETROMAGNETISMO

- Petrus Peregrinus de Maricourt 1269
- William Gilbert 1544-1603
- Luigi Galvani 1757-1798
- Alessandro Volta 1745-1827
- Hans Oersted 1777-1851
- André-Marie Ampère 1775-1836
- Michael Faraday 1779-1867
- Henrik Hertz 1851-1894
- James C. Maxwell 1831-1879

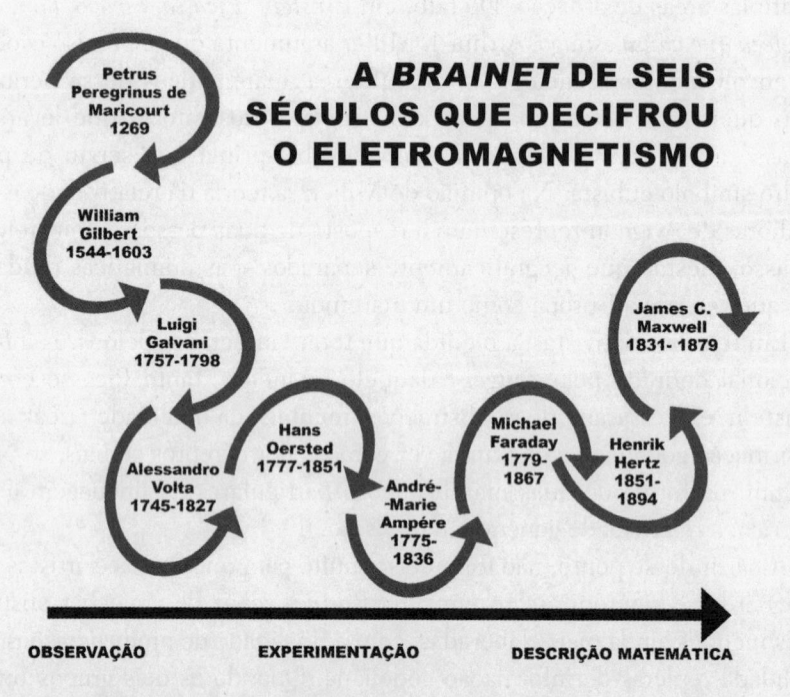

OBSERVAÇÃO → EXPERIMENTAÇÃO → DESCRIÇÃO MATEMÁTICA

Figura 11.1 A *Brainet* espalhada ao longo de seis séculos que foi responsável pela identificação e descrição do fenômeno do eletromagnetismo. (Ilustração por Custódio Rosa)

Depois de me dar conta da enormidade realizada por essa e outras *Brainets* humanas, aposto que, como Turner, você deve sentir um repentino impulso de pegar pincéis e usar algumas cores para expressar, em uma tela vazia, os seus sentimentos de admiração e reverência. E quem poderia culpá-lo por esse impulso? Afinal, nos confins do nosso cérebro, todos estamos sempre prontos para simplesmente sincronizar.

CAPÍTULO 12
COMO O VÍCIO DIGITAL ESTÁ MUDANDO O NOSSO CÉREBRO

No meio dos anos 2000, os sinais já eram bem claros para quem quisesse olhar ao redor e conectar os pontos. Para mim, demorou um pouco até eu finalmente notar o que acontecia ao meu redor.

Durante uma viagem de metrô na hora do *rush* em Tóquio, por volta de 2004, impressionou-me o silêncio que reinava no vagão lotado de gente. De início, pensei que era apenas reflexo da cultura japonesa. Uma rápida conferida, todavia, revelou que o motivo por trás daquele silêncio era bem diferente: todos os passageiros japoneses pareciam hipnotizados, com o olhar vidrado no celular, e o seu silêncio era apenas um reflexo do fato de que, a despeito de estarem fisicamente naquele vagão, as mentes surfavam por outro lugar, nas distantes e ainda não totalmente delimitadas fronteiras do recém-criado ciberespaço. Sendo um dos pioneiros no processo de criação do mercado de massas para os celulares e seus descendentes mais sofisticados, os smartphones, o Japão tornou-se um verdadeiro laboratório social voltado ao estudo de um fenômeno que se espalharia mundo afora em apenas alguns anos.

Hoje, em qualquer lugar público, seja na espera em um aeroporto, seja nas arquibancadas de um estádio de futebol antes de (e durante) um jogo, muita gente prefere interagir com o celular – navegando, *"texting"*, tirando selfies, postando fotografias ou textos nas mídias sociais – em vez de conversar com quem está sentado ao lado ou desfrutar do jogo, o que teoricamente deveria ser o foco da sua atenção.

Avancemos para 2015. Em pé no meio-fio de uma das maiores avenidas de Seul, em pleno distrito da indústria da moda, eu esperava, com a minha guia sul-coreana, por um táxi para retornar ao hotel depois de uma palestra em um simpósio sobre o futuro da tecnologia. Para matar tempo, tentei engajar a jovem estudante em uma conversa.

— Quantas pessoas vivem na Coreia do Sul hoje? — perguntei, apenas para estabelecer a comunicação.

— Desculpe-me, mas não sei. Vou pesquisar no Google!

Meio chocado pela apatia da resposta que carregava muito mais significado do que a estudante parecia compreender, decidi insistir.

— Como está a situação política por aqui? E o impasse com a Coreia do Norte?

— Eu realmente não sei. Eu não presto atenção em questões políticas. Elas realmente não têm nada a ver com a minha vida.

Tendo visitado a Zona Desmilitarizada da fronteira entre as duas Coreias em 1995, testemunhado a tremenda tensão existente naquela fronteira e tendo ciência de como o conflito entre os dois países ainda hoje domina uma grande parte do dia a dia dessas sociedades, fiquei perplexo com a total falta de interesse daquela jovem estudante com um tema tão fundamental.

Quando o táxi chegou, a estudante imediatamente me deu instruções de como me comunicar com o motorista, o qual, logo notei, estava totalmente isolado em uma cabine totalmente vedada.

— Depois de se sentar e colocar o cinto de segurança, apenas insira este cartão, onde escrevi o endereço do seu hotel, no espaço à frente; assim, o motorista o levará de volta ao hotel. Quando chegarem lá, simplesmente insira o seu cartão de crédito e espere pelo recibo.

Depois de uma despedida formal, no melhor estilo coreano, embarquei no táxi e de imediato experimentei a sensação de ter embarcado por engano em uma nave espacial alienígena. Para começar, olhando apenas para frente, o motorista não emitiu som nem fez gestos de saudação. Olhando ao redor, logo notei que eu mesmo estava totalmente isolado por outra parede de vidro, que do meu lado continha somente a abertura mencionada pela estudante e um monitor de TV. A existência de uma pequena câmera de vídeo em um dos cantos do teto do carro também ficou evidente. Certamente, havia um microfone acoplado a ela e, possivelmente, um alto-falante para mediar uma eventual comunicação com passageiros coreanos.

Na minha curta corrida, não tive a oportunidade de experimentar esse sistema. Logo após me sentar e pôr o cinto, um LED se acendeu, ao que ouvi um pedido em inglês, feito por uma voz feminina computadorizada, para que eu inserisse o cartão com o endereço do destino. Sem alternativa, obedeci, de pronto. Mal ele desapareceu, uma luz acendeu no console do motorista. Nesse instante me dei conta de que a minha analogia com uma nave espacial alienígena não tinha sido totalmente absurda. Franzindo os olhos para me adaptar às diversas luzes geradas pela parafernália eletrônica empilhada na frente do motorista, comecei a questionar como alguém aguenta ficar trancado em um automóvel, sem enlouquecer, durante todo um dia de trabalho, de dez a doze horas diárias, navegando os congestionamentos de Seul, cercado por tantas luzes brilhantes, oriundas de vários sistemas de navegação e monitoração de desempenho automobilístico.

Pela minha estimativa, o motorista se valia de pelo menos três sistemas de GPS operando ao mesmo tempo, cada um com diferentes graus de resolução e complexidade. O mais elaborado exibia uma representação gráfica tridimensional das ruas de Seul em incrível resolução, o que impressionou-me de imediato. Curiosamente, todos os sistemas se valiam de vozes femininas que ditavam instruções ao mesmo tempo, em diferentes tons, quase como se fosse necessária uma assembleia para definir o melhor caminho.

Sem desfrutar de um dos meus hobbies favoritos de viajante frequente – conversar com motoristas de táxis para aprender um pouco sobre cada cidade visitada –, resignei-me a reconhecer Seul através da janela de passageiro.

Depois de alguns minutos de uma corrida silenciosa, ao chegar ao hotel, seguindo o roteiro preestabelecido, o mesmo LED em cima da abertura no vidro acendeu-se e a mesma voz feminina requisitou o meu cartão de crédito. Sem hesitar, cumpri o papel a mim atribuído, esperando pela última oportunidade de receber algum sinal que confirmasse a existência de outro ser humano no mesmo veículo: a verbalização de um *"good bye"*! O que recebi, em vez disso, foi, nesta ordem: o meu cartão de crédito de volta, um recibo e um aviso gerado pela mesma voz computadorizada para não bater a porta.

Nenhum contato humano, nenhuma voz humana, nenhuma sincronização social existiu durante a corrida de táxi na Coreia. Como sempre, fui tratado de forma extremamente cordial, como acontece todas as vezes em que vou para lá. No entanto, conclui que a etiqueta implicava eficiência, não envolvimento social. Fui "entregue" no endereço correto, o preço da corrida foi justo e isso deveria ser suficiente. Ou não?

Pensando em retrospecto, apesar de eu ter despendido um tempo considerável sentindo pena da rotina que o motorista coreano tinha de enfrentar, a solidão, o estresse físico e mental de estar confinado em uma clausura de vidro, cercado constantemente de luzes pulsantes e ruídos sem-fim, alguns minutos depois comecei a amainar esses sentimentos ao refletir que o destino daquele motorista coreano, miserável como poderia ser à primeira vista, não poderia ser considerado o pior cenário possível para ele. Afinal, em meados de 2015, esse motorista ainda possuía um emprego capaz de lhe prover um salário em troca de uma ocupação que, em um futuro não tão distante, poderá ser removida da lista de trabalhos de baixa complexidade.

Em um mundo em que a automação digital ou robótica de tarefas, como forma de substituição do trabalho humano, aumenta a cada dia, carros capazes de se guiarem sozinhos estão prestes a ser introduzidos no mercado – pelo menos de acordo com a propaganda espalhada pelas empresas da indústria automobilística. E, como já aconteceu com dezenas de milhões de empregos em outras indústrias em um passado recente e certamente acontecerá com outros milhões, motoristas de automóveis podem passar a existir apenas em livros.

Em *Robôs: ameaça de um futuro sem emprego*, Martin Ford, um futurologista americano mostra como o crescimento exponencial das técnicas de automação digital e robótica pode nos conduzir, em breve, a uma tempestade formada pelo desemprego em massa e o colapso econômico desencadeados por uma depressão jamais vista no mercado de consumo. Segundo Ford, esse cenário se tornaria realidade em um mundo onde a quantidade de desempregados superará, e muito, aqueles que podem ganhar a vida em troca de seu trabalho e de suas habilidades. Na introdução do livro, Ford alerta que

> *a mecanização da agricultura vaporizou milhões de empregos e obrigou multidões de camponeses desempregados a migrar para os centros urbanos em busca de empregos em fábricas... Mais tarde, a automação e a globalização empurraram trabalhadores para fora do setor manufatureiro em direção ao setor de serviços.*

Todavia, se a predições de Ford estiverem certas, os níveis sem precedente de desemprego que o mundo enfrentará nas próximas duas décadas – algo em torno de 50% –, em decorrência dos avanços exponenciais em robótica e dos sistemas digitais, vão superar todas as ondas de desemprego decorrentes da introdução de novas tecnologias ocorridas na história da nossa espécie.

Ainda de acordo com Ford, a tendência contemporânea de remoção humana do mercado de trabalho trará à tona um risco imprevisível a toda a economia mundial e à sobrevivência de bilhões de pessoas. Paradoxalmente, o primeiro impacto do verdadeiro tsunâmi social será sentido nos países mais desenvolvidos, como os Estados Unidos, onde a automação digital-robótica e o crescimento do componente financeiro do PIB continuarão promovendo massivas erosão e eliminação de empregos no mais curto intervalo.

Em seu livro, Ford indica que, durante os dez primeiros anos do século XXI, em vez de criar os 10 milhões de empregos necessários para se equiparar ao crescimento natural da sua força de trabalho, a economia americana produziu um ganho líquido de zero emprego novo. Além dessa estatística mais que alarmante, ao plotarmos o ganho de produtividade da economia americana em paralelo ao aumento dos salários da massa trabalhadora do país, entre 1949 e 2010 (Figura 12.1), observa-se que, a partir de 1973 (último ano do governo Nixon), essas duas curvas, que até então tendiam a avançar conjuntamente, seguindo na mesma proporção por vinte e três anos, começaram a divergir de maneira significativa. Como resultado da divergência, em 2010, enquanto a compensação dos trabalhadores americanos cresceu 114,7%, a produtividade da economia do país aumentou mais que o dobro, 246,3%. O resultado da enorme disparidade foi que, em vez de atingir uma renda mediana familiar de 100,8 mil dólares ao ano, como seria de esperar se os ganhos espetaculares de produtividade no período tivessem sido compartilhados de forma justa em termos da compensação dos trabalhadores, as famílias americanas precisaram se virar com os elevados aumentos no custo do sistema de saúde (totalmente privado), educação, habitação e outras necessidades básicas, recebendo um salário 30% menor, em torno de 61,3 mil dólares por ano.

Ford demonstrou que o mesmo fenômeno transcorreu, com diferentes constantes, em 38 economias ao redor do planeta, inclusive na China, onde a rotina de demissões em massa como consequência da automação industrial já tinha sido havia muito incorporada ao mercado de trabalho. Em alguns países, a fração do aumento de produtividade compartilhada com a força de trabalho despencou muito mais que nos Estados Unidos. Como resultado, pode-se dizer que, durante a década final do século XX, observou-se tanto um crescimento dramático na desigualdade socioeconômica, como uma tendência preocupante no que tange à eliminação de empregos.

Diferença entre produtividade e salário de um trabalhador típico tem aumentado desde 1973:

Crescimento de produtividade e crescimento da compensação por hora de 1948-2017

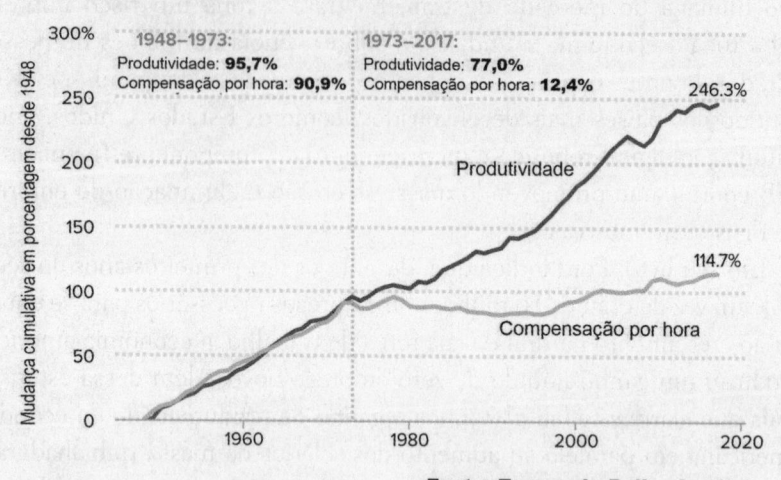

[Gráfico: Mudança cumulativa em porcentagem desde 1948, variando de 0% a 300%, no eixo vertical; anos de 1960 a 2020 no eixo horizontal.

1948-1973:
Produtividade: **95,7%**
Compensação por hora: **90,9%**

1973-2017:
Produtividade: **77,0%**
Compensação por hora: **12,4%**

Produtividade: 246.3%
Compensação por hora: 114.7%]

Fonte: Economic Policy Institute

Figura 12.1 Comparação entre a mudança da percentagem acumulada da produtividade nos EUA e a compensação (por hora) dos trabalhadores do mesmo país entre 1948 e 2017. (Reproduzido com permissão do Economic Policy Institute, *The Pay-Productivity Gap*, 1948-2017, agosto de 2018.)

"De acordo com uma análise realizada pela CIA, a desigualdade de renda nos Estados Unidos se equiparou àquela observada nas Filipinas e ultrapassou significativamente a observada no Egito, no Iêmen e na Tunísia."

Para piorar a situação, os americanos nascidos hoje muito provavelmente enfrentarão níveis bem reduzidos de mobilidade econômica em relação a cidadãos nascidos na maioria das nações europeias. Esse achado, segundo Ford, comprova estatisticamente que a mitologia vigente nos Estados Unidos de que o tradicional (e mítico) sonho americano de "subir a escada da prosperidade" por puro esforço individual, mérito e persistência não passa de discurso. A realidade é outra. De fato, esse quadro fica ainda mais alarmante quando nos damos conta de que não são apenas os empregos na indústria manufatureira ou outros que não exigem grandes qualificações ou alto nível de escolaridade que evaporam da economia global moderna: o tsunâmi do desemprego em massa alcançou as praias outrora paradisíacas do mercado de trabalho de profissionais liberais, varrendo atividades que muitos jamais poderiam imaginar ser vítimas da revolução digital.

Jornalistas, advogados, arquitetos, banqueiros, médicos, cientistas e, paradoxalmente, até mesmo profissionais altamente qualificados do setor que gerou esse tsunâmi – a indústria de alta tecnologia digital – já começaram a sentir a pressão. Como Ford observa, a ideia, tradicionalmente disseminada nos anos 1990, de que um diploma em Ciências da Computação ou Engenharia Eletrônica serviria de garantia de emprego com alta compensação provou ser um conto da carochinha.

Ford cita alguns exemplos da mentalidade que passou a dominar o mercado de trabalho e alguns empresários que deixaram de refletir, mesmo que por milissegundo, sobre as consequências sociais devastadoras de um mundo em que 50% ou mais da força de trabalho não acha um cargo dignamente remunerado. Vejamos, por exemplo, a profecia totalmente insensível de Alexandros Vardakostas, cofundador da Momentum Machines, que, ao se referir ao principal produto de sua companhia, indicou que o seu equipamento não visa a fazer os trabalhadores da sua empresa mais eficientes, que na verdade ele tem por objetivo eliminá-los completamente.

No Capítulo 13, retornarei a esse paradoxo ao discutir a enorme "coincidência" de esse pensamento econômico ter se originado dos mesmos ambientes onde a ideia de que o cérebro humano não passa de uma máquina digital – portanto, passível de simulação por um computador digital – é constantemente transmitida, a plenos pulmões, como se essa fosse uma lei irrefutável e inevitável da natureza.

Antes de retornar a esse assunto, permita-me abordar um problema que acredito ser ainda mais aterrorizante (se é que é possível) que um mundo sem empregos.

Para mim, uma das conclusões mais problemáticas trazidas à tona por economistas americanos citados no livro de Martin Ford é a crença de que os trabalhadores deveriam esquecer qualquer noção de tentar competir com as máquinas e em vez disso lamber suas feridas, enterrar dentro de si o seu chauvinismo e o seu orgulho e simplesmente confrontar a realidade que os aguarda. De acordo com esses economistas – e pelo menos um cientista europeu delirante, envolvido diretamente na criação de aplicações de inteligência artificial e que confrontei pessoalmente –, para sobreviver, a única estratégia viável para a raça humana será aprender a melhor forma de desempenhar papel secundário ao das máquinas.

Em outras palavras, segundo esses arautos da inevitável rendição humana, a nossa única esperança é nos transformarmos em "babás" glorificadas de computadores e máquinas, assistentes ou qualquer outro eufemismo que esconda a real demoção para a categoria de servos ou escravos, em vez de mestres dos sistemas artificiais criados, ironicamente, pela mente humana. De fato, sem que a maioria de nós tenha se dado conta, algo muito próximo dos primeiros passos dessa demoção humilhante já vem ocorrendo em profissões diversas, por exemplo, pilotos de aviões comerciais e militares, radiologistas, arquitetos e outras. Isso apenas indica que o toque de rendição proposto pelos distintos economistas citados foi ouvido em alto e bom som e que, como resposta, algumas tropas humanas anunciaram a sua rendição voluntária, manifesta pela deposição de suas armas mentais, e a aceitação incondicional da derrota sem que ninguém se importe em refletir sobre o cenário a emergir desse sinistro roteiro.

Ainda assim, algo ainda mais terrível pode estar a caminho. Acredito piamente que um cenário ainda mais devastador que tentar sobreviver como uma "babá de computador", em um mundo com desemprego acima de 50%, constitui uma ameaça iminente para o futuro da humanidade: a eliminação definitiva de dentro do nosso cérebro dos atributos únicos que definiram a condição humana, desde a emergência da nossa mente, cerca de cem mil anos atrás. Longe de descrever um cenário de filme de ficção científica, considero o panorama uma possibilidade tanto plausível como preocupante. Prova disso é que vários autores levantaram a mesma preocupação ao concluírem que a nossa imersão contínua e crescente com novas tecnologias digitais, bem como a nossa aparente submissão a elas, do nascimento ao último minuto da nossa vida consciente – deduzindo algumas poucas horas de sono por dia – podem corromper e rapidamente deteriorar a básica operação do nosso cérebro de primata, seu alcance e seu espectro único de ação, sem mencionar a sua capacidade inerente de gerar tudo o que define o esplendor e a particularidade da condição humana.

Se a perspectiva de uma taxa de desemprego maior que 50% não chocou você, como reagiria ao saber que, ao chegarmos a esse momento, uma porção ainda maior da humanidade talvez tenha se convertido em nada mais nada menos que meros zumbis digitais biológicos, não descendentes orgulhosos e portadores dos genes e da tradição cultural milenar criada pelos primeiros membros do clã *Homo sapiens*; aqueles que, apesar das humildes origens, depois de sobreviver a toda sorte de desafios mortais, de glaciações intermináveis a fome e pestilências endêmicas, viveram para prosperar e, no meio-tempo, criar o seu universo humano privativo, valendo-se apenas de um punhado de gelatina neural feita de substância cinzenta e branca envolta em 1 mero picotesla de magnetismo.

Na minha avaliação, baseada na revisão e na análise de uma variedade de evidências e dados obtidos em estudos psicológicos e cognitivos, esse risco precisa ser levado a sério. E muito! O cérebro humano – sendo o mais perfeito camaleão criado pela natureza –, quando exposto a novas contingências estatísticas do mundo exterior, particularmente às associadas a experiências hedônicas fortes, em geral dá início a um processo de autorreformatação imediata da sua microestrutura orgânica interna e, a partir então, usa a informação recém-embutida no seu tecido neural como guia para definir comportamentos e ações.

No contexto peculiar criado pelas nossas interações como sistemas digitais, há uma possibilidade real de que o estabelecimento de uma rotina de reforço positivo constante – derivada da nossa interação contínua com computadores digitais, algoritmos computacionais e interações sociais mediadas por sistemas digitais, para listar poucos exemplos – desencadeie uma remodelagem gradual no processo pelo qual o nosso cérebro adquire, estoca, processa e manipula informação.

Usando a teoria do cérebro relativístico como base, acredito que o assalto digital diário pode corroer o processo natural de estocagem e expressão de informação gödeliana e a produção de comportamentos não computáveis pelo cérebro, favorecendo um aumento na utilização da informação shannoniana e ações algorítmicas pelo sistema nervoso central na condução da sua rotina. Em essência, essa hipótese prevê que, quanto mais formos cercados por um mundo digital e quanto maior for a nossa submissão às leis e aos padrões da lógica algorítmica que regem o funcionamento de sistemas digitais para planejamento, implementação, avaliação e recompensa das tarefas simples e complexas que definem o dia a dia, mais e mais o nosso cérebro tentará emular esse modo digital de operação, em detrimento das funções mentais analógicas e dos comportamentos mais relevantes biologicamente, "escolhidos" ao longo de milênios pelo processo de seleção natural.

Essa hipótese do camaleão digital prevê que, à medida que a nossa enfatuação com sistemas digitais assume mais controle na forma como percebemos e respondemos ao mundo, atributos humanos como empatia, compaixão, criatividade, ingenuidade, intuição, imaginação, pensamento "fora da caixa", discurso poético e metafórico, altruísmo – para nomear alguns exemplos de manifestações de G-info não computável – vão sucumbir, a ponto de desaparecer por completo do repertório de atributos da cartola mental humana.

Aprofundando esse mesmo raciocínio, posso identificar que, nesse cenário futuro, independentemente de quem controle a programação dos sistemas digitais que nos cercam – internet, smartphones, mídia de massa, escolas e universidades –, aí estará o poder de ditar o futuro modo de operação da mente humana, individual e coletivamente. Pior ainda, no longo prazo, ouso dizer que esse controle se estenderá a uma influência crucial para a própria evolução da nossa espécie.

Essencialmente, a hipótese do camaleão digital oferece um arcabouço neurofisiológico para apoiar uma noção que nunca deixou de existir desde que o professor David MacKay se posicionou contra a aceitação inequívoca do conceito de informação shannoniana como forma de descrever como o cérebro humano processa informação. Em *Como nós nos tornamos pós-humanos*, N. Katherine Hayles argumenta que, no fim da Segunda Guerra Mundial,

> o momento estava maduro para teorias que redefinissem informação como uma entidade quantificável, descontextualizada e "flutuante" que pudesse servir como chave-mestra para desbloquear os segredos da vida e da morte.

Ironicamente, o contexto político-econômico particular vivido nos Estados Unidos pós-guerra eliminou muitas objeções acadêmicas que teriam levado ao descarrilamento da locomotiva que carregava uma teoria da informação desprovida de qualquer conceito de contexto, antes mesmo que ela deixasse a estação inicial.

Em *O mundo fechado*, Paul Edwards relata como o movimento da cibernética e o seu principal subproduto, a inteligência artificial, foram fortemente influenciados pela agenda – e pelo financiamento – do Departamento de Defesa dos Estados Unidos durante a Guerra Fria. Por volta de 8 de julho de 1958, pouco menos de dois anos após uma histórica conferência realizada na Universidade Dartmouth lançar efetivamente a área da inteligência artificial como campo de pesquisa científica crível, o jornal *The New York Times* publicou um artigo cuja manchete – "Novo aparato da Marinha aprende fazendo: psicólogos revelam o embrião de um computador criado para ler e se tornar mais sábio" – previa a iminência do momento em que máquinas inteligentes, financiadas pelo Departamento de Defesa, substituiriam seres humanos no processo de decisão, tanto em assuntos relacionados à segurança nacional e à defesa como no mercado em geral.

Mesmo no fim dos anos 1950, a máquina de marketing e propaganda enganosa – o irmão gêmeo da inteligência artificial – já funcionava a todo vapor; como se a manchete não tivesse sido suficiente, o texto começava com este anúncio: "A Marinha revelou hoje o embrião de um computador eletrônico que ela espera ser capaz de andar, falar, ver, escrever, reproduzir a si mesmo e ser consciente da sua própria existência".

Desnecessário dizer que a Marinha americana nunca teve a oportunidade de brincar com o tal computador falante e autoconsciente pelo qual pagou tantos dólares. De fato, mais de sessenta anos depois da publicação do artigo do jornal *The New York Times*, não há sinal de que um dispositivo eletrônico dessa natureza verá a luz do dia, nem nos Estados Unidos nem em qualquer outro canto do planeta, nem em um futuro próximo nem em algum dia remoto da história da humanidade.

Na realidade, ao longo dessas seis décadas, a área de inteligência artificial viveu uma sequência de ciclos que alternavam entusiasmo exagerado com decepções profundas. A história de altos e baixos foi resumida em um gráfico criado pelo futurista Alexander Mankowsky, executivo da empresa Daimler, em Berlim, que gentilmente me permitiu reproduzi-lo na Figura 12.2. De acordo com a linha do tempo criada por Alexander, cada um dos ciclos invariavelmente se inicia com a reintrodução, com uma nova roupagem, da tese de que a possibilidade de construir uma máquina verdadeiramente inteligente está muito próxima das capacidades tecnológicas atuais.

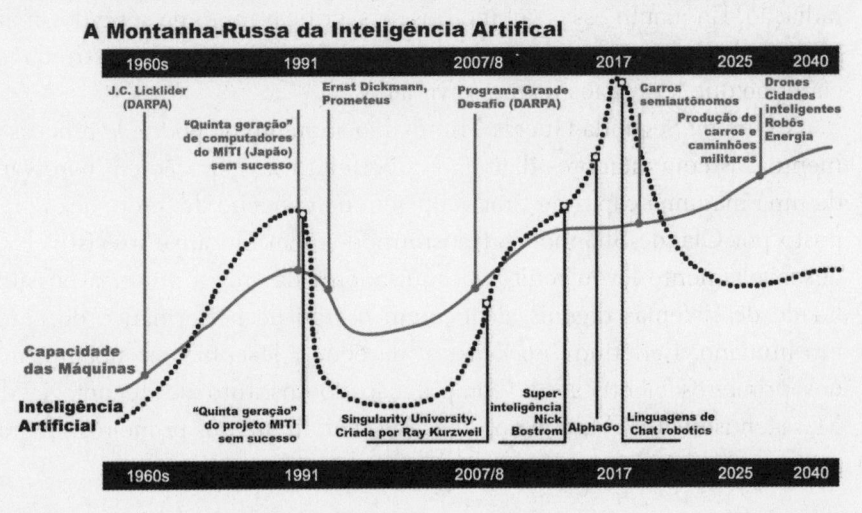

Figura 12.2 O ciclo de expansão e colapso da área de inteligência artificial durante as últimas décadas. (Ilustração adaptada por Custódio Rosa)

Depois de alguns anos de entusiasmo e com investimentos públicos e privados de grande porte – particularmente de agências militares, como a americana Defense Advanced Research Projects Agency (DARPA) –, os resultados obtidos provam ser desapontadores, e toda a área criada ao redor da nova iniciativa, incluindo uma série de startups estabelecidas pela nova onda de entusiasmo, experimenta um processo de extinção à Permiana.

De fato, dois desses ciclos quase resultaram na extinção da inteligência artificial. Um ocorreu quando da publicação do chamado Relatório Lighthill, criado em resposta a um pedido do Conselho Britânico de Pesquisa Científica, que basicamente devastou, quase por completo, a pesquisa em inteligência artificial no começo de 1973 ao demonstrar que as promessas ousadas feitas pela área não se materializaram. O segundo golpe foi deferido com o fracasso embaraçoso da chamada "terceira geração de robôs" do governo japonês, que tinha por objetivo criar máquinas mecânicas autônomas e inteligentes, capazes de suplantar a geração anterior de robôs industriais na realização de tarefas que apenas os seres humanos são capazes de executar. Um exemplo trágico do fracasso retumbante da iniciativa se revelou quando se descobriu que nenhum robô disponível no Japão foi capaz de penetrar nos reatores danificados da usina de Fukushima para realizar os reparos necessários a fim de evitar consequências ainda mais dramáticas no pior acidente nuclear da história daquele país. Voluntários humanos tiveram que ser recrutados para realizar tais tarefas, e muitos destes pereceram, vítimas da exposição a níveis letais de radiação. Enquanto esses voluntários se sacrificavam, uma série dos mais sofisticados robôs japoneses jazia incapacitada ou totalmente destruída no caminho que levava aos reatores avariados.

No fim da Segunda Guerra Mundial, o aumento no poder de processamento dos computadores digitais – a perfeita incorporação em hardware de uma máquina capaz de tirar vantagem do conceito de informação proposto por Claude Shannon – transformou-se em um ativo irresistível. O desenvolvimento levou muitos pesquisadores da área a prever a possibilidade de sistemas digitais alcançarem o grau de performance do cérebro humano. Refletindo no *Zeitgeist* da época, Joseph Weizenbaum, um dos primeiros cientistas da computação do Instituto de Tecnologia de Massachusetts (MIT), que nos anos 1960 criou um dos primeiros programas computacionais interativos, Eliza, disse que,

> na época que os computadores digitais emergiram dos laboratórios das universidades e penetraram no mundo de negócios americanos, nas Forças Armadas e no complexo industrial, não havia mais nenhuma dúvida sobre a sua utilidade potencial. Pelo contrário, managers e técnicos americanos concordavam que o computador tinha chegado na hora certa para debelar uma crise

potencialmente catastrófica: não fosse pela sua introdução naquele momento, muitos argumentavam, não existiriam pessoas suficientes a ser empregadas para dar conta da rotina dos bancos nem para lidar com a crescente complexidade dos problemas de comunicação e logística das Forças Armadas, espalhadas agora por todo o mundo, ou para manter funcionando a rotina de operações cada vez mais explosiva dos mercados de ações e commodities. Tarefas computacionais, com um nível sem precedentes de complexidade, confrontavam a sociedade americana no fim da Segunda Guerra Mundial, e o computador, quase milagrosamente, havia chegado no momento exato para dar conta delas.

Em seu comentário, todavia, Weizenbaum é rápido ao completar a reconstrução histórica e dizer que esse "milagre" que surgiu "na hora exata" não passou de uma idealização mental coletiva – um *Zeitgeist* – de todas as partes que tinham interesse em introduzir uma nova geração de sistemas computacionais no "*mainstream*" americano, dado que o futuro que se desenrolou não foi, necessariamente, o único possível naquele momento. Como argumento a favor desse ponto de vista, ele ponderou que a maioria do esforço de guerra monumental realizado pelos Estados Unidos, inclusive o Projeto Manhattan, que levou à construção da primeira bomba atômica, havia sido conduzido com grande sucesso sem a disponibilização difusa de computadores digitais. Em vez disso, o bom e velho poder de computação da mente humana havia sido utilizado para se realizarem os cálculos necessários, desde os mais tediosos até os mais complexos.

A introdução dos computadores no fim do conflito decerto acelerou o processo de maneira considerável, mas essas máquinas não introduziram novos entendimentos básicos nem geraram qualquer conhecimento inédito. Segundo Weizenbaum, da mesma forma, nenhuma nova descoberta científica se beneficiou do surgimento dos computadores à época. Na realidade, Weizenbaum argumenta que, somente porque um número elevado de usuários pioneiros começou a ver o computador como ferramenta indispensável, isto não significou que ele de fato o era. Naqueles primeiros anos da computação digital, o aumento significativo na velocidade para alcançar o resultado final se transformou na principal métrica para promover ainda mais a aceitação imediata do computador digital em muitos aspectos da vida americana.

O computador digital não era pré-requisito para a sobrevivência da sociedade moderna no período pós-guerra e depois dele; a sua aceitação entusiástica e acrítica pelos elementos mais progressistas do governo americano, do mundo dos negócios e da indústria rapidamente o transformou em uma ferramenta essencial para a sobrevivência da sociedade de uma forma que o próprio computador tinha sido instrumental em criar.

Essa noção foi reforçada por outros autores durante as últimas décadas. Por exemplo, Paul Edwards confirma a opinião de Weizenbaum ao dizer que

> ferramentas e o seu uso formam parte integral do discurso humano e, por meio desse discurso, elas não só moldam a realidade material diretamente, como dão forma a modelos mentais, conceitos e teorias que guiam esse processo de modelagem.

Isso significa que a nossa contínua e crescente interação com os computadores provavelmente muda as demandas que impomos ao cérebro por um processo cheio de riscos. Vejamos, por exemplo, o caso da navegação humana. Por milhões de anos, a nossa habilidade excepcional de reconhecer em detalhes as características do mundo exterior foi gravada no tecido cerebral. Digo isso porque estruturas cerebrais como o hipocampo – e muito provavelmente o córtex motor, como vimos no Capítulo 7 – contêm representações neurais do espaço externo que permitem produzir estratégias de navegação otimizadas para nos movermos.

Curiosamente, estudos de imagem do cérebro de veteranos motoristas de táxi de Londres, conduzidos por pesquisadores da Universidade College de Londres, demonstraram que esses indivíduos contam com um hipocampo maior que o da maioria de nós, que não ganha a vida dirigindo pelas ruas da turbulenta capital inglesa. O detalhe é que esses estudos foram conduzidos em motoristas profissionais veteranos, que não aprenderam a dirigir usando sistemas de GPS modernos, como os presentes no carro coreano de Seul em 2015. Uma vez que a navegação com GPS estimula circuitos cerebrais completamente diferentes das estruturas neurais envolvidas na nossa forma natural de navegação espacial, é possível prever que os motoristas profissionais mais jovens de Londres, que se valem quase exclusivamente de GPS para chegar aos destinos, não deverão apresentar aumento no volume do hipocampo.

Mas será que essa nova geração pode apresentar uma redução no volume do hipocampo, ficando abaixo daquele observado na população em geral? Tal possibilidade foi levantada por alguns neurocientistas preocupados com o fato de que uma eventual redução no volume do hipocampo comprometeria não só a habilidade natural de navegação dos indivíduos, como toda uma série de capacidades cognitivas que depende da integridade dessa mesma estrutura. Em resumo, esse é o tipo de problema que centenas de milhões de pessoas talvez enfrentem nas próximas décadas, à medida que mais e mais seres humanos adotarem estratégias digitais para guiar o seu comportamento: um desmanche do aparato orgânico neural incorporado no cérebro, de forma natural, como resultado de pressões seletivas que ocorreram ao longo de centenas de milhares ou milhões de anos.

De fato, embora o movimento da inteligência artificial tenha, até agora, falhado na eterna tentativa de produzir algo como inteligência super-humana, a retórica de marketing – muitas vezes exagerada ou até enganosa – usada por boa parte dos seus adeptos tem gerado problemas em outra dimensão: a habilidade de distinguir o que constitui um avanço científico genuíno e crível *versus* uma simples peça de propaganda que promove e vende certo produto. Por exemplo, demonstrações de que softwares "inteligentes" rodando em supercomputadores foram capazes de derrotar campeões mundiais de Go e xadrez, disseminadas amplamente pelo lobby da inteligência artificial na mídia internacional, ajudaram a criar a sensação de que esses sistemas finalmente atingiram o objetivo de suplantar a inteligência humana e removê-la do seu pedestal.

Na realidade, as novas abordagens de programação digital basicamente são inspiradas em algoritmos e ideias derivados da área da estatística multivariada e capazes de melhorar a capacidade computacional dos modernos supercomputadores. Tomemos o exemplo do algoritmo batizado como *"deep learning"*. Na realidade, o "aprendizado profundo" nada mais é que uma rede neural artificial, inventada nos anos 1970 e na qual um número muito maior de passos computacionais – também conhecidos como "camadas escondidas" – foi adicionado ao algoritmo original. A manobra ajudou a aumentar a performance nas tarefas de reconhecimento de padrão executadas por esses sistemas inteligentes. Todavia, foi incapaz de solucionar a maior deficiência clássica identificada nesse tipo de software há mais de sessenta anos: todos esses sistemas digitais inteligentes são prisioneiros do conjunto de informações coletadas no passado usado para criar os seus bancos de dados e as suas rotinas de treinamento. Nenhum desses sistemas pode criar nada novo, muito menos conhecimento.

Nesse contexto, a filosofia dominante da área de inteligência artificial basicamente reflete o sonho que Laplace tinha de um universo totalmente previsível, onde o futuro é de fato determinado pelo passado. Suponhamos que um sistema de inteligência artificial tenha sido criado com a intenção de compor novas músicas. Para tanto, o banco de dados desse programa é alimentado com todas as sinfonias compostas por Mozart durante a sua ilustre carreira. Quando testado, o sistema só será capaz de gerar sinfonias semelhantes às de Mozart, ou seja, ele será totalmente incapaz de produzir músicas como as de Bach, Beethoven ou melodias compostas pelos Beatles ou por Elton John. Esse exemplo ilustra claramente o limite da inteligência artificial: ela não cria nada, não gera entendimento, não produz generalização. Vale a pena lembrar que a sua única façanha é "cuspir aquilo que lhe foi alimentado" por mãos humanas. Portanto, inteligente é uma coisa que os sistemas de inteligência artificial não são (considerando o contexto humano da definição de inteligência).

Se o diapasão de inteligência a ser usado para medir a performance de um sistema computacional é aquele encontrado em seres humanos, os sistemas de inteligência artificial continuam a fracassar miseravelmente na missão de substituir-nos em toda e qualquer tarefa.

O problema é que esses sistemas não precisam ultrapassar a inteligência humana agora para superarem as nossas capacidades cognitivas no futuro. Esse futuro pode ser alcançado de maneira muito mais plausível e eficaz por meio da superexposição do cérebro humano aos sistemas digitais e a sua lógica binária até que, não tendo outra opção ao dispor, o Verdadeiro Criador de Tudo deixe de encontrar alternativa viável senão se transformar em um desses sistemas. Conforme o jornalista Nicholas Carr colocou de forma precisa, "à medida que passamos a confiar nos computadores para mediar todo o nosso entendimento do mundo, é a nossa inteligência que se reduz àquela gerada pela inteligência artificial".

A ocorrência do oposto, como vimos, é impossibilitada por uma variedade de razões. Portanto, teremos somente nós mesmos para culpar se o pior acontecer e, como resultado, gerações futuras talvez sejam privadas de experimentar o espectro completo da expressão da condição humana como nós a conhecemos até recentemente. Como ocorre com frequência, cenários como o da singularidade ou a minha hipótese do camaleão digital, antes mesmo de se tornarem tópicos de amplas discussões acadêmicas, alcançam o grande público por obras de ficção científica. Em *Como nós nos tornamos pós-humanos*, Haykes descreve como o conceito de uma era pós-humana desempenhou papel significativo em uma série de títulos de ficção científica que atingiram altos níveis de popularidade.

Em um dos exemplos analisados, Hayle descreve o suspense neurocientífico *Snow Crash*, no qual o autor americano Neal Stephenson conta a história de um vírus capaz de infectar a mente de milhões de pessoas ao redor do mundo e de transformá-las em meros robôs biológicos, desprovidos de qualquer consciência real, livre-arbítrio, agência e individualidade.

Esse cenário terrível não seria considerado tão fantasioso se aceitássemos como verdadeiras as premissas do movimento cibernético que, no conjunto, propunha que o cérebro humano funciona como um sistema capaz de processar apenas informação shannoniana. Evidentemente, não considero essa premissa verdadeira. Todavia, preocupo-me com a possibilidade de que a nossa interação contínua e recíproca com a lógica digital, particularmente quando desencadeia experiências hedônicas muito recompensadoras, leve à contínua erosão, ou eliminação, de comportamentos e aptidões cognitivas que representam os mais requintados e acalentados atributos da condição humana.

Contudo, como esse cenário poderia se tornar realidade, uma vez que o cérebro humano não é uma máquina de Turing e não se restringe ao manuseio de S-info para suas computações?

No nível mais básico, a expressão de um elevado número de genes humanos, selecionados por uma enorme lista de eventos evolucionários, interage como parte de um "programa genético" responsável pela construção da estrutura tridimensional orgânica cerebral durante o período pré-natal e o começo da vida. O programa genético garante que o nosso cérebro atinja uma configuração física inicial que reflete o processo evolucionário que necessitou de milhões de anos para produzir o atual layout do sistema nervoso humano, cuja estrutura anatômica básica se consolidou cerca de cem mil anos atrás.

Uma vez que nascemos, a programação cerebral continua por outros mecanismos, como resultado da interação bidirecional do cérebro com o corpo que o hospeda e com o ambiente externo circundante, mas também como resultado das nossas interações sociais com outros indivíduos da nossa espécie. A imersão contínua na cultura humana e a sua riqueza de interações sociais provê outro mecanismo de programação do sistema nervoso central. Todavia, essas não são as únicas formas de alterar o cérebro. Como o meu trabalho em interfaces cérebro-máquina demonstrou, a mente também é capaz de assimilar instrumentos artificiais de natureza mecânica, eletrônica ou até digital, como parte da sua representação neural do nosso corpo, ou seja, alterar o nosso senso de ser. Essa é a razão pela qual acredito que, além de assimilar um sistema digital, o cérebro pode, no limite, se transformar em um deles.

Nos anos 1970, Joseph Weizenbaum já tinha se impressionado com os resultados obtidos com o uso do seu programa Eliza. Na visão dele, os computadores digitais representam um dos mais recentes itens de uma longa sequência de "tecnologias intelectuais", como os mapas e os relógios, que influenciaram decisivamente a forma pela qual nós, seres humanos, percebemos e experimentamos a realidade. Na opinião de Weizenbaum, uma vez que essas tecnologias penetram na rotina de forma marcante, elas são assimiladas como se "fossem a matéria-prima com que o ser humano constrói o seu mundo". Weizenbaum alertou em seus escritos que "a introdução dos computadores nas mais complexas atividades humanas pode constituir um comprometimento irreversível".

> *Uma tecnologia intelectual [como o computador digital] se transforma em um componente indispensável de qualquer estrutura [humana], uma vez que ele é totalmente integrado a essa estrutura e se mistura integralmente com todos seus subcomponentes vitais, de sorte que não pode mais ser removido sem causar danos letais ao funcionamento de toda essa estrutura.*

Não é surpresa, portanto, que, ao propor e defender arduamente essas posições, Joseph Weizenbaum se transformou quase em pária no campo de pesquisa que ele mesmo criou com as suas pesquisas. Ainda assim, quatro décadas depois, os questionamentos profundos levantados por ele continuam a nos assombrar. Durante as últimas duas décadas, mais dados experimentais passaram a apoiar a visão de que as nossas interações com sistemas digitais não são inócuas, como muitos gostam de propagar. Pelo contrário, elas chegam a afetar algumas das nossas funções mentais mais comuns, como a capacidade de atenção e de concentração. Isso significa que, para cada relato de um benefício específico que o cérebro adquire ao interagir com sistemas digitais, contrapõem-se profundas e inesperadas mudanças na forma como os nossos computadores orgânicos neurais operam.

Enquanto os benefícios tendem a ser rapidamente disseminados e usados para argumentar contra aqueles que se preocupam com as consequências do assalto digital imposto à mente, é importante ressaltar que acumulam-se relatos dos efeitos deletérios sobre o sistema nervoso humano. De fato, Patricia Greenfield argumenta que muitos estudos sobre o efeito de diferentes formas de mídia na inteligência e no aprendizado sugerem que as interações humanas com quaisquer um desses meios leva a ganhos cognitivos que se manifestam em detrimento de outras capacidades mentais. Por exemplo, no caso das nossas interações com a internet e com monitores, Greenfield mostrou que "o desenvolvimento de habilidades visuais-espaciais sofisticadas, que ocorrem de forma disseminada na população-alvo, tende a ser contrabalanceado pela redução na capacidade de produzir processamento mental de maior profundidade", o que, por sua vez, é necessário para "aquisição de conhecimento de forma atenta, análise indutiva, pensamento crítico, imaginação e reflexão".

Em *The Glass Cage* [A cela de vidro], Nicholas Carr revisou uma lista significativa de estudos que mostram como a contínua exposição a sistemas digitais pode ter profundos efeitos na performance humana – por exemplo, na capacidade de reconhecimento de padrão em radiologistas e no amplo poder de criatividade dos arquitetos contemporâneos. Em condições e contextos diversos, o resultado obtido foi sempre o mesmo: no momento em que alguém assume uma posição subalterna em relação a um sistema digital – ou seja, quando ele não detém mais o controle da ação principal, mas desempenha papel coadjuvante em relação a um computador, que passa a ser o encarregado principal da tarefa específica em questão (como controlar um voo de avião, interpretar resultados de imagens radiológicas ou desenhar novos prédios) –, as habilidades humanas tendem a degradar a ponto de erros, incomuns anteriormente, ocorrerem em frequência aumentada.

A Figura 12.3 ilustra a minha visão do que estaria acontecendo com o cérebro na maioria das condições em que um sistema digital começa a ditar a forma como os seres humanos conduzem a sua rotina. De acordo com a hipótese do camaleão digital, a imersão passiva nos sistemas digitais dos aviões modernos (no caso dos pilotos) ou nos sistemas digitais automáticos de reconhecimento de imagens biológicas (no caso dos radiologistas) e nos sistemas de design assistidos por computador (no caso dos arquitetos) tende a reduzir gradualmente o espectro de funções cognitivas gerado pelo cérebro humano. Esse processo se daria porque o cérebro passa a conferir mais relevância ou total prioridade ao processamento de S-info, não de G-info, como ocorre de forma natural. Basicamente, a mudança se daria porque, uma vez que o mundo exterior recompensa mais aqueles indivíduos que se comportam como máquinas digitais nos empregos, nas escolas e em casa, ou em qualquer tipo de interação humana, o cérebro passa a se adaptar às "novas regras do jogo", mudando de maneira radical a sua forma de operar rotineiramente. Essa reorganização plástica, bem como as mudanças em comportamento humano que ela desencadeia, uma vez mais, seria dirigida pela tentativa do cérebro de maximizar as sensações hedônicas geradas pela liberação de dopamina e de outros neurotransmissores nos circuitos neurais que mediam o nosso senso de prazer.

Espectro de Comportamentos Humanos

Cérebro Humano
Máquina Gödeliana

Intuição
Criatividade
Identidade
Habilidades
Cognitivas
& Sociais

• Mecanização do Comportamento
• Assimilação de Operação de Uma Máquina de Turing

• Expressão e Estocagem de Informação Gödeliana
• Crença
• Produção e Expressão de Abstrações Mentais
• Inteligência

Máquina de Turing
Homem Robotizado

Figura 12.3 Pirâmide invertida ilustra o contraste claro entre as propriedades da informação shannoniana e gödeliana. (Ilustração por Custódio Rosa)

Se o mundo exterior começa a oferecer ganhos materiais ou sociais de monta para a emulação de comportamentos que simulam uma máquina digital, a criatividade e a intuição humanas podem se render incondicionalmente ao protocolo fixo; a ingenuidade pode sucumbir aos procedimentos algorítmicos rígidos; o pensamento crítico pode ser totalmente obliterado pela obediência cega às regras impostas arbitrariamente; e o pensamento artístico e científico inovador pode dar lugar ao dogma. Quanto mais esse feedback é reforçado, mais a operação do cérebro e os nossos comportamentos se assemelharão aos de uma máquina digital. No limite, essa tendência leva ao comprometimento ou à eliminação de grande variedade de atributos humanos que dependem da expressão de informação gödeliana.

O neurocientista Michael Merzenich, um dos pioneiros na investigação da plasticidade neural do cérebro adulto, disse o seguinte sobre o potencial impacto da internet no cérebro humano: "Quando a cultura direciona mudanças na forma pela qual engajamos o nosso cérebro, ela cria cérebros diferentes".

O alerta de Merzenich foi confirmado por estudos de imagem cerebral que detectaram alterações na substância cinzenta e branca do cérebro de adolescentes diagnosticados com o chamado "vício da internet". Embora outras pesquisas, com base em amostras muito maiores, sejam necessárias para uma conclusão definitiva, esses achados preliminares não devem ser ignorados.

De toda forma, não é preciso se apoiar em casos extremos, como o vício da internet, para detectar mudanças neurológicas ou comportamentais associadas à nossa indulgência digital. Betsy Sparrow e seus colaboradores mostraram que, quando as pessoas acreditam que as suas declarações serão armazenadas on-line, elas apresentam uma performance muito pior do que um grupo-controle que se vale única e exclusivamente da própria memória para lembrar frases. Isso sugere que "terceirizar" algumas funções mentais básicas para o Google pode reduzir a habilidade cerebral de criar e recuperar memórias de forma confiável.

Esses achados sustentam uma ideia que Ronald Cicurel e eu temos debatido há algum tempo: quando o cérebro humano se encontra em uma situação que extrapola a sua capacidade de processamento, seja por excesso de informação, seja pela necessidade de engajar em múltiplas tarefas simultaneamente, as quais ele não está preparado para realizar, a sua primeira reação é "esquecer" – dificultando o resgate de memórias já estocadas ou, no limite, apagando informação memorizada. Acreditamos que esse pode ser considerado um mecanismo de defesa cerebral para contrabalancear situações nas quais ele é sobrecarregado acima do limite de processamento.

Essa sobrecarga de informação pode ser facilmente detectada na vida moderna ao se analisar a forma como as pessoas utilizam a internet para manter-se em contato com amigos e parentes. Nesse contexto, não causa surpresa o fato de que o potencial impacto das mídias sociais nas nossas habilidades sociais naturais representa outra área de grande interesse científico na busca de uma forma de quantificar o verdadeiro efeito dos sistemas digitais no comportamento humano. Por exemplo, em *Alone Together* [Sozinhos juntos], Sherry Turkle descreve a sua longa experiência como pesquisadora e entrevistadora de adolescentes e jovens adultos praticantes obsessivos do *"texting"*, aplicativos de mídias sociais e outros ambientes de interação virtual. Tanto as mídias sociais como os ambientes de realidade virtual podem induzir grandes níveis de ansiedade, um profundo déficit no desenvolvimento natural de habilidades sociais, que invariavelmente leva adolescentes e jovens adultos a rejeitarem qualquer tipo de interação social real, a reduzir a empatia humana e a ter dificuldades para lidar com a própria solidão. Além disso, sintomas e sinais de um verdadeiro vício são com frequência relatados, quase de forma casual, nas entrevistas conduzidas por Turkle.

Após ler o livro dessa pesquisadora, comecei a pensar que o novo patamar de "conectividade contínua" talvez sobrecarregue o córtex cerebral de usuários compulsivos ao expandir dramaticamente o número de pessoas com que cada um dos "navegadores do ciberespaço" é capaz de se comunicar, quase instantaneamente, por múltiplos canais de mídia social à disposição hoje. Em vez de respeitar o limite do grupo social que o volume do nosso córtex é capaz de gerenciar (cerca de 150 indivíduos), hoje cada um de nós está em contato contínuo com muito mais gente, definindo um grupo social virtual que excede, e muito, o nosso limite neurobiológico.

Uma vez que a maturação da substância branca do cérebro humano se estende por décadas após o nascimento e não atinge a sua maturidade funcional até mais ou menos quarenta anos de vida, a sobrecarga cortical pode ser um problema ainda mais grave em adolescentes e jovens adultos que não atingiram um nível máximo de conectividade cortical. A hipótese explicaria os altos níveis de ansiedade, bem como os déficits de atenção, de cognição e de memória observados nos usuários dessa faixa etária compulsivos por mídia social.

A compulsão que muitos experimentamos hoje em interagir com sistemas digitais de toda sorte, como a internet de modo geral, e as mídias sociais de forma mais específica, também pode ser explicada pela hipótese do camaleão digital. Estudos em jovens adultos diagnosticados como viciados em atividades mediadas pela internet revelam um distúrbio evidente nos circuitos mediadores da sensação de prazer. Os estudos sugerem que nos engajamos cada vez mais em atividades on-line simplesmente porque essas ações desencadeiam grandes sensações de prazer e recompensa. Com base nisso, os programas interativos que definem as chamadas mídias sociais, como Facebook, Twitter, Instagram e, mais recentemente, WhatsApp e WeChat, transformaram-se em uma espécie de "cola social" – ou, usando a linguagem empregada neste livro, um agente sincronizador primário para a formação de *Brainets* humanas, estabelecidas por milhares ou milhões de pessoas ávidas por essa satisfação instantânea. Assim, concluímos que os prazeres oriundos tanto do "*grooming*" real como da nova versão virtual compartilham entre si as mesmas bases neuroquímicas. O envolvimento crucial dos circuitos de neurônios dopaminérgicos também explica por que o vício da internet exibe evidentes paralelos com os comportamentos dos dependentes químicos e apostadores compulsivos.

Será que realmente devemos perder tempo com essas ideias? Penso que sim. Não só pelo potencial impacto na saúde mental dessa e das futuras gerações de adolescentes e jovens adultos, mas também pelas consequências de longo prazo advindas da crescente interação e dependência dos sistemas digitais. No limite, prevejo que a expansão exponencial do nosso uso de sistemas on-line e da nossa conectividade social virtual é capaz de gerar um tipo inédito de pressão seletiva, o qual pode, eventualmente, introduzir um viés evolucionário da nossa espécie. Com base nesse pensamento, podemos conjecturar se o amanhecer do *Homo digitais* já está próximo ou, mais surpreendente ainda, se membros da nova espécie de hominídeos já se encontram entre nós, tuitando e digitando sem serem notados.

Mesmo que não seja o caso, é interessante ponderar que, depois de todo o crescimento experimentado pelas tecnologias de comunicação, criadas e implementadas pela nossa espécie em um processo que nos levou um passo mais para perto da concretização da profecia de Marshall McLuhan de utilizar meios artificiais para estender o cérebro a ponto de conectar-nos uns aos outros na velocidade da luz, o principal subproduto que emergiu desse processo foi uma extrema e poderosa fragmentação da humanidade em uma enorme variedade de tribos virtuais, cada uma definida por um específico conjunto de crenças, demandas, preocupações, likes e dislikes e valores morais e éticos.

Ironicamente, parece que, a despeito da nossa rendição incondicional em prol de uma sociedade baseada na alta tecnologia digital, o que floresceu na enorme colheita binária foi um retorno ao modo de vida tribal, que havia possibilitado, milhões de anos atrás, o surgimento do Verdadeiro Criador de Tudo.

A única diferença notável entre esses dois regimes tribais é que, em vez de espalhar os nossos bandos de irmãos pelas grandes florestas do mundo real, cada vez mais parecemos abraçar compulsivamente uma vida restrita ao papel de caçadores e catadores modernos de *bits* e *bytes*, cobertos de dopamina, do ciberespaço. Tudo isso seria aceitável, desde que tivéssemos total ciência de que o preço a pagar talvez seja a perda total e irreparável daquelas que, tempos atrás, eram consideradas as características mais íntimas e preciosas da mente humana.

Algumas décadas atrás, Joseph Weizenbaum imaginou que algo como isso aconteceria. Para ele, a única receita para evitar esse destino seria recusar, de forma categórica, terceirizar "as tarefas que demandam sabedoria" para os computadores digitais e os seus programas. Essas tarefas deveriam permanecer como prerrogativa exclusiva do Verdadeiro Criador de Tudo.

Com base em tudo o que tenho visto, lido e experimentado em anos recentes, sinceramente acredito que está se aproximando o momento de tomar uma posição definitiva na direção proposta por Joseph Weizenbaum, uma vez que podemos estar perto de um ponto sem retorno no nosso caso amoroso obsessivo com as máquinas digitais. Nesse contexto, parece mais que apropriado terminar este breve relato dos perigos eminentes que o Verdadeiro Criador de Tudo enfrenta nos nossos dias citando um dos maiores poetas do século XX, T.S. Eliot, que, em *Choruses From the Rock*, de 1934, antecipou, em não mais que três versos, o maior e mais profundo dilema dos nossos tempos:

> *Onde está a vida que perdemos no viver?*
> *Onde está a sabedoria que perdemos no conhecimento?*
> *Onde está o conhecimento que perdemos na informação?*

CAPÍTULO 13

SUICÍDIO OU IMORTALIDADE: A ESCOLHA DECISIVA DO VERDADEIRO CRIADOR DE TUDO

Nos anos finais da segunda década do século XXI, a humanidade encontra-se andando em círculos às portas de uma bifurcação existencial – ou à beira de um abismo evolucionário, se preferir – onde as escolhas, ainda nebulosas, podem muito bem decidir o futuro de toda a espécie, ou a falta dele. O *Homo sapiens* tem uma decisão crucial. Depois de centenas de milhares de anos em uma jornada épica e intensamente criativa, que produziu, como maior legado, uma visão única da realidade, o universo humano, o Verdadeiro Criador de Tudo está confuso, mistificado e, com frequência, enganado por um par de abstrações mentais poderosas que, apesar de certos benefícios inequívocos, carrega o potencial de erradicar completamente a cultura humana e, no limite, obliterar a nossa espécie da face da Terra.

Que uma ameaça cataclísmica como essa tenha surgido das profundezas da mente humana durante os últimos séculos, embora pareça irônico, não surpreende. Uma vez que o cérebro humano adquiriu os atributos neurofisiológicos para induzir e amplificar a sincronização de milhões de mentes para a formação de *Brainets*, expandindo, de maneira exponencial, o alcance das nossas habilidades sociais, um dos danos colaterais indesejáveis foi a possibilidade de autodestruição em uma escala terminal para toda a espécie.

Embora o risco de uma guerra nuclear mundial tenha se reduzido nas últimas duas décadas – apesar de a crise recente na península coreana ser alarmante –, hoje existem outras ameaças além da aniquilação nuclear com as quais todos nos preocupamos. Na realidade, aproxima-se o momento em que o Verdadeiro Criador de Tudo terá que optar ou sucumbir de vez ao abraço asfixiante causado por esse par de abstrações mentais que ameaçam todas as sociedades humanas modernas ou, em um movimento inesperado, realizar uma "curva em U" que imediatamente reafirme o papel central desempenhado pelo cérebro humano na confecção do universo humano.

É precisamente nessa junção que se localiza o dilema existencial ao qual me refiro: caso a nossa escolha seja sábia, o futuro de toda a raça humana, senão a imortalidade dela, estará assegurado; ao contrário, se optarmos por continuar seguindo as miragens geradas por abstrações mentais que escaparam completamente do nosso controle, o prognóstico da autoaniquilação se transformará em profecia.

Embora possa soar surpreendente, a ascensão para a beirada do abismo na qual todos nos encontramos tem sua origem em duas abstrações mentais cada vez mais entrelaçadas, as quais, ao coalescer em uma visão de mundo amplamente aceita e dominadora, só podem ser descritas hoje como novo culto religioso que visa a ditar e controlar todo e qualquer aspecto da vida humana. Unidas, elas configuram um oponente formidável e quase invencível contra a tese de que os seres humanos deveriam continuar a exercer o controle completo do próprio futuro. Fundidas em uma entidade simbiótica e quase intransponível, as duas abstrações mentais claramente erigiram o mais avassalador desafio que o Verdadeiro Criador de Tudo teve pela frente, em toda a sua existência. Refiro-me à visão financeira do universo humano, que propõe monetizar todos os aspectos da vida, acoplada ao Culto das Máquinas, conceito proposto por Lewis Mumford e que inclui o enfeitiçar da nossa espécie pelas ferramentas e tecnologias que somos capazes de criar para aumentar o nosso alcance no mundo exterior.

Durante os últimos setenta e cinco anos essa nova religião tomou forma graças às visões propagadas pela cibernética e pela sua mais conhecida descendente contemporânea, a inteligência artificial – estas promovem conjuntamente a crença mística de que tanto o ser humano como a sua mente podem ser reduzidos a uma máquina de Turing.

Embora seja plausível argumentar que a fusão das duas poderosas abstrações mentais produza melhoras no desenvolvimento material e na qualidade de vida da humanidade, essa afirmação tem que ser imediatamente qualificada, dada a constatação de que a maioria dos ganhos foram distribuídos e, consequentemente, desfrutados de forma bastante desigual pela humanidade. Além disso, uma vez que se amalgamaram em uma única visão de mundo, essas abstrações mentais passaram a conspirar, em uma variedade de formas, para elaborar cenários que ameaçam não só o futuro, mas toda a viabilidade da nossa espécie.

Em essência, o ponto a que quero chegar é: se o processo de fusão continuar sem nenhuma resistência de monta, com a aceleração do estabelecimento de uma ideologia promotora da mecanização e monetização total da vida humana, como única diretiva operacional dominante em todo o mundo, há uma chance real de que esse processo devore, em níveis inimagináveis de voracidade, inúmeros atributos essenciais da cultura humana. E, uma vez atingido dado patamar de destruição, a recuperação será impossível.

De acordo com a visão dominante dos nossos tempos, todos os objetos e todos os aspectos da vida, incluindo os nossos comportamentos e a rotina propriamente dita, adquirem valor monetário finito. Essencialmente, cada ato, decisão, opção – em suma, todos os comportamentos que nos definem – passou a ser tratado como *commodity*. Para os que defendem essa crença, o único valor a ser auferido da vida e das realizações humanas é aquele determinado pelo "mercado". Ainda assim, os profetas parecem ignorar por completo que o tal "mercado" não passa de outra entidade abstrata, uma criatura de faz de conta gerada pela mente humana e que, ao longo dos últimos séculos, adquiriu *status* quase místico, como os diferentes deuses alçados ao Olimpo pelo Verdadeiro Criador de Tudo durante os éons da história humana.

Como novo deus coroado pelo homem, o mercado, a despeito de ser apenas mais um produto dos princípios neurobiológicos que governam o cérebro humano, voltou-se contra o seu criador, como Zeus contra Cronos, com o intuito de obter uma rendição incondicional da humanidade, seguida da sua total submissão aos valores éticos e morais do dominador – ou à ausência deles. De fato, os valores éticos da nova divindade santificada pelo homem podem ser sumarizados como: a ganância ilimitada traduzida pela busca incessante e sem trégua por lucros infinitos. Em consequência disso, tantos os seguidores como os cardeais da verdadeira Igreja do Mercado parecem compartilhar o mesmo fervor religioso que distingue os militantes da Igreja católica e da protestante ou de qualquer outra forma de religião organizada. Ainda assim, nada no universo, a não ser a mente humana, ofereceu a legitimidade com que o mercado hoje projeta o seu poder inexorável sobre todas as dimensões da nossa vida.

De acordo com a visão cerebrocêntrica, as verdadeiras raízes do tão bem-sucedido proselitismo da Igreja do Mercado, que incentiva o exercício contínuo da incansável busca pela maximização do retorno financeiro gerado por qualquer atividade humana, incluindo a contínua mineração on-line de preferências, prazeres e gostos, enveredam pelos mesmos mecanismos neurobiológicos que explicam a formação das *Brainets* e como estas ditam o comportamento social em larga escala. Essencialmente, tudo se resume ao extremo poder de sedução que a dopamina, além de outros neurotransmissores que mediam a sensação de prazer e recompensa, tem ao consolidar e difundir, auxiliadas pelos vírus informacionais e os mais variados meios de mídia, as abstrações mentais pelas sociedades humanas.

Conforme discutido no Capítulo 11, as abstrações mentais financeiras do mundo contemporâneo, que se espalham por *Brainets* altamente sincronizadas, ditam políticas econômicas e fiscais ilógicas, baseadas em valores éticos e morais distorcidos, que atentam ao melhor interesse da maioria da humanidade, favorecendo apenas uma minúscula elite financeira. Como discutido em outros capítulos, isso se dá porque a dopamina contribui de maneira decisiva para a formação de *Brainets* humanas que, apelando para os nossos instintos e os arquétipos mais primitivos, competem por assumir papel dominante na sociedade.

Levando em conta os fatores desencadeantes de catástrofes antropogênicas nos últimos anos – inclusive a crise financeira pela qual passaram os bancos americanos e mundiais em 2008 –, comportamentos hedônicos, mediados pela dopamina, que visam à incessante busca da gratificação e do prazer como fins em si só, como no caso na dependência às drogas, ao sexo e ao jogo, parecem ter servido de arcabouço fundamental no processo de tomada de decisão empregado por um número alarmante de operadores, pequenos e grandes, do tal deus mercado.

Ganho financeiro a qualquer custo, esse parece ser o mote dos nossos tempos. Novamente, basta lembrarmos do verdadeiro tsunâmi financeiro que varreu o sistema internacional em 2008, evento que levou praticamente todo o planeta às margens da insolvência terminal, para nos darmos conta de quão perigosas para o futuro da humanidade se transformaram as operações das *Brainets* financeiras globais, que hoje ocorrem virtualmente sem controle nem supervisão independente. Essa é uma das razões pelas quais discordo da visão proposta pelo movimento conhecido como "construtivismo social", que defende ser suficiente para entender fenômenos complexos como os mercados financeiros a análise da dinâmica dos comportamentos sociais humanos, da cultura e da linguagem.

Para começar, todos esses são fenômenos emergentes de segunda ordem, gerados por uma grande população de cérebros humanos que interagem entre si. Portanto, para compreender verdadeiramente como esses fenômenos de segunda ordem emergem e como eles podem ser controlados, ou pelo menos moderados, é preciso mergulhar fundo nos princípios neurobiológicos que regem o funcionamento do cérebro humano, tanto individual como coletivamente, na busca incessante por recompensas. De outra forma, estaríamos nos limitando a um comportamento como o de alguém que alega que virar a chave na ignição explica como um motor de automóvel funciona.

Envolver-se no debate sobre as causas primordiais do surgimento de complexas estruturas sociais humanas que definem sistemas político-econômicos é essencial porque, como vimos, o nosso cérebro permanece maleável ao longo de toda a vida. Isso implica que, por meio da educação crítica, pode-se desmistificar a natureza das abstrações mentais, como o mercado e o sistema financeiro, demonstrando que são apenas criações do ser humano, não produto de intervenção divina. Somente essa iniciativa pavimenta o caminho de um sistema educacional que incuta uma visão humanística, muito mais relevante e sólida, na mente da sociedade e de seus futuros líderes, no que tange à sabedoria de comprometer o bem-estar de centenas de milhões ou bilhões de pessoas em favor de uma miragem mental. Em outras palavras, ao demonstrar que a ideologia baseada apenas no mercado não é um deus nem parte de sua obra, temos mais chances de promover agendas político-econômicas que priorizam a qualidade de vida da humanidade, bem como o ambiente natural do nosso planeta.

Educação, oportunidades e justiça ilimitadas, não ganância, deveriam ser o mote que impulsiona o universo humano no futuro.

Como principal meio de troca e garantia de valor da Igreja do Mercado, o dinheiro transformou-se no epicentro da visão cosmológica financeira do universo humano. Ao examinar a Figura 13.1, observamos uma breve evolução histórica dos veículos usados como dinheiro em diferentes sociedades humanas, como forma de aquisição e troca de mercadorias, para nos dar conta de que, depois de apenas algumas décadas da chamada "revolução digital", a representação contemporânea do dinheiro permitiu que a visão cosmológica financista se fundisse indelevelmente com a sua irmã gêmea, a visão mecanizada do universo humano. Das sementes de cacau usadas no Império Asteca às pepitas de ouro, seguidas das moedas cunhadas no mesmo metal, até as cartas de crédito emitidas pelo financistas florentinos e venezianos para mercadores e exploradores, chegando a notas de papel, cartões de crédito e todas as formas de títulos e outros instrumentos financeiros, inclusive o limite das mais recentes representações digitais do dinheiro, representadas por séries de zeros e uns, ou mesmo o crescente espectro de criptomoedas, como o bitcoin, há apenas uma coisa em comum que unifica todos estes veículos: o seu valor nominal sempre foi definido arbitrariamente pelo comércio global, através da anuência para com uma abstração mental coletiva, selada por um contrato social quase silencioso, assinado por todos aqueles que aceitam o dinheiro como o pagamento por serviços e mercadorias. Ainda assim, pessoas por todo o planeta estão preparadas para vender trabalho, habilidades, pensamentos, ideias, sem mencionar enganar, matar, escravizar e explorar outros seres humanos, como forma de acumular a maior quantidade possível de papel impresso ou de sequências binárias em suas contas bancárias digitais. Isso se dá não porque o papel impresso ou os *bits* bancários possuem valor inerente, mas porque, nos nossos tempos, o sistema financeiro global, materializado na Igreja do Mercado, monopoliza o poder de determinar o valor de compra de cada um desses veículos monetários.

A outra face dessa revelação é que, a qualquer momento, esse valor pode ser extinto, transformando uma nota de 20 dólares em um pedaço de papel colorido com valor nominal menor do que o custo para a sua impressão. Foi exatamente o que aconteceu durante os anos de hiperinflação da República de Weimar na Alemanha dos anos 1920 e que culminou com a explosão da Segunda Guerra Mundial. Infelizmente, esse cenário poderá se repetir, como foi pedagogicamente demonstrado pela crise financeira de 2008.

Evidentemente, tenho total ciência de que, dado o enorme acúmulo em complexidade das atividades humanas ao longo da história, um veículo de troca como o dinheiro tinha que ser inventado e disseminado para permitir que o comércio em larga escala se materializasse ao redor do planeta, viabilizando, assim, o surgimento de grandes economias para produzir e distribuir os bens vitais e o serviços necessários para sustentar as necessidades básicas de 7 bilhões de pessoas em termos de alimentação, vestimenta e abrigo, para mencionar algumas das principais demandas humanas. Ainda assim, nos últimos setecentos anos, especialmente depois do surgimento da indústria bancária que antecedeu (e financiou) o Renascimento italiano, e durante a Revolução Industrial inglesa, o dinheiro, impulsionado pela Igreja do Mercado, assumiu múltiplas faces e

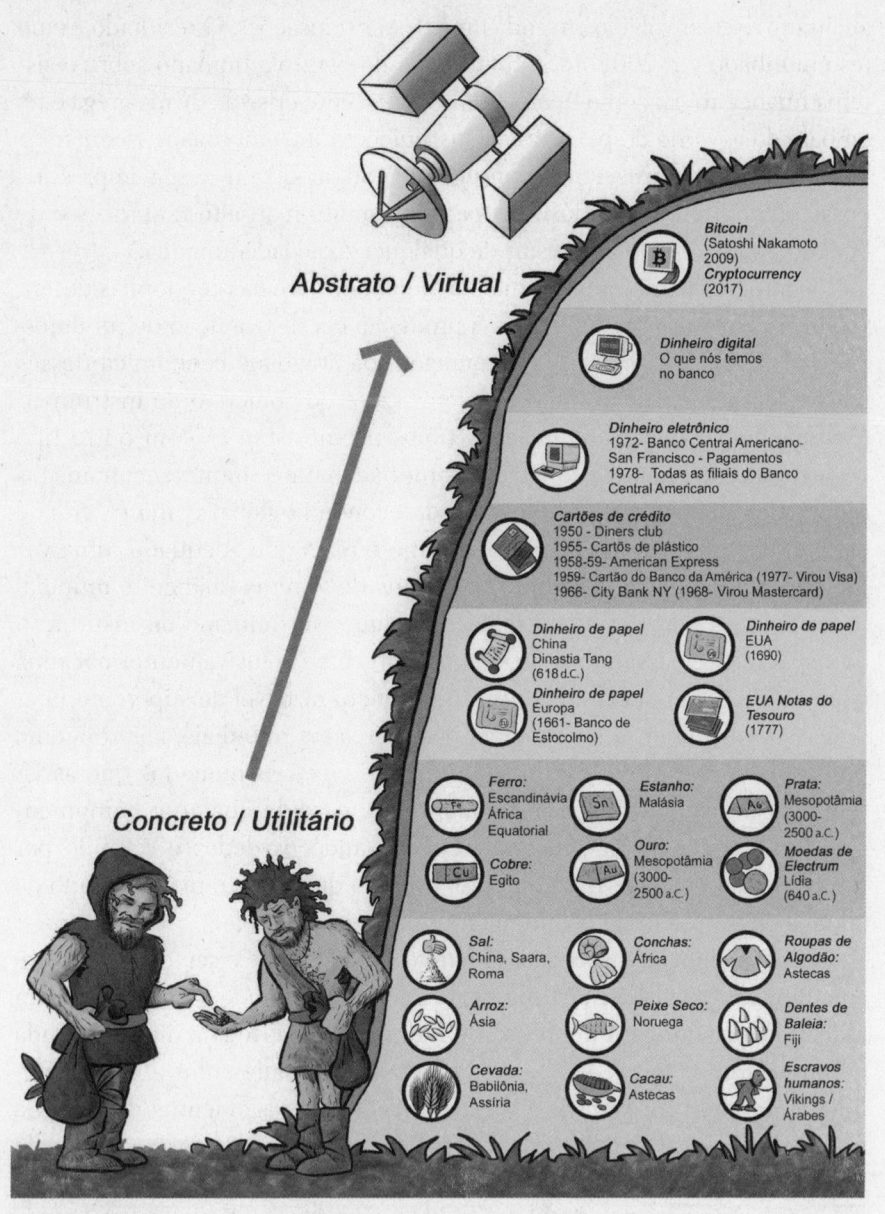

Figura 13.1 As diferentes formas de dinheiro usadas pela humanidade ao longo do tempo. (Ilustração por Custódio Rosa)

configurações, transformando-se em instrumentos financeiros obscuros e totalmente incompreensíveis para a vasta maioria da sociedade.

Esse processo se acelerou nas últimas décadas, a ponto de essas abstrações mentais desafiarem a compreensão até de profissionais experientes da área financeira, bem como das agências regulatórias especializadas em analisar o risco envolvido em cada uma dessas transações. O resultado, como testemunhado em 2008, foi a total perda do controle humano sobre o sistema financeiro. E, como ficou patente na recente crise da dívida grega e no embate do governo do país com as instituições da Comunidade Econômica Europeia, o dinheiro e, por conseguinte, quem detém a sua impressão, posse ou controla o seu fluxo ocupa *status* muito mais alto no processo de decisão política que o bem-estar de qualquer sociedade humana.

De fato, neste momento, uma porção importante das economias desenvolvidas não tem nada a ver com a produção e a distribuição de produtos. Em vez disso, uma elevada porcentagem da atividade econômica desses países depende exclusivamente da emissão e do comércio de instrumentos financeiros que mantêm laços tíbios ou inexistentes com outro tipo de atividade econômica tangível. Apropriadamente, muitos economistas renomados denominam esse estado da economia global como o "grande cassino das finanças mundiais". O nome é mais que adequado, uma vez que, neste momento, a dinâmica cotidiana do sistema financeiro mundial basicamente escapou ao controle de qualquer ser humano ou instituição de fiscalização, passando a ser dirigida, única e exclusivamente, por uma guerra virtual não declarada entre um número razoável de supercomputadores que disputam a supremacia dos mercados mundiais, agindo como prepostos digitais de um reduzido grupo de vice-reis humanos que assistem a essa disputa feroz a distância, tendo perdido qualquer compreensão do novo ecossistema econômico, cruzando os dedos e rezando por um resultado positivo. Basicamente, este é o diagnóstico mais acurado de como a engrenagem da economia mundial se move hoje.

A impressionante ascensão da Igreja do Mercado e o seu deus dinheiro ao cume da sociedade moderna explica por que, quando confrontado com a decisão que obrigava a Grécia a pagar, na íntegra, toda a dívida oriunda de empréstimos feitos aos bancos europeus para alimentar a bolha imobiliária do país, ou garantir a reestruturação dos pagamentos de forma a permitir que o povo grego mantivesse um nível adequado de qualidade de vida, sem mencionar a sua própria dignidade enquanto país, todas as principais instituições da Comunidade Econômica Europeia, tanto as econômicas como as políticas, bem como os seus líderes, não hesitaram um segundo sequer: independentemente do grau de sacrifício humano imposto ao povo grego, os empréstimos deveriam ser pagos de acordo com as condições estipuladas originalmente pelas instituições financeiras.

De forma definitiva, a crise da dívida grega expôs o que já era fato amplamente reconhecido no mundo financeiro havia décadas: na visão cosmológica financeira do universo humano, a Igreja do Mercado se sobrepõe à existência de qualquer nação, sociedade, bem como à sobrevivência de bilhões de pessoas. Do ponto de vista de um universo centrado no mercado, todas as estruturas humanas – incluindo cada um de nós, de forma individual ou como parte de uma sociedade – evanescem-se, mostrando-se insignificantes e irrelevantes diante do verdadeiro detentor do poder absoluto dos nossos tempos – a Igreja do Mercado – e o seu principal agente de dominação, o deus dinheiro.

O historiador britânico Eric Hobsbawm cunhou a expressão "era dos extremos" para encapsular a sua visão acerca de como o século XX poderia ser melhor descrito e compreendido por uma perspectiva histórica. Hobsbawm sugeriu que o advento da modernidade, nas primeiras décadas do século XX, resultou de uma combinação de três fatores principais: a aceleração do processo de rendição total das instituições e programas políticos em favor de agendas econômicas extremamente estreitas, ditadas pelos desejo obsessivo de uma minúscula elite global em prol da doutrina predatória da obtenção do maior ganho financeiro possível; a consolidação do processo de globalização econômica, sem a contrapartida de um processo equivalente de globalização da governança mundial e da mobilidade humana; e a dramática contração, tanto de restrições temporais como espaciais, nas interações sociais humanas ao redor do planeta, graças a uma revolução das tecnologias de comunicação. No todo, esses fatores contribuíram para o desencadeamento de um progresso tecnológico sem precedentes, que, por sua vez, alimentou um crescimento recorde no PIB mundial. Ainda assim, a altíssima sobretaxa paga, e quase não debatida, por esses resultados se materializou em uma profunda desestabilização de toda sorte de instituições políticas – e, no limite, de qualquer vestígio de soberania de nações inteiras. Consequentemente, na segunda década do século XXI, pode-se argumentar que o tradicional conceito mental de "nação", bem como as suas fronteiras criadas de forma totalmente arbitrária, foi simplesmente obliterado pelos valores e pelos objetivos, derivados das abstrações mentais de dominação preferidas pelas corporações multinacionais e pelo sistema financeiro internacional.

No limite, o processo que alçou a Igreja do Mercado ao poder inexorável e avassalador dos nossos tempos contribuiu de maneira decisiva para a virtual desintegração da forma tradicional de vida de muitas sociedades humanas – não somente aquelas, em países menos desenvolvidos, que não acompanharam a velocidade das transformações, mas também as que vivem nas economias mais modernas do mundo e que, ironicamente, lideraram esse processo, como Estados Unidos e Europa ocidental.

Neste instante, todos somos tragados para a possível hecatombe global, na qual nem as instituições nem os governos – tampouco o cérebro humano, a propósito – acompanham o vasto escopo de mudanças e a velocidade desenfreada com que essas transformações sem precedentes na nossa história são implementadas. Dado que a ênfase central e as prioridades das corporações e dos governos se resumem a atingir metas fiscais e financeiras e a aumentar a produtividade econômica, nada na nossa rotina parece ter chance de resistir e sobreviver ao verdadeiro tsunâmi de modificações contínuas, impostas a praticamente toda a humanidade com a única finalidade de atingir tais metas. Nada parece estar fora do alcance sinistro das ganâncias da Igreja do Mercado. Tal inexorabilidade pode explicar a ansiedade e o medo que se espalharam por todo o mundo, uma vez que ninguém hoje tem a certeza de manter o seu emprego, ter acesso à saúde, educação e moradia ou traçar qualquer plano para o futuro imediato, dado que tudo ao redor aparenta estar em fluxo contínuo.

A percepção avassaladora de total falta de predição dos eventos, experimentada pela vasta maioria da humanidade, levou o sociólogo e filósofo polonês Zygmunt Bauman a descrever da seguinte forma o momento em que vivemos:

> *O que foi erroneamente chamado, algum tempo atrás, de "pós-modernidade" e o que eu escolhi denominar, mais apropriadamente, "modernidade líquida" representa a crescente convicção de que a mudança é a única constante e a incerteza a única certeza. Cem anos atrás, "ser moderno" significava perseguir "o estado final de perfeição" – agora significa um infinito de aperfeiçoamento, sem nenhum "estado final" à vista nem nenhum desejado.*

Bauman foi além ao propor o seguinte diagnóstico para os problemas que todos enfrentamos:

> *Estou cada vez mais inclinado a supor que presentemente nos encontramos em um período de "transição" – quando as formas antigas de se fazer as coisas não funcionam mais; os modos antigos de viver, herdados ou aprendidos, não mais se coadunam com a condição humana atual; quando as novas abordagens para atacar os desafios e os novos modos de viver, mais adequados para as novas condições, não foram ainda inventados, implementados e colocados em prática.*

[...]
Formas de vida moderna diferem em alguns aspectos, mas o que une todas elas é precisamente a fragilidade, a temporariedade, a vulnerabilidade e a inclinação à mudança contínua. "Ser moderno" significa modernizar, compulsivamente, obsessivamente; não exatamente "ser", muito menos manter uma identidade intacta, mas para sempre "tornar-se", evitando qualquer tipo de acabamento, permanecendo sempre subdefinido.

Assim, ele conclui:

Viver sob as condições da modernidade líquida pode ser comparado a andar em um campo minado: qualquer um sabe que uma explosão pode acontecer a qualquer momento e em qualquer lugar, mas ninguém sabe quando esse momento virá nem onde será. Em um planeta globalizado, essa condição é universal – ninguém está isento e ninguém está assegurado contra as consequências.

Nas palavras quase proféticas de Marshall McLuhan: "Agora que o homem estendeu o seu sistema nervoso central através da tecnologia elétrica, o campo de batalha foi deslocado para a imagem mental do 'fazer ou quebrar', tanto na guerra quanto nos negócios".

Perdido no nevoeiro do fluxo permanente, ninguém parece ter parado para refletir como o cérebro humano reagiria a essas novas condições de vida e como ele lidaria quando imerso em um cenário onde não existe mais um terreno sólido para andar, somente uma interface permanente fluida estabelecida entre os seus circuitos orgânicos e às regras externas de engajamento socioeconômico, impostas a toda a humanidade, sem consentimento explícito, por um uma nova religião dominante e cruel.

Do ponto de vista da visão cerebrocêntrica discutida neste livro, a era dos excessos de Hobsbawm pode ser descrita como o período em que uma abstração mental – o capitalismo – tornou-se poderosa o suficiente para reconfigurar a dinâmica das interações humanas em escala global, cruzando o perigoso patamar que, no limite, pode jogar a humanidade em um buraco negro do qual ela não mais se libertará. Basicamente, neste momento, as abstrações mentais mercado e dinheiro, bem como as infinitas variações desse tema, adquiriram papel vital em ditar todos os aspectos da vida e da sobrevivência humana. Ao decolarem, se espalharem e fugirem totalmente do nosso controle, em uma velocidade jamais testemunhada e experimentada pelo cérebro humano, essas edificações neurais ganharam vida própria e, disfarçadamente, passaram a ameaçar a sobrevivência de uma variedade de atributos da cultura humana. As manifestações desse fenômeno incluem não apenas guerras e genocídios, mas também propostas político-econômicas que promovem níveis egrégios de desigualdade e pobreza, desemprego e contenda social, bem como a destruição do nosso ambiente num grau que não pode ser mais ignorado, sob pena de nos levar à extinção autoinduzida da raça humana.

Essa ameaça poderá se materializar de muitas formas e em várias direções, desde uma mudança climática devastadora – levada a cabo pela resistência cega de governos e das grandes corporações em abandonar o combustível fóssil, e o seu foco em ganhos financeiros em curto prazo – até uma pandemia global, que pode se espalhar depressa pelo globo em decorrência da degradação contínua de investimentos públicos em medicina preventiva, pesquisa básica e clínica e da falta de acesso de bilhões de pessoas a qualquer tipo de atendimento médico primário.

Sob a abstração mental dominante no mundo atual, o custo financeiro é a principal – e em muitos casos, única – variável envolvida em todas as decisões político-econômico-sociais, incluindo as que determinam quais necessidades básicas os seres humanos têm direito de reivindicar e quem terá acesso aos recursos. Quão irônico é, portanto, que, em nome de uma abstração mental criada única e exclusivamente pela mente humana, governos em todo o mundo, em geral com a aprovação de constituintes ludibriados, continuem a propor políticas que comprometem a segurança alimentar, a qualidade de ensino recebida por nossos filhos, bem como o acesso de comunidades inteiras a um sistema de saúde público, levando, como consequência, à redução de oportunidades de mobilidade social para suas populações, que crescem cada vez mais privadas de meios mínimos requeridos para realizar suas aspirações como seres humanos? Causa espanto, portanto, que a maioria de nós ainda seja ingênua a ponto de usar a palavra "democracia" para se referir a um sistema político dirigido por grupos de interesses especiais, instruídos pela agenda proposta pelo sistema financeiro internacional, livremente disseminado e promovido por uma mídia corporativa.

Em 1949, Albert Einstein publicou um pequeno artigo no qual relatou impressões sobre o impacto do capitalismo na vida humana naquele momento. No que poderíamos chamar de "relatório de Einstein sobre os últimos cem anos da utopia capitalista", consta:

> *Capitais privados tendem a se concentrar em poucas mãos, em parte devido à competição entre os capitalistas, em parte porque os desenvolvimentos*

tecnológicos e a crescente divisão de trabalho encorajam a formação de grandes unidades de produção em detrimento das menores. O resultado desse desenvolvimento é a formação de uma oligarquia do capital cujo enorme poder não pode ser efetivamente supervisionado nem mesmo por uma sociedade política democraticamente organizada. Isso se dá porque os membros das instituições legislativas são selecionados por partidos políticos, majoritariamente financiados ou influenciados por capitalistas privados, os quais, para todos os propósitos práticos, separam o eleitorado da legislatura. A consequência é que os representantes do povo não protegem de forma apropriada os interesses das camadas não privilegiadas da população. Além disso, sob as condições atuais, os capitalistas privados inevitavelmente controlam, direta ou indiretamente, as principais fontes de informação (imprensa, rádio, sistema educacional). Isso faz com que seja extremamente difícil, para não dizer impossível, o cidadão individual chegar a conclusões objetivas e fazer uso inteligente de seus direitos políticos.

A visão centrada no dinheiro do universo humano representa apenas metade da ameaça que a humanidade enfrentará em um futuro próximo. A segunda abstração mental responsável por fomentar uma tempestade perfeita sobre o futuro da condição humana, o Culto das Máquinas, pode ser considerada tão deletéria como a primeira, uma vez que, em última análise, ela tem como objetivo supremo a total eliminação do ser humano da economia global. Em nossos tempos, este outro movimento religioso professa que, ao combinar modernas técnicas de áreas, como a inteligência artificial e a robótica, eventualmente, a maioria dos empregos hoje ocupados por seres humanos será transferida para uma nova geração de máquinas e sistemas inteligentes, todos baseados na lógica digital.

Nessa verdadeira distopia, o objetivo é substituir o cérebro humano, por meio de alguma forma de simulação digital, rodando em um poderoso supercomputador que, no fim, será capaz de reproduzir e imitar todos os elementos e os atributos que definem a condição humana – mesmo se, conforme argumentei em capítulos anteriores, a realidade mais plausível for a de que a mente humana passe a emular o funcionamento dos sistemas digitais.

Os chamados "evangelistas" da inteligência artificial, com o seu profundo fervor religioso, comumente alegam que a substituição levará à edificação de um verdadeiro Paraíso na Terra. No argumento usado para defender a sua utopia, quando o processo de substituição do ser humano por máquinas se completar, bilhões de seres humanos desfrutarão de tempo livre para explorar os limites de sua criatividade e perseguir toda sorte de atividades intelectuais e de lazer. Evidentemente, o que esses profetas tendem a omitir é que essa nova maneira de viver será acompanhada dos maiores índices de desemprego experimentados pela humanidade.

Da mesma forma, essas projeções do Paraíso na Terra também são vagas sobre como cada um de nós será capaz de adquirir os meios para desfrutar da nova vida e, ainda, conseguir comer, se vestir, pagar aluguel, transporte, mandar os filhos para a escola – esses "meros detalhes" parecem ter escapado do alcance das mentes criativas que propõem com tanto fervor nos substituir com linhas de código, sistemas inteligentes e robôs. Alguns entusiastas mais sensíveis do Culto das Máquinas sugerem que, quando as máquinas dominarem todos os trabalhos disponíveis, cada um de nós deverá ter uma fonte de renda mínima para cobrir necessidades vitais. Curiosamente, essa ideia não vem acompanhada de esclarecimento no que tange a quem ficará encarregado por determinar o valor dessa renda mínima e definir quais são as "necessidades mínimas de vida" para cada um de nós.

Não é preciso ser engenheiro espacial nem neurocientista para se dar conta de que, na mente dos profetas da inteligência artificial, todo o poder de decisão será entregue, de mão beijada, ao maior oráculo destes tempos modernos, a Igreja do Mercado! Ainda assim, levando em conta o que o mesmo oráculo ofereceu como definição de necessidades mínimas de vida ao povo grego, eu seria extremamente reticente, para não dizer avesso, em relação à ideia de deixar decisões tão significativas nas mãos de uma abstração mental que perdeu qualquer tipo de empatia humana há muito tempo – se é que algum dia teve.

Neste ponto, é importante inquirir por que o delírio de tentar brincar de Deus e, no processo, almejar produzir máquinas que visam a substituir seres humanos, e até mesmo o nosso cérebro, contaminou tantas mentes científicas brilhantes. Por que, a despeito de limitações conhecidas há décadas, de repente a chamada inteligência artificial ascendeu novamente ao topo da agenda da comunidade empresarial como potencial redentor genérico, capaz de solucionar não só os fatores limitantes do mundo dos negócios, mas todos os problemas que atormentam a humanidade há milênios e permanecem insolúveis mesmo neste seu estágio avançado de desenvolvimento?

Acredito que todo o entusiasmo que cerca as pesquisas na área da inteligência artificial, e suas potenciais aplicações, deriva da fusão total e contínua das duas abstrações mentais que dominam o *Zeitgeist* da nossa era, a Igreja do Mercado e o Culto das Máquinas, em uma única entidade monolítica. Como resultado dessa união, acredito que a pressão para implementação de novas aplicações baseadas na inteligência artificial em muitas indústrias tem a sua origem em uma noção errônea de que, ao substituir ou drasticamente diminuir seus gastos com o trabalho humano, essas empresas podem reduzir os seus custos de produção – incluindo o componente que mais parece incomodar o capitalista moderno, a remuneração justa do trabalho humano – a um patamar mínimo, quase nulo, levando os seus lucros a níveis jamais vistos na história do capitalismo.

Nesse contexto, a lógica escondida por trás da adoção de tecnologias "inteligentes" pode ser descrita da seguinte forma: se uma companhia demonstra que um pedaço de software ou um robô "esperto" é capaz realizar o trabalho de um trabalhador experiente, a vantagem que a empresa adquire em negociar salários e benefícios com a sua força de trabalho passa a ser enorme e quase impossível de se contrabalancear com trabalhadores. Rebaixar o ser humano e as suas capacidades mentais e físicas ao pronunciar – e supostamente demonstrar – que um pedaço de metal ou algumas linhas de programação são capazes de realizar tarefas de forma mais eficiente que os responsáveis por elas no passado é uma estratégia muito bem pensada da elite do capital mundial e de grandes corporações para elevar seus lucros ao infinito. O único problema é que os proponentes dessa utopia parecem ter se esquecido de incluir no "grande acordo pelo futuro da humanidade" uma enorme gama de economistas e cientistas que não estão dispostos a omitir as suas opiniões nem os seus dados, os quais, juntos, provam categoricamente que a menina dos olhos do capitalismo pós-humano é não só uma proposta recheada de falsidades, mas também é algo totalmente imoral.

Essa conclusão é apropriada, uma vez que a maioria dos "empreendedores" da indústria de alta tecnologia do vale do Silício parece ignorar – ou não se importar com – as potenciais consequências sociais devastadoras que suas tecnologias podem gerar, ao obliterar, em poucos anos, dezenas ou centenas de milhões de empregos em todo o mundo. Quando esse tipo de discussão é apresentada a esse grupo, tudo leva a crer que os empresários não entendem que a contração massiva no poder de compra da sua própria força de trabalho terá consequências intensas na sua base de consumidores e na economia mundial como um todo.

A essa altura, vale ressaltar que as mentes dominadas pela ideologia da Igreja do Mercado e os seguidores do deus dinheiro não são os únicos por trás da propaganda enganosa referente aos supostos poderes da inteligência artificial. Na realidade, a recente "corrida do ouro" dessa área tem muito mais a ver com a atualização e considerável expansão de uma visão de mundo e com a máquina de propaganda, tipicamente associadas ao livro *1984* de George Orwell. O principal slogan da visão autoritária é: "Controle total para assegurar total segurança".

Ao subscrever esse tipo de pensamento ditatorial, alguns governos convenceram seus constituintes – embora outros nem tenham se preocupado com esse detalhe – com a falsa alegação de que, para se garantir contra toda sorte de ameaça e inimigos, reais ou imaginários, a sociedade civil deveria aceitar a perda da sua privacidade e dos direitos constitucionais, permitindo o uso de um aparato de vigilância de massa que permite a esses governos o controle total dos cidadãos. Como parte desse pesadelo, alguns governos anseiam que o uso de sistemas desenvolvidos com a inteligência artificial lhes permita antecipar todas as decisões e todos os movimentos de seus cidadãos; no limite, o extraordinário empenho em implementar ferramentas de inteligência artificial, financiadas pelas agências de inteligência e instituições militares ao redor do planeta, visa a nada mais que o estabelecimento do "estado de vigilância total"; um novo tipo de ditadura no qual as mais avançadas ferramentas de tecnologia digital são empregadas por governos para antecipar o comportamento e, caso os seus desejos mais ardorosos se concretizem, todos os pensamentos de cada um dos seus cidadãos. Nessa utopia orwelliana, "potenciais crimes contra o Estado" seriam detectados no momento que começam a germinar na mente das pessoas, muito antes de qualquer ação concreta se materializar. Embora alguns possam ler esta última frase e argumentar que tal capacidade extraordinária seria muito útil na prevenção e na redução da criminalidade ao redor do mundo, vale a pena enfatizar que tal tecnologia, se algum dia for desenvolvida, carrega consigo o potencial de ser utilizada para fins escusos, como criar um sistema de censura política disseminada, em uma escala jamais testemunhada na história das civilizações. Perto de tal aparato, as polícias políticas de Stalin e Hitler seriam consideradas brinquedos infantis.

O sonho de consumo de regimes de exceção, serviços de inteligência e ditadores de plantão, militares e civis, todavia, não foi posto em prática inicialmente em instituições que fazem parte do tradicional aparato de Estado. Na realidade, ele foi incorporado ao plano de negócios de uma das empresas emblemáticas do vale do Silício, pelas mãos daqueles que, alguns anos atrás, juravam de mãos juntas jamais usar o seu quase monopólio dos sistemas de busca da internet para cometer algum ato diabólico. Depois de ser incubada e lançada pelo Google, essa nova modalidade de negócios foi transportada por executivos desta a outras empresas de internet, como o Facebook. Essa história foi recentemente reconstruída por Shoshana Zuboff, professora emérita da Universidade de Harvard. Em seu livro *The Age of Surveillance Capitalism: The Fight for a Human Future at the New Frontier of Power* [A era do capitalismo de vigilância: a luta pelo futuro humano na nova fronteira do poder], publicado no início de 2019, ela descreve o mesmo cenário de intrusão de privacidade descrito aqui. Zuboff batizou de "capitalismo de vigilância" o casamento de conveniência entre a Igreja do Mercado e o Culto das Máquinas. Nas palavras dela, esse sistema define "uma nova ordem econômica que considera qualquer experiência humana matéria-prima grátis a ser extraída [das redes sociais] e explorada para práticas comerciais obscuras, predição [de futuros comportamentos] e vendas".

Em total acordo com a minha própria definição, Zuboff acredita que o "capitalismo de vigilância" representa "um risco significante para a natureza humana no século XXI, da mesma forma que o capitalismo industrial representou para o mundo natural no século XIX". Ela vai além ao dizer que a "mutação desonesta do capitalismo" possibilitou "a ascensão de um novo poder instrumentário capaz de dominar a sociedade e criar grandes dificuldades para a democracia de mercado".

Embora exista uma abundância de sinais implícitos e explícitos de que governos em muitos países, incluindo os Estados Unidos, estariam mais que dispostos a adotar um crescente número de novas tecnologias de vigilância, a única razão pela qual ainda consigo dormir à noite é porque, tendo plena consciência das limitações básicas, insuperáveis e inerentes à abordagem exclusivamente digital dos sistemas de inteligência artificial, não será permitido que esses sistemas leiam os nossos pensamentos ou reproduzam o cérebro humano. Ainda assim, essas limitações não serão capazes de impedir que os mesmos agentes e instituições persigam formas de tirar vantagem do poder do cérebro humano para criar ferramentas de escrutínio e vigilância e uma nova geração de armas letais controladas diretamente pela mente humana. Dado o enorme interesse e participação, como parceiros de primeira ordem, de agências do departamento de defesa e da comunidade de inteligência americana, a "iniciativa do cérebro" estabelecida pelo ex-presidente dos Estados Unidos, Barack Obama, é possível prever um futuro no qual o cérebro humano se transforma em um novo tipo de armamento estratégico.

Até recentemente considerada um cenário restrito a filmes de ficção científica, essa possibilidade deve ser encarada seriamente tanto pela comunidade neurocientífica mundial como pela sociedade civil. Sobre a nova realidade, neurocientistas em particular devem refletir sobre a decisão de aceitar fundos para suas pesquisas oriundos tanto de instituições militares como da área de inteligência, uma vez que o risco de o produto dos seus experimentos e de sua atividade intelectual serem utilizados para fins que provocam graves prejuízos à vida humana nunca foi tão alto e tangível. Pela primeira vez na sua curta história, a neurociência pode desempenhar papel central como o guardião e salvaguarda do bem comum da humanidade. Ficará a cargo da neurociência, enquanto comunidade, prover um verdadeiro escudo que defenda e alerte constantemente a sociedade civil sobre potenciais violações dos direitos humanos elementares, como o direito à privacidade e à liberdade de expressão, bem como qualquer tentativa de comprometer a expressão irrestrita dos nossos comportamentos e das nossas escolhas, mediante qualquer invasão ilegal do refúgio sacrossanto da nossa mente.

Por esse ponto de vista, os riscos impostos à humanidade pela Igreja do Mercado e o Culto das Máquinas demonstram claramente por que a adoção de uma visão cerebrocêntrica é essencial para assegurar que nós, enquanto espécie, possamos recuperar, de forma coletiva, o controle do nosso universo humano. Para começar, a visão cerebrocêntrica desmistifica as origens das forças dominantes da vida moderna – mercados, dinheiro e tecnologia – como nada mais que produtos do cérebro humano, miragens mentais construídas dentro de nós mesmos e que, depois de séculos de maturação, tentativa e erro, adquiriram vida própria, definindo prioridades, estratégias, condutas e práticas que tendem a relegar a intervenção da humanidade, as suas necessidades e as suas aspirações a um papel secundário.

A cosmologia cerebrocêntrica do universo humano também expõe de maneira explícita a triste realidade de que, por milênios, sociedades humanas foram direcionadas a tomar decisões vitais, impactando de forma decisiva a cultura humana e, no limite, a própria sobrevivência da espécie, baseando-se apenas em arcabouços mentais que não têm como base um interesse na vasta maioria dos seres humanos vivos e dos que ainda hão de nascer. Dogmas religiosos intransponíveis, preconceitos de toda sorte, sistemas econômicos baseados em enormes graus de desigualdade social e outras visões de mundo distorcidas não deveriam ditar ações e comportamentos humanos. Daí a minha insistência em repetir que, ao conhecer as suas verdadeiras origens – o nosso cérebro de primata –, é possível convencer mais e mais pessoas de que o nosso modo de vida não pode ser dominado por essas abstrações mentais.

Como vimos no Capítulo 9, a cosmologia cerebrocêntrica mostra que a ciência e o método científico, como concebido por Galileu e outros, têm os seus próprios limites, impostos naturalmente pelas restrições criadas pelas propriedades neurobiológicas do nosso sistema nervoso central, naquilo que eles podem inferir e oferecer, em termos de uma descrição do cosmos existente ao nosso redor. Por causa dessas inquestionáveis limitações, manifestas, por exemplo, em enigmas não resolvidos na matemática, na física quântica e em outras áreas do conhecimento, a ciência e os cientistas têm o dever de informar, de forma adequada, a sociedade civil de que, a despeito de feitos estupendos e maravilhosos alcançados nos últimos séculos e dos que indubitavelmente se materializarão no futuro, eles não podem se comprometer a produzir uma verdade definitiva sobre o universo. Nesse contexto, proposições como a "teoria de tudo", a quimera que propõe que uma única formulação matemática descreveria todo o universo, ou a simulação do cérebro humano por um computador digital, e não são somente fantasias inalcançáveis, representam falácias que contribuem para ludibriar milhões de pessoas, induzindo-as a acreditar em um conto de fadas.

A ciência não precisa recorrer a esse tipo de propaganda rasteira porque já deu inúmeras provas de que aquilo que ela é verdadeiramente capaz de realizar para promover o bem da humanidade é mais que suficiente para justificar todos os esforços que visam a disseminar a sua prática, promovê-la e democratizá-la por todos os cantos do planeta. Como Niels Bohr explicou de forma eloquente, cerca de um século atrás, a ciência não é a busca pela verdade absoluta sobre o que a realidade é – isto está além de nós –, a ciência nos oferece uma grande oportunidade para obter a melhor compreensão possível do que está aí fora, de forma que possamos aproveitar esse conhecimento primeiro para nos iluminar e, eventualmente, nos permitir manipular o mundo a fim de melhorar as condições de vida da humanidade. E, a despeito das tentativas frustradas de classificar essa visão do grande físico e humanista dinamarquês como mera expressão de solipsismo metafísico, a mesma visão cosmológica foi apoiada e defendida, ao longo de todo o século passado, por intelectuais, filósofos, matemáticos e físicos.

Nos passos da filosofia defendida por Bohr, a cosmológica cerebrocêntrica posiciona o pensamento humano no cerne do universo humano, uma vez que este é o único universo de que podemos verdadeiramente falar a respeito: aquele esculpido pelas construções mentais de mais de uma centena de bilhões de seres humanos que, em algum momento da nossa épica trajetória, puseram os pés neste belo planeta azul, ao longo dos últimos cem mil anos. A proposta da cosmologia cerebrocêntrica de alterar o epicentro de onde emana todo o nosso universo explicita a obrigação urgente de realizar uma mudança radical nas prioridades dos nossos sistemas político-econômicos, para não mencionar da nossa cultura pós-moderna, com o objetivo de realinhar as suas ações e os seus objetivos com a missão de satisfazer os desejos e os direitos existenciais legítimos de todos os seres humanos. Essencialmente, o que almejo dizer é que o largo espectro de necessidades humanas, que já é considerado parte dos direitos inalienáveis e legítimos de cada pessoa, deveria ter precedência sobre quaisquer outros objetivos artificialmente gerados por abstrações mentais que, ao entrarem em uma espiral descontrolada, tendem a conspirar contra o bem-estar coletivo e a sobrevivência da espécie.

A cosmologia cerebrocêntrica também refuta categoricamente a tese contemporânea, professada entusiasticamente por profetas e adoradores dos mito da inteligência artificial, de que o nosso cérebro pode ser reduzido a uma máquina biológica ou um autômato cujas ações e pensamentos podem ser replicados e simulados por algoritmos matemáticos, software e hardware digital, não importa quão elaborados e complexos forem. A menos que a humanidade como um todo decida dar mais um passo rumo à própria autoaniquilação ao renunciar ao seu direito inalienável de continuar a desempenhar o seu papel sagrado de coletores de conhecimento e criadores de universo, o cenário proposto por alguns proponentes radicais da dita inteligência artificial representa um exemplo de fantasia mental oca que não vai nos levar a lugar nenhum. Em uma direção totalmente oposta, a visão cerebrocêntrica propõe que os seres humanos assegurem o seu legado coletivo como criadores do universo humano e jamais renunciem ao controle do próprio destino para o que, no frigir dos ovos, não passa de uma pilha de máquinas digitais a vapor.

E qual é a alternativa que se contrapõe a essa visão de mundo contemporânea? A minha resposta é muito simples. Ao continuar a sua quase divina missão – de dissipar energia para acumular conhecimento e usá-lo para construir uma descrição cada vez mais detalhada do universo, visando a propiciar a melhora da sua espécie –, o Verdadeiro Criador de Tudo pode optar sabiamente pela única alternativa viável e digna de futuro; uma que garanta a sobrevivência duradoura e a contínua expansão da condição humana, indiscutivelmente, o melhor passaporte para a concretização do sonho tão desejado e almejado por gerações: a imortalidade humana.

Eu digo isso porque acredito que no nosso universo não há nada que chegue aos pés da beleza, da elegância e da eloquência dos monumentos mentais erigidos pelo Verdadeiro Criador de Tudo, desde o começo dos tempos, a partir das suas infinitesimais tempestades eletromagnéticas neurais, para deixar um legado único que defina, para o bem e para o mal, a essência do que é ser humano.

CAPÍTULO 14
A LONGA CAMINHADA DO VERDADEIRO CRIADOR DE TUDO

Ao longo de milhões e milhões de anos de caminhada aleatória, a evolução natural no planeta Terra costurou uma rede tridimensional, composta de feixes, folhas e bobinas de substância branca neural. Conduzindo e acelerando cargas eletrobiológicas diminutas, geradas por dezenas de bilhões de neurônios, esse arcabouço orgânico pariu um tipo de interação eletromagnética única e não computável, a qual dotou um cérebro de primata relativístico de um precioso presente: o seu próprio ponto de vista.

Este quase miraculoso evento aconteceu porque, agindo como uma cola invisível, as diminutas ondas eletromagnéticas induziram as mesmas dezenas de bilhões de neurônios a coalescer em um espaçotemporal neural contínuo e ininterrupto. De dentro da sinfonia recursiva e imprevisível produzida por esse computador orgânico analógico-digital, o Verdadeiro Criador de Tudo emergiu, cerca de cem mil anos atrás. E, em menos de 5 mil gerações, ele dominou com requintes de virtuosidade o mecanismo biológico essencial da vida, que consiste em dissipar excesso de entropia para embutir informação gödeliana, rica em significado e semântica, na sua própria carne. A partir dessa receita da sobrevivência, o Verdadeiro Criador de Tudo fez muito mais que simplesmente viver: ele construiu o universo humano usando a sopa de informação potencial generosamente oferecida pelo cosmos. Este trabalho hercúleo só foi possível devido ao acúmulo cada vez maior de informação gödeliana para que o Verdadeiro

Criador de Tudo dissipasse ainda mais entropia na forma de conhecimento, tecnologias, linguagem, interações sociais e a construção de nossa realidade.

Para concretizar a sua maior ambição, o Verdadeiro Criador de Tudo tirou vantagem de como o seu núcleo de conexões neurais internas ofereceu condições extremamente favoráveis para o surgimento de um alto grau de sincronização intercerebral, envolvendo milhões ou bilhões de cérebros humanos individuais, ao longo dos confins do tempo e do espaço. Por meio dessas *Brainets*, o Verdadeiro Criador de Tudo deu origem aos mais criativos, resistentes, prósperos e letais grupos sociais do reino animal na Terra.

Desde o princípio, as *Brainets* humanas se engajaram na heroica tarefa de explicar tudo o que existe no vasto cosmos que nos abraça. Para isso, elas se valeram de uma caixa de ferramentas única, que inclui: arte, mito, religião, tempo e espaço, matemática, tecnologia, filosofia e ciência. Ao costurar os produtos desse arsenal mental e todas as experiências individuais de mais de uma centena de bilhões de existências humanas em um único bordado mental, o Verdadeiro Criador de Tudo finalmente produziu a sua maior obra-prima: a criação do universo humano, o único testemunho possível da realidade material acessível para todos nós, *Homo sapiens*.

Então, naquilo que só pode ser descrito como uma grande ironia do destino, à medida que *Brainets* cada vez mais poderosas passaram a ejetar uma sucessão sem fim de abstrações mentais, uma mais sedutora que a outra, a ponto de serem adoradas com mais fervor que a própria vida humana, alguns membros da progênie do Verdadeiro Criador de Tudo levantaram-se para conspirar e, eventualmente, ameaçar, em um enredo shakespeariano, até mesmo a existência de seu próprio criador.

O que o futuro reserva para o Verdadeiro Criador de Tudo? Autoaniquilação, uma nova espécie humana feita de zumbis biológicos digitais ou o ansiado triunfo perene da condição humana? A esta altura, ninguém pode responder com certeza. Seja qual for o destino reservado a ele, certamente não haverá máquina capaz de superar as mais íntimas e doidivanas alegorias do Verdadeiro Criador de Tudo. Muito menos o espantoso universo que ele criou.

AGRADECIMENTOS

Com a publicação de O *Verdadeiro Criador de Tudo*, completo a trilogia iniciada uma década atrás com *Muito além do nosso eu* e, depois, *Made in Macaíba*. Nesses três livros que fazem parte da Biblioteca Miguel Nicolelis do selo Crítica da Editora Planeta do Brasil, tentei detalhar o pensamento científico e humanístico que apurei em trinta e sete anos de carreira como cientista, iniciada ainda como aluno de graduação na Faculdade de Medicina da Universidade de São Paulo (FMUSP), nos idos de 1982.

Ao concluir este ciclo, quero agradecer profundamente à minha querida editora, Aída Carvalho Veiga, o apoio, a dedicação e as inúmeras sugestões editoriais que contribuíram para que os três volumes pudessem, de forma clara e acessível, comunicar todas as minhas ideias. Também gostaria de agradecer a Cassiano Elek Machado, diretor editorial da Planeta, por ter participado desde o primeiro momento deste projeto de longo prazo e oferecido todas as condições para que ele se materializasse da melhor forma possível. A toda equipe editorial da Planeta, o meu muito obrigado também.

Embora o projeto deste livro tenha levado aproximadamente cinco anos para ser executado, o seu conteúdo é baseado, entre outras coisas, em mais de trinta anos de pesquisas teóricas, experimentais e clínicas conduzidas desde que me mudei do Brasil para os Estados Unidos, no começo de 1989, primeiro para fazer pós-doutorado no laboratório do professor John Chapin e, pelos últimos vinte e seis anos, trabalhando como professor do Departamento de Neurobiologia da Universidade Duke, na Carolina do Norte. Portanto, gostaria de agradecer a todos os meus alunos de graduação, pós-graduação, pós-doutorado, bem como técnicos e pessoal administrativo, além dos colaboradores, nos Estados Unidos e em tantos outros países, que em algum momento fizeram parte do "Nicolelis lab" e do Centro de Neuroengenharia da Universidade Duke. Gostaria de agradecer a todos eles por tudo o que aprendi durante conversas, colaborações e centenas de experimentos conduzidos em parceria ao longo desses vinte e seis anos. Da mesma forma, agradeço aos meus colegas, amigos e colaboradores, tanto no Laboratório de Neurorreabilitação da AASDAP em São Paulo, sede mundial do Projeto Andar de Novo, como no Instituto Internacional de Neurociências Edmond e Lily Safra (INN-ELS), em Macaíba, Rio Grande do Norte, por mais de dezessete anos de trocas intelectuais e grandes aventuras durante a elaboração e construção, literalmente do nada, de uma imensa utopia científico-social, poucas vezes testemunhada nestes nossos tão queridos e sofridos trópicos.

Tenho uma dívida enorme para com o meu agente literário americano, meu grande amigo nova-iorquino James Levine, não só pelo apoio incondicional a todos os meus projetos literários, mas também pela amizade de mais de uma década. Sem a sua batuta tranquila, mas sempre incisiva, nenhuma das minhas aventuras literárias, muito menos este *O Verdadeiro Criador de Tudo*, teria visto a luz do dia. Por todas as nossas batalhas, pelos tempos difíceis e pelos grandes momentos, muito obrigado por "*stick with me*", Jim. Além disso, tenho muito a agradecer a Elizabeth Fisher e todos os outros colegas da Levine, Greenberg e Rostan Agência Literária o tremendo apoio que dedicaram para fazer com que este livro fosse publicado em vários países.

Também gostaria de agradecer profusamente todo o profissionalismo e entusiasmo com que Jean Thomson Black, minha editora na Yale University Academic Press, acompanhou a execução deste projeto até que estivesse concluído. Da mesma forma, obrigado a Michael Dennen e todos da Yale University Press por terem me oferecido as melhores condições possíveis para o desenvolvimento e a produção deste volume. Também agradeço a Robin DuBlanc pelo trabalho impecável de preparação, com tantas sugestões extremamente úteis.

Seguindo, gostaria de agradecer ao meu amigo e grande artista gráfico Custódio Rosa – não só por produzir algumas das mais fundamentais ilustrações deste livro, mas também pelo infindável reservatório de paciência, gentileza e disponibilidade em discutir modificações até os últimos momentos de produção. Bom palmeirense como eu, Custódio não poupou esforço e sempre esteve disponível para discutir este projeto, mesmo tendo que lidar com um autor sem fuso horário fixo. Para você, caro palestrino Custódio, o meu mais alviverde obrigado!

Ninguém leu este livro mais vezes e de forma mais detalhada que Susan Halkiotis, minha assistente e melhor amiga "gringa" por quase vinte anos. Como em todos os meus projetos literários (científicos ou não), ao longo das últimas duas décadas desde que se juntou ao meu laboratório na Universidade Duke, Susan se dedicou entusiasticamente a esta aventura literária desde o primeiro segundo, não deixando de trabalhar no manuscrito até que tivesse preenchido todos os seus critérios de excelência. Revisando múltiplas versões durante cinco anos, Susan sempre foi a primeira leitora e a primeira a oferecer críticas essenciais na forma e no estilo, com o objetivo de maximizar a comunicação de ideias e conjecturas. Não há palavras suficientes de agradecimento na língua portuguesa – ou inglesa – para dar o devido crédito ou reconhecer o grau de excelência profissional, amor fraternal e apoio com que Susan se dedicou a este projeto, ao meu laboratório, a mim e a todos os membros da minha família. Susan, esses vinte anos de convívio profissional diário foram um enorme privilégio, uma felicidade para mim. E, professor Halkiotis, um grande abraço fraternal para você! Sem seu apoio e seu suporte, eu certamente não teria a menor chance de realizar todas as aventuras científicas e literárias que me ocuparam.

Do lado brazuca, Neiva Cristina Paraschiva foi uma dedicada leitora deste livro mesmo antes de ele existir. Pelos últimos quarenta anos, Neiva e eu colaboramos em toda sorte de projetos e aventuras e, desde 2003, quando decidi criar a AASDAP e o INN-ELS no Brasil, Neiva sempre esteve por perto para oferecer apoio, amizade, suporte moral e intelectual, além de uma enorme dose de *"tough love"* e *"reality-checking"*. Acima de tudo, Neiva sempre foi a pessoa que me encorajou a sonhar no limite da minha imaginação e traduzir estes sonhos doidivanas em realidades concretas e tangíveis. Sem a sua determinação imbatível, é bem provável que O *Verdadeiro Criador de Tudo* nunca fosse impresso. Para você, querida Ruxa, um beijo, um abraço e o meu muito obrigado por tudo.

Pelos últimos catorze anos, a minha visão de mundo e de ciência foi revolucionada por interações quase diárias com o matemático, filósofo e escritor egípcio-suíço Ronald Cicurel. Anos atrás, eu costumava me referir a ele como "meu melhor amigo". Ultimamente, todavia, eu me dei conta de que, sem nunca revelar o seu segredo, a minha querida mãe, na sua juventude, deve ter realizado uma viagem secreta ao Egito, uma vez que Ronald só pode ser descrito como um irmão mais velho, perdido na terra das pirâmides. Sem dúvida, seguindo a milenar tradição egípcia, Ronald se transformou no mais intenso sol intelectual e humanístico da minha idade adulta, sempre pronto a compartilhar sua imensa sabedoria e seu conhecimento. Até conhecer o meu querido irmão Ronald, numa tarde cinzenta em Lausanne, Suíça, em novembro de 2005, eu nunca tinha convivido com alguém com intelecto tão vasto, tão profundo. Pensando mais claramente, mais que meu irmão mais velho, Ronald se transformou no maior professor que encontrei nas andanças pelo mundo. Sem a sua sabedoria, a sua crítica aguçada, os seus comentários e as suas contribuições precisas e preciosas, bem como a sua generosidade em ler e reler cada linha do manuscrito múltiplas vezes, *O Verdadeiro Criador de Tudo* nunca teria chegado a um bom termo. Por tudo isso e pelas inúmeras lições de vida, um grande abraço, meu irmão. Até o nosso próximo almoço no Palácio Oriental, em Montreux, camarada.

Também gostaria de agradecer imensamente a minha escritora favorita, dona Giselda Laporta Nicolelis, todo apoio ao longo desses cinco anos de gestação do livro que ela tão generosamente se ofereceu para revisar. Por todas as crases, todos aqueles "destes" em vez de "desses" e por todas as consultas ao seu dicionário favorito – *Sacconi* –, um beijo e um abraço apertado do seu filho primogênito e aprendiz literário.

Neste momento, eu não poderia deixar de agradecer ao meu querido pai, Angelo Brasil Nicolelis, todo o amor, o incentivo e o apoio ao longo dos nossos quase cinquenta e nove anos de convívio. Por toda a minha vida, dr. Angelo, como eu gostava de chamá-lo, sempre esteve ao meu lado, apoiando cada uma das minhas decisões e das minhas aventuras, não importando quão impossíveis e pouco ortodoxas elas soassem. Apesar de ele não ter tido a oportunidade de ver este livro pronto, nos seus últimos meses de vida ele sempre me saudava, quando do meu retorno ao Brasil depois de alguma viagem, dizendo que "seria um livro que ele gostaria de ler com cuidado". Por todo o seu exemplo de vida digna como juiz de direito anônimo, comprometido em distribuir justiça imparcialmente, por tudo o que o senhor me ensinou, este livro é dedicado ao senhor, dr.

Angelo, com todo o meu amor. Muito obrigado pelo privilégio incomensurável de ter tido o senhor como meu pai e melhor amigo.

Finalmente, gostaria de agradecer aos meus filhos, Pedro, Rafael e Daniel, por todo o apoio que eles dedicaram a mim e a minhas aventuras científicas por mais de trinta anos. Muito obrigado por terem conversado comigo quando eu precisava ser lembrado sobre o que realmente vale a pena na vida. Para vocês, meninos, um beijo.

REFERÊNCIAS BIBLIOGRÁFICAS

AL-KHALILI, J. *The House of Wisdom: How Arabic Science Saved Ancient Knowledge and Gave Us the Renaissance*. Nova York: Penguin, 2011.
ANASTASSIOU, C. A. et al. "The Effect of Spatially Inhomogeneous Extracellular Electric Fields on Neurons." *Journal of Neuroscience* 30, n. 5, fev. 2010. 1925-36.
ANFINSEN, C. B. "Principles That Govern the Folding of Protein Chains." *Science* 181, n. 4096, jul. 1973. 223-30.
ANNESE, J. et al. "Postmortem Examination of Patient H.M.'s Brain Based on Histological Sectioning and Digital 3D Reconstruction." *Nature Communications* 5, 2014. 3122.
ARENDT, H. *The Human Condition*. Chicago: University of Chicago Press, 1998.
ARII, Y. et al. "Immediate Effect of Spinal Magnetic Stimulation on Camptocormia in Parkinson's Disease." *Journal of Neurology, Neurosurgery & Psychiatry* 85, n. 11, nov. 2014. 1221-26.
ARVANITAKI, A. "Effects Evoked in an Axon by the Activity of a Contiguous One." *Journal of Neurophysiology* 5, 1942. 89-108.
BAILLY, F.; LONGO, G. *Mathematics and the Natural Sciences: The Physical Singularity of Life*. Londres: Imperial College Press, 2011.
BAKHTIARI, R. et al. "Differences in White Matter Reflect Atypical Developmental Trajectory in Autism: A Tract-Based Spatial Statistics Study." *Neuroimage: Clinical* 1, n. 1, set. 2012. 48-56.
BARBOUR, J. B. *The End of Time: The Next Revolution in Physics*. Oxford: Oxford University Press, 2000.
BARRA, A. "Moneyball: Was the Book That Changed Baseball Built on a False Premise?" *Guardian*, 21 abr., 2017. <https://www.theguardian.com/sport/2017/apr/21/moneyball-baseball-oakland-book-billy-beane>.
BARROW, J. D. *New Theories of Everything: The Quest for Ultimate Explanation*. Oxford: Oxford University Press, 2007.
BAUMAN, Z. *Liquid Love: On the Frailty of Human Bonds*. Cambridge: Polity, 2003.

_____. *Liquid Modernity*. Cambridge: Polity, 2000.
_____. *Liquid Times: Living in an Age of Uncertainty*. Cambridge: Polity, 2007.
BEANE, S. C. *The Religion of Man-Culture: A Sermon Preached in the Unitarian Church, Concord, N.H., 29 jan., 1882*. Concord: Republican Press Association, 1882.
BENNETT, C. H. "Logical Reversibility of Computation." *IBM Journal of Research and Development* 17, n. 6, 1973. 525-32.
BENTLEY, P. J. "Methods for Improving Simulations of Biological Systems: Systemic Computation and Fractal Proteins." *Journal of the Royal Society Interface* 6, supplement 4, ago. 2009. S451-66.
BERGER, H. "Electroencephalogram in Humans." *Archiv für Psychiatrie und Nervenkrankheiten* 87, 1929. 527-70.
BERGER, L.; HAWKS, J. *Almost Human: The Astonishing Tale of Homo Naledi and the Discovery That Changed Our Human Story*. Nova York: National Geographic, 2017.
BICKERTON, D. *Adam's Tongue: How Humans Made Language, How Language Made Humans*. Nova York: Hill and Wang, 2009.
BOARDMAN, J.; GRIFFIN, J.; MURRAY, O. *The Oxford History of Greece and the Hellenistic World*. Oxford: Oxford University Press, 1991.
BORN, H. A. "Seizures in Alzheimer's Disease." *Neuroscience* 286, fev. 2015. 251-63.
BOTVINICK, M.; COHEN, J. "Rubber Hands 'Feel' Touch That Eyes See." *Nature* 391, n. 6669, fev. 1998. 756.
BRINGSJORD, S.; ARKOUDAS, K. "The Modal Argument for Hypercomputing Minds." *Theoretical Computer Science* 317, n. 1-3, jun. 2004. 167-90.
BRINGSJORD, S.; ZENZEN, M. "Cognition Is Not Computation: The Argument from Irreversibility." *Synthese* 113, n. 2, nov. 1997. 285-320.
BROOKS, R. *How Everything Became War and the Military Became Everything: Tales from the Pentagon*. Nova York: Simon and Schuster, 2016.
BURGELMAN, R. A. "Prigogine's Theory of the Dynamics of Far-from-Equilibrium Systems Informs the Role of Strategy Making in Organizational Evolution." *Stanford University, Graduate School of Business, Research Papers*, 2009.
CAMINITI, R. et al. "Evolution Amplified Processing with Temporally Dispersed Slow Neuronal Connectivity in Primates." *Proceedings of the National Academy of Sciences USA* 106, n. 46, nov. 2009. 19551-556.
CAMPBELL, J. *Myths to Live By*. Nova York: Viking, 1972.
_____.; MOYERS, B. D. *The Power of Myth*. Nova York: Doubleday, 1988.
CARMENA, J. M. et al. "Learning to Control a Brain-Machine Interface for Reaching and Grasping by Primates." *Public Library of Science Biology* 1, n. 2, nov. 2003. E42.
_____. "Stable Ensemble Performance with Single-Neuron Variability during Reaching Movements in Primates." *Journal of Neuroscience* 25, n. 46, nov. 2005. 10712-16.
CARR, N. G. *The Glass Cage: Automation and Us*. Nova York: Norton, 2014.
_____. *The Shallows: What the Internet Is Doing to Our Brains*. Nova York: Norton, 2010.
CARROLL, S. M. *The Big Picture: On the Origins of Life, Meaning, and the Universe Itself*. Nova York: Dutton, 2016.
CASTELLS, M. *Communication Power*. Oxford: Oxford University Press, 2013.
_____. *Networks of Outrage and Hope: Social Movements in the Internet Age*. 2 ed. Cambridge: Polity, 2015.
_____. *The Rise of the Network Society*. The Information Age: Economy, Society, and Culture. Chichester, Reino Unido: Wiley-Blackwell, 2010.
CASTI, J. L.; DEPAULI, W. *Gödel: A Life of Logic, the Mind, and Mathematics*. Cambridge, MA: Perseus, 2000.

CERUZZI, P. E. *Computing: A Concise History*. The MIT Press Essential Knowledge Series. Cambridge, MA: MIT Press, 2012.
CHAITIN, G. J. *The Limits of Mathematics*. Londres: Springer-Verlag, 2003.
_____. *Meta Math! The Quest for Omega*. Nova York: Pantheon Books, 2005.
CHAITIN, G.; COSTA, N. C.; DÓRIA, F. A. *Goedel's Way: Exploits into an Undecided World*. Londres: CRC, 2011.
CHALMERS, D. J. *The Conscious Mind: In Search of a Fundamental Theory*. Philosophy of Mind Series. Nova York: Oxford University Press, 1996.
CHAPIN, J. K. et al. "Real-Time Control of a Robot Arm Using Simultaneously Recorded Neurons in the Motor Cortex." *Nature Neuroscience* 2, n. 7, jul. 1999. 664-70.
CHERVYAKOV, A. V. et al. "Possible Mechanisms Underlying the Therapeutic Effects of Transcranial Magnetic Stimulation." *Frontiers in Human Neuroscience* 9, jun. 2015. 303.
CHIANG, C. et al. "Slow Periodic Activity in the Longitudinal Hippocampal Slice Can Self-Propagate Non-synaptically by a Mechanism Consistent with Ephaptic Coupling." *Journal of Physiology* 597, n. 1, jan. 2019. 249-69.
CHRISTENSEN, M. S. et al. "Illusory Sensation of Movement Induced by Repetitive Transcranial Magnetic Stimulation." *Public Library of Science One* 5, n. 10, out. 2010. e13301.
CICUREL, R. *L'ordinateur ne digérera pas le cerveau: Sciences et cerveaux artificiels; Essai sur la nature du réel*. Lausanne: CreateSpace, 2013.
CICUREL, R.; NICOLELIS, M. A. L. *The Relativistic Brain: How It Works and Why It Cannot by Simulated by a Turing Machine*. Lausanne: Kios, 2015.
CLOTTES, J. *Cave Art*. Londres: Phaidon, 2008.
COHEN, L. G. et al. "Functional Relevance of Cross-Modal Plasticity in Blind Humans." *Nature* 389, n. 6647, set. 1997. 180-83.
COPELAND, B. J. "Hypercomputation." *Minds and Machines* 12, n. 4, nov. 2002. 461-502.
_____. "Turing's O-Machines, Searle, Penrose and the Brain (Human Mentality and Computation)." *Analysis* 58, n. 2, abr. 1998. 128-38.
COPELAND, B. J. et al. *Computability: Turing, Gödel, Church and Beyond*. Cambridge, MA: MIT Press, 2013.
COSTA, R. M. et al. "Dopamine Levels Modulate the Updating of Tastant Values." *Genes, Brain and Behavior* 6, n. 4, jun. 2007. 314-20.
CURTIS, G. *The Cave Painters: Probing the Mysteries of the World's First Artists*. Nova York: Knopf, 2006.
DAWKINS, R. *The Selfish Gene*. Oxford: Oxford University Press, 1976.
DEBENER, S. et al. "Trial-by-Trial Coupling of Concurrent Electroencephalogram and Functional Magnetic Resonance Imaging Identifies the Dynamics of Performance Monitoring." *Journal of Neuroscience* 25, n. 50, dez. 2005. 11730-37.
DENNETT, D. C. *Consciousness Explained*. Boston: Little, Brown, 1991.
DERBYSHIRE, J. *Unknown Quantity: A Real and Imaginary History of Algebra*. Washington, DC: Joseph Henry, 2006.
DE SOUZA, C. P. et al. "Spinal Cord Stimulation for Gait Dysfunction in Parkinson's Disease: Essential Questions to Discuss." *Movement Disorders* 32, n. 2, nov. 2018. 1828-29.
DEUTSCH, D. *The Beginning of Infinity: Explanations That Transform the World*. Nova York: Viking, 2011.
_____. *The Fabric of Reality*. Harmondsworth, Reino Unido: Allen Lane, 1997.
DEVLIN, K. *The Man of Numbers: Fibonacci's Arithmetic Revolution*. Nova York: Bloomsbury USA, 2011.

DIKKER, S. et al. "Brain-to-Brain Synchrony Tracks Real-World Dynamic Group Interactions in the Classroom." *Current Biology* 27, n. 9, maio 2017. 1375-80.

DI PELLEGRINO, G. et al. "Understanding Motor Events: A Neurophysiological Study." *Experimental Brain Research* 91, n. 1, 1992. 176-80.

DOMINGOS, P. *The Master Algorithm: How the Quest for the Ultimate Learning Machine Will Remake Our World*. Nova York: Basic Books, 2015.

DONATI, A. R. et al. "Long-Term Training with a Brain-Machine Interface-Based Gait Protocol Induces Partial Neurological Recovery in Paraplegic Patients." *Scientific Reports* 6, ago. 2016. 30383.

DREYFUS, H. L. *What Computers Still Can't Do: A Critique of Artificial Reason*. Cambridge, MA: MIT Press, 1992.

DUNBAR, R. I. M. *Grooming, Gossip, and the Evolution of Language*. Cambridge, MA: Harvard University Press, 1996.

_____. "Neocortex Size as a Constraint on Group Size in Primates." *Journal of Human Evolution* 20, 1992. 469-93.

_____. *The Trouble with Science*. Cambridge, MA: Harvard University Press, 1996.

Dunbar, R. I. M.; SHULTZ, S. "Evolution in the Social Brain." *Science* 317, n. 5843, set. 2007. 1344-47.

DYSON, F. J. *Origins of Life*. Cambridge: Cambridge University Press, 1999.

DZIRASA, K. et al. "Lithium Ameliorates Nucleus Accumbens Phase-Signaling Dysfunction in a Genetic Mouse Model of Mania." *Journal of Neuroscience* 30, n. 48, dez. 2010. 16314-23.

_____. "Chronic in Vivo Multi-circuit Neurophysiological Recordings in Mice." *Journal of Neuroscience Methods* 195, n. 1, jan. 2011. 36-46.

_____. "Cortical-Amygdalar Circuit Dysfunction in a Genetic Mouse Model of Serotonin Deficiency." *Journal of Neuroscience* 33, n. 10, mar. 2013. 4505-13.

_____. "Impaired Limbic Gamma Oscillatory Synchrony during Anxiety-Related Behavior in a Genetic Mouse Model of Bipolar Mania." *Journal of Neuroscience* 31, n. 17, abr. 2011. 6449-56.

_____. "Noradrenergic Control of Cortico-Striato-Thalamic and Mesolimbic Cross-Structural Synchrony." *Journal of Neuroscience* 30, n. 18, maio 2010. 6387-97.

_____. "Hyperdopaminergia and NMDA Receptor Hypofunction Disrupt Neural Phase Signaling." *Journal of Neuroscience* 29, n. 25, jun. 2009. 8215-24.

_____. "Dopaminergic Control of Sleep-Wake States." *Journal of Neuroscience* 26, n. 41, out. 2006. 10577-89.

_____. "Persistent Hyperdopaminergia Decreases the Peak Frequency of Hippocampal Theta Oscillations during Quiet Waking and REM Sleep." *Public Library of Science One* 4, n. 4, 2009. e5238.

EDDINGTON, A. S. *The Nature of the Physical World*. Cambridge, Reino Unido: Macmillan; The University Press, 1928.

EDWARDS, P. N. *The Closed World: Computers and the Politics of Discourse in Cold War America*. Inside Technology. Cambridge, MA: MIT Press, 1996.

EHRENZWEIG, A. *The Hidden Order of Art: A Study in the Psychology of Artistic Imagination*. Londres: Weidenfeld and Nicolson, 1967.

EINSTEIN, A. *Relativity: The Special and the General Theory*. 1954. Reprint, Londres: Routledge, 2001.

_____. "Why Socialism?" *Monthly Review* 1, n. 1, 1949.

ENGEL, A. K.; FRIES, P.; SINGER, W. "Dynamic Predictions: Oscillations and Synchrony in Top-Down Processing." *Nature Reviews Neuroscience* 2, n. 10, out. 2001. 704-16.

ENGLANDER, Z. A. et al. "Diffuse Reduction of White Matter Connectivity in Cerebral Palsy with Specific Vulnerability of Long Range Fiber Tracts." *Neuroimage: Clinical* 2, mar. 2013. 440-47.

FAGAN, B. M. *Cro-Magnon: How the Ice Age Gave Birth to the First Modern Humans*. Nova York: Bloomsbury, 2010.

FANSELOW, E. E.; NICOLELIS, M. A. "Behavioral Modulation of Tactile Responses in the Rat Somatosensory System." *Journal of Neuroscience* 19, n. 17, set. 1999. 7603-16.

FANSELOW, E. E.; REID, A. P.; NICOLELIS, M. A. "Reduction of Pentylenetetrazole-Induced Seizure Activity in Awake Rats by Seizure-Triggered Trigeminal Nerve Stimulation." *Journal of Neuroscience* 20, n. 21, nov. 2000. 8160-68.

FERGUSON, N. *The Ascent of Money: A Financial History of the World*. Nova York: Penguin, 2008.

_____. *The House of Rothschild*. Vol. 1: *Money's Prophets*. Nova York: Penguin, 1998.

FERRARI, P. F.; RIZZOLATTI, G. *New Frontiers in Mirror Neurons Research*. Oxford: Oxford University Press, 2015.

FINGELKURTS, A. A. "Timing in Cognition and EEG Brain Dynamics: Discreteness versus Continuity." *Cognitive Processing* 7, n. 3, set. 2006. 135-62.

FITZSIMMONS, N. A. et al. "Primate Reaching Cued by Multichannel Spatiotemporal Cortical Microstimulation." *Journal of Neuroscience* 27, n. 21, maio 2007. 5593-602.

_____. "Extracting Kinematic Parameters for Monkey Bipedal Walking from Cortical Neuronal Ensemble Activity." *Frontiers in Integrative Neuroscience* 3, mar. 2009. 3.

FLOR, H.; NIKOLAJSEN, L.; JENSEN, T. S. "Phantom Limb Pain: A Case of Maladaptive CNS Plasticity?" *Nature Reviews Neuroscience* 7, n. 11, nov. 2006. 873-81.

FODOR, J. *The Language of Thought*. Cambridge, MA: MIT Press, 1975.

FORD, M. *Rise of the Robots: Technology and the Threat of a Jobless Future*. Nova York: Basic Books, 2015.

FOUCAULT, M. *The Order of Things: An Archaeology of the Human Sciences*. World of Man. Nova York: Pantheon Books, 1971.

FREED-BROWN, G.; WHITE, D. J. "Acoustic Mate Copying: Female Cowbirds Attend to Other Females' Vocalizations to Modify Their Song Preferences." *Proceedings of the Royal Society - Biological Sciences* 276, n. 1671, set. 2009. 3319-25.

FREEMAN, C. *The Closing of the Western Mind: The Rise of Faith and the Fall of Reason*. Nova York: Vintage Books, 2005.

FRENKEL, E. *Love and Math: The Heart of Hidden Reality*. Nova York: Basic Books, 2013.

FROSTIG, R. D. et al. "Imaging Cajal's Neuronal Avalanche: How Wide-Field Optical Imaging of the Point-Spread Advanced the Understanding of Neocortical Structure-Function Relationship." *Neurophotonics* 4, n. 3, jul. 2017. 031217.

FUENTES, R.; PETERSSON, P.; NICOLELIS, M. A.. "Restoration of Locomotive Function in Parkinson's Disease by Spinal Cord Stimulation: Mechanistic Approach." *European Journal of Neuroscience* 32, n. 7, out. 2010. 1100-8.

FUENTES, R. et al. "Spinal Cord Stimulation Restores Locomotion in Animal Models of Parkinson's Disease." *Science* 323, n. 5921, mar. 2009. 1578-82.

GALLESE, V.; KEYSERS, C.; RIZZOLATTI, G. "A Unifying View of the Basis of Social Cognition." *Trends in Cognitive Sciences* 8, n. 9, set. 2004. 396-403.

GAMBLE, C.; GOWLETT, J.; DUNBAR, R. I. M. *Thinking Big: How the Evolution of Social Life Shaped the Human Mind*. Londres: Thames and Hudson, 2014.

GANE, S. et al. "Molecular Vibration-Sensing Component in Human Olfaction." *Public Library of Science One* 8, n. 1, jan. 2013. e55780.

GARDNER, H. *Multiple Intelligences: New Horizons*. Nova York: Basic Books, 2006.

GERTNER, J. *The Idea Factory: Bell Labs and the Great Age of American Innovation*. Nova York: Penguin, 2012.

GHAZANFAR, A. A.; SCHROEDER, C. E. "Is Neocortex Essentially Multisensory?" *Trends in Cognitive Sciences* 10, n. 6, jun. 2006. 278-85.

GLEICK, J. *The Information: A History, a Theory, a Flood*. Nova York: Pantheon Books, 2011.

GLEISER, M. *The Island of Knowledge: The Limits of Science and the Search for Meaning*. Nova York: Basic Books, 2014.

_____. *A Tear at the Edge of Creation: A Radical New Vision for Life in an Imperfect Universe*. Hanover: Dartmouth College Press, 2013.

GÖDEL, K. "Some Basic Theorems on the Foundations of Mathematics and Their Philosophical Implications." In *Collected works: Volume III: Unpublished Essays and Lectures*, edited by Solomon Feferman, John W. Dawson, Jr., Warren Goldfarb, Charles Parsons, Robert M. Solovay. Nova York: Oxford University Press, 1995.

_____. "Über Formal Unentscheidbare Sätze der Principia Mathematica und Verwandter Systeme L." *Monatshefte für Mathematik und Physik* 38, 1931. 173-98.

GOFF, P. "A Way Forward to Solve the Hard Problem of Consciousness." *Guardian*, 28 jan., 2015.

GOMBRICH, E. H. *The Story of Art*. Englewood Cliffs, NJ: Prentice-Hall, 1995.

GOSLING, D. L. *Science and the Indian Tradition: When Einstein Met Tagore*. India in the Modern World Series. Londres: Routledge, 2007.

GOULD, S. J. *Wonderful Life: The Burgess Shale and the Nature of History*. Nova York: Norton, 1989.

GRAY, J. *Consciousness: Creeping up on the Hard Problem*. Oxford: Oxford University Press 2004.

GREENE, B. *The Hidden Reality: Parallel Universes and the Deep Laws of the Cosmos*. Nova York: Knopf, 2011.

GREENFIELD, P. M. "Technology and Informal Education: What Is Taught, What Is Learned." *Science* 323, n. 5910, jan. 2009. 69-71.

HALPERN, P. *Einstein's Dice and Schrödinger's Cat: How Two Great Minds Battled Quantum Randomness to Create a Unified Theory of Physics*. Nova York: Basic Books, 2015.

HAMILTON, E. *The Greek Way*. Nova York: Norton, 2017.

HANSON, T. L. et al. "Subcortical Neuronal Ensembles: An Analysis of Motor Task Association, Tremor, Oscillations, and Synchrony in Human Patients." *Journal of Neuroscience* 32, n. 25, jun. 2012. 8620-32.

HARARI, Y. N. *Homo Deus: A Brief History of Tomorrow*. Nova York: Harper, 2017.

_____. *Sapiens: A Brief History of Humankind*. Nova York: Harper, 2015.

HAROUTUNIAN, V. et al. "Myelination, Oligodendrocytes, and Serious Mental Illness." *Glia* 62, n. 11, nov. 2014. 1856-77.

HARRIS, T. *How a Handful of Tech Companies Control Billions of Minds Every Day*. TED 2017, session 11, abr. 2017. <https://www.ted.com/talks/tristan_harris_the_manipulative_tricks_tech_companies_use_to_capture_your_attention>.

HART, P. *The Somme: The Darkest Hour on the Western Front*. Nova York: Pegasus Books, 2008.

HARTMANN, K. et al. "Embedding a Panoramic Representation of Infrared Light in the Adult Rat Somatosensory Cortex through a Sensory Neuroprosthesis." *Journal of Neuroscience* 36, n. 8, fev. 2016. 2406-24.

HARTT, F.; WILKINS, D. G. *History of Italian Renaissance Art: Painting, Sculpture, Architecture*. Nova York: H. N. Abrams, 1994.

HARTWIG, V. et al. "Biological Effects and Safety in Magnetic Resonance Imaging: A Review." *International Journal of Environmental Research and Public Health* 6, n. 6, jun. 2009. 1778-98.

HARVEY, David. *The Enigma of Capital: And the Crises of Capitalism*. Oxford: Oxford University Press, 2010.

HASSON, U. et al. "Brain-to-Brain Coupling: A Mechanism for Creating and Sharing a Social World." *Trends in Cognitive Sciences* 16, n. 2, fev. 2012. 114-21.

_____. "Intersubject Synchronization of Cortical Activity during Natural Vision." *Science* 303, n. 5664, mar. 2004. 1634-40.

HAWKING, S.; MLODINOW, L. *The Grand Design*. Nova York: Bantam Books, 2010.

HAYLES, N. K. *How We Became Posthuman: Virtual Bodies in Cybernetics, Literature, and Informatics*. Chicago: University of Chicago Press, 1999.

_____. *How We Think: Digital Media and Contemporary Technogenesis*. Chicago: University of Chicago Press, 2012.

HEBB, D. O. *The Organization of Behavior: A Neuropsychological Theory*. A Wiley Book in Clinical Psychology. Nova York: Wiley, 1949.

HECHT, E. E. et al. "Differences in Neural Activation for Object-Directed Grasping in Chimpanzees and Humans." *Journal of Neuroscience* 33, n. 35, ago. 2013. 14117-34.

HECHT, E. E.; PARR, L. "The Chimpanzee Mirror System and the Evolution of Frontoparietal Circuits for Action Observation and Social Learning." In *New Frontiers in Mirror Neurons Research*, edited by Pier Francesco Ferrari and Giacomo Rizzolatti. Oxford: Oxford University Press, 2015.

HENRICH, J. P. *The Secret of Our Success: How Culture Is Driving Human Evolution, Domesticating Our Species, and Making Us Smarter*. Princeton: Princeton University Press, 2016.

HENRY, R. C. "The Mental Universe." *Nature* 436, n. 29, jul. 2005. 29.

HEY, A. J. G.; WALTERS, P. *The New Quantum Universe*. Cambridge, Reino Unido: Cambridge University Press, 2003.

HIDALGO, C. A. *Why Information Grows: The Evolution of Order, from Atoms to Economies*. Nova York: Basic Books, 2015.

HOBSBAWM, E. J. *The Age of Capital, 1848-1875*. Nova York: Vintage Books, 1996.

_____. *The Age of Empire, 1875-1914*. Nova York: Vintage Books, 1989.

_____. *The Age of Extremes: A History of the World, 1914-1991*. Nova York: Pantheon Books, 1994.

_____. *The Age of Revolution, 1789-1848*. Nova York: Vintage Books, 1996.

HOBSBAWM, E. J.; WRIGLEY, C. *Industry and Empire: From 1750 to the Present Day*. Nova York: New Press, 1999.

HOFFMANN, D. L. et al. "U-Th Dating of Carbonate Crusts Reveals Neandertal Origin of Iberian Cave Art." *Science* 359, n. 6378, fev. 2018. 912-15.

HOFSTADTER, D. R. *Gödel, Escher, Bach: An Eternal Golden Braid*. Nova York: Basic Books, 1999.

HOSSENFELDER, S. *Lost in Math: How Beauty Leads Physics Astray*. Nova York: Basic Books, 2018.

HUBEL, D. H. *Eye, Brain, and Vision*. Scientific American Library Series. Nova York: Scientific American Library, 1995.

HUXLEY, A. *The Doors of Perception and Heaven and Hell*. Nova York: Perennial Classics, 2004.

IFFT, P. J. et al. "A Brain-Machine Interface Enables Bimanual Arm Movements in Monkeys." *Science Translational Medicine* 5, n. 210, nov. 2013. 210ra154.

INGRAHAM, C. "Poetry Is Going Extinct, Government Data Show." *Washington Post*, 24 abr., 2015.

JACKSON, M. *Distracted: The Erosion of Attention and the Coming Dark Age*. Amherst, MA: Prometheus Books, 2008.
JAMES, S. R. "Hominid Use of Fire in the Lower and Middle Pleistocene: A Review of the Evidence." *Current Anthropology* 30, n. 1, 1989. 1-26.
JAMESON, F. *The Ancients and the Postmoderns*. Londres: Versos, 2015.
JANICAK, P. G.; DOKUCU, M. E.. "Transcranial Magnetic Stimulation for the Treatment of Major Depression." *Neuropsychiatric Disease and Treatment* 11, 2015. 1549-60.
JEANS, J. *The Mysterious Universe*. Cambridge, Reino Unido: Macmillan; The University Press, 1930.
JEFFERYS, J. G. "Nonsynaptic Modulation of Neuronal Activity in the Brain: Electric Currents and Extracellular Ions." *Physiological Reviews* 75, n. 4, out. 1995. 689-723.
JIBU, M.; YASUE, K. *Quantum Brain Dynamics and Consciousness: An Introduction*. Advances in Consciousness Research 3. Amsterdã: John Benjamins, 1995.
JOHANSON, D. C.; WONG, K. *Lucy's Legacy: The Quest for Human Origins*. Nova York: Harmony Books, 2009.
JOHN, E. R. "A Field Theory of Consciousness." *Consciousness and Cognition* 10, n. 2, jun. 2001. 184-213.
JUNG, C. G. *Archetypes and the Collective Unconscious*. In vol. 9 of *The Collected Works of C. G. Jung*. Bollingen Series. Princeton: Princeton University Press, 1980.
_____. *Psychological Types*. In vol. 6 of *The Collected Works of C. G. Jung*. Bollingen Series. Princeton: Princeton University Press, 1976.
_____. *Synchronicity: An Acausal Connecting Principle. Synchronicity: An Acausal Connecting Principle*. In vol. 8 of *The Collected Works of C. G. Jung*. Bollingen Series. Princeton: Princeton University Press, 2010.
_____. *The Undiscovered Self*. Nova York: Signet, 2006.
KAAS, J. H. "The Evolution of Neocortex in Primates." *Progress in Brain Research* 195, 2012. 91-102.
KASPERSKY LAB. "The Rise and Impact of Digital Amnesia: Why We Need to Protect What We No Longer Remember." <https://media.kasperskycontenthub.com/wp-content/uploads/sites/100/2017/03/10084613/Digital-Amnesia-Report.pdf>, 2015.
KAUFFMAN, S. A. *At Home in the Universe: The Search for Laws of Self-Organization and Complexity*. Nova York: Oxford University Press, 1995.
KEENAN, J. P., Gordon G. GALLUP; Dean FALK. *The Face in the Mirror: The Search for the Origins of Consciousness*. Nova York: Ecco, 2003.
KENNEDY, H. *When Baghdad Ruled the Muslim World: The Rise and Fall of Islam's Greatest Dynasty*. Cambridge, MA: Da Capo, 2005.
KEYNES, J. M. *The General Theory of Employment, Interest and Money (Illustrated)*. Kindle ed. Green World, 2015.
KIEU, T. D. "Quantum Algorithm for Hilbert's Tenth Problem." *International Journal of Theoretical Physics* 42, n. 7, 2003. 1461-78.
KIM, S. H. et al. "Reduced Striatal Dopamine D2 Receptors in People with Internet Addiction." *Neuroreport* 22, n. 8, jun. 2011. 407-11.
KIM, Y. et al. "Delayed 'Choice' Quantum Eraser." *Physical Review Letters* 84, n. 1, jan. 2000. 1-5.
KING, R. *Brunelleschi's Dome: How a Renaissance Genius Reinvented Architecture*. Nova York: Walker, 2000.
KLEIN, R. G.; EDGAR, B. *The Dawn of Human Culture*. Nova York: Wiley, 2002.
KÖHLER, W. *Dynamics in Psychology*. Nova York: Liveright, 1940.
_____. *Gestalt Psychology: An Introduction to New Concepts in Modern Psychology*. Nova York: Liveright, 1992.

KORZYBSKI, A. *Selections from Science and Sanity: An Introduction to Non-Aristotelian Systems and General Semantics*. Fort Worth, TX: Institute of General Semantics, 2010.

KREITER, A. K.; SINGER, W. "Stimulus-Dependent Synchronization of Neuronal Responses in the Visual Cortex of the Awake Macaque Monkey." *Journal of Neuroscience* 16, n. 7, abr. 1996. 2381-96.

KRUPA, D. J. et al. "Behavioral Properties of the Trigeminal Somatosensory System in Rats Performing Whisker-Dependent Tactile Discriminations." *Journal of Neuroscience* 21, n. 15, ago. 2001. 5752-63.

KRUPA, D. J. et al. "Layer-Specific Somatosensory Cortical Activation during Active Tactile Discrimination." *Science* 304, n. 5679, jun. 2004. 1989-92.

KUHN, T. S. *The Structure of Scientific Revolutions*. Chicago: University of Chicago Press, 1996.

KUPERS, R. et al. "rTMS of the Occipital Cortex Abolishes Braille Reading and Repetition Priming in Blind Subjects." *Neurology* 68, n. 9, fev. 2007. 691-93.

KURZWEIL, R. *In the Age of Spiritual Machines: When Computers Exceed Human Intelligence*. Nova York: Penguin Books, 2000.

_____. *The Singularity Is Near: When Humans Transcend Biology*. Nova York: Viking, 2005.

LAKOFF, George; Rafael E. NÚÑEZ. *Where Mathematics Comes From: How the Embodied Mind Brings Mathematics into Being*. Nova York: Basic Books, 2000.

LANE, N. *The Vital Question: Energy, Evolution, and the Origins of Complex Life*. Nova York: Norton, 2015.

LASHLEY, K. S.; CHOW K. L.; SEMMES, J. "An Examination of the Electrical Field Theory of Cerebral Integration." *Psychological Review* 58, n. 2, mar. 1951. 123-36.

LAUBACH, M.; WESSBERG, J.; NICOLELIS, M. A. "Cortical Ensemble Activity Increasingly Predicts Behaviour Outcomes during Learning of a Motor Task." *Nature* 405, n. 6786, jun. 2000. 567-71.

LEBEDEV, M. A. et al. "Cortical Ensemble Adaptation to Represent Velocity of an Artificial Actuator Controlled by a Brain-Machine Interface." *Journal of Neuroscience* 25, n. 19, maio 2005. 4681-93.

LEBEDEV, M. A.; NICOLELIS, M. A. "Brain-Machine Interfaces: From Basic Science to Neuroprostheses and Neurorehabilitation." *Physiological Reviews* 97, n. 2, abr. 2017. 767-837.

_____. "Brain-Machine Interfaces: Past, Present and Future." *Trends in Neuroscience* 29, n. 9, set. 2006. 536-46.

_____. "Toward a Whole-Body Neuroprosthetic." *Progress in Brain Research* 194, 2011. 47-60.

LEWIS, M. *Moneyball: The Art of Winning an Unfair Game*. Nova York: Norton, 2003.

LEWIS, P. "'Our Minds Can Be Hijacked': The Tech Insiders Who Fear a Smartphone Dystopia." *Guardian*, 6 out., 2017.

LEWIS-WILLIAMS, J. D. *Conceiving God: The Cognitive Origin and Evolution of Religion*. Londres: Thames and Hudson, 2010.

_____. *The Mind in the Cave: Consciousness and the Origins of Art*. Londres: Thames and Hudson, 2002.

LEWIS-WILLIAMS, J. D.; PEARCE, D. G. *Inside the Neolithic Mind: Consciousness, Cosmos, and the Realm of the Gods*. Londres: Thames and Hudson, 2005.

LIN, R. C. et al. "Calbindin-Containing Non-specific Thalamocortical Projecting Neurons in the Rat." *Brain Research* 711, n. 1-2, mar. 1996. 50-55.

LIND, J.; ENQUIST, M.; GHIRLANDA, S. "Animal Memory: A Review of Delayed Matching-to-Sample Data." *Behavioral Processes* 117, ago. 2015. 52-58.

LIU, M.; LUO, J. "Relationship between Peripheral Blood Dopamine Level and Internet Addiction Disorder in Adolescents: A Pilot Study." *International Journal of Clinical and Experimental Medicine* 8, n. 6, 2015. 9943-48.

LIVIO, M. *Is God a Mathematician?* Nova York: Simon and Schuster, 2009.

LLOYD, S. *Programming the Universe: A Quantum Computer Scientist Takes on the Cosmos.* Nova York: Knopf, 2006.

LORKOWSKI, C. M. "David Hume: Causation." In *Internet Encyclopedia of Philosophy.* <https://www.iep.utm.edu/hume-cau/>.

LUCAS, J. R. "Minds, Machines and Gödel." *Philosophy* 36, n. 112-27, 1961. 43-59.

MACH, E. *The Analysis of Sensations and the Relation of the Physical to the Psychical.* Translated by C. M. Williams and Sydney Waterlow. Chicago: The Open Court Publishing Company, 1914.

MAGUIRE, E. A. et al. "Navigation-Related Structural Change in the Hippocampi of Taxi Drivers." *Proceedings of the National Academy of Sciences USA* 97, n. 8, abr. 2000. 4398-403.

MALAVERA, A. et al. "Repetitive Transcranial Magnetic Stimulation for Phantom Limb Pain in Land Mine Victims: A Double-Blinded, Randomized, Sham-Controlled Trial." *Journal of Pain* 17, n. 8, ago. 2016. 911-18.

MARAVITA, A.; SPENCE, C.; DRIVER, J. "Multisensory Integration and the Body Schema: Close to Hand and within Reach." *Current Biology* 13, n. 13, jul. 2003. R531-39.

MARTIN, T. R. *Ancient Greece: From Prehistoric to Hellenistic Times.* New Haven: Yale University Press, 2013.

MAS-HERRERO, E.; DAGHER, A.; ZATORRE, R. J. "Modulating Musical Reward Sensitivity Up and Down with Transcranial Magnetic Stimulation." *Nature Human Behaviour* 2, n. 1, jan. 2018. 27-32.

MATELL, M. S.; MECK, W. H.; NICOLELIS. M. A. "Interval Timing and the Encoding of Signal Duration by Ensembles of Cortical and Striatal Neurons." *Behavioral Neuroscience* 117, n. 4, ago. 2003. 760-73.

MATURANA, H. R.; VARELA, F. J. *The Tree of Knowledge: The Biological Roots of Human Understanding.* Boston: Shambhala, 1992.

MCFADDEN, J. "The Conscious Electromagnetic Information (Cemi) Field Theory - The Hard Problem Made Easy?" *Journal of Consciousness Studies* 9, n. 8, ago. 2002. 45-60.

_____. "Synchronous Firing and Its Influence on the Brain's Electromagnetic Field - Evidence for an Electromagnetic Field Theory of Consciousness." *Journal of Consciousness Studies* 9, n. 4, abr. 2002. 23-50.

MCLUHAN, M. *Understanding Media: The Extensions of Man.* Corte Madera, CA: Gingko, 2013.

MCLUHAN, M. et al. *The Gutenberg Galaxy: The Making of Typographic Man.* Toronto: University of Toronto Press, 2011.

MELDRUM, D. J.; HILTON, C. E. *From Biped to Strider: The Emergence of Modern Human Walking, Running, and Resource Transport.* American Association of Physical Anthropologists Meeting. Nova York: Kluwer Academic/Plenum, 2004.

MELZACK, R. "From the Gate to the Neuromatrix." *Pain,* supplement 6, ago. 1999. S121-26.

_____. *The Puzzle of Pain.* Nova York: Basic Books, 1973.

MELZACK, R.; WALL, P. D. *Textbook of Pain.* Edinburgo: Churchill Livingstone, 1999.

MENOCAL, M. R. *The Ornament of the World: How Muslims, Jews, and Christians Created a Culture of Tolerance in Medieval Spain.* Boston: Little, Brown, 2002.

MEREDITH, M. A.; CLEMO, H. R. "Corticocortical Connectivity Subserving Different Forms of Multisensory Convergence." In *Multisensory Object Perception in the Primate Brain*, edited by M. J. Naumer and J. Kaiser. Nova York: Springer, 2010.

MERZBACH, U. C.; BOYER, C. B. *A History of Mathematics*. Hoboken, NJ: John Wiley, 2011.

MILLER, A. I. *Einstein, Picasso: Space, Time, and Beauty That Causes Havoc*. Nova York: Basic Books, 2001.

MILLER, D. J. et al. "Prolonged Myelination in Human Neocortical Evolution." *Proceedings of the National Academy of Sciences USA* 109, n. 41, out. 2012. 16480-85.

MITCHELL, M. *Complexity: A Guided Tour*. Oxford: Oxford University Press, 2009.

MITHEN, S. J. *After the Ice: A Global Human History, 20,000-5000 BC*. Cambridge, MA: Harvard University Press, 2004.

_____. *Creativity in Human Evolution and Prehistory*. Londres: Routledge, 1998.

_____. *The Prehistory of the Mind: The Cognitive Origins of Art, Religion and Science*. Londres: Thames and Hudson, 1996.

_____. *The Singing Neanderthals: The Origins of Music, Language, Mind, and Body*. Cambridge, MA: Harvard University Press, 2006.

MOOSAVI-DEZFOOLI, S. et al. "Universal Adversarial Perturbations." *IEEE Conference on Computer Vision and Pattern Recognition (CVPR)*, 2017. 86-94.

MORGAN, T. J. et al. "Experimental Evidence for the Co-evolution of Hominin Tool-Making Teaching and Language." *Nature Communications* 6, jan. 2015. 6029.

MOYLE, F. *Turner: The Extraordinary Life and Momentous Times of J.M.W. Turner*. Nova York: Penguin, 2016.

MUMFORD, L. *Art and Technics*. Bampton Lectures in America. Nova York: Columbia University Press, 2000.

_____. *The City in History: Its Origins, Its Transformations, and Its Prospects*. Nova York: Harcourt, 1961.

_____. *The Condition of Man*. Nova York: Harcourt Brace Jovanovich, 1973.

_____. *The Human Way Out*. Pendle Hill Pamphlet. Wallingford, PA: Pendle Hill, 1958.

_____. *The Myth of the Machine: Technics and Human Development*. Londres: Secker and Warburg, 1967.

_____. *The Pentagon of Power*. Vol. 2 of *The Myth of the Machine*. Nova York: Harcourt Brace Jovanovich, 1974.

_____. *The Story of Utopias*. Kindle ed. Amazon Digital Services LLC, 2011.

_____. *Technics and Civilization*. Chicago: University of Chicago Press, 2010.

NEWBERG, A. B.; D'AQUILI E. G.; RAUSE, V. *Why God Won't Go Away: Brain Science and the Biology of Belief*. Nova York: Ballantine Books, 2001.

NICOLELIS, M. A. "Actions from Thoughts." *Nature* 409, n. 6818, jan. 2001. 403-7.

_____, ed. *Advances in Neural Population Coding*. Amsterdã: Elsevier, 2001.

_____. "Are We at Risk of Becoming Biological Digital Machines?" *Nature Human Behavior* 1, n. 8, jan. 2017. 1-2.

_____. *Beyond Boundaries: The New Neuroscience of Connecting Brains with Machines - And How It Will Change Our Lives*. Nova York: Times Books/Henry Holt, 2011.

_____. "Brain-Machine Interfaces to Restore Motor Function and Probe Neural Circuits." *Nature Reviews Neuroscience* 4, n. 5, maio 2003. 417-22.

_____. "Controlling Robots with the Mind." *Scientific American Reports* 18, fev. 2008. 72-79.

_____. "Living with Ghostly Limbs." *Scientific American Mind* 18, dez. 2007. 53-59.

_____. *Methods for Neural Ensemble Recordings*. Boca Raton: CRC, 2008.

_____. "Mind in Motion." *Scientific American* 307, n. 3, set. 2012. 58-63.

_____. "Mind out of Body." *Scientific American* 304, n. 2, fev. 2011. 80-83.

NICOLELIS, M. A. et al. "Sensorimotor Encoding by Synchronous Neural Ensemble Activity at Multiple Levels of the Somatosensory System." *Science* 268, n. 5215, jun. 1995. 1353-58.

NICOLELIS, M. A.; CHAPIN, J. K. "Controlling Robots with the Mind." *Scientific American* 287, n. 4, out. 2002. 46-53.

NICOLELIS, M. A. et al. "Chronic, Multisite, Multielectrode Recordings in Macaque Monkeys." *Proceedings of the National Academy of Sciences USA* 100, n. 19, set. 2003. 11041-46.

NICOLELIS, M. A.; FANSELOW, E. E. "Thalamocortical Optimization of Tactile Processing according to Behavioral State." *Nature Neuroscience* 5, n. 6, jun. 2002. 517-23.

NICOLELIS, M. A., FANSELOW, E. E.; GHAZANFAR, A. A. "Hebb's Dream: The Resurgence of Cell Assemblies." *Neuron* 19, n. 2, ago. 1997. 219-21.

NICOLELIS, M. A. et al. "Reconstructing the Engram: Simultaneous, Multisite, Many Single Neuron Recordings." *Neuron* 18, n. 4, abr. 1997. 529-37.

NICOLELIS, M. A.; LEBEDEV, M. A. "Principles of Neural Ensemble Physiology Underlying the Operation of Brain-Machine Interfaces." *Nature Reviews Neuroscience* 10, n. 7, jul. 2009. 530-40.

NICOLELIS, M. A. et al. "Active Tactile Exploration Influences the Functional Maturation of the Somatosensory System." *Journal of Neurophysiology* 75, n. 5, maio 1996. 2192-96.

NICOLELIS, M. A.; RIBEIRO, S. "Seeking the Neural Code." *Scientific American* 295, n. 6, dez. 2006. 70-77.

NIJHOLT, A. "Competing and Collaborating Brains: Multi-Brain Computer Interfacing." In *Brain-Computer Interfaces: Current Trends and Applications*, edited by A. E. Hassanien and A. T. Azar. Cham: Springer International Publishing Switzerland, 2015.

NISHITANI, N.; HARI, R. "Viewing Lip Forms: Cortical Dynamics." *Neuron* 36, n. 6, dez. 2002. 1211-20.

NOEBELS, J. "A Perfect Storm: Converging Paths of Epilepsy and Alzheimer's Dementia Intersect in the Hippocampal Formation." *Epilepsia* 52, supplement 1, 2011. 39-46.

NOTTER, D. R.; LUCAS, J. R.; MCCLAUGHERTY, F. S. "Accuracy of Estimation of Testis Weight from in Situ Testis Measures in Ram Lambs." *Theriogenology* 15, n. 2, 1981. 227-34.

NUMAN, M. *Neurobiology of Social Behavior: Toward an Understanding of the Prosocial and Antisocial Brain*. Londres: Elsevier Academic Press, 2015.

OBERMAN, L. M.; RAMACHANDRAN, V. S. "The Role of the Mirror Neuron System in the Pathophysiology of Autism Spectrum Disorder." In *New Frontiers in Mirror Neurons Research*, edited by Pier Francesco Ferrari and Giacomo Rizzolatti. Oxford: Oxford University Press, 2015.

O'DOHERTY, J. E. et al. "A Brain-Machine Interface Instructed by Direct Intracortical Microstimulation." *Frontiers in Integrative Neuroscience* 3, set. 2009. 20.

_____. "Active Tactile Exploration Using a Brain-Machine-Brain Interface." *Nature* 479, n. 7372, nov. 2011. 228-31.

O'DOWD, M. *How the Quantum Eraser Rewrites the Past*. PBS Digital Studios, Space Time, 2016. <https://www.youtube.com/watch?v=8ORLN_KwAgs&app=desktop>.

O'NEILL, K. The Hutu and Tutsi Distinction. From *Advanced Topics in Sociology: The Sociology of Genocide* - SOC445H5. Ontario, Canada: University of Toronto - Mississauga, 13 nov., 2009. <http://docplayer.net/33422656-The-distinction-between-hutu-and-tutsi-is-central-to-understanding-the-rwandan.html>.

PAIS-VIEIRA, M. et al. "Building an Organic Computing Device with Multiple Interconnected Brains." *Scientific Reports* 5, jul. 2015. 11869.
_____. "Cortical and Thalamic Contributions to Response Dynamics across Layers of the Primary Somatosensory Cortex during Tactile Discrimination." *Journal of Neurophysiology* 114, n. 3, set. 2015. 1652-76.
_____. "A Brain-to-Brain Interface for Real-Time Sharing of Sensorimotor Information." *Scientific Reports* 3, 2013. 1319.
_____. "Simultaneous Top-Down Modulation of the Primary Somatosensory Cortex and Thalamic Nuclei during Active Tactile Discrimination." *Journal of Neuroscience* 33, n. 9, fev. 2013. 4076-93.
_____. "A Closed Loop Brain-Machine Interface for Epilepsy Control Using Dorsal Column Electrical Stimulation." *Scientific Reports* 6, set. 2016. 32814.
PALLASMAA, J. *The Eyes of the Skin: Architecture and the Senses*. Chichester, Reino Unido: Wiley-Academy; Hoboken, NJ: John Wiley and Sons, 2012.
_____. *The Thinking Hand: Existential and Embodied Wisdom in Architecture*. Chichester, Reino Unido: Wiley, 2009.
PAPAGIANNI, D.; MORSE, M. *Neanderthals Rediscovered: How Modern Science Is Rewriting Their Story*. Nova York: Thames and Hudson, 2013.
PAPANICOLAOU, A. C. *Clinical Magnetoencephalography and Magnetic Source Imaging*. Cambridge: Cambridge University Press, 2009.
PAPOUŠEK, H.; PAPOUŠEK, M. "Mirror Image and Self-Recognition in Young Human Infants: I. A New Method of Experimental Analysis." *Developmental Psychobiology* 7, n. 2, mar. 1974. 149-57.
PATIL, P. G. et al. "Ensemble Recordings of Human Subcortical Neurons as a Source of Motor Control Signals for a Brain-Machine Interface." *Neurosurgery* 55, n. 1, jul. 2004. 27-38.
PEDROSA, M. *Arte Ensaios*. São Paulo: Cosac Naify, 2015.
_____. *Primary Documents*. Edited by Glória Ferreira and Paulo Herkenhoff. Nova York: Museum of Modern Art, 2015.
PENROSE, R. *The Emperor's New Mind: Concerning Computers, Minds, and the Laws of Physics*. Nova York: Penguin Books, 1991.
_____. *Fashion, Faith, and Fantasy in the New Physics of the Universe*. Princeton: Princeton University Press, 2016.
_____. *Shadows of the Mind: A Search for the Missing Science of Consciousness*. Oxford: Oxford University Press, 1994.
PETERSEN, A. "The Philosophy of Niels Bohr." *Bulletin of the Atomic Scientists* 19, n. 7, 1963. 8-9.
PETRIDES, M. *Neuroanatomy of Language Regions of the Human Brain*. Amsterdã: Elsevier Academic Press, 2014.
PICCININI, G. "Computationalism in the Philosophy of Mind." *Philosophy Compass* 4, n. 3, 2009. 515-32.
PICKERING, A. *The Cybernetic Brain: Sketches of Another Future*. Chicago: University of Chicago Press, 2010.
PIKETTY, T.; GOLDHAMMER, A. *Capital in the Twenty-First Century*. Cambridge, MA: Belknap Press of Harvard University Press, 2014.
POCKETT, S. "Field Theories of Consciousness." *Scholarpedia*, 2013. Doi:10.4249/scholarpedia.4951, <http://www.scholarpedia.org/article/Field_theories_of_consciousness>.
_____. *The Nature of Consciousness: A Hypothesis*. Lincoln, NE: iUniverse, 2000.
POINCARÉ, H. *Leçons de mécanique celeste*. Paris: Gauthier-Villars, 1905.
_____. *La science e l'hypothèse*. Paris: Flammarion, 1902.

_____. *The Value of Science: Essential Writings of Henri Poincaré.* Modern Library Science Series. Nova York: Modern Library, 2001.
POLLARD, J.; REID, H. *The Rise and Fall of Alexandria: Birthplace of the Modern Mind.* Nova York: Penguin, 2007.
POPPER, K. R. *The Logic of Scientific Discovery.* Londres: Routledge, 1992.
POUR-EL, M. B.; J. RICHARDS, I. *Computability in Analysis and Physics.* Berlim: Springer-Verlag, 1989.
PRIGOGINE, I. *The End of Certainty.* Nova York: Free Press, 1996.
PRIGOGINE, I; STENGERS, I. *The End of Certainty: Time, Chaos, and the New Laws of Nature.* Nova York: Free Press, 1997.
_____. *Order out of Chaos: Man's New Dialogue with Nature.* Toronto: Bantam Books, 1984.
PUCHNER, M. *The Written World: The Power of Stories to Shape People, History, Civilization.* Nova York: Random House, 2017.
PUTNAM, H. "Brains and Behavior." In *Analytical Philosophy: Second Series*, edited by Ronald J. Butler. Oxford: Blackwell, 1963.
_____. *The Many Faces of Realism.* The Paul Carus Lectures. La Salle, IL: Open Court, 1987.
_____. *Mathematics, Matter, and Method.* Cambridge: Cambridge University Press, 1979.
RADMAN, T. et al. "Spike Timing Amplifies the Effect of Electric Fields on Neurons: Implications for Endogenous Field Effects." *Journal of Neuroscience* 27, n. 11, mar. 2007. 3030-36.
RAJANGAM, S. et al. "Wireless Cortical Brain-Machine Interface for Whole-Body Navigation in Primates." *Scientific Reports* 6, mar. 2016. 22170.
RAMAKRISHNAN, A. et al. "Cortical Neurons Multiplex Reward-Related Signals along with Sensory and Motor Information." *Proceedings of the National Academy of Sciences USA* 114, n. 24, jun. 2017. E4841-50.
RAMAKRISHNAN, A. et al. "Computing Arm Movements with a Monkey Brainet." *Scientific Reports* 5, jul. 2015. 10767.
RAPHAEL, M. *Prehistoric Cave Paintings*, trans. Norbert Guterman. Bollingen Series. Nova York: Pantheon Books, 1945.
RASCH, B.; BORN, J. "About Sleep's Role in Memory." *Physiological Reviews* 93, n. 2, abr. 2013. 681-766.
REIMANN, M. W. et al. "A Biophysically Detailed Model of Neocortical Local Field Potentials Predicts the Critical Role of Active Membrane Currents." *Neuron* 79, n. 2, jul. 2013. 375-90.
RENFREW, C., FRITH, C. D.; MALAFOURIS, L. *The Sapient Mind: Archaeology Meets Neuroscience.* Oxford: Oxford University Press, 2009.
RILLING, J. K. "Comparative Primate Neuroimaging: Insights into Human Brain Evolution." *Trends in Cognitive Sciences* 18, n. 1, jan. 2014. 46-55.
ROBB, L. P.; COONEY, J. M.; MCCRORY, C. R. "Evaluation of Spinal Cord Stimulation on the Symptoms of Anxiety and Depression and Pain Intensity in Patients with Failed Back Surgery Syndrome." *Irish Journal of Medical Science* 186, n. 3, ago. 2017. 767-71.
ROBINSON, A. *The Last Man Who Knew Everything: Thomas Young, the Anonymous Polymath Who Proved Newton Wrong, Explained How We See, Cured the Sick, and Deciphered the Rosetta Stone, among Other Feats of Genius.* Nova York: Pi, 2006.
ROGAWSKI, M. A.; LOSCHER, W. "The Neurobiology of Antiepileptic Drugs for the Treatment of Nonepileptic Conditions." *Nature Medicine* 10, n. 7, jul. 2004. 685-92.
RONEN, I. et al. "Microstructural Organization of Axons in the Human Corpus Callosum Quantified by Diffusion-Weighted Magnetic Resonance Spectroscopy of

N-Acetylaspartate and Post-mortem Histology." *Brain Structure and Function* 219, n. 5, set. 2014. 1773-85.

ROTHBARD, M. N. *A History of Money and Banking in the United States: The Colonial Era to World War II*. Auburn, AL: Ludwig von Mises Institute, 2002.

ROVELLI, C. "Relational Quantum Mechanics." *arXiv:quant-ph/9609002v2*, 24 fev., 1997. <https://arxiv.org/abs/quant-ph/9609002v2>.

ROZZI, S. "The Neuroanatony of the Mirror Neuron System." In *New Frontiers in Mirror Neurons Research*, edited by Pier Francesco Ferrari and Giacomo Rizzolatti. Oxford: Oxford University Press, 2015.

RUBINO, G. et al. "Experimental Verification of an Indefinite Causal Order." *Science Advances* 3, n. 3, mar. 2017. e1602589.

RUSSELL, B. *A History of Western Philosophy, and Its Connection with Political and Social Circumstances from the Earliest Times to the Present Day*. Nova York: Simon and Schuster, 1945.

_____. *An Inquiry into Meaning and Truth*. Nova York: W. W. Norton, 1940.

SACKS, O. *Hallucinations*. Waterville, ME: Thorndike, 2013.

SADATO, N. et al. "Activation of the Primary Visual Cortex by Braille Reading in Blind Subjects." *Nature* 380, n. 6574, abr. 1996. 526-28.

SALIBA, G. *Islamic Science and the Making of the European Renaissance*. Transformations. Cambridge, MA: MIT Press, 2007.

SAMOTUS, O.; PARRENT, A.; JOG, M. "Spinal Cord Stimulation Therapy for Gait Dysfunction in Advanced Parkinson's Disease Patients." *Movement Disorders* 33, n. 5, 2018. 783-92.

SANTANA, M. B. et al. "Spinal Cord Stimulation Alleviates Motor Deficits in a Primate Model of Parkinson Disease." *Neuron* 84, n. 4, nov. 2014. 716-22.

SCHARF, C. A. *The Copernicus Complex: Our Cosmic Significance in a Universe of Planets and Probabilities*. Nova York: Scientific American/Farrar, Straus and Giroux, 2014.

SCHNEIDER, M. L. et al. "Ultralow Power Artificial Synapses Using Nanotextured Magnetic Josephson Junctions." *Science Advances* 4, n. 1, jan. 2018. e1701329.

SCHRÖDINGER, E. *What Is Life? The Physical Aspect of the Living Cell*. Cambridge: Cambridge University Press, 1944.

_____. *What Is Life? With Mind and Matter and Autobiographical Sketches*. Canto Classics. Cambridge: Cambridge University Press, 1992.

SCHWARZ, D. A. et al. "Chronic, Wireless Recordings of Large-Scale Brain Activity in Freely Moving Rhesus Monkeys." *Nature Methods* 11, n. 6, jun. 2014. 670-76.

SEARLE, J. R. *The Construction of Social Reality*. Nova York: Free Press, 1995.

_____. *Freedom and Neurobiology*. Nova York: Columbia University Press, 2007.

_____. *Making the Social World: The Structure of Human Civilization*. Oxford: Oxford University Press, 2010.

_____. *Seeing Things as They Are: A Theory of Perception*. Oxford: Oxford University Press, 2015.

SEDDON, C. *Humans: From the Beginning; From the First Apes to the First Cities*. Londres: Glanville, 2014.

SELFSLAGH, A. et al. "Non-invasive, Brain-Controlled Functional Electrical Stimulation for Locomotion Rehabilitation in Paraplegic Patients." *In Review*, 2019.

SHANNON, C. "A Mathematical Theory of Communication." *Bell System Technical Journal* 47, n. 3, 1948. 379-423.

SHERWOOD, C. C. et al. "Evolution of Increased Glia-Neuron Ratios in the Human Frontal Cortex." *Proceedings of the National Academy of Sciences USA* 103, n. 37, set. 2006. 13606-11.

SHLAIN, L. *Art & Physics: Parallel Visions in Space, Time, and Light*. Nova York: Quill/W. Morrow, 1993.

SHOKUR, S. et al. "Training with Brain-Machine Interfaces, Visuo-Tactile Feedback and Assisted Locomotion Improves Sensorimotor, Visceral, and Psychological Signs in Chronic Paraplegic Patients." *Public Library of Science One* 13, n. 11, 2018. e0206464.

_____. "Assimilation of Virtual Legs and Perception of Floor Texture by Complete Paraplegic Patients Receiving Artificial Tactile Feedback." *Scientific Reports* 6, set. 2016. 32293.

_____. "Expanding the Primate Body Schema in Sensorimotor Cortex by Virtual Touches of an Avatar." *Proceedings of the National Academy of Sciences USA* 110, n. 37, set. 2013. 15121-26.

SIEGELMANN, H. T. "Computation beyond the Turing Limit." *Science* 268, n. 5210, abr. 1995. 545-48.

SIGMUND, K. *Exact Thinking in Demented Times: The Vienna Circle and the Epic Quest for the Foundations of Science*. Nova York: Basic Books, 2017.

SIVAKUMAR, S. S.; NAMATH, A. G.; GALAN, R. F. "Spherical Harmonics Reveal Standing EEG Waves and Long-Range Neural Synchronization during Non-REM Sleep." *Frontiers in Computational Neuroscience* 10, 2016. 59.

SMAERS, J. B. et al. "Frontal White Matter Volume Is Associated with Brain Enlargement and Higher Structural Connectivity in Anthropoid Primates." *Public Library of Science One* 5, n. 2, fev. 2010. e9123.

SMOLIN, L. *Time Reborn: From the Crisis in Physics to the Future of the Universe*. Nova York: Houghton Mifflin Harcourt, 2013.

_____. *The Trouble with Physics: The Rise of String Theory, the Fall of a Science, and What Comes Next*. Nova York: Houghton Mifflin Harcourt, 2006.

SNOW, C. P.; COLLINI, S. *The Two Cultures*. Canto Classics. Cambridge: Cambridge University Press, 2012.

SPARROW, B.; LIU, J.; WEGNER, D. M. "Google Effects on Memory: Cognitive Consequences of Having Information at Our Fingertips." *Science* 333, n. 6043, ago. 2011. 776-78.

SPERRY, R. W.; MINER, N.; MYERS, R. E. "Visual Pattern Perception Following Subpial Slicing and Tantalum Wire Implantations in the Visual Cortex." *Journal of Comparative and Physiological Psychology* 48, n. 1, fev. 1955. 50-58.

SPROUL, B. C. *Primal Myths: Creation Myths around the World*. Nova York: Harper Collins, 1979.

STARR, S. F. *Lost Enlightenment: Central Asia's Golden Age from the Arab Conquest to Tamerlane*. Princeton: Princeton University Press, 2013.

STEPHENS, G. J.; SILBERT, L. J.; HASSON, U. "Speaker-Listener Neural Coupling Underlies Successful Communication." *Proceedings of the National Academy of Sciences USA* 107, n. 32, ago. 2010. 14425-30.

STIEFEL, K. M.; TORBEN-NIELSEN, B.; COGGAN, J. S. "Proposed Evolutionary Changes in the Role of Myelin." *Frontiers in Neuroscience* 7, 2013. 202.

"The Story of Us." Special issue, *Scientific American* 25, n. 4S, 2016.

STOUT, D. "Tales of a Stone Age Neuroscientist." *Scientific American* 314, n. 4, abr. 2016. 28-35.

STOUT, D. et al. "Cognitive Demands of Lower Paleolithic Toolmaking." *Public Library of Science One* 10, n. 4, 2015. e0121804.

STRATHERN, P. *The Medici: Power, Money, and Ambition in the Italian Renaissance*. Nova York: Pegasus Books, 2016.

SUMPTER, D. J. T. *Collective Animal Behavior*. Princeton: Princeton University Press, 2010.

SYPECK, J. *Becoming Charlemagne: Europe, Baghdad, and the Empires of A.D. 800*. Nova York: Ecco, 2006.
TAGORE, R. *The Collected Works of Rabindranath Tagore (Illustrated Edition)*. Nova Delhi: General Press, 2017.
_____. *The Religion of Man: Rabindranath Tagore*. Kolkata, Índia: Rupa, 2005.
TAYLOR, T. *The Artificial Ape: How Technology Changed the Course of Human Evolution*. Nova York: Palgrave Macmillan, 2010.
TEMIN, P. *The Vanishing Middle Class: Prejudice and Power in a Dual Economy*. Cambridge, MA: MIT Press, 2017.
TEMKIN, O. *The Falling Sickness: A History of Epilepsy from the Greeks to the Beginnings of Modern Neurology*. Baltimore: Johns Hopkins University Press, 1971.
THOMSON, E. E., CARRA, R.; NICOLELIS, M. A. "Perceiving Invisible Light through a Somatosensory Cortical Prosthesis." *Nature Communications* 4, 2013. 1482.
THOMSON, E. E. et al. "Cortical Neuroprosthesis Merges Visible and Invisible Light without Impairing Native Sensory Function." *eNeuro* 4, n. 6, nov./dez. 2017.
TONONI, G. *Phi: A Voyage from the Brain to the Soul*. Singapore: Pantheon Books, 2012.
TOYNBEE, A. *A Study of History*. Abridgement of Volumes I-VI by D. C. Somervell. Nova York: Oxford University Press, 1946.
_____. *A Study of History*. Abridgement of Volumes VII-X by D. C. Somervell. Nova York: Oxford University Press, 1946.
TRAVERS, B. G. et al. "Diffusion Tensor Imaging in Autism Spectrum Disorder: A Review." *Autism Research* 5, n. 5, out. 2012. 289-313.
TSAKIRIS, M.; COSTANTINI, M.; HAGGARD, P. "The Role of the Right Temporo-Parietal Junction in Maintaining a Coherent Sense of One's Body." *Neuropsychologia* 46, n. 12, out. 2008. 3014-18.
TSENG, P. H. et al. "Interbrain Cortical Synchronization Encodes Multiple Aspects of Social Interactions in Monkey Pairs." *Scientific Reports* 8, n. 1, mar. 2018. 4699.
TUCHMAN, R.; RAPIN, I. "Epilepsy in Autism." *Lancet Neurology* 1, n. 6, out. 2002. 352-58.
TULVING, E.; CRAIK, F. I. M. *The Oxford Handbook of Memory*. Oxford: Oxford University Press, 2000.
_____. "Computing Machinery and Intelligence." *Mind*, 1950. 433-60.
_____. "On Computable Numbers, with an Application to the Entscheidungsproblem." *Proceedings of the London Mathematical Society* 2, n. 42, 1936. 230-65.
_____. "Systems of Logic Based on Ordinals." PhD diss., Princeton University, 1939.
TURKLE, S. *Alone Together: Why We Expect More from Technology and Less from Each Other*. Nova York: Basic Books, 2011.
_____. *Reclaiming Conversation: The Power of Talk in a Digital Age*. Nova York: Penguin, 2015.
_____. *The Second Self: Computers and the Human Spirit*. Cambridge, MA: MIT Press, 2005.
UTTAL, W. R. *Neural Theories of Mind: Why the Mind-Brain Problem May Never Be Solved*. Mahwah, NJ: Lawrence Erlbaum Associates, 2005.
VAN DER KNAAP, L. J.; VAN DER HAM, I. J. "How Does the Corpus Callosum Mediate Interhemispheric Transfer? A Review." *Behavioural Brain Research* 223, n. 1, set. 2011. 211-21.
VARELA, F. J.; THOMPSON, E.; ROSCH, E. *The Embodied Mind: Cognitive Science and Human Experience*. Cambridge, MA: MIT Press, 1991.
VAROUFAKIS, Y. *Adults in the Room: My Battle with Europe's Deep Establishment*. Londres: Bodley Head, 2017.

VERHULST, F. *Henri Poincaré: Impatient Genius*. Nova York: Springer, 2012.
VERSCHUUR, G. L. *Hidden Attraction: The History and Mystery of Magnetism*. Nova York: Oxford University Press, 1993.
VIGNESWARAN, G. et al. "M1 Corticospinal Mirror Neurons and Their Role in Movement Suppression during Action Observation." *Current Biology* 23, n. 3, fev. 2013. 236-43.
VON DER MALSBURG, C. "Binding in Models of Perception and Brain Function." *Current Opinion in Neurobiology* 5, n. 4, ago. 1995. 520-26.
VON FOERSTER, H., ed. *Cybernetics: Circular Causal and Feedback Mechanisms in Biological and Social Systems*. Vols. 6-10. Nova York: Josiah Macy Jr. Foundation, 1949-55.
VOSSEL, K. A. et al. "Epileptic Activity in Alzheimer's Disease: Causes and Clinical Relevance." *Lancet Neurology* 16, n. 4, abr. 2017. 268.
WALLACE, A. *The Nature of Reality: A Dialogue between a Buddhist Scholar and a Theoretical Physicist*. Institute for Cross-Disciplinary Engagement, Dartmouth College, 2017. <https://www.youtube.com/watch?t=195s&v=pLbSlC0Pucw&app=desktop>.
WANG, J. et al. "Resting State EEG Abnormalities in Autism Spectrum Disorders." *Journal of Neurodevelopmental Disorders* 5, n. 1, set. 2013. 24.
WAWRO, G. *A Mad Catastrophe: The Outbreak of World War I and the Collapse of the Habsburg Empire*. Nova York: Basic Books, 2014.
WEATHERFORD, J. *The History of Money: From Sandstone to Cyberspace*. Nova York: Crown, 1997.
WEINBERG, S. *To Explain the World: The Discovery of Modern Science*. Nova York: Harper, 2015.
WEIZENBAUM, J. *Computer Power and Human Reason: From Judgment to Calculation*. San Francisco: W. H. Freeman, 1976.
WEIZENBAUM, J.; WENDT, G. *Islands in the Cyberstream: Seeking Havens of Reason in a Programmed Society*. Sacramento: Litwin Books, 2015.
WESSBERG, J. et al. "Real-Time Prediction of Hand Trajectory by Ensembles of Cortical Neurons in Primates." *Nature* 408, n. 6810, nov. 2000. 361-65.
WEST, M. J.; KING, A. P. "Female Visual Displays Affect the Development of Male Song in the Cowbird." *Nature* 334, n. 6179, jul. 1988. 244-46.
WEST, M. J. et al. "The Development of Local Song Preferences in Female Cowbirds (Molothrus Ater): Flock Living Stimulates Learning." *Ethology* 112, n. 11, 2006. 1095-107.
WHEELER, J. A. "Information, Physics, Quantum: The Search for Links." In *Proceedings of the 3rd International Symposium on Foundations of Quantum Mechanics in the Light of New Technology*, edited by S. Kobayashi, H. Ezawa, Y. Murayama, S. Nomura. Tokyo, Japan: Physical Society of Japan, 1990: 354-68.
WIGNER, E. "Remarks on the Mind-Body Question: Symmetries and Reflections." In *Philosophical Reflections and Syntheses. The Collected Works of Eugene Paul Wigner (Part B Historical, Philosophical, and Socio-Political Papers)*, edited by J. Mehra. Berlim: Springer, 1995.
WILSON, F. R. *The Hand: How Its Use Shapes the Brain, Language, and Human Culture*. Nova York: Pantheon Books, 1998.
WITTGENSTEIN, L. *Philosophical Investigations*. Translated by G. E. M. Anscombe, P. M. S. Hacker, and Joachim Schulte. Edited by P.M.S. Hacker and Joachim Schulte. Chichester, Reino Unido: Wiley-Blackwell, 2009.
_____. *Tractatus Logico-Philosophicus*. Routledge Great Minds. Londres: Routledge, 2014.
WITTHAUT, D. et al. "Classical Synchronization Indicates Persistent Entanglement in Isolated Quantum Systems." *Nature Communications* 8, abr. 2017. 14829.

WONG, J. C. "Former Facebook Executive: Social Media Is Ripping Society Apart." *Guardian*, 12 dez., 2017.

WRANGHAM, R. W. *Catching Fire: How Cooking Made Us Human*. Nova York: Basic Books, 2009.

YADAV, A. P. et al. "Chronic Spinal Cord Electrical Stimulation Protects against 6-Hydroxydopamine Lesions." *Scientific Reports* 4, 2014. 3839.

YADAV, A. P.; NICOLELIS, M. A. L. "Electrical Stimulation of the Dorsal Columns of the Spinal Cord for Parkinson's Disease." *Movement Disorders* 32, n. 6, jun. 2017. 820-32.

YIN, A. et al. "Place Cell-like Activity in the Primary Sensorimotor and Premotor Cortex during Monkey Whole-Body Navigation." *Scientific Reports* 8, n. 1, jun. 2018. 9184.

ZAJONC, A. *Catching the Light: The Entwined History of Light and Mind*. Nova York: Oxford University Press, 1995.

ZHANG, K.; SEJNOWSKI, T. J. "A Universal Scaling Law between Gray Matter and White Matter of Cerebral Cortex." *Proceedings of the National Academy of Sciences USA* 97, n. 10, maio 2000. 5621-26.

ZUBOFF, S. *The Age of Surveillance Capitalism: The Fight for a Human Future at the New Frontier of Power*. Nova York: Public Affairs, 2018.

**Acreditamos
nos livros**

Este livro foi composto em Fairfield LT Std
e impresso pela Gráfica Santa Marta para a
Editora Planeta do Brasil em outubro de 2024.